D1499169

GUIDE DES **VINS**
ET D'HARMONISATION
AVEC LES **METS**

LA SÉLECTION
# CHARTIER
## 2011

www.françoischartier.ca

LES ÉDITIONS
**LA PRESSE**

Catalogage avant publication de Bibliothèque et
Archives nationales du Québec et Bibliothèque et Archives Canada

Chartier, François

   La sélection Chartier

   « Guide des vins et d'harmonisation avec les mets ».

   ISSN 1711-2958

   ISBN 978-2-923681-53-5

   1. Vin. 2. Vin - Dégustation. 3. Vin - Service. 4. Accord des vins et des mets. I. Titre.

TP548.2.C42             641.2'2            C2004-300389-3

**Directrice de l'édition**
Martine Pelletier

**Conception graphique**
Bernard Méoule
Cyclone Design
Claude Baillargeon

**Infographie**
Claude Baillargeon

**Révision linguistique
et collaboration**
Nicole Henri

**Correction d'épreuves**
Yves Bellefleur

**Recherche et
support rédactionnel**
Carole Salicco

**Gestion de base de données**
Annie Pelletier

**Photos couvertures 1 et 4**
Xavier Dachez
xdachez.com/commercial

**Photos recettes**
Studio/Photos_Mc$^2$
www.papillesetmolecules.com

**Photos intérieur**
François Chartier

Merci au Vignoble Rivière-du-Chêne
pour nous avoir ouvert leur chai à
barriques pour la prise de photos.

**Publicité**
Alain Desjardins
Hibou Communication
alain@hiboucommunication.com

Dépôt légal – Bibliothèque et
Archives nationales du Québec,
2010
Dépôt légal – Bibliothèque et
Archives Canada, 2010
4$^e$ trimestre 2010
ISBN : 978-2-923681-53-5

Imprimé et relié au Canada
Impression : Interglobe

**LES ÉDITIONS
LA PRESSE**

**Président**
André Provencher

7, rue Saint-Jacques
Montréal (Québec)
H2Y 1K9

514 285-4428

## { VIVEZ L'EXPÉRIENCE }
# SIGNATURE

AVEC SES PRODUITS RARES ET PRESTIGIEUX
ET SON SERVICE PERSONNALISÉ,
VOTRE SAQ SIGNATURE VOUS PROPOSE
UNE EXPÉRIENCE INÉDITE EN TOUTE SIMPLICITÉ.

**LA SUCCURSALE DE QUÉBEC
VOUS PRÉSENTE UN CONCEPT NOVATEUR
DANS UN TOUT NOUVEL ESPACE.**

{ COMPLEXE JULES-DALLAIRE }
2828, boul. Laurier, Québec

{ COMPLEXE LES AILES }
677, rue Sainte-Catherine O., Montréal

SAQ.COM

**ALLER LOIN**

# devinez
Qui a été nommé meilleur transporteur aérien
en Amérique du Nord ?

Partout dans le monde, l'attention est tournée vers
Air Canada. C'est tout un privilège que d'être reconnu dans
un sondage réunissant plus de 17 millions de voyageurs
à l'échelle mondiale. Nous tenons à remercier nos clients
d'avoir voté pour nous.

**Visitez aircanada.com/meilleurtransporteur**

**MEILLEUR
TRANSPORTEUR AÉRIEN
AMÉRIQUE DU NORD**

MEMBRE DU RÉSEAU STAR ALLIANCE

# Grand concours du Guide des Vins
## *La Sélection Chartier 2011*
### 15e anniversaire

**DU 30 OCTOBRE AU 31 DÉCEMBRE 2010,**
*La Sélection Chartier 2011* vous offre la chance de gagner l'un des prix suivants :

**Prix « Escapade Paris » d'une valeur de 8 000 $.** Deux billets aller-retour Montréal-Paris sur les ailes d'Air Canada en classe affaires.

**Prix « Hôtels de grand luxe », d'une valeur de 4 000 $.** Au total six nuits d'hôtel en occupation double (maximum deux nuits par établissement) dans les hôtels Fairmont suivants : Reine Elizabeth, Château Montebello, Château Mont-Tremblant, Manoir Richelieu et Château Frontenac.

**Prix « Soirée gastronomique à l'italienne », d'une valeur de 2 250 $.** Souper gastronomique à l'italienne au restaurant Latini pour 12 personnes incluant le vin, les taxes et le service.

**Prix « Bouteilles sélectionnées », d'une valeur de 2 000 $.** Une sélection de vins effectuée par François Chartier à la SAQ Signature, une gracieuseté de la SAQ.

**Prix « Soirée gastronomique à la française », d'une valeur de 2 000 $.** Souper gastronomique à la française au restaurant Nizza pour 12 personnes incluant le vin, les taxes et le service.

**Prix « Soirée gastronomique à la portugaise » d'une valeur de 2 000 $.** Souper gastronomique à la portugaise, au tout nouveau restaurant de Carlos Ferreira, le F Bar, incluant le vin, les taxes et le service.

**Prix « Cellier Euro Cave à la maison », d'une valeur de 1 800 $.** Un cellier Euro Cave, modèle WC-D116, capacité de 116 bouteilles avec clayettes coulissantes en métal avec une devanture en bois, gracieuseté de la boutique Vin et Passion.

**Prix « Atelier privé et repas », d'une valeur de 1 500 $.** Un atelier privé en cuisine pour 6 personnes en compagnie du grand chef Jérôme Ferrer, au restaurant Europea, suivi d'un dîner gastronomique incluant le vin, les taxes et le service.

**Prix « Cellier d'appartement », d'une valeur de 1 395 $.** Un cellier d'appartement de couleur acajou à porte vitrée d'une capacité de 100 bouteilles, gracieuseté de la boutique Vinum Design.

**Prix « Arôme matinal », d'une valeur de 1 300 $.** Une machine à café JURA, modèle ENA3, de couleur blanche ou noire, gracieuseté des importations EDIKA.

**Prix « Cave à vin ordonnée », d'une valeur de 1 000 $.** Un système de rangement pour cave à vin en acajou d'une capacité de 750 bouteilles, gracieuseté de 12 degrés en cave.

**Prix « À l'heure des grands vins », d'une valeur de 995 $.** Une magnifique montre (pour homme ou pour femme), modèle Tango, gracieuseté de Montres Raymond Weil.

**POUR PARTICIPER :** remplissez le bulletin de participation publié tous les samedis entre le 30 octobre au 11 décembre 2011 dans *La Presse*, *Le Soleil*, *Le Nouvelliste*, *Le Droit*, *La Tribune*, *La Voix de l'Est* et *Le Quotidien*. Vous pouvez également vous inscrire grâce au coupon de participation fourni à la page suivante de *La Sélection Chartier 2011*. Répondez à la question et postez le bulletin de participation avec la mention Grand concours du Guide des Vins La Sélection Chartier 2011, aux *Éditions La Presse* : C.P. 11619, succursale Centre-ville, Montréal (Québec) H3C 5W6.

# Grand concours du Guide des Vins
## *La Sélection Chartier 2011*
## 15ᵉ anniversaire

Vous pouvez également vous inscrire gratuitement au concours sur **cyberpresse.ca**, ainsi que sur **www.francoischartier.ca** entre le 7 novembre et le 31 décembre à 23 h 59, heure et date limite pour participer au concours. Ce concours s'adresse aux personnes âgées de 18 ans et plus qui résident au Québec et en Ontario.

---

**Question :** Sur les 1 000 nouveaux vins de *La Sélection Chartier 2011*, combien il y a de vins entre 8 $ et 25 $ ?

**A)** 150   **B)** 500   **Réponse :** ◯

Remplissez et envoyez à :
**Les Éditions La Presse**
C. P. 11619, succursale Centre-ville, Montréal (Québec) H3C 5W6

LES ÉDITIONS
**LA PRESSE**

Nom : _____ Prénom : _____

Adresse : _____ App. : _____

Ville : _____ Code postal : _____

Tél. bur. : ( ) _____ Rés. : ( ) _____

Adresse électronique : _____

---

Les fac-similés ne sont pas acceptés. Valeur totale des prix : 28 240 $.
Règlements disponibles aux *Éditions La Presse*. Le tirage aura lieu le 3 janvier 2011.
Ce concours est organisé avec la participation de nos commanditaires :

**www.francoischartier.ca**

Système exclusif de régulation thermique "Twin Process" (température constante entre 5°C et 18°C, reproduisant le climat des meilleures caves naturelles).

Parois constituées de l'isolant cellulaire "CQI" de 5 cm d'épaisseur (équivalent à près de 2 mètres de terre).

Aération naturelle par l'effet soupirail avec filtre à charbon actif.

Parois intérieures en "SRA" aluminium gaufré pour garantir une hygrothermie supérieure à 50 %.

Système "VES" pour une barrière anti-vibration performante.

# inoa DES **AVANTAGES EXCLUSIFS**
# POUR **OPTIMISER LA QUALITÉ** DE VOTRE VIN

### Le climatiseur le plus silencieux du marché
Le caisson du climatiseur Inoa est insonorisé et des silentblocs équipent le compresseur ainsi que les ventilateurs pour absorber toutes les vibrations résiduelles.

### Le niveau d'hygrométrie naturelle préservé
En maintenant une température d'évaporation constante, au dessus de 0°C, le climatiseur Inoa dessèche peu l'air de votre cave.

### Économies d'énergie
Grâce à la technologie unique, brevetée EuroCave, qui repose sur une température d'évaporation positive et un ajustement automatique des vitesses des ventilateurs, le climatiseur Inoa favorise les économies d'énergie.

**CAPSULECONSEIL**

Pour aménager une cave à vin sur mesure, les spécialistes de Vin & Passion peuvent vous conseiller et réaliser pour vous toutes les étapes de votre projet.

## *Vin & Passion*

**CENTROPOLIS LAVAL**
110, Promenade du Centropolis
(par l'avenue Pierre-péladeau)
Laval (Qc)  H7T 2Z6 • 450 781.8467

**PROMENADES SAINT-BRUNO**
Porte 2 (premier étage)
Allée de Sears
450 653.2120

www.vinetpassion.com

# TABLE DES MATIÈRES 2011

**10** | **INTRODUCTION**
10 | 15 ans de conseils, d'harmonies vins et mets et d'innovations!
11 | Le seul guide des vins à offrir depuis maintenant 15 ans des harmonies vins et mets basées sur des recherches scientifiques
12 | Les lecteurs de *La Sélection Chartier* plus que jamais en première ligne des résultats de recherches en « harmonies et sommellerie moléculaires »
13 | Jamais deux sans trois : un autre grand millésime pour l'auteur de *La Sélection Chartier*!

**15** | **COMMENT UTILISER *LA SÉLECTION CHARTIER* 2011**
15 | Comment s'effectue le choix des vins commentés?
16 | Qu'est-ce que les Répertoires additionnels?
16 | Le système de notation 2011
16 | Recettes des mets en harmonies
17 | Disponibilité des produits
17 | Sites Internet et médias sociaux de l'auteur

**22** | **RÉTROSPECTIVE – 15 ANS DE *SÉLECTION CHARTIER* : REGARDS SUR L'ÉVOLUTION DE LA PLANÈTE VIN**
Chartier cède la parole à une douzaine de vignerons, de viticulteurs et d'œnologues du vignoble mondial, ainsi qu'à des personnalités québécoises du monde du vin

**39** | **RECETTES_Mc$^2$ « POUR AMATEUR DE VIN ROUGE »**
Quatorze pistes de recettes et photos pour les amateurs de vin rouge signées par le duo Mc$^2$, François Chartier et Stéphane Modat

**60** | **« TOP CHARTIER »**
60 | « TOP 100 CHARTIER » : liste des crus qui ont été les plus réguliers depuis quinze ans, tout en étant d'excellents rapports qualité-prix
68 | « TOP 20 BAS PRIX » : liste des aubaines à moins de 15 $
71 | « TOP 10 SPIRITUEUX » : liste des meilleurs rapports qualité-prix

| | |
|---|---|
| **VINS DE LA VIEILLE EUROPE** | **75** |
| **VINS BLANCS DE LA VIEILLE EUROPE** | **76** |
| Répertoire additionnel des vins blancs de la vieille Europe | 99 |
| **VINS ROUGES DE LA VIEILLE EUROPE** | **108** |
| Répertoire additionnel des vins rouges de la vieille Europe | 180 |
| **APÉRITIFS, PORTOS, ROSÉS ET VINS DE DESSERTS DE LA VIEILLE EUROPE** | **224** |
| Répertoire additionnel des apéritifs, portos, rosés et vins de desserts de la vieille Europe | 236 |
| **VINS MOUSSEUX ET CHAMPAGNES DE LA VIEILLE EUROPE** | **239** |
| Répertoire additionnel des vins mousseux et champagnes de la vieille Europe | 246 |
| **VINS DU NOUVEAU MONDE** | **249** |
| **VINS BLANCS DU NOUVEAU MONDE** | **250** |
| Répertoire additionnel des vins blancs du Nouveau Monde | 266 |
| **VINS ROUGES DU NOUVEAU MONDE** | **270** |
| Répertoire additionnel des vins rouges du Nouveau Monde | 305 |
| **APÉRITIFS, MOUSSEUX, ROSÉS ET VINS DE DESSERTS DU NOUVEAU MONDE** | **318** |
| Répertoire additionnel des apéritifs, mousseux, rosés et vins de desserts du Nouveau Monde | 327 |
| **AIDE-MÉMOIRE HARMONIQUE SIMPLIFIÉ, « REVU ET AUGMENTÉ », DES PRINCIPAUX CÉPAGES ET DE LEURS HARMONIES AVEC LES METS, AVEC LES RECETTES DE *PAPILLES ET MOLÉCULES*, AINSI QU'AVEC LES RECETTES D'*À TABLE AVEC FRANÇOIS CHARTIER*** | **333** |
| **INDEX** | **365** |
| **INDEX DES VINS PAR APPELLATIONS** | **366** |
| **INDEX DES VINS PAR PAYS ET PAR NOMS DE VIN** | **380** |
| **MENU « INDEX » DES HARMONIES VINS ET METS ET DES RECETTES** | **393** |
| **MUSIQUE ÉCOUTÉE PENDANT LA RÉDACTION DE *LA SÉLECTION CHARTIER 2011*** | **414** |

# INTRODUCTION
## *LA SÉLECTION CHARTIER 2011*

### 15 ans de conseils, d'harmonies vins et mets et d'innovations!

Voilà maintenant 15 ans que François Chartier vous guide dans les vignobles du monde entier – et dans les allées de la SAQ –, à la découverte de cépages, de bonnes bouteilles et de nouvelles harmonies. Fidèle témoin de ses pérégrinations, sa ***Sélection***

***Chartier*** est devenue LE grand rendez-vous annuel de la sommellerie au Québec, tant pour les néophytes que pour les amateurs et les professionnels, et toujours le seul guide d'achat à proposer des mets en harmonie avec tous les vins. Autant dire que l'édition 2011 « spéciale 15e anniversaire » du célèbre guide s'annonce comme un grand cru!

### 15 ans de découvertes inspirantes
Depuis la toute première mouture du guide, François Chartier a goûté pas moins de 52 000 vins! Cette expérience unique lui permet aujourd'hui de dresser son nouveau « **TOP 100 CHARTIER** » des crus les plus réguliers, depuis 15 ans de *Sélection*, à acheter et à déguster les yeux pratiquement fermés. Et de faire une grande rétrospective vinicole des 15 années écoulées, témoignages et analyses de grands vignerons et de personnalités du vin québécoises à l'appui.

### 15 ans de recherches passionnées
Plus qu'un simple guide du vin, *La Sélection Chartier* a toujours su voir au-delà du verre, en conjuguant œnologie et gastronomie. Premier à proposer des harmonies vins et mets dans un guide d'achat, il est aujourd'hui le seul à intégrer la science des harmonies et sommellerie moléculaires, discipline dont il est le maître. Cette année, *La Sélection* innove de nouveau en proposant

quatorze pistes de recettes pour « amateur de vin rouge »
signées François Chartier et Stéphane Modat, qui forment le **duo
Mc²**, incitant ainsi le lecteur à pousser plus loin l'expérience ini-
tiée dans *Papilles et Molécules* puis dans *Les recettes de Papilles
et Molécules*.

## 15 ans de conseils très pratiques

Au fil des ans, *La Sélection Chartier* s'est enrichie d'outils et de
rubriques susceptibles de rendre les conseils de François Chartier
les plus accessibles possible. Cette édition 2011 ne fait pas
exception, grâce notamment aux trois palmarès thématiques qui
permettent d'identifier, en un clin d'œil :

- ■ les crus les plus réguliers depuis 15 ans dans le
  **« TOP 100 CHARTIER »**
- ■ les aubaines à moins de 15 $ dans le
  **« TOP 20 BAS PRIX »**
- ■ les meilleurs rapports qualité-prix dans le
  **« TOP 10 SPIRITUEUX »**

## 15 ans de nouveautés!

Il ne faut pas oublier un **aide-mémoire harmonique simplifié**,
revu et augmenté à la lumière des plus récentes découvertes de
l'auteur en harmonies et sommellerie moléculaires, ainsi qu'avec
les recettes du livre *Les Recettes de Papilles et Molécules*.

## Le seul guide des vins à offrir depuis maintenant 15 ans des harmonies vins et mets basées sur des recherches scientifiques, tout en étant accessibles tant pour la cuisine de tous les jours que pour les repas de fêtes

François Chartier approfondit les accords vins et mets depuis
maintenant plus de vingt ans. Au fil de ses expérimentations, il
a découvert, à la fin des années quatre-vingt-dix, que certains
ingrédients – qu'il a nommés « *ingrédients de liaison* » – étaient
les catalyseurs les plus importants de la réussite de l'harmonie
vins et mets.

Au cours des quatre dernières années, il a élevé ses expérimentations au rang de recherches scientifiques, dans le dessein de cartographier les composés volatils – les molécules à la base des arômes et des saveurs – des vins et des aliments, et plus particulièrement de ses « ingrédients de liaison ».

Pour y parvenir, il cumule plus que jamais les collaborations et les rencontres, tant au Québec qu'en Europe, avec des chercheurs en science de l'alimentation et en biologie moléculaire, ainsi qu'avec des œnologues et de grands chefs novateurs.

*« La connaissance inhibe l'action. Pour agir, il faut être enveloppé du voile de l'illusion. »*
(Friedrich Nietzsche)

## Les lecteurs de *La Sélection Chartier* plus que jamais en première ligne des résultats de recherches en « harmonies et sommellerie moléculaires »

Avant même que le livre *Papilles et Molécules*, premier tome de cette nouvelle odyssée de référence portant sur ses recherches détaillées en harmonies et sommellerie moléculaires ne soit publié, en juin 2009, les deux précédentes éditions de *La Sélection Chartier*, celles de 2008 et de 2009, profitaient déjà des résultats des recherches menées par François Chartier. Depuis l'édition 2010, *La Sélection* en est complètement contaminée! Sans tambour ni trompette, les **3 500 combinaisons vins et mets** de cette édition 2011 en sont aussi fortement influencées comme aucun autre livre sur le sujet.

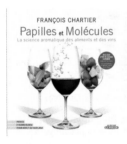

Son travail de recherche harmonique étant en constante évolution, Chartier vous livre, au fil des commentaires, de multiples vins – **commentaires que nous avons colorés en brun pour un repérage et une lecture plus aisés** –, une partie de ses nouvelles pistes aromatiques, acquises depuis la parution du tome I de son livre *Papilles et Molécules*, qui n'ont pas encore été publiées, plaçant ce guide des vins et d'harmonisation avec les mets à l'avant-garde de la création en cuisine, tout comme dans l'union de l'assiette et du verre.

Grâce à sa meilleure compréhension des aliments, il s'assure que tous les ingrédients entrant dans les nombreuses harmonies qu'il propose sont « véritablement » en accord avec les vins de *La Sélection Chartier*. Aucun guide des vins, et ce, tant au Québec qu'à l'étranger, ne peut se targuer aujourd'hui de proposer des harmonies aussi justes, précises et originales, confirmées tant par la science que par l'analyse sensorielle, tout en étant accessibles à tout un chacun.

La science plus que jamais au service des plaisirs de la table, grâce à *La Sélection Chartier 2011*, édition 15e anniversaire, plus communicative et ludique que jamais!

## Jamais deux sans trois : un autre grand millésime pour l'auteur de *La Sélection Chartier*!

Après une année 2008 riche en collaborations, en découvertes et en honneurs, tout comme en 2009 où il devint consultant harmonique auprès de Ferran Adrià, chef du célèbre restaurant espagnol **elBulli** (www.elbulli.com), François Chartier a connu, en 2010, une autre année tout aussi enivrante, sinon plus.

Poursuivant ses échanges avec le mythique restaurant catalan – où plus d'une vingtaine de créations au menu d'elBulli sont inspirées en partie ou en totalité par les travaux sur les aliments que le sommelier mène depuis quelques années –, Chartier a passé les premiers mois de l'année 2010 dans la cuisine du chef **Stéphane Modat**, à Québec, avec qui il forme le nouveau duo Mc$^2$. Ainsi inspiré par les pistes aromatiques lancées dans le tome I de *Papilles et Molécules*, Chartier a mis la main à la pâte avec Modat afin de créer pas moins de 150 idées de recettes, dont 85 ont été publiées dans le livre à succès ***Les Recettes de Papilles et Molécules***, publié en juin 2010, ainsi que quatorze recettes pour amateur de vin rouge dans le présent guide.

Edouard Cointreau père et fils remettant le *Best Innovative Food Book in the World* à François Chartier

En février 2010, le tome I de *Papilles et Molécules* recevait les grands honneurs, à Paris, avec le prestigieux prix du **Meilleur Livre de Cuisine au Monde**, catégorie innovation, au **Gourmand World CookBook Awards 2010**. Depuis, de nombreux éditeurs étrangers ont démontré un grand intérêt à acquérir les droits étrangers de *Papilles et Molécules*, ce qui fut fait au printemps par **W. W. Norton**, célèbre maison d'édition de Manhattan, qui publiera la version américaine en 2011, tout comme c'est le cas d'une version à paraître en Hongrie.

Les droits ayant aussi été vendus à **McClelland & Stewart**, l'une des plus importantes maisons d'édition canadiennes, installée à Toronto, la traduction anglaise de *Papilles et Molécules*, ***Taste Buds and Molecules***, était lancée à travers le Canada à la fin septembre 2010, au même moment que cette édition anniversaire de *La Sélection*.

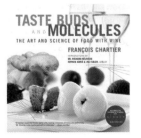

Le réalisateur Patrice Sauvé et François Chartier

En août 2010, on apprenait qu'un **film/documentaire** sur le travail et la passion de François Chartier sera mis en route. Courtisé par quelques maisons de production pour mettre en lumière son travail unique et révolutionnaire, le sommelier et auteur a arrêté son choix sur **Lowik Media**, une maison de production montréalaise œuvrant dans le milieu du documentaire depuis quelques années.

Au plus grand plaisir de Chartier, à cette équipe est venu se greffer le réalisateur **Patrice Sauvé**. Ce dernier mènera à terme, avec l'acuité novatrice qu'on lui connaît, ce projet de film/documentaire, aux visées internationales, relatant la fabuleuse histoire qui a poussé un Québécois à la création d'une nouvelle discipline harmonique, encensée par les plus grands chefs du monde, révélée dans le tome I de *Papilles et Molécules*.

Enfin, comme l'année n'était pas terminée au moment d'écrire ces lignes, sachez que Chartier s'envolera pour l'Allemagne, début octobre, pour participer à la plus importante **foire mondiale du livre, à Francfort**, afin d'y présenter *Papilles et Molécules* devant des éditeurs de différents pays intéressés à acquérir les droits de ce tome I.

Puis, en novembre, invité en Espagne par la foire gastronomique *San Sebastian Gastronomikà*, l'auteur de *Papilles et Molécules* y présentera sa théorie aromatique devant les plus grands chefs étoilés d'Espagne, de France, d'Italie et de New York, ville invitée de cet événement consacré aux plus grands chefs de la cuisine d'avant-garde du XXIe siècle. Et tout cela, en poursuivant ses recherches harmoniques et en trouvant le temps de déguster les meilleurs vins du marché! Quinze ans de *Sélection* et toujours en perpétuel mouvement et constante transformation...

# COMMENT UTILISER
## *LA SÉLECTION CHARTIER 2011*

## Comment s'effectue le choix des vins commentés?

Comme ce fut le cas dans les quatorze précédentes éditions, le choix des vins commentés dans *La Sélection Chartier 2011* s'effectue à partir de trois critères :

■ Premièrement, *La Sélection Chartier* étant, depuis sa toute première édition en 1996, un guide d'achat des vins et « d'harmonisation vins et mets » – ce dernier point singularise cet ouvrage dans l'univers mondial de la publication de « guides d'achat des vins », tous axés uniquement sur les vins –, il serait difficile, et pour le moins étrange, de composer des harmonies avec des vins de qualité médiocre... d'où l'absence de ces vins jugés moins intéressants dans *La Sélection*.

■ Deuxièmement, seuls les vins jugés de qualité satisfaisante sont retenus parmi les 2 000 à 3 000 vins dégustés bon an mal an par l'auteur, en mettant tout particulièrement l'accent sur les crus présentant un très bon, voire un excellent rapport qualité-prix.

■ Troisièmement, parmi les vins jugés de très bonne qualité et présentant un excellent rapport qualité-prix, seuls les produits disponibles à la SAQ au moment de la parution de *La Sélection* sont privilégiés. Aussi, chaque année, l'auteur aime bien conduire les lecteurs vers de nouveaux horizons, d'où l'absence de certains vins de qualité qui mériteraient d'y figurer. De plus, comme l'auteur a l'opportunité de déguster des centaines de vins en primeur, avant leur arrivée au Québec, une place de choix est offerte aux futurs arrivages, donc aux vins qui seront mis en marché entre le mois d'octobre 2010 et le mois d'avril 2011 (les dates de disponibilité sont indiquées pour chacun de ces vins).

■ Enfin, ces vins proviennent en partie d'échantillons, envoyés directement au bureau de l'auteur par les agences d'importation et par les producteurs de vins, ainsi que d'innombrables caisses achetées par l'auteur à la SAQ afin d'avoir un regard plus large sur les meilleurs crus vendus au Québec. La présence de publicité dans ce guide (aucune publicité du monde du vin, soit dit en passant) permet aussi de débloquer un budget pour l'achat de ces vins par l'auteur. Sans oublier les multiples crus dégustés au fil des dégustations organisées par les agences d'importation, tout comme lors de ses voyages personnels, à ses frais, dans les vignobles du monde.

# Qu'est-ce que les répertoires additionnels?

Les vins des *Répertoires additionnels*, que vous retrouverez en fin de chaque grande catégorie de vins commentés, et qui font l'objet d'une description plus concise, mais presque tous offerts avec un choix de mets, sont ou seront généralement disponibles dans les mois suivant la parution de cette quinzième édition. De multiples futurs arrivages y sont aussi commentés cette année.

En revanche, certains de ces vins peuvent ne plus être disponibles au moment où vous lirez ces lignes, ce qui explique le commentaire moins détaillé pour certains crus. Soyez tout de même vigilants, car la majorité de ces vins fera l'objet d'un nouvel arrivage au cours de l'automne 2010 et des premiers mois de 2011, et ce, dans le même millésime proposé dans ce guide. Autre fait important cette année, plusieurs vins des *Répertoires additionnels* sont de futurs arrivages, commentés ici en primeur, avec leur date de mise en marché.

Le retour ou l'arrivée de ces vins, comme de tous les vins commentés dans *La Sélection Chartier 2011*, vous sera annoncé par le biais du service de **Mises à jour Internet de *La Sélection Chartier 2011***, via le site Internet **www.francoischartier.ca**, offert gratuitement et uniquement aux lecteurs de *La Sélection 2011* qui s'y inscriront.

## Le système de notation 2011

Comme pour les précédentes éditions, les vins sont notés dans l'absolu par rapport à tous les vins du monde et non par rapport à leurs pairs dans la même catégorie (formule adoptée dans d'autres guides).

Le **système de notation** attribue à chaque vin un maximum de cinq étoiles et de symboles du dollar représentant respectivement son appréciation et son coût. Ainsi, un vin à 10 $, aussi agréable soit-il, peut difficilement se voir décerner une note de quatre étoiles, tout en étant un excellent rapport qualité-prix. Le lecteur peut alors connaître instantanément la qualité et le prix des vins présentés. Par exemple, le vin rouge de Bergerac **La Truffière « De Conti » 2005**, vendu 13,50 $, est noté ★★☆?☆ $. Ceci indique un achat exceptionnel puisque le nombre d'étoiles attribuées est de beaucoup supérieur au nombre de symboles du dollar, sans compter que la demi-étoile signale qu'il pourrait atteindre trois étoiles au cours de son évolution en bouteille.

## Recettes des mets en harmonies

(**) Ces deux étoiles entre parenthèses, placées après une suggestion de mets, servent à identifier les mets, à la fois dans les vins commentés, dans l'Aide-mémoire harmonique et dans le Menu « index » des harmonies Vins et Mets, faisant l'objet d'une recette dans le nouveau livre *Les Recettes de Papilles et Molécules*, paru en juin 2010.

(*) Une étoile entre parenthèses, placée après une suggestion de mets, sert à identifier les mets, à la fois dans les vins commentés, dans l'Aide-mémoire harmonique et dans le Menu

« index » des harmonies Vins et Mets, faisant l'objet d'une recette du livre de cuisine pour amateurs de vin *À Table avec François Chartier*.

## Disponibilité des produits

Pour les aider dans leurs recherches de produits, et pour les avertir des nouveaux arrivages des vins commentés dans *La Sélection 2011*, les lecteurs ont le privilège de s'abonner « gratuitement », comme ils ont pu le faire depuis l'édition 2008, via le site **www.francoischartier.ca**, à un service de *Mises à jour Internet de La Sélection Chartier*. Ils peuvent ainsi recevoir par courriel des mises à jour hebdomadaires ou mensuelles annonçant l'arrivée des futurs arrivages commentés en primeur dans *La Sélection Chartier 2011*, tout comme le retour à la SAQ des favoris de cette quinzième édition.

Ne vous découragez pas si vous ne trouvez pas le vin que vous cherchez à une succursale de la SAQ, car il est peut-être disponible dans une autre, ou temporairement manquant. Consultez le site Internet de la SAQ ou utilisez son service téléphonique pour obtenir des renseignements sur la disponibilité des produits. En utilisant le **code du vin**, vous faciliterez votre recherche. Les vins affichant le code **S\***, en brun, sont des produits de spécialité en vente continue selon la politique d'achat de la SAQ, et sont présents tout au long de l'année, comme les produits courants, affichés avec un **C**, aussi en brun, avec des ruptures de stock beaucoup plus courtes qu'autrefois.

## Sites Internet et médias sociaux de l'auteur

**www.francoischartier.ca**
**www.papillesetmolecules.com**
**www.tastebudsandmolecules.com**

Twitter :
**@PapillesetM**

Facebook :
**facebook.com/Papillesetmolecules**
**facebook.com/Tastebudsandmolecules**

Site Internet de la SAQ :
**www.saq.com**

Service téléphonique de la SAQ :
**514 254-2020 ou 1 866 873-2020**

Service par courriel de la SAQ :
**info@saq.com**

Site Internet du LCBO (Ontario) :
**www.lcbo.com**

Site Internet des boutiques Vintages (Ontario) :
**www.vintages.com**

# LE SYSTÈME DE NOTATION

**Causse Marines « Peyrouzelles » 2009**   ✓ TOP 100 CHARTIER
GAILLAC, DOMAINE CAUSSE MARINES, FRANCE *(RETOUR OCT./NOV. 2010)*
**16,80 $**          SAQ **S** (709931)   ★★★?☆ $$          Modéré+   BIO

## ■ NOTATION DU VIN

*Les vins sont notés dans l'absolu par rapport à tous les vins du monde.*

| | |
|---|---|
| ★★★★★ | Vin exceptionnel |
| ★★★★ | Vin excellent |
| ★★★ | Très bon vin |
| ★★ | Bon vin |
| ☆ | Cette demi-étoile permet de nuancer les appréciations. |
| ? | Ce vin pourrait mériter une demie ou une étoile supplémentaire dans quelques années. |

**Émulsion d'asperges vertes aux crevettes_Mc² (\*\*)** Ces deux étoiles entre parenthèses, placées après une suggestion de mets, servent à identifier les mets faisant l'objet d'une recette dans le nouveau livre *Les Recettes de Papilles et Molécules*, paru en juin 2010. Placé entre parenthèses, un **(\*)** indique les mets faisant l'objet d'une recette dans le livre de cuisine pour amateurs de vin *À Table avec François Chartier* de retour en librairie depuis le 28 octobre 2009.

## ■ ÉCHELLE DE PRIX

| | |
|---|---|
| $ | Jusqu'à 10 $ |
| $ | Jusqu'à 14 $ |
| $$ | Jusqu'à 20 $ |
| $$ | Jusqu'à 24 $ |
| $$$ | Jusqu'à 28 $ |
| $$$ | Jusqu'à 36 $ |
| $$$$ | Jusqu'à 48 $ |
| $$$$ | Jusqu'à 70 $ |
| $$$$$ | Jusqu'à 110 $ |
| $$$$$ | Plus de 110 $ |

**★★$**
Un nombre d'étoiles supérieur au nombre de symboles du dollar indique un excellent rapport qualité-prix.

**★★$$**
Un nombre d'étoiles égal au nombre de symboles du dollar signifie que le vin vaut son prix.

**★$$**
Un nombre d'étoiles inférieur au nombre de symboles du dollar signifie que le vin est cher, très cher ou même franchement surévalué.

## ■ PUISSANCE DU VIN

| | |
|---|---|
| **Léger** | Vin souple et coulant, pour ne pas dire aérien, laissant une impression de légèreté en bouche. |
| **Léger+** | Vin à la structure presque modérée, tout en étant passablement léger. |
| **Modéré** | Vin ample, sans être corsé, avec une certaine présence et, chez les vins rouges, passablement tannique. |
| **Modéré+** | Vin avec plus de tonus que le précédent. |
| **Corsé** | Vin riche, avec du corps, étoffé, d'une assez bonne présence en alcool et, chez les vins rouges, doté d'une bonne quantité de tanins. |
| **Corsé+** | Vin viril, presque puissant, tout en étant plus étoffé que le précédent. |
| **Puissant** | Vin au corps à la fois dense et très généreux, aux saveurs pénétrantes et, quant aux vins rouges, aux tanins puissants. |

| | |
|---|---|
| ■ NOUVEAUTÉ! | Désigne un nouveau vin pour la première fois disponible à la SAQ. Plus de 300 vins sont ainsi identifiés dans cette édition. |
| ✓ TOP 100 CHARTIER | Désigne les crus qui ont été les plus réguliers et parmi les meilleurs rapports qualité-prix des quinze ans de *La Sélection*. |
| ✓ TOP 20 BAS PRIX | Désigne l'un des vins du « TOP 20 » Chartier des aubaines à bas prix du quinzième anniversaire de *La Sélection Chartier* chez les vins « en achat continu » offerts à moins de 15 $. |
| **BIO** | Indique que le vin est issu de raisins de culture biologique et/ou de culture biodynamique. |
| *Servir dans les trois années suivant le millésime...* | Indique que le vin est à boire dans les trois années suivant l'année (le millésime) indiqué sur l'étiquette. |
| *(DISP. JANV. 2011)* | Ce vin devrait normalement être disponible à partir de la date indiquée, dans ce cas-ci, en janvier 2011. |

## ■ DISTRIBUTION SAQ

| | |
|---|---|
| C | Désigne un produit « courant », offert en tout temps dans la plupart des succursales de la SAQ. |
| S | Désigne un produit de « spécialité », en vente dans certaines succursales Classique et dans les succursales Sélection. |
| S* | Désigne un produit de « spécialité en achats continus », en vente dans certaines succursales Classique et dans les succursales Sélection, et qui, contrairement aux autres spécialités, est présent plus régulièrement, avec des ruptures de stocks généralement moins longues. |
| SS | Indique que le produit est disponible uniquement dans les deux succursales Signature, l'une à Montréal, l'autre à Québec. |
| (12345678) | Le code du produit, de six à huit chiffres entre parenthèses, facilitera vos recherches, tant dans les différentes succursales que sur le site Internet *www.saq.com*. |

# Découvrez les vraies saveurs du Québec aux hôtels Fairmont.

Parcourez les routes du Québec et dégustez les meilleurs produits régionaux en séjournant aux hôtels Fairmont. Découvrez les cartes inventives de nos chefs cuisiniers, fiers ambassadeurs des petits artisans et des producteurs de nos belles régions.

RÉSERVATIONS
1 800 441 1414
www.fairmont.com

HÔTELS *Fairmont*

Fairmont Le Château Montebello
Fairmont Tremblant
Fairmont Le Reine Elizabeth
Fairmont Le Château Frontenac
Fairmont Le Manoir Richelieu

Chef exécutif Alain Pinard
Fairmont Le Reine Elizabeth

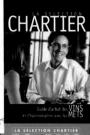

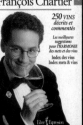

# RÉTROSPECTIVE – 15 ANS DE *SÉLECTION CHARTIER* : REGARDS SUR L'ÉVOLUTION DE LA PLANÈTE VIN

Afin de souligner les quinze années d'édition annuelle de *La Sélection Chartier*, j'ai décidé de céder la parole à une douzaine de vignerons, de viticulteurs et d'œnologues du vignoble mondial, ainsi qu'à des personnalités québécoises du monde du vin.

Vous y découvrirez de passionnants condensés sur l'évolution du marché du vin au Québec et sur le marché mondial, tout comme sur les changements de goût et d'habitudes de consommation qui sont survenus à une vitesse foudroyante depuis le milieu des années quatre-vingt-dix.

## Pascal CHATONNET, Laboratoire Excell, Bordeaux

L'œnologue bordelais Pascal Chatonnet, propriétaire du Laboratoire Excell ainsi que des châteaux Haut-Chaigneau, La Sergue, Tour Saint-André et Archange, jette un regard détaillé sur **l'évolution du goût des consommateurs et des vins depuis quinze ans.**

### Du goût et des vins = une évolution permanente

Le goût des consommateurs change-t-il? Le vin a-t-il changé? C'est une évidence et une constante : les goûts du consommateur n'ont de cesse d'évoluer. Quoi de plus normal? Penser que le vin d'autrefois était forcément meilleur n'est qu'un mythe, et surtout une idiotie. Penser également que les producteurs ne se soucient pas du goût des consommateurs est également ridicule. Si tel était le cas, les vins n'auraient pas évolué au cours du temps et ils n'auraient pas survécu : un produit qui n'évolue pas est un produit qui ne plaît plus et qui disparaît. Le vin n'échappe pas à cet état de fait. Mais il est vrai qu'aujourd'hui tout va plus vite et plus fort!

À l'heure de la communication à la vitesse de la lumière, l'information est si rapide que le goût du consommateur change beaucoup plus rapidement. Mais le vin n'est pas un produit industriel qui peut s'adapter aussi vite. Avantage et inconvénient de la lenteur : le vin n'est pas et ne doit pas être un produit de mode. Quelle que soit leur origine, les vins ont évolué profondément dans leur composition et leur style sous diverses influences. Ainsi, les vins « bodybuildés » et ultra-boisés qui ont été jusqu'à peu de temps en arrière de la tendance sont de nos jours en déclin.

Le consommateur recherche désormais plus de fruit, plus de diversité et moins de banalité communiquée par un excès de boisé. Pourtant, le bois (de chêne) demeure un élément important, voire indispensable, à la complexité et à la capacité de vieillissement des grands vins : question de bon usage et d'usage.

Les vins rosés, jusque-là considérés comme des bâtards, sont de plus en plus recherchés par les anciens et les nouveaux consommateurs, car leur qualité s'est accrue. L'extraction excessive des tanins des vins rouges, le raisin extrêmement mûr, donnent des vins de compétition qui remportent les faveurs de beaucoup de prescripteurs et gagnent les compétitions, mais ils sont rarement buvables...

On recherche aujourd'hui moins de vins de dégustation et plus de vins de consommation. Mais le consommateur aussi est paradoxal. Il rejette l'acidité et l'astringence et réclame des tanins gras qui nécessitent des productions réduites, des raisins très mûrs, et donc des teneurs en alcool naturellement plus élevées : un antagonisme difficile à gérer qui sera le challenge technique de demain!

Une autre caractéristique importante de l'évolution du goût est le besoin croissant d'immédiateté. Le bon vin d'aujourd'hui doit être bon tout de suite. Adieu le vin qui doit se faire au vieillissement. Plus de cave, plus d'achat en prévision. On achète pour aujourd'hui et pas pour demain... On ne fait pas qu'y gagner. Le rôle des conseils et des guides est devenu crucial pour orienter le consommateur au sein de la multitude d'offres, tout en respectant la liberté et la diversité des goûts : un travail difficile.

**Pascal CHATONNET**
www.labexcell.com
www.vignobleschatonnet.com

# Álvaro PALACIOS, Bierzo, Priorat & Rioja, Espagne

Le viticulteur espagnol Álvaro Palacios, propriétaire du domaine éponyme dans le Priorat, ainsi que, dans le Bierzo, du domaine Descendientes de J. Palacios, tout comme du domaine familial Palacios Remondo, dans la Rioja, réfléchit avec passion et vérité sur **l'évolution de l'histoire du vin depuis quinze ans.**

## *Un endroit privilégié = un grand vin*

*Au cours des quinze dernières années s'est établie la plus grande offre des plus nombreuses variétés de vins de l'histoire. Il y a de cela un peu plus de quinze ans, le consommateur classique commençait à considérer d'autres vins du Vieux Continent qui ne provenaient désormais plus seulement de France ou de quelques régions d'Italie. L'Espagne, en l'occurrence, a connu une réévaluation de plus en plus respectée et admirée en raison de ses particularités vinicoles.*

*Je suis porté à croire que la production de vin enthousiaste à Napa Valley ainsi que la puissante industrie viticole d'Australie ont poussé les esprits les plus traditionnels à s'ouvrir et à considérer de nouveaux vins, ce qui a également influé sur la renaissance d'un grand nombre de vignobles dans divers pays producteurs de vins du Nouveau Monde.*

*Il est également fondamental de considérer comme étant très importante l'influence de l'enthousiasme des consommateurs ainsi que des leaders d'opinion et de commerce d'Amérique du Nord. Une telle passion peut avoir été la force motrice qui a engendré l'impressionnant culte du vin que nous avons pu apprécier au cours des dernières années.*

*Ceci a eu pour conséquence une consommation accrue de vins de qualité dans un contexte culturel exquis. Un nombre grandissant de gens s'intéressent au mystère du vin et, par-dessus tout, à partager ce dernier lors des célébrations ou des moments de plaisir et de relaxation personnelle.*

*Toutefois, l'aspect le plus important consiste à observer la voie empruntée par les nouveaux consommateurs, qui commencent leur expérience palpitante par les vins les plus modernes, c'est-à-dire ceux qui nous sont parvenus avec une euphorie contrôlée de nouveaux produits, tel qu'un modèle global de variétés françaises établies dans différentes régions où le viticulteur est seul garant de la qualité.*

*L'observation la plus intéressante survient lorsque les consommateurs se rapprochent de leur capacité de compréhension. À ce moment précis, ils peuvent faire l'expérience de la puissance spirituelle et émotionnelle du vin, lorsqu'ils apprennent que le hasard de l'emplacement est ce qui importe vraiment, c'est-à-dire un point d'origine qui prend une ampleur extensive, l'intuition de l'univers entier en un point précis, la combinaison de l'histoire et de la nature en un endroit privilégié.*

*De cette combinaison résultent des vins singuliers, facilement identifiables en raison de leur environnement, dotés d'une belle dimension spirituelle spéciale et unique. Voilà la définition d'un grand vin : l'espace en harmonie avec une époque historique ancienne.*

*Un grand vin n'est ni un modèle de produit, ni un résultat innova-
teur, ni la signature d'un viticulteur. C'est le fruit strict et pur d'un
emplacement privilégié. La richesse héréditaire et les vestiges de
sagesse ancienne produisent autant de joyaux inimitables présentant une telle profondeur et des critères si élevés que les nouveaux
vins n'arrivent habituellement pas à atteindre.*

*Les quinze dernières années nous ont rendu accessibles d'in-
nombrables nouvelles créations, des vins développés à partir de
techniques précises et des vins présentant des arômes clairement
définis qui sont physiquement spectaculaires. Pourtant, le concept
de « grand vin » n'a pas du tout changé à la suite cette période.
L'âme et la magie ne demeurent vivantes qu'à certains endroits
spécifiques.*

**Álvaro PALACIOS**
*(Traduit de l'anglais par Roxanne Monette.)*

# Champlain CHAREST, Bistro à Champlain, Sainte-Marguerite-du-Lac-Masson

Champlain Charest, propriétaire du
Bistro à Champlain, et de sa désor-
mais mythique cave à vins, dans les
Laurentides, expose sa vision de
**l'évolution du marché du vin au Québec et sur le goût des
Québécois depuis quinze ans.**

## *Une révolution dans l'art du bon goût*

*Lorsque François m'a demandé ce que je pensais de l'évolution du
vin durant ces quinze dernières années, je me suis alors questionné
sur ce qu'il y avait de nouveau depuis les changements gastrono-
miques des trente dernières années. À première vue, ce que je
croyais être une évolution normale a été, au Québec, une révolu-
tion dans l'art du bon goût, car des changements majeurs sont survenus dans la façon de déguster et, par le fait même, de bien
manger et de bien boire.*

*Je crois que les amateurs ont raffiné leur goût dans l'art de marier
le vin et la nourriture. C'est surtout la découverte de nouveaux
ingrédients dans les aliments qui a permis de les associer de façon
plus correcte. François a été un grand précurseur des découvertes
fondamentales qui nous permettent aujourd'hui d'harmoniser des
vins et des mets basés sur les molécules des différents produits.
Grâce à ces trouvailles, on peut maintenant faire des associations
extraordinaires que l'on aurait cru impossibles auparavant.*

*Il y a donc eu amélioration dans la connaissance et la compréhen-
sion des goûts entre le vin et les mets. Ceci est certainement un
changement majeur pour les amateurs du Québec.*

*D'autres facteurs sont aussi intervenus durant cette période, l'un
d'eux étant la culture biologique du vin. Les producteurs de vin
sérieux font un véritable effort dans ce sens et beaucoup de nouveaux vins sont faits de façon biologique. Sans parler ouverte-
ment, de nombreuses maisons de vin, bien connues de tous, se
consacrent à faire une culture la plus verte possible, surtout en abo-
lissant les pesticides et les engrais chimiques.*

*Par contre, au milieu de cette optimisation de la viticulture est
apparue, il y a déjà presque quinze ans, une oxydation précoce des
vins blancs, principalement européens. On en cherche la cause sans*

que personne la connaisse véritablement. Ceci est très dommageable pour tous les amateurs qui veulent mettre en cave les grands vins blancs.

Enfin, pour terminer sur une note un peu plus optimiste, disons que, si la hausse constante du prix des vins nuit aux grands vins, elle aide les petits vins à devenir grands! Car ceux-ci demeurent à des prix abordables, surtout lorsqu'on fait intervenir les devises. Certains de ces petits vins seront de grands vins dans quelques années, pourvu qu'on les choisisse dans les bons millésimes.

**Champlain CHAREST**
www.bistroachamplain.com

# Hubert DE BOÜARD DE LAFOREST, château Angélus, Saint-Émilion

Hubert de Boüard de Laforest, propriétaire du château Angélus, à Saint-Émilion, jette un regard sur **l'évolution du goût des consommateurs et des vins dans le monde depuis quinze ans.**

## Préserver la richesse d'un terroir

Incontestablement, le vin est devenu un phénomène culturel mondial. On consomme aujourd'hui sans doute moins, mais beaucoup mieux. Le mélange des cultures, des générations, les modes de communication ont entraîné des comportements de consommation, des habitudes alimentaires où le vin se trouve intimement lié. Les consommateurs jeunes, mais pas seulement, aiment résolument la rondeur, la souplesse, le fruit : ils sont plus occasionnels mais à la recherche du plaisir, en quelque sorte des hédonistes.

Les moments de partage, les occasions de déguster un vin sont multiples et de plus en plus informels; on ouvre une bouteille au cours d'un bon dîner, mais aussi avant de passer à table ou tout simplement pour passer un bon moment. Les cuisines du monde ont aussi contribué à cette évolution des goûts et à l'envie de découvrir, de connaître un monde jusque-là réservé aux initiés. Internet a ouvert l'accès à l'information, à cette soif de connaître et de découvrir.

L'offre de vins s'est mondialisée, chaque pays producteur rivalisant avec des produits dont la diversité s'adapte à une demande de plus en plus exigeante et volatile. Les comportements varient en fonction des pays, des cultures, des modes de vie et du pouvoir d'achat. Les vignerons des pays traditionnellement producteurs ont dû s'adapter à cette nouvelle donne : partagés entre leurs traditions ancestrales, leur histoire et leur culture, ils ont dû faire face et apporter à leur savoir-faire une modernité sans perdre leur âme.

Le respect du terroir, la réflexion sur les écosystèmes, la biodynamie, permettent de sauvegarder aujourd'hui le patrimoine naturel légué par nos ancêtres. Les techniques préservant l'intégrité du fruit (tri optique, alimentation par gravité), les nouvelles méthodes de vinification (formes des cuves, pigeage, vinification, vendange entière, diminution des doses de $SO_2$...), la réflexion sur la maturité, les élevages sur lie, le temps d'élevage en barrique, donnent aujourd'hui, à nos grands vins, une qualité irréprochable et un style conforme aux attentes des consommateurs.

Depuis vingt-cinq ans, j'ai pu mettre en œuvre au château Angélus, au cœur du vignoble de Saint-Emilion, comme dans mes autres propriétés, une démarche de qualité visant à préserver l'identité des crus, mais aussi à tenir compte de la formidable évolution des consommateurs et des amateurs vers un plaisir plus immédiat sans perdre un instant l'élégance, le raffinement, la diversité, en quelques mots, la richesse d'un terroir qui fait de Bordeaux la capitale mondiale du vin.

**Hubert DE BOÜARD DE LAFOREST**
www.angelus.com

## Nicolas JOLY, Coulée de Serrant, Savennière

Nicolas Joly, propriétaire de La Coulée de Serrant, à Savennière, y va, avec le verbe qu'on lui connaît, d'un **bref regard sur l'évolution du goût des consommateurs et des vins dans le monde depuis quinze ans**.

### La vérité du goût

*Les appellations, jusqu'à il y a quarante ans, garantissaient un « goût d'origine », un goût marqué par l'originalité du climat (hydrométrie, luminosité, chaleur) et par la particularité géologique du sol. Les feuilles, un peu comme des antennes, saisissaient les subtilités du climat, et les racines, sorte de nerfs sensibles, celles du sol. Que reste-t-il de ce magnifique concept?*

*Hélas, peu de chose. Les désherbants ont tué les microorganismes qui permettaient aux racines de se lier au sol (mychorize), et les engrais chimiques se sont substitués à la croissance que donnaient généreusement les sols. En sus, pour protéger des maladies secrètement générées par ces incompréhensions, les traitements sont devenus « systémiques » et permettent à ces si dangereuses molécules de synthèse de pénétrer dans la sève, cette substance mystérieuse qui convertit l'énergie solaire en matière, donc en goût, en odeur, en couleur. Le lien à la climatologie est bien sûr perturbé, affaibli…*

*Vous venez de comprendre pourquoi l'œnologie et ses multiples technologies sont devenues si importantes. Trop souvent, on fabrique désormais le goût des vins en cave, non seulement avec le goût de bois neuf qui est relativement anodin, mais avec plus de 350 goûts issus de levures la plupart du temps génétiques, que l'on propose à nous, viticulteurs, dans des dizaines de catalogues. Le consommateur n'en sait rien! Cela va de la framboise au cassis en passant par la banane ou le poivre vert, etc.! C'est souvent bon mais mort; le terroir ne s'exprime plus, car la vigne ne peut plus œuvrer pour bien le saisir.*

*Vous venez de comprendre pourquoi le bio et la biodynamie plus évoluée, mais avec encore des imperfections bien sûr, devient un marché exponentiel : au même titre que le fast-food a créé un marché pour le slow-food, la technologie des goûts a ouvert un espace pour un retour à la vérité des goûts. Le consommateur a du mal à trouver sa route, car chaque viticulteur tente de communiquer dans ce sens.*

*Pour faire revivre un terroir, il faut du temps, une volonté solide et une philosophie véritable. Cet enseignement n'existe presque pas et s'apprend sur le tas. Mais la demande est là, car elle comprend déjà un peu que l'agriculture doit redevenir un art et que la viticulture doit ouvrir ce chemin.*

**Nicolas JOLY**
www.coulee-de-serrant.com

PHOTO : ELIANE KOFFLER.COM

# Jean-Philippe LEFEBVRE, Agence réZin Concept, Montréal

Jean-Philippe LEFEBVRE, copropriétaire de l'Agence réZin Concept, dresse un tableau clair et lucide de **l'évolution du marché du vin au Québec et sur le goût des Québécois depuis quinze ans.**

## *Évolution du marché (goût) québécois – regard sur quinze années de commerce*

*La tête dans le guidon depuis quinze ans à prêcher le bon vin, on a parfois l'impression de voir le même paysage. Pourtant, en regardant dans le rétroviseur, on se rend compte que si le discours n'a pas beaucoup changé, la clientèle d'amateurs de vin, elle, a drôlement évolué, elle s'est passablement élargie d'abord, puis elle s'est raffinée, éduquée.*

*Comme la cuisine, le vin fait désormais partie d'un mode de vie, étant devenu un nouveau symbole du statut social au même titre que la bagnole. On remarquera la multiplication des guides et des chroniqueurs vin dans les journaux, mais aussi à la radio, à la télé, sur le web. À quand un wine channel à la télé?*

*L'influence des médias sur notre consommation est non négligeable et peut aussi jouer un rôle d'influence perverse dans la spéculation qui se crée autour de certaines étiquettes. Le consommateur se plaît à suivre les recommandations de la semaine de telle ou telle chronique, découvrant, souhaitons-le par le fait même, son propre goût.*

*Il reste un travail d'éducation à poursuivre auprès de l'amateur de vin novice, celui-ci manquant encore de confiance par rapport à ses impressions et à son appréciation des bouteilles qu'on lui dicte de boire. Le milieu du vin demeure intimidant pour nombre de personnes; le vocabulaire, l'apparat parfois qui l'entoure ainsi que sa mise en scène peuvent en refroidir plus d'un.*

*La SAQ aussi est devenue très influente sur le choix du client. Il n'y a qu'à constater le virage commercial entrepris il y a près de dix ans. Les promotions hebdomadaires offertes et soutenues par de forts budgets sont autant d'invitations à la découverte de produits (gammes) ciblés. Cela étant dit, la sélection dans les magasins n'a jamais eu d'égal.*

*Malgré leur implication dans la mise en marché des vins, l'influence des agences promotionnelles demeure méconnue du public. Signe que le vin est très tendance, le nombre d'agences a explosé dans les dernières années. Le glamour entourant le monde du vin a encouragé bien des amateurs ambitieux à se lancer dans l'aventure de la commercialisation. Conséquence : un élargissement de l'offre, notamment en importation privée, ce qui devrait « normalement » favoriser la diversité.*

*Malgré la mode du jour des vins bio ou nature, il existe toujours une tendance lourde pour des vins puissants au style résolument moderne et encore trop souvent parfumés à la vanille, vestige durable de l'influence de la presse anglo-saxonne sur l'orientation de nos goûts. Il reste à souhaiter que dans notre contexte particulier, les tendances commerciales dictées par l'industrie n'auront pas raison de la diversité des genres en matière de vin et que les consommateurs auront droit à une offre grandissante et plus libre.*

**Jean-Philippe LEFEBVRE**
*www.rezin.com*

PHOTO : DENIS BOMER

Alphonse Junior et Emmanuelle avec
leur père Alphonse Mellot

# Alphonse MELLOT, Sancerre, France

Alphonse Mellot, du Domaine La Moussière, à Sancerre, jette un œil aiguisé et plein d'amitié sur **l'évolution du marché du vin au Québec depuis quinze ans.**

## *Tradition et modernité*

*La question concernant l'évolution du marché du vin au Québec est bien sûr récurrente, mais aussi l'objet d'une grande satisfaction personnelle. En effet, présent dans la Belle Province depuis sans doute plus de soixante-dix années avec un historique d'amitiés profondes et sincères, je ne peux que constater la fidélité de nos cousins du Québec comme acquise. Bien sûr, je veux croire que la qualité des vins y est pour quelque chose! Mais aussi cette profonde fidélité aux vins français et par-delà la France.*

*Cette constante progression qualitative va de pair avec nos propres interrogations sur la qualité des vins que nous ne cessons de faire progresser, notamment sur le plan de la culture de nos vignes et la qualité physiologique de nos cépages. Maturité, expression de nos terroirs, minéralité, pureté, finesse, élégance et... buvabilité.*

*Après le biologique et le biodynamique arrive le temps du micro-organisme et des protéodies (musique et fréquences musicales mises en évidence par Joël Sternheimer), fruit de recherche constante où se mêlent tradition et modernité, compréhension de la mécanique des sols et de la plante. Nous n'avons pas fini de vous surprendre!*

*Passionnant! Oui, vous progressez au même titre que nous progressons. Il ne faut pas oublier l'extraordinaire réseau de vente organisé par la SAQ, omniprésent sur tout le territoire avec maintenant de vrais professionnels.*

*Enfin, je n'oublie pas la presse québécoise. Sans cesse au « poste à grive », dégustant et commentant les arrivages, si j'en crois les nombreux articles que je reçois régulièrement et qui contribuent largement à nous encourager à faire mieux encore.*

*Merci de défendre le vin français où le terroir a toujours sa raison d'être et où le climat en permet son expression. C'est sans doute ce qui caractérise nos vins, leur donnant ainsi plus que jamais, un caractère unique et non reproductible.*

*À bientôt en terre québécoise. Amitié fidèle.*

**Alphonse MELLOT**
www.mellot.com

## Thomas PERRIN, Château de Beaucastel, France

Thomas Perrin, du Château de Beaucastel, à Châteauneuf-du-Pape, souligne **l'évolution du marché du vin au Québec depuis quinze ans.**

### *Je me souviens!*

*L'évolution du marché du vin au Québec, pendant les quinze dernières années, est tout simplement extraordinaire. En quinze ans, les Québécois sont devenus amoureux du vin, principalement du vin rouge issu des grandes régions traditionnellement productrices de vins.*

*Grâce au travail des conseillers de la SAQ, des sommeliers, des restaurateurs, des agents, des producteurs et aussi des chroniqueurs, le Québec peut aujourd'hui s'enorgueillir de détenir la première place canadienne en ce qui concerne la consommation de vins.*

*Mais bien plus encore, les Québécois sont certainement parmi les consommateurs les plus avertis au monde. Il n'y a qu'à regarder les succès du Salon des vins de Montréal ou de Québec pour s'en convaincre.*

*Depuis les quinze années que je voyage au Québec, l'humilité des Québécois par rapport au vin ne cesse de m'étonner. Ceux-ci veulent toujours en apprendre un peu plus, découvrir de nouveaux cépages, de nouvelles régions productrices, mieux appréhender les techniques de vinification ou les spécificités de chaque terroir.*

*J'ai animé quelques dégustations au Québec autour des vins de la vallée du Rhône et de Châteauneuf-du-Pape; j'y ai toujours rencontré des consommateurs curieux et audacieux... Des consommateurs dont le palais s'est, au fil des ans, affiné, leur goût évoluant vers des vins soyeux et fins, complexes et aromatiques. D'ailleurs, le budget moyen alloué aux vins n'a cessé d'augmenter ces quinze dernières années.*

*C'est aussi sous l'impulsion de chroniqueurs et de sommeliers avertis que la connaissance des vins au Québec s'est développée. Tout comme François, nous avons toujours pensé que le vin et les mets étaient indissociables. Nous faisons des vins de repas, des vins qui sortent grandis d'un accord réussi. Des mets qui s'affinent quand l'accord est réussi. C'est aussi cela que le consommateur québécois appréhende de plus en plus.*

*Dans les quinze prochaines années, j'espère que cette culture du vin, unique au Québec, continuera à trouver ses défenseurs, que les jeunes générations continueront à développer leur goût et leur palais. Dans tous les cas, nous serons là pour partager notre amour du vin avec vous.*

**Thomas PERRIN**
*www.beaucastel.com*

PHOTO : JB NADEAU

# Véronique SANDERS, Château Haut-Bailly, Pessac-Léognan

Véronique Sanders, directrice générale du Château Haut-Bailly, à Pessac-Léognan, Bordeaux, s'exprime avec expérience sur **l'évolution du goût des consommateurs et des vins dans le monde depuis quinze ans.**

## Artisanat et grand art

*Plus que jamais porteurs d'une philosophie et de symboles d'un amour de la vie, les vins d'aujourd'hui sont d'une qualité exemplaire qui fait le bonheur de consommateurs qui n'ont jamais été aussi avisés...*

*Le nombre de grands amateurs de vins s'est considérablement accru depuis quinze ans. Ce constat se vérifie dans le monde entier, tant sur les marchés dits traditionnels que sur ceux dits émergents. Ces consommateurs avertis ont une approche exigeante du vin qui relève plus de la découverte, du partage, de la culture que de l'acquisition d'un produit de consommation courante. Preuve en est le nombre de clubs de dégustations – de tous âges et de tous univers –, de blogues et d'associations qui se sont développés aux quatre coins de la planète.*

*Plus éduqués, ces connaisseurs éclairés recherchent avant tout la spécificité et l'identité qui fait de chaque vin un produit unique, un produit qui leur confère le double pouvoir de remonter le temps et de se déplacer dans l'espace.*

*Quant à l'évolution des vins, outre les variations climatiques, les méthodes de production ont évolué grâce, d'une part, à l'emploi de technologies toujours plus perfectionnées et, d'autre part, à l'arrivée de nouvelles générations plus expertes. On s'oriente depuis quelques années vers une viticulture de très grande précision doublée de méthodes de vinification toujours plus rigoureuses.*

*Mais produire un grand vin, c'est respecter un terroir, un style, une personnalité. C'est à la fois beaucoup d'artisanat et un grand art. Les viticulteurs du 21e siècle sont des artisans qui innovent en permanence. La recherche d'excellence est de nos jours constante et universelle. Le goût aiguisé des consommateurs les incite à cette quête de perfection.*

*Le vin est une rencontre subtile entre une vision de l'avenir qui étonne et une compréhension du passé qui rassure. Il est émouvant pour un viticulteur de constater que son vin devient objet d'étude, d'échange et de plaisir entre les hommes. Si le goût est une question de don, c'est aussi une notion perfectible liée à un parcours initiatique et à l'acquisition d'un savoir. L'une des expressions les plus nobles en est l'harmonie des mets et des vins. Merci à François Chartier qui, par sa passion, transmet un art de vivre, vecteur de civilisation!*

**Véronique SANDERS**
*www.chateau-haut-bailly.com*

## Pio BOFA,
## Pio Cesare, Italie

Pio Bofa, directeur de la célèbre maison piémontaise Pio Cesare, est inspiré par **l'évolution du marché du vin au Québec depuis quinze ans.**

### *La place des vins italiens*

*En tant que membres de la famille Pio Cesare, nous avons eu le plaisir d'être parmi les tout premiers producteurs de Barolo à exporter leurs vins dans la province de Québec dès le début des années 1970.*

*M. Luigi Magnani, un pionnier des vins italiens de qualité au Québec, était la personne responsable de la toute première importation de Pio Cesare dans cette province pour son restaurant italien situé à Montréal.*

*Ma première expérience du marché du vin au Québec est venue tout de suite après la production de ce Barolo, quand mon père m'a demandé de m'envoler pour Montréal afin d'apprendre à connaître ce marché.*

*En comparant la situation d'aujourd'hui à celle de l'époque, nous constatons une énorme différence, notamment en matière d'image des vins italiens, l'étendue du marché dont ils disposent, les niveaux et les types de restaurants où ils sont offerts, sans oublier les connaissances des consommateurs.*

*Au cours des quinze dernières années, nous avons remarqué, de façon plus particulière, une augmentation appréciable du volume des vins italiens de qualité au Québec. Ces derniers se retrouvent aisément sur les cartes de vin de plusieurs types de restaurants outre les restaurants italiens.*

*Il y a beaucoup plus de respect, de connaissances, d'attention et de dévouement de la part des sommeliers ainsi que des acheteurs de vins des plus grands restaurants. Les vins italiens sont offerts avec tout autant de respect dans les établissements qui ne donnent pas dans la cuisine italienne.*

*La SAQ a démontré un fort intérêt pour les vins italiens de qualité au cours des quinze dernières années. Les acheteurs de la Société ont sélectionné et fait entrer sur le marché un grand nombre d'excellents vins italiens. Leur intérêt s'est concentré non seulement sur les variétés plus connues et respectées, mais également sur des variétés et des marques inconnues de petits producteurs qu'ils ont introduits au Québec. Ils ont réussi à offrir au public l'opportunité d'acquérir des connaissances et d'apprécier un grand nombre de vins aux gammes variables de prix, de qualité, d'image et de réputation.*

*Les habitudes et les attitudes culinaires de la majorité des Québécois, qui sont très semblables à celles de certains pays d'Europe comme la France, l'Italie et Espagne, ont également contribué à la croissance du marché du vin italien. Nous avons remarqué que plusieurs Québécois apprécient le vin autour d'un repas, où les vins italiens sont effectivement à leur meilleur.*

*Nous croyons qu'il demeure un fort potentiel de croissance pour les vins italiens au Québec, tout particulièrement pour ceux qui ont une identité personnelle qui leur vient soit d'une variété de raisin particulière ou encore d'un terroir spécifique et unique. Barolo, ainsi que Barbaresco et Barbera d'Alba sont deux exemples typiques de variétés uniques, nebbiolo et barberta, qui poussent si bien et avec tant de caractère dans de petites régions spécifiques et exclusives : le Piémont et le district de Langhe.*

**Pio BOFA**
*www.piocesare.it*
*(Traduit de l'anglais par Roxanne Monette.)*

# Étienne HUGEL, Hugel et Fils, Alsace, France

Étienne HUGEL, de l'historique maison alsacienne Hugel et Fils, en France, expose ses souvenirs et sa vision de **l'évolution du marché du vin au Québec depuis quinze ans.**

## Je me souviens... aussi!

*Avant que tu ne prennes la plume avec le succès que l'on sait, cher François, je t'ai d'abord connu, en tant que sommelier passionné et, je me souviens comme si c'était hier de ta première visite chez nous, en Alsace, en 1990, où, avec mon frère Marc, nous t'avions accueilli.*

*Puis, au fil de nos rencontres, cette soirée mémorable pour ton club de dégustation, à l'Hôtel Vogue, avec Nicolas Jaboulet et Alain Royer, où tu avais demandé à chacun, de manière impromptue, de parler des produits des copains. Je crois ne pas m'en être trop mal tiré en commentant les vins du Rhône. Beaucoup de choses ont changé dans notre monde en quinze ans, mais Nicolas est toujours un ami.*

*Venant d'un pays où le coq est trop souvent aussi le symbole d'une fierté suffisante, voire d'une arrogance déplacée, quel bonheur de trouver au Québec et chez toi ce tutoiement naturel, cette franchise, cette passion et cette honnêteté sans compromis. Un bonheur de savoir nos vins soumis à une critique compétente et donc fondée, sans a priori, qu'on retrouve dans tes commentaires, mais aussi dans ceux de tes collègues Michel, Jacques, Claude, Marc et les autres.*

*Alors que chez vos voisins anglophones, les prescripteurs ont souvent le statut de gourous qui donnent leurs préférences à des vins « bodybuildés », qu'ils jugent souvent hors contextes, ta compétence de sommelier les recadre dans leur environnement du vrai plaisir convivial, c'est-à-dire à table.*

*J'espère que tes lecteurs seront fiers comme nous de savoir qu'en 2009 le Canada était le premier marché pour nos vins, devant votre puissant voisin américain, et même devant nous autres « môôôdits » Français. Tant pis pour eux et bravo à toi d'informer de manière aussi passionnée et compétente tes lecteurs.*

*Mes très nombreux passages au Québec m'ont appris à prêter l'oreille aux critiques de votre système de Monopole, mais, par rapport aux US ou à la France, vous n'êtes finalement pas les consommateurs les plus malheureux. Pour ce qui est des guides des vins, votre société distincte se distingue aussi. Bravo, François, pour ces quinze ans, merci au nom des producteurs que tu as soutenus par tes critiques qui font autorité par-delà les rives du Saint-Laurent.*

*En toute amitié*

**Étienne HUGEL**
*www.hugel.com*

## Alain BRUMONT, Montus et Bouscassé, Madiran, France

Alain Brumont, propriétaire des domaines Montus et Bouscassé, à Madiran, dans le sud-ouest de la France, se raconte à travers son regard sur **l'évolution du marché du vin au Québec depuis quinze ans.**

### La plus belle cave au monde

*Parmi les 40 pays où j'exporte, le Québec est mon préféré. Les Québécois le savent et me le rendent bien. J'aime la culture, les gens, les villes, les paysages... Mes différents voyages au Québec, depuis quinze ans, m'ont permis de rencontrer des hommes et des femmes d'une remarquable ouverture d'esprit et d'une grande culture pour les vins du monde. Quelle incroyable chaleur humaine et quel esprit pragmatique! Leur culture du vin est l'un des ingrédients de leur convivialité.*

*Le Québec détient la plus talentueuse sommellerie et les meilleurs critiques au monde, ce qui en fait, depuis les années 1990, LA référence. Tous ces experts du vin ont cette faculté de trouver les mots justes et accessibles pour qualifier un vin et réussir les meilleurs accords avec la gastronomie.*

*On retrouve l'esprit novateur et indépendant des prescripteurs et des critiques dans leur analyse de la viticulture de l'Ancien et du Nouveau Monde, avec toujours beaucoup de respect pour le travail universel du vigneron. Si la plupart des critiques internationaux se sont « jetés » sur les vins du Nouveau Monde pour les encenser, le Québec ne s'est pas laissé entraîner par l'effet de mode. Quelle faculté d'adaptation et d'anticipation sur les nouveaux styles de vin!*

*Une des forces du Québec réside dans le modèle exemplaire de la SAQ, gestionnaire de la plus belle cave au monde, animée par des gens qui sont dignes de la sommellerie de restaurants trois étoiles. C'est avec beaucoup de respect que les leaders charismatiques de chaque région viticole y trouvent leur place. Ce modèle devrait s'exporter pour le bonheur des vignerons et des amateurs de vins, et pour la viticulture internationale.*

*L'évolution du marché du vin au Québec, depuis quinze ans, tient, à mon avis, à la performance des « hommes vins », des sommeliers, des critiques, de la SAQ et du consommateur qui contribuent à faire du Québec la plus belle cave au monde.*

**Alain BRUMONT**
www.brumont.fr

### Lettre à mon ami François CHARTIER; une rencontre mémorable pour mes premiers pas au Québec...

*Lors de mes premiers voyages au Québec, c'est à La Clef des Champs, puis chez Champlain Charest que je t'ai découvert, jeune sommelier déjà très talentueux. Tu as immédiatement attiré mon attention par ton regard vif, étincelant et ta capacité d'analyse. J'ai vu en toi ce « boulimique » de la dégustation.*

*Au fil du temps, tu as démontré des qualités exceptionnelles de sommelier visionnaire. Comme découvreur de styles du futur, tu as su valoriser avec beaucoup de respect le travail de grands créateurs de vins, et pas seulement bordelais ou américains.*

*Champion mondial des accords mets et vins et de la création de plats autour du vin, tu sais trouver le mot juste pour qualifier un vin; ton lexique du vin est unique. Cette énergie déployée depuis toutes ces années reste intacte, et on sent que tu n'as pas tout dit... J'admire ton esprit novateur et l'inventeur de la sommellerie moléculaire, en avance de plusieurs décennies!*

*Alain Brumont*

Quel est le niveau de consommation d'alcool recommandé pour les hommes ? Un maximum de 3 verres par jour et de 15 verres par semaine. Et pour les femmes ? Un maximum de 2 verres par jour et de 10 verres par semaine.

À votre santé !

Éduc'alcool

*La modération a bien meilleur goût.*

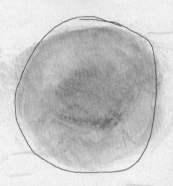

# RECETTES POUR AMATEUR DE VIN ROUGE

Question de pousser l'aventure harmonique et de célébrer 15 ans d'harmonies vins et mets qui ont fait la singularité de *La Sélection Chartier*, j'ai pensé vous offrir quatorze pistes de recettes pour les amateurs de vin rouge que vous êtes devenus.

Les vins rouges ayant détrôné la place dominante qu'occupait il y a plus de quinze ans le vin blanc sur notre marché – nous sommes passés à une consommation d'environ 60 % de blancs à plus ou moins 80 % de rouges! –, les harmonies à table ne sont depuis pas toujours heureuses quand on voit uniquement la vie en rouge...

Avec **Stéphane Modat**, le « M » du **duo Mc²**, chef et complice de cuisine, coauteur le livre *Les Recettes de Papilles et Molécules*, j'ai poussé la réflexion harmonique sur les tanins des vins rouges en concevant des recettes visant à les amadouer.

**Stéphane Modat** s'est encore une fois transformé en photographe de grand talent afin d'imager nos recettes et certaines harmonies au fil de ce livre. Pour prendre connaissance de multiples autres photos émanant de nos recettes et de notre travail en cuisine, visitez la section *Studio/Cuisine_Mc²* sur le nouveau site **www.papillesetmolecules.com**.

SYRAH · 2008
ción de Origen Valle del Lima
UIT DU CHILI / PRODUCT OF CHILE

A SÉLECTION CHARTIER 2011

SUSHIS_Mc⁴ « POUR AMATEUR DE VIN ROUGE »

En décembre 2008, Ferran Adrià, du restaurant elBulli, travaillait sur une idée de pâtes italiennes d'algue nori. Par mes recherches sur les aliments complémentaires au nori, je l'avais dirigé sur la piste de la framboise, de même famille moléculaire. Un temaki de nori à la framboise a été inspiré et présenté au menu d'elBulli. Depuis, l'idée de travailler le nori me hantait, car, dans la liste de ses ingrédients complémentaires, il y a l'olive noire et le poivre qui sont complémentaires aux vins rouges de syrah/shiraz. Stéphane Modat et moi avons donc eu l'idée de sushis_Mc² pour le vin rouge. La pommade d'olives peut aussi être servie seule en canapés ou en guise de garniture d'un poisson ou d'une viande.

## Ingrédients

500 ml (2 tasses) d'eau

40 g (1/4 de tasse) de poivre noir en grains entiers

280 g (10 oz) d'olives noires marocaines séchées au soleil et dénoyautées

60 ml (1/4 de tasse) d'huile d'olive / Feuilles d'algue nori

1/2 tasse de riz sauvage soufflé au café (recette dans le livre *Les Recettes de Papilles et Molécules*)

## Préparation

1. *L'eau de poivre* : porter à ébullition l'eau et ajouter les grains de poivre entiers. Faire frémir 10 minutes à feu doux. Transférer dans un robot culinaire et mixer 5 minutes pour réduire le tout en liquide sableux.
2. Verser dans un bol et laisser reposer, pour que les parties solides restantes tombent dans le fond.
3. *La pommade d'olives noires* : dénoyauter les olives et les blanchir dans une casserole d'eau bouillante pendant 2 minutes, puis retirer de l'eau.
4. Dans un robot culinaire, placer les olives noires blanchies, l'huile d'olive et 3 cuillères à thé d'eau de poivre, puis réduire le tout en une purée lisse.
5. Une fois que le mélange est bien homogène, transférer dans un contenant hermétique, puis au réfrigérateur.

## Version Sushis_Mc²

Prendre une feuille de nori, préalablement coupée à la grosseur et à la longueur des sushis désirés, et humidifier légèrement la nori d'eau avec vos doigts, puis badigeonner avec une partie (quantité au goût) d'un mélange de 1 cuillère à thé de pommade d'olives noires dans ½ de tasse de riz sauvage soufflé au café. Puis rouler la feuille de nori en forme de sushi, et servir entière ou en petites bouchées.

## Version Raviolis_Mc² (sans riz soufflé au café)

Prendre une feuille de nori, préalablement coupée en carré, à la grosseur désirée, et humidifier légèrement d'eau avec vos doigts, puis badigeonner avec la pommade d'olives noires, plier en triangle en forme de ravioli et servir.

## Vins dans la zone de confort harmonique

Shiraz du Nouveau Monde et syrahs du Rhône (aux tanins mûrs).

ÉMULSION_Mc² « MISTER MAILLARD »

Les composés aromatiques engendrés par le chauffage du café et du thé noir fumé, tout comme par la cuisson des viandes et légumes, sont du même univers aromatique, identifiés par la réaction de Maillard, que celui des vins élevés en barriques. Le café, un exhausteur de goût, créé une synergie avec les aliments de même famille. Voici donc une recette hommage à Louis-Camille Maillard (1878-1936).

## Ingrédients

2,5 ml (1/2 cuillère à thé) de café instantané Nescafé riche
90 ml (3/8 de tasse) d'infusion de thé noir fumé Lapsang Souchong
2,5 g (1 cuillère à thé) de lécithine de soya en poudre (disponible dans les magasins d'aliments naturels)
2,5 ml (1/2 cuillère à thé) de sel fin
3 clous de girofle
250 ml (1 tasse) d'huile de canola
3 g (1,5 cuillère à thé) de thé noir fumé Lapsang Souchong sec (voir *Dosages en cuisine*)

## Préparation

1. *Infusion de thé Lapsang Souchong* : dans une casserole, faire frémir 1 tasse d'eau, puis ajouter hors du feu une demi-cuillère à thé de Lapsang Souchong. Laisser infuser 5 minutes, puis filtrer.
2. Placer tous les ingrédients, à part l'huile et le thé noir fumé sec, dans un robot mélangeur.
3. Mixer le mélange pendant 2 minutes, puis ajouter très lentement l'huile de canola. Laisser tourner une minute, puis ajouter le thé Lapsang Souchong sec (voir *Dosages en cuisine*). Laisser tourner encore 2 minutes, puis débarrasser.

## Utilisations à table

Cette émulsion accompagne une pièce de viande grillée. Badigeonner la viande pendant ou après cuisson. Elle rehausse parfaitement une salade tiède d'asperges vertes rôties – l'asperge et le café étant riche en molécules exhausteur de goût –, ainsi que des betteraves rouges bouillies et sautées à la poêle avec cette émulsion.

## Dosages en cuisine

Pour une salade d'asperges vertes rôties ou de betteraves : utiliser 1/2 cuillère à thé de thé fumé dans l'émulsion. Pour une viande rôtie au four : 2 cuillères à thé de thé fumé, pour un goût fumé plus relevé. Pour une pièce grillée au BBQ : 2,5 cuillères à thé fumé, pour un goût plus fumé et en lien avec les notes grillées du BBQ.

## Vins dans la zone de confort harmonique

Privilégiez les vins rouges élevés en barriques. La saveur « umami » de l'émulsion étant dominante, il faut des vins aussi riches en « umami », comme les vins rouges solaires à base de garnacha et de tempranillo (Espagne), et comme les grenache/syrah/mourvèdre, ainsi que les primitivos italiens et zinfandels californiens.

# NAVETS BLANCS CONFITS AU CLOU DE GIROFLE

Tout bon sommelier qui se respecte n'aurait jamais idée de servir un vin rouge sur des navets confits au vinaigre de riz et au miel... et pourtant! Il faut savoir que ce légume, de la famille des aliments aux molécules anisées, apprécie déjà l'accord avec le rouge. Pour surmonter la présence aigre-douce, qui ne sied pas habituellement aux tanins des rouges, il suffisait juste d'ajouter des clous de girofle. Le grand pouvoir d'attraction aromatique de ces derniers suffit à créer le lien harmonique avec les vins rouges, vous permettant d'atteindre une certaine zone de confort, et même quelques fois le nirvana!

## Ingrédients

4 navets blancs moyens (rabioles)
160 ml (2/3 tasse) de vinaigre de riz
100 g (1/2 tasse) de miel liquide
10 clous de girofle

## Préparation

1. Éplucher, laver et tailler les navets en tranches de 1 cm, puis couper ces tranches en quatre.
2. Les plonger dans une casserole d'eau bouillante et salée pendant 2 minutes afin de les blanchir.
3. Dans une autre casserole, porter à ébullition le vinaigre de riz, le miel et les clous de girofle, afin d'en faire un sirop.
4. Placer les navets blanchis dans le sirop obtenu et laisser frémir pendant 5 minutes.
5. Verser dans un pot Masson, fermer et laisser refroidir. Puis réfrigérer.

## Utilisations à table

Ces navets confits et parfumés accompagnent parfaitement les viandes grillées et les fromages.

## Vins dans la zone de confort harmonique

Tel que décrit en détail dans *Papilles et Molécules*, le clou de girofle est l'épice de la barrique, dans le sens que les vins élevés en barriques de chêne possèdent tous une bonne dose d'eugénol, la molécule du clou de girofle, aussi présente dans le chêne. Une large palette de vins blancs et rouges élevés en fûts vous permettra d'atteindre la zone de confort harmonique avec ces navets servis seuls. Mais pour obtenir un accord parfait, comme il y a du vinaigre et du miel, qui ne font habituellement pas bon ménage avec les tanins des vins rouges, servez ces navets en accompagnement d'un morceau de viande ou de fromage, le résultat sera grandiose – les protéines renforçant l'harmonie entre le vin et les navets ainsi confits. La palette de vins rouges est étonnamment complexe : des grands bordeaux du Médoc aux grands vins de la Rioja et de Toro, en passant par les mencias de Bierzo, amusez-vous!

SANDWICH DE CANARD CONFIT ET NIGELLE

Il y a longtemps que je m'amuse à *upgrader* les sandwichs afin d'en faire des versions, disons, haut de gamme, pour accompagner les vins, et même les grands vins. Ici, nous sommes partis à la fois sur la piste du pouvoir d'attraction entre le canard et la nigelle – afin de vivre cette expérience je vous invite à vous cuisiner un magret de canard simplement rôti au four avec quelques pincées de graines de nigelle côté gras –, tout comme sur l'effet assouplisseur de tanins de cette épice utilisée surtout en Inde.

## Ingrédients

2 cuisses de canard confites (canard du Lac Brome)
500 ml (2 tasses) de bouillon de bœuf
½ oignon jaune
4,5 g (1,5 c. à thé) de graines de nigelle
2 pains plats multigrains
45 ml (3 c. à thé) d'huile d'olive
feuilles de roquette
Émulsion de « mister Maillard » (voir cette recette à la page 42)

## Préparation

1. Préchauffer le four à 180 °C (350 °F) et mettre les cuisses de canard à chauffer, 10 à 15 minutes, ainsi elles seront plus faciles à désosser.
2. Dans une casserole à fond épais, faire revenir l'oignon émincé dans une cuillère à thé d'huile d'olive, déglacer avec le bouillon de bœuf et ajouter la chair des cuisses de canard que vous aurez désossées au préalable.
3. Faire frémir jusqu'à ce que le liquide soit réduit aux ¾ et réserver.
4. Dans une poêle chaude, déposer les 4 demi-pains que vous aurez badigeonnés du côté mie, le reste de l'huile d'olive et les graines de nigelle. Faire colorer les pains des deux côtés.
5. Une fois les pains croustillants, transférer dans une assiette et y déposer la chair de canard confit au jus.
6. Accompagner ce sandwich ouvert d'une salade de roquette assaisonnée d'Émulsion de « mister Maillard » (voir cette recette à la page 42).

## Utilisations à table

N'hésitez pas à ajouter sur le sandwich un peu de salade de roquette, étant dans la même famille aromatique que la nigelle, l'accord résonne fort! Aussi, vous pouvez en faire un sandwich fermé en y ajoutant une deuxième tranche, toujours parfumée à la nigelle.

## Version avec vieux fromage cheddar

Vous pouvez aussi ajouter sur le canard quelques copeaux de très vieux fromage cheddar.

## Vins dans la zone de confort harmonique

la nigelle fait partie des ingrédients ayant un pouvoir « assouplisseur » sur les tanins des jeunes vins rouges, plus particulièrement des vins à base de sangiovese, de cabernet et de merlot. N'hésitez pas à sortir vos grands bordeaux et toscans!

# PÂTE CONCENTRÉE DE POIVRONS ROUGES RÔTIS

Stéphane Modat et moi avions débuté la piste de cette recette sous la forme d'une sphère de poivron rouge brûlé, en février 2008, lors d'une dégustation moléculaire avec l'œnologue Pascal Chatonnet, pour ses vins de Lalande-de-Pomerol et de Saint-Émilion. Recette que nous avons fait évoluer depuis, sous différentes formes, dont celle-ci, ni plus ni moins qu'une pâte concentrée à tartiner juste avant le service. Simple, savoureuse et harmonieuse avec une multitude de vins rouges!

## Ingrédients

6 gros poivrons rouges
5 ml (1 cuillère à thé) d'huile de sésame grillé

## Préparation

1. Préchauffer le four à 200 °C (400 °F). Placer les poivrons rouges sur une tôle à pâtisserie et enfourner.
2. À plus ou moins toutes les 15 minutes, tourner les poivrons d'un quart de tour pour que la coloration soit régulière.
3. Lorsque les poivrons seront entièrement colorés, les sortir du four et les placer dans un saladier recouvert d'une pellicule plastique.
4. Une fois tièdes, éplucher et conserver à part la peau colorée.
5. Ouvrir les poivrons et ôter les pépins à l'aide d'une cuillère. Placer la chair obtenue ainsi que la moitié des épluchures de peau dans un robot culinaire et réduire en une purée lisse.
6. Passer à l'étamine dans une casserole à fond épais et cuire à feu très doux, en prenant soin de remuer souvent à l'aide d'un fouet. *Pour obtenir une pâte semblable à du concentré de tomates avec le moins d'humidité possible, la cuisson doit être d'environ 1 heure, si vous prenez une casserole large où l'évaporation sera plus rapide.*
7. Au terme de la cuisson, ajouter l'huile de sésame grillé, mélanger et transférer dans un petit pot Masson, puis mettre au réfrigérateur.

## Utilisations à table

Idéal sur un tataki de thon ou de saumon, sur une pièce de viande grillée, et sur un carpaccio de bœuf juste saisi en surface (le grillé de la viande entre en harmonie avec celui des poivrons et de l'huile de sésame grillée), ainsi que sur des canapés de pain grillé.

## Vins dans la zone de confort harmonique

Merlot du Libournais (Lalande-de-Pomerol/Saint-Émilion) ou du Nouveau Monde, ainsi que cabernet franc de la Loire (Saumur-Champigny/Chinon/Bourgueil) et mencia du Bierzo (Espagne).

# PÂTE CONCENTRÉE DE POIVRONS VERTS ET MENTHE

L'idée de cette simplissime recette à tartiner découle de celle de la pâte concentrée de poivrons rouges (voir page 48), ainsi que du pouvoir d'attraction aromatique entre les aliments d'une même famille, comme celle des aliments au « goût de froid » (voir chapitre éponyme dans le livre *Papilles et Molécules*), tout comme des parfums végétaux de certains cépages, spécialement ceux la famille des cabernets et du sauvignon blanc. Plus simple que ça « *tu fais simple!* ».

## Ingrédients

6 poivrons verts
5 ml (1 cuillère à thé) de crème de menthe
1 petite lime

## Préparation

1. Laver et tailler les poivrons en deux pour en retirer les pépins.
2. Les plonger dans une casserole d'eau bouillante non salée pendant 2 minutes, puis débarrasser dans un saladier d'eau glacée pour en arrêter la cuisson.
3. Une fois égouttés et refroidis, placer les poivrons verts dans un robot culinaire et mixer pour en réaliser un jus de poivron vert.
4. Placer le jus ainsi obtenu dans une casserole à fond épais, et faire cuire à feu doux jusqu'à évaporation quasi complète de l'eau. *Pour obtenir le meilleur résultat, avec le moins d'humidité possible, la cuisson sera d'environ 1 heure, si vous prenez une casserole large où l'évaporation sera plus rapide.*
5. Une fois la texture désirée obtenue, ajouter la crème de menthe, cuire 2 minutes et placer la pâte de poivrons verts dans un pot Masson, puis au réfrigérateur. ***Note*** *: Pour magnifier les accords avec cette pâte, ajouter avant chaque emploi quelques gouttes de jus lime et mélanger à la cuillère. La lime, au « goût de froid », tout comme la menthe et le poivron, apportera de la fraîcheur à cette préparation et à l'harmonie.*

## Utilisations à table

Badigeonner, après cuisson, sur une pièce de viande blanche ou rouge, sur un carpaccio de veau, ou servir tout simplement en canapé dans une cuillère ou une verrine, surmontée d'une crevette (accord avec vin blanc), ou d'un émincé fin de viande grillée (accord pour rouge).

## Vins dans la zone de confort harmonique

Le poivron vert et la menthe sont marqués, entre autres, par les pyrazines, famille de molécules que l'on trouve aussi dans les vins de cabernet sauvignon, de cabernet franc, de merlot, de carmenère et de malbec, ainsi que de sauvignon blanc. Les chemins harmoniques sont ainsi tracés. À vous de choisir vos vins favoris à base de l'un de ces cépages.

CONFIPOTE_Mc$^2$

Comme la prune et l'anis étoilé partagent des molécules aromatiques dominantes, et que de nombreux vins partagent aussi ces mêmes composés volatils, nous avons voulu démontrer par cette recette, à mi-chemin entre la confiture et la compote, que l'attraction aromatique était assez forte, au-delà du goût sucré, pour permettre d'atteindre la zone de confort harmonique avec le vin rouge. **Notez que les autres aliments complémentaires à la prune (thé noir fumé, girofle, cannelle, lavande, poivre, basilic, eau de rose, canneberge, cassis et scotch) sont des pistes à partir desquelles vous pouvez créer vos propres versions de Confipote_Mc$^2$.**

## Ingrédients

8 grosses prunes noires mûres
sucre semoule
4 étoiles d'anis étoilé

## Préparation

1. Infusion d'anis étoilé : dans une casserole, placer 1/2 tasse d'eau à frémir. Déposer 2 étoiles d'anis et faire infuser, à couvert, pendant 6 minutes. Filtrer et réserver.
2. Laver, dénoyauter et couper les prunes en quatre.
3. Dans un saladier, mélanger les fruits avec la moitié de leur poids en sucre.
4. Lorsque le sucre est fondu, placer le tout dans une casserole à fond épais et ajouter l'infusion d'anis étoilé.
5. Faire bouillir à feu moyen pendant 10 minutes et ajouter les 2 autres étoiles d'anis étoilé, cuire encore 5 minutes à feu moyen et verser dans un pot Masson. Fermer et laisser refroidir.

## Utilisations à table

En laque sur un filet de porc rôti, ou en accompagnement de ce dernier, en garniture dans une assiette de fromages – spécialement avec les pâtes fermes âgées (comme les très vieux gruyère et cheddar) si vous recherchez l'accord avec un vin rouge –, ou, au petit déjeuner, simplement sur une tranche de pain grillé ou sur un yogourt.

## Version au thé noir fumé Lapsang Souchong

Vous pouvez aussi remplacer l'infusion d'anis étoilé par une demi-cuillère à thé de thé noir fumé Lapsang Souchong, tout en ajoutant les 2 étoiles d'anis au numéro 5 de la préparation, ainsi vous aurez une deuxième version subtilement fumée, qui sied parfaitement aux vins boisés – ici l'anis étoilé est quand même important, car c'est lui qui calme le sucre de la recette et qui arrondit les tanins du vin rouge et qui lui donne de la longueur.

## Vins dans la zone de confort harmonique

Les cépages complémentaires à la prune, donc partageant un profil moléculaire proche parent, sont le malbec, spécialement argentin, ainsi que le sangiovese, idéalement toscan et de millésime chaud, ou californien.

PURÉE DE PANAIS AU BASILIC THAÏ

Cette recette est inspirée et en lien direct avec notre recette de Purée_Mc² pour amateur de vin rouge, à base de céleri-rave et de clou de girofle, publiée dans notre livre *Les Recettes de Papilles et Molécules*. C'est que le basilic thaï est l'herbe qui possède le plus haut taux d'eugénol, la molécule aromatique du clou de girofle. Quant au panais, comme la plupart des légumes racines, il fait partie de la famille que j'ai nommée les anisés (voir chapitre éponyme dans *Papilles et Molécules*). Et qui dit anis étoilé dit clou de girofle : tous les deux sont aussi de même famille moléculaire, donc un grand pouvoir d'attraction s'installe lorsque vous les cuisinez ensemble.

## Ingrédients

454 g (1 livre) de panais
5 g (1 cuillère à thé) de gros sel de mer
125 ml (1/2 tasse) de crème 35 %
1/4 tasse de feuilles de basilic thaï

## Préparation

1. Éplucher et tailler les panais en cubes.
2. Plonger les cubes dans une casserole d'eau bouillante additionnée de gros sel. Cuire jusqu'à ce que les cubes soient tendres, environ 15 minutes.
3. Dans une petite casserole, verser la crème et la faire réduire du tiers, en remuant continuellement avec un fouet.
4. Placer le panais, la crème et les feuilles de basilic thaï dans un robot culinaire. Réduire en une purée lisse.
5. Au besoin, rectifier l'assaisonnement et servir.

## Version au clou de girofle

Vous pouvez remplacer le basilic thaï par 4 clous de girofle réduits en poudre (voir recette dans *Les Recettes de Papilles et Molécules*).

## Utilisations à table

Comme cette recette est l'alliée idéale des vins boisés, qu'ils soient rouges ou blancs, servez en accompagnement des viandes et des poissons grillés qui vont à merveille avec ce type de vins. Et pourquoi pas la servir seule en entrée ou en canapé!

## Vins dans la zone de confort harmonique

Rappelez-vous que les vins blancs et rouges élevés en barriques sont à privilégier lorsque les légumes racines, le basilic thaï et le clou de girofle sont dans le décor. Optez pour des vins de cette famille, comme le sont en blanc ceux de fumé blanc, aussi de la famille des anisés, et en rouge, ceux de syrah/shiraz, de mourvèdre ou de tempranillo.

# PURÉE DE RUTABAGA À L'ANIS ÉTOILÉ

Le rutabaga est un légume-racine, au même titre que le navet, contenant dans sa structure moléculaire des composés volatils de la famille des anisés. En le cuisinant avec l'anis étoilé, vous créez un effet exhausteur sur cette saveur anisée par la rencontre des molécules de même famille dans les deux ingrédients. Ce qui ouvre la porte tant aux vins blancs de la famille du sauvignon blanc, qu'aux vins rouges tout aussi anisés de syrah/shiraz. Vos poissons et vos viandes n'auront jamais été aussi en symbiose avec vos vins!

## Ingrédients

454 g (1 lb) de rutabaga (ou de navet)
5 g (1 c. à thé) de gros sel de mer
125 ml (1/2 tasse) de crème 35 %
3 anis étoilés (badiane)

## Préparation

1. Éplucher et tailler les rutabagas (ou les navets) en cubes.
2. Plonger les cubes dans une casserole d'eau bouillante addition-née de gros sel. Cuire plus ou moins 15 minutes, jusqu'à ce que les cubes soient tendres.
3. Dans une petite casserole, verser la crème et la faire réduire du tiers, en remuant continuellement avec un fouet.
4. Dans un robot culinaire, verser les cubes de rutabagas, la crème réduite et l'anis étoilé (réduit en poudre), puis mixer en une purée lisse. Rectifier l'assaisonnement, s'il y a lieu.

## Utilisations à table

Vos poissons et vos viandes escortés de cette purée anisée n'auront jamais été aussi en harmonie avec vos vins!

## Version au clou de girofle

Vous pouvez remplacer l'anis étoilé par 4 clous de girofle réduits en poudre, et ainsi créer une purée pour le même type de vins au pro-fil anisé, mais au boisé plus marqué – le girofle étant l'épice de la barrique (voir chapitre Clou de girofle dans le livre *Papilles et Molécules*).

## Vins dans la zone de confort harmonique

Comme cette recette de purée entre en fusion parfaite avec les vins au profil anisé, qu'ils soient rouges ou blancs, sauvignon blanc, ver-dejo, albariño, gruner veltliner et romorantin sont à privilégier en blanc, tandis que les rouges à base de syrah et de shiraz seront vos premiers choix.

# NOTRE PERSONNEL RAPPORTE VOLONTIERS DU TRAVAIL À LA MAISON.

**POUR JUGER DE L'EFFICACITÉ D'UNE CARAFE OU D'UN VERRE, NOUS N'HÉSITONS PAS À LES TESTER DANS LES MEILLEURES CONDITIONS.**

GOÛTEZ MIEUX. **Vinum**

# TOP 100 CHARTIER
# 15e ANNIVERSAIRE

**Voici une sélection anniversaire des crus qui ont été les plus réguliers et parmi les meilleurs rapports qualité-prix des quinze ans de *La Sélection*.**

Comme certains vins méritent pratiquement d'être « achetés les yeux fermés », et ce, bon an mal an depuis quinze ans de *Sélection*, un regroupement de ces vins « références » se devait d'être effectué.

Notez que ce ne sont pas les 100 meilleurs vins disponibles au Québec, même si certains le sont (!), mais plutôt 100 vins d'une régularité irréprochable et d'un excellent rapport qualité-prix faisant d'eux mes valeurs sûres de 2010-2011. Ce qui explique que certains vins ayant reçu une note plus élevée peuvent être classés derrière d'autres crus certes notés moins fortement, mais ayant été présents dans plusieurs éditions de *La Sélection* comme des métronomes et offrant des prix plus qu'avantageux pour la qualité offerte.

**1.  La Vendimia 2009**                                          (page 133)
RIOJA, PALACIOS REMONDO, ESPAGNE
**15,20 $**   SAQ S* (10360317)   ★★★ **$$**          Modéré+

---

**2.  Cuvée Marie 2008**                                          (page 93)
JURANÇON SEC, CHARLES HOURS, FRANCE
**20,80 $**   SAQ S* (896704)   ★★★☆ **$$**          Corsé

---

**3.  Cuvée des Conti « Tour des Gendres » 2009**   (page 84)
BERGERAC (BLANC), CHÂTEAU TOUR DES GENDRES, FRANCE
**15,30 $**   SAQ S* (858324)   ★★★?☆ **$$**          Modéré+    BIO

---

**4.  Clos de los Siete 2008**                                    (page 295)
MENDOZA, MICHEL ROLLAND, ARGENTINE
**24,05 $**   SAQ S* (10394664)   ★★★☆ **$$**          Puissant

---

**5.  La Moussière 2009**                                         (page 97)
SANCERRE, A. MELLOT, FRANCE
**25,90 $**   SAQ S* (033480)   ★★★☆ **$$**          Modéré+    BIO

---

**6.  Napanook 2007**                                             (page 315)
NAPA VALLEY, DOMINUS, ÉTATS-UNIS *(DISP. JANV. 2011)*
**49,25 $**   SAQ S (897488)   ★★★★ **$$$$**          Corsé+

---

**7.  Pétalos 2008**                                              (page 192)
BIERZO, DESCENDIENTES DE J. PALACIOS, ESPAGNE
**20,50 $**   SAQ S* (10551471)   ★★★☆ **$$**          Corsé    BIO

---

**8.  Château Rouquette sur Mer
      « Cuvée Amarante » 2007**                                   (page 142)
COTEAUX-DU-LANGUEDOC LA CLAPE, FRANCE
**16,75 $**   SAQ S* (713263)   ★★★?☆ **$$**          Modéré+    BIO

---

**9.  Les Garrigues « Terroir de la Méjanelle »
      2007**                                                      (page 145)
COTEAUX-DU-LANGUEDOC, DOMAINE CLAVEL, FRANCE
**17,15 $**   SAQ S* (874941)   ★★★?☆ **$$**          Corsé    BIO

---

**10.  San Vincenzo Anselmi 2009**                                (page 84)
VENETO, ANSELMI, ITALIE
**15,25 $**   SAQ C (585422)   ★★★ **$$**          Modéré+

---

**11.  Finca Dofi 2008**                                          (page 214)
PRIORAT, ÁLVARO PALACIOS, ESPAGNE *(DISP. MARS 2011)*
**62,75 $**   SAQ S (705764)   ★★★★?☆ **$$$$**          Corsé    BIO

---

**12.  Brunello « Barbi » 2005**                                  (page 207)
BRUNELLO DI MONTALCINO, ITALIE *(DISP. JANV. 2011)*
**44,75 $**   SAQ S (11213343)   ★★★☆?☆ **$$$$**          Corsé

---

**13.  Château Montus 2006**                                      (page 198)
MADIRAN, ALAIN BRUMONT, FRANCE
**26,05 $**   SAQ S* (70548)   ★★★☆ **$$**          Corsé

---

**14.  Merlot Vistorta 2006**                                     (page 161)
FRIULI, BRANDOLINI D'ADDA, ITALIE
**21,95 $**   SAQ S (10272763)   ★★★☆ **$$$**          Modéré+

**15. Malleolus 2007** (page 208)
RIBERA DEL DUERO, BODEGAS EMILIO MORO, ESPAGNE *(DISP. DÉC. 2010)*
47,50 $   SAQ S (10297629)   ★★★★ $$$$   Corsé

**16. Guado al Tasso 2006** (page 217)
BOLGHERI SUPERIORE, ITALIE
86 $   SAQ S (977256)   ★★★★?☆ $$$$$  Corsé

**17. Chardonnay Le Clos Jordanne
« Village Reserve » 2007** (page 265)
NIAGARA PENINSULA VQA, CANADA
26,15 $   SAQ S (10745567)   ★★★☆ $$   Corsé

**18. La Montesa 2007** (page 151)
RIOJA, BODEGAS PALACIOS REMONDO, ESPAGNE
19,05 $   SAQ S* (10556993)   ★★★☆?☆ $$   Corsé

**19. Champs Royaux 2008** (page 93)
CHABLIS, WILLIAM FÈVRE, FRANCE
20,25 $   SAQ C (276436)   ★★★?☆ $$   Modéré+

**20. Château Coupe Roses blanc 2009** (page 90)
MINERVOIS, FRANCE
18,20 $   SAQ S (894519)   ★★★?☆ $$   Corsé   BIO

**21. Quinta do Infantado Blanc Dry** (page 228)
PORTO BLANC DRY, PORTUGAL
17,65 $   SAQ S (884437)   ★★★ $$   Corsé   BIO

**22. Riesling Heissenberg 2007** (page 105)
ALSACE, DOMAINE ANDRÉ OSTERTAG, FRANCE *(RETOUR SEPT./OCT. 2010)*
33,25 $   SAQ S (739813)   ★★★☆?☆ $$$$   Corsé   BIO

**23. Capitel Foscarino 2009** (page 94)
VENETO, ANSELMI, ITALIE
21,05 $   SAQ S (928218)   ★★★☆ $$   Modéré+

**24. Shiraz Piping Shrike 2007** (page 291)
BAROSSA VALLEY, AUSTRALIE *(DISP. NOV. 2010)*
21,95 $   SAQ S (10960671)   ★★★☆ $$   Corsé

**25. Pascal Jolivet Sancerre 2009** (page 96)
SANCERRE, FRANCE
23,75 $   SAQ S* (528687)   ★★★☆ $$$   Corsé

**26. Syrah Qupé 2008** (page 296)
CENTRAL COAST, ÉTATS-UNIS
24,05 $   SAQ S (866335)   ★★★?☆ $$   Corsé

**27. Villa de Corullón 2006** (page 204)
BIERZO, DESCENDIENTES DE J. PALACIOS, ESPAGNE *(DISP. FÉVR. 2011)*
39 $   SAQ S (10823140)   ★★★★ $$$$   Corsé

**28. La Massa 2008** (page 165)
TOSCANA, GIAMPAOLO MOTTA, ITALIE
24,75 $   SAQ S* (10517759)   ★★★?☆ $$   Corsé

**29. Bronzinelle 2008** (page 140)
COTEAUX-DU-LANGUEDOC, SAINT-MARTIN DE LA GARRIGUE, FRANCE
16,35 $   SAQ S* (10268588)   ★★★ $$   Modéré+

**30. Château Grinou Réserve 2008** (page 183)
BERGERAC, FRANCE *(DISP. AUTOMNE 2010)*
**15,30 $**   SAQ S* (896654)   ★★☆?☆ **$$**   Modéré+

---

**31. Il Bricco 2006** (page 217)
BARBARESCO, PIO CESARE, ITALIE *(DISP. AUTOMNE 2010)*
**87 $**   SAQ S (11054231)   ★★★★?☆ **$$$$$**   Corsé

---

**32. La Demoiselle de Bourgeois 2008** (page 105)
POUILLY-FUMÉ, HENRI BOURGEOIS, FRANCE *(DISP. OCT./NOV. 2010)*
**40,75 $**   SAQ S (702126)   ★★★★ **$$$$**   Corsé

---

**33. Tinto Pesquera 2006** (page 167)
RIBERA DEL DUERO, ESPAGNE
**25,15 $**   SAQ S* (10273109)   ★★★☆?☆ **$$**   Corsé+

---

**34. La Madura Classic 2006** (page 143)
SAINT-CHINIAN, FRANCE
**16,85 $**   SAQ S* (10682615)   ★★★ **$$**   Modéré+

---

**35. Fontodi 2006** (page 170)
CHIANTI CLASSICO, ITALIE
**28,05 $**   SAQ S (879841)   ★★★☆ **$$$**   Corsé

---

**36. Marchese Antinori Riserva 2005** (page 171)
CHIANTI CLASSICO, ITALIE
**29,15 $**   SAQ S (278671)   ★★★☆ **$$$**   Corsé

---

**37. Coudoulet de Beaucastel 2007** (page 171)
CÔTES-DU-RHÔNE, FRANCE
**29,45 $**   SAQ S* (973222)   ★★★?☆ **$$$**   Corsé   BIO

---

**38. Château de La Dauphine 2001** (page 173)
FRONSAC, FRANCE
**35 $**   SAQ S (10517741)   ★★★☆ **$$$**   Corsé

---

**39. Les Mauguerets-La Contrie 2007** (page 148)
SAINT-NICOLAS-DE-BOURGUEIL, LORIEUX, FRANCE *(DISP. OCT. 2010)*
**17,90 $**   SAQ S (872580)   ★★★ **$$**   Modéré+

---

**40. Domaine La Tour Vieille « Rimage » 2008** (page 230)
BANYULS, FRANCE *(DISP. OCT. 2010)*
**21,70 $**   SAQ S (884908)   ★★★☆ **$$**   Modéré+   BIO

---

**41. Le Grand Rouge de Revelette 2007** (page 203)
VIN DE PAYS DES BOUCHES DU RHÔNE, FRANCE *(DISP. OCT./NOV. 2010)*
**34,75 $**   SAQ S (10259745)   ★★★☆?☆ **$$$**   Corsé   BIO

---

**42. Cúmaro Riserva 2006** (page 169)
CONERO, UMANI RONCHI, ITALIE
**26,75 $**   SAQ S (710632)   ★★★☆?☆ **$$**   Corsé+

---

**43. Syrah Finca Antigua 2008** (page 127)
LA MANCHA, ESPAGNE
**14,30 $**   SAQ S* (10498121)   ★★★ **$$**   Corsé

---

**44. Syrah Baglio di Pianetto 2007** (page 146)
SICILIA, ITALIE
**17,45 $**   SAQ S (10960734)   ★★★?☆ **$$**   Corsé

**45. Conde de Valdemar « Crianza » 2005**  (page 129)
RIOJA, ESPAGNE
**14,60 $**   SAQ S* (897330)   ★★★ **$$**      Modéré+

**46. The Stump Jump « d'Arenberg » 2008**  (page 255)
MCLAREN VALE, AUSTRALIE
**15,70 $**   SAQ S* (10748400)   ★★★ **$$**      Modéré

**47. Domaine d'Aupilhac 2007**  (page 153)
COTEAUX-DU-LANGUEDOC MONTPEYROUX, FRANCE
**19,30 $**   SAQ S* (856070)   ★★★☆ **$$**      Corsé      BIO

**48. Isole e Olena 2007**  (page 168)
TOSCANA, ISOLE E OLENA, ITALIE
**25,30 $**   SAQ S (515296)   ★★★☆ **$$**      Corsé

**49. Château Lousteauneuf 2007**  (page 161)
MÉDOC, FRANCE *(DISP. AUTOMNE 2010)*
**21,80 $**   SAQ S* (913368)   ★★★☆ **$$**      Corsé

**50. Syrah Terre Rouge
« Les Côtes de l'Ouest » 2006**  (page 292)
CALIFORNIA, ÉTATS-UNIS
**22,30 $**   SAQ S* (897124)   ★★★?☆ **$$**      Corsé

**51. Big House White 2009**  (page 257)
CALIFORNIA, CA'DEL SOLO, ÉTATS-UNIS
**16,90 $**   SAQ S* (10354005)   ★★☆?☆ **$$**      Modéré+

**52. Château de Roquefort « Les Mûres » 2006**  (page 150)
CÔTES-DE-PROVENCE, FRANCE
**18,90 $**   SAQ S (868687)   ★★★☆ **$$**      Modéré+      BIO

**53. Pelago 2006**  (page 175)
MARCHE ROSSO, UMANI RONCHI, ITALIE *(RETOUR AUTOMNE 2010)*
**40,25 $**   SAQ S (735977)   ★★★★?☆ **$$$$**   Corsé+

**54. Zinfandel Easton 2008**  (page 289)
AMADOR COUNTY, EASTON, ÉTATS-UNIS
**20,35 $**   SAQ S* (897132)   ★★★ **$$**      Corsé

**55. Barranc dels Closos « blanc » 2009**  (page 92)
PRIORAT, IGNEUS, ESPAGNE
**20,20 $**   SAQ S (10857729)   ★★★?☆ **$$**      Corsé      BIO

**56. Les Sorcières du Clos des Fées 2008**  (page 147)
CÔTES-DU-ROUSSILLON, FRANCE
**17,60 $**   SAQ S (11016016)   ★★★ **$$**      Modéré+

**57. Domaine Pellé « Morogues » 2008**  (page 92)
MENETOU-SALON, FRANCE
**20 $**   SAQ S (852434)   ★★★☆ **$$**      Modéré+

**58. Château Saint-Martin de la Garrigue
« Bronzinelle » (blanc) 2009**  (page 86)
COTEAUX-DU-LANGUEDOC, FRANCE *(DISP. OCT. 2010)*
**16,45 $**   SAQ S* (875328)   ★★★ **$$**      Modéré+

**59. Hecht & Bannier 2007** (page 161)
SAINT-CHINIAN, FRANCE
22,10 $   SAQ S (10507323)   ★★★?☆ $$   Corsé

---

**60. Les Terrasses 2007** (page 174)
PRIORAT, ÀLVARO PALACIOS, ESPAGNE *(DISP. OCT./NOV. 2010)*
35,25 $   SAQ S (10931562)   ★★★☆?☆ $$$   Corsé+

---

**61. Bouscassé 2006** (page 187)
MADIRAN, ALAIN BRUMONT, FRANCE
17,55 $   SAQ S* (856575)   ★★★ $$   Modéré+

---

**62. Château de Chamirey 2008** (page 198)
MERCUREY, FRANCE *(DISP. AUTOMNE 2010)*
25,45 $   SAQ S* (962589)   ★★★☆ $$$   Modéré+

---

**63. Pinot Noir Akarua « Gullies » 2007** (page 299)
CENTRAL OTAGO, NOUVELLE-ZÉLANDE *(DISP. SEPT./OCT. 2010)*
27,75 $   SAQ S (10947960)   ★★★☆ $$$   Corsé

---

**64. Pinot Noir Village Reserve 2007** (page 312)
NIAGARA PENINSULA VQA, LE CLOS JORDANNE, CANADA
30 $   SAQ S (10745487)   ★★★☆ $$$   Modéré+   BIO

---

**65. Il Bruciato 2008** (page 199)
BOLGHERI, TENUTA GUADO AL TASSO, ITALIE *(DISP. SEPT./OCT. 2010)*
27,75 $   SAQ S (11347018)   ★★★☆ $$$   Corsé

---

**66. Causse Marines « Peyrouzelles » 2009** (page 185)
GAILLAC, FRANCE *(RETOUR OCT./NOV. 2010)*
16,80 $   SAQ S (709931)   ★★★?☆ $$   Modéré+   BIO

---

**67. Primitivo Torcicoda 2008** (page 154)
SALENTO, TORMARESCA, ITALIE *(DISP. SEPT. ET RETOUR NOV. 2010)*
19,80 $   SAQ S (10542073)   ★★★ $$   Corsé

---

**68. Pétale de Rose 2009** (page 229)
CÔTES-DE-PROVENCE, RÉGINE SUMEIRE, FRANCE
17,85 $   SAQ C (425496)   ★★★ $$   Modéré+

---

**69. Granaxa 2008** (page 190)
MINERVOIS, CHÂTEAU COUPE ROSES, FRANCE
19,90 $   SAQ S* (862326)   ★★★?☆ $$   Modéré+   BIO

---

**70. Shiraz-Grenache d'Arry's Original 2006** (page 292)
MCLAREN VALE, D'ARENBERG, AUSTRALIE
22,10 $   SAQ S* (10346371)   ★★★?☆ $$   Corsé

---

**71. Château La Grave « Expression » 2009** (page 81)
MINERVOIS, FRANCE
14,40 $   SAQ S* (864561)   ★★☆?☆ $$   Modéré

---

**72. La Segreta Bianco 2009** (page 87)
SICILIA, PLANETA, ITALIE
16,55 $   SAQ S* (741264)   ★★☆ $$   Modéré

---

**73. Gewurztraminer Hugel 2008** (page 91)
ALSACE, HUGEL ET FILS, FRANCE
19,95 $   SAQ S* (329235)   ★★★ $$   Corsé

**74. Château Garraud 2006** (page 167)
LALANDE-DE-POMEROL, FRANCE
25,20 $   SAQ S* (978072)   ★★★?☆ $$$   Corsé

---

**75. Château Lamartine Cuvée Particulière 2007** (page 153)
CAHORS, FRANCE
19,65 $   SAQ S* (862904)   ★★★?☆ $$   Corsé+

---

**76. Vitiano 2008** (page 135)
ROSSO UMBRIA, FALESCO, ITALIE
15,45 $   SAQ C (466029)   ★★★ $$   Corsé

---

**77. Château Puy-Landry 2008** (page 124)
CÔTES-DE-CASTILLON, FRANCE
13,90 $   SAQ S* (852129)   ★★★ $$   Modéré   BIO

---

**78. Mas Amiel Cuvée Spéciale 10 ans d'âge** (page 234)
MAURY, FRANCE *(DISP. NOV. 2010)*
34 $   SAQ S (11154785)   ★★★☆ $$$   Corsé

---

**79. Chaminé 2009** (page 123)
VINHO REGIONAL ALENTEJANO, CORTES DE CIMA, PORTUGAL
13,90 $   SAQ S* (10403410)   ★★★ $$   Modéré

---

**80. Shiraz Reserva Tabalí 2008** (page 284)
LIMARI VALLEY, VIÑA TABALÍ, CHILI *(DISP. OCT./NOV. 2010)*
18,25 $   SAQ S (10960072)   ★★★?☆ $$   Corsé+

---

**81. Château Treytins 2006** (page 158)
LALANDE-DE-POMEROL, FRANCE
20,95 $   SAQ S* (892406)   ★★★?☆ $$   Corsé

---

**82. Shiraz Epsilon 2009** (page 297)
BAROSSA VALLEY, AUSTRALIE *(DISP. NOV. 2010)*
24,95 $   SAQ S (10817479)   ★★★☆ $$$   Corsé

---

**83. Pittacum 2006** (page 152)
BIERZO, ESPAGNE *(RETOUR OCT./NOV. 2010)*
19,25 $   SAQ S (10860881)   ★★★?☆ $$   Corsé+

---

**84. Château de Gaudou « Tradition » 2008** (page 124)
CAHORS, FRANCE
13,90 $   SAQ S* (919324)   ★★★ $$   Modéré+

---

**85. Merlot Christian Moueix 2005** (page 132)
BORDEAUX, FRANCE
15,10 $   SAQ C (369405)   ★★★ $$   Modéré+

---

**86. Domaine de La Charmoise 2009** (page 135)
TOURAINE, HENRY MARIONNET, FRANCE
15,45 $   SAQ S* (329532)   ★★★ $$   Modéré

---

**87. Château Mourgues du Grès**
**« Les Galets Rouges » 2008** (page 137)
COSTIÈRES-DE-NÎMES, FRANCE
15,65 $   SAQ S* (10259753)   ★★★ $$   Modéré+

---

**88. Duas Quintas 2007** (page 140)
DOURO, ADRIANO RAMOS PINTO, PORTUGAL
16,15 $   SAQ C (10237458)   ★★★ $$   Modéré+

**89. Expression 2007**  (page 145)
CHINON, A. & P. LORIEUX, FRANCE *(RETOUR NOV. 2010)*
17,40 $   SAQ S (873257)   ★★★ $$   Modéré+

**90. La Cuvée dell'Abate 2008**  (page 140)
MONTEPULCIANO D'ABRUZZO, ZACCAGNINI, ITALIE
16,15 $   SAQ S* (908954)   ★★★ $$   Corsé

**91. Les Fiefs d'Aupenac Rouge 2007**  (page 155)
SAINT-CHINIAN « ROQUEBRUN », FRANCE
19,95 $   SAQ C (10559166)   ★★★ $$   Corsé

**92. Château de la Gardine 2007**  (page 174)
CHÂTEAUNEUF-DU-PAPE, FRANCE
35,50 $   SAQ C (022889)   ★★★☆?☆ $$$   Corsé+

**93. Mas Haut-Buis « Les Carlines » 2008**  (page 188)
COTEAUX-DU-LANGUEDOC, FRANCE *(DISP. OCT./NOV. 2010)*
18,20 $   SAQ S (10507278)   ★★★ $$   Corsé

**94. Vieux Château Champs de Mars 2006**  (page 156)
CÔTES-DE-CASTILLON, FRANCE
20,30 $   SAQ S* (10264860)   ★★★?☆ $$   Modéré+

**95. Syrah Liberty School 2008**  (page 286)
CALIFORNIA, ÉTATS-UNIS
19,45 $   SAQ S* (10355454)   ★★★ $$   Corsé

**96. Cocoa Hill 2008**  (page 306)
WESTERN CAPE, AFRIQUE DU SUD *(DISP. OCT./NOV. 2010)*
14,55 $   SAQ S (10679361)   ★★★ $$   Corsé

**97. Muga Reserva 2006**  (page 160)
RIOJA, ESPAGNE
21,50 $   SAQ S* (855007)   ★★★?☆ $$   Corsé

**98. Villa Antinori 2006**  (page 165)
TOSCANA, MARCHESI ANTINORI, ITALIE
23,95 $   SAQ C (10251348)   ★★★?☆ $$   Modéré+

**99. Mas La Plana 2003**  (page 177)
PENEDÈS, MIGUEL TORRES, ESPAGNE
46,75 $   SAQ S (10796410)   ★★★★?☆ $$$$   Corsé+

**100.Château Peyros « Vieilles Vignes » 2005**  (page 186)
MADIRAN, FRANCE
17,15 $   SAQ S* (488742)   ★★★ $$   Corsé

# TOP 20 BAS PRIX
# 15e ANNIVERSAIRE

**Voici le « TOP 20 BAS PRIX » Chartier** des aubaines à bas prix du quinzième anniversaire de *La Sélection Chartier* chez les vins « en achat continu » offerts à moins de 15 $. N'oubliez pas de lire les commentaires et les harmonies de ces vins au fil des pages de *La Sélection*.

1. **Clos La Coutale 2008** (page 120)
   CAHORS, FRANCE
   **13,60 $** SAQ C (857177) ★★☆?☆ $$ Modéré+

2. **Monasterio de Las Viñas « Crianza » 2005** (page 111)
   CARIÑENA, ESPAGNE
   **10,60 $** SAQ C (539528) ★★☆?☆ $ Modéré+

3. **Animus 2007** (page 115)
   DOURO, VINCENTE LEITE DE FARIA, PORTUGAL
   **12,25 $** SAQ C (11133239) ★★☆ $ Modéré

4. **Laderas de El Sequé 2009** (page 116)
   ALICANTE, ESPAGNE
   **12,75 $** SAQ S* (10359201) ★★☆?☆ $$ Corsé

5. **Bonal « Tempranillo » 2007** (page 109)
   VALDEPEÑAS, ESPAGNE *(DISP. AUTOMNE 2010)*
   **8 $** SAQ C (548974) ★★?☆ $ Modéré+

6. **Gros Manseng/Sauvignon « Brumont » 2009** (page 78)
   VIN DE PAYS DES CÔTES-DE-GASCOGNE, FRANCE
   **12,35 $** SAQ C (548883) ★★?☆ $ Modéré

7. **Pinot Gris Bodega François Lurton 2009** (page 255)
   VALE DE UCO, ARGENTINE
   **14,95 $** SAQ S* (556746) ★★☆ $$ Modéré+

8. **Perle de Roseline 2008** (page 131)
   CÔTES-DE-PROVENCE, FRANCE
   **14,90 $** SAQ C (11251761) ★★☆?☆ $$ Modéré+

9. **Blés Crianza 2007** (page 125)
   VALENCIA, DOMINO DE ARANLEÓN, ESPAGNE
   **13,95 $** SAQ C (10856427) ★★★ $$ Modéré+ BIO

10. **Sauvignon Blanc Caliterra Reserva 2010** (page 251)
    CASABLANCA, CHILI
    **11,90 $** SAQ C (275909) ★★☆ $ Modéré

11. **Dégel** (page 319)
    CIDRE TRANQUILLE, LA FACE CACHÉE DE LA POMME, HEMMINGFORD, CANADA
    **9,30 $** SAQ S* (10661486) ★★?☆ $ Léger+

12. **Malbec Reserva Nieto Senetiner 2008** (page 274)
    MENDOZA, ARGENTINE
    **13,35 $** SAQ S* (10669883) ★★☆?☆ $$ Corsé

13. **Malbec Saint Helme 2008** (page 118)
    CAHORS, FRANCE
    **13 $** SAQ C (11073352) ★★?☆ $ Modéré

14. **Solaz « Tempranillo/Cabernet Sauvignon » 2007** (page 114)
    VINO DE LA TIERRA DE CASTILLA, ESPAGNE
    **11,95 $** SAQ C (610188) ★★☆ $ Modéré

**15. Sangiovese Medoro 2009** (page 113)
MARCHE, UMANI ROCHI, ITALIE *(DISP. OCT. 2010)*
11,20 $   SAQ C (565283)   ★★☆ $   Modéré+

**16. Caldas 2008** (page 118)
DOURO, D. ALVES DE SOUSA, PORTUGAL
13 $   SAQ S* (10865227)   ★★☆?☆ $$   Modéré+

**17. Malbec Trapiche 2009** (page 272)
MENDOZA, ARGENTINE
10,35 $   SAQ C (501551)   ★★☆ $   Modéré+

**18. Malbec Finca Flichman 2009** (page 271)
MENDOZA, ARGENTINE
8,35 $   SAQ C (10669832)   ★★☆ $   Modéré+

**19. Castillo de Monséran 2009** (page 109)
CARIÑENA, ESPAGNE
8,85 $   SAQ C (624296)   ★★?☆ $   Modéré

**20. Primitivo I Monili 2009** (page 110)
PRIMITIVO DEL TARANTINO, ITALIE
9,65 $   SAQ C (577684)   ★★☆ $   Modéré+

# TOP 10 SPIRITUEUX 15e ANNIVERSAIRE

**Voici la liste du « TOP 10 SPIRITUEUX »** Chartier des meilleurs rapports qualité-prix du quinzième anniversaire de *La Sélection Chartier* chez les spiritueux offerts à la SAQ. Notez que les commentaires détaillés de ces spiritueux, tout comme d'autres coups de cœur, sont disponibles en exclusivité sur le site Internet **www.francoischartier.ca**

1. **Macallan 12 ans**
   SCOTCH HIGHLAND SINGLE MALT, THE MACALLAN DISTILLERS, ÉCOSSE
   81 $　　SAQ S (186429)　★★★★

2. **The Yamazaki 12 ans**
   WHISKY SINGLE MALT, SUNTORY, JAPON
   64 $　　SAQ S (11202484)　★★★★

3. **The BenRiach 15 ans « Tawny Port Wood Finish »**
   SCOTCH SPEYSIDE SINGLE MALT, BENRIACH DISTILLERY, ÉCOSSE
   86,50 $　SAQ S (11092457)　★★★★

4. **Té Bheag**
   SCOTCH GAELIC BLENDED, PRÀBAN NA LINNE, ÉCOSSE
   32,25 $　SAQ S (858209)　★★★★

5. **Talisker Single Malt 10 ans**
   SCOTCH, TALISKER DISTILLERY, ÉCOSSE
   69,25 $　SAQ S (249680)　★★★★

6. **El Dorado « 12 Year Old »**
   RHUM, DEMERARA DISTILLERS, GUYANE
   34 $　　SAQ S (10904652)　★★★★

7. **Isle of Jura 10 ans**
   SCOTCH SINGLE MALT, ISLE OF JURA, ÉCOSSE
   49,50 $　SAQ S (512814)　★★★☆

8. **Belle de Brillet**
   LIQUEUR DE POIRE WILLIAMS AU COGNAC, MAISON J. R. BRILLET, FRANCE
   39,25 $　SAQ S (10825920)　★★★☆

9. **St-Rémy Extra Vieux XO Napoléon**
   BRANDY, DISTILLERIE ST-RÉMY, FRANCE
   25,90 $　SAQ S (557108)　★★★

10. **El Dorado « Original Dark Superior »**
    RHUM, DEMERARA DISTILLERS, GUYANE
    20,35 $　SAQ S (10671617)　★★★

SWISS + MADE

# IMPRESSA S9 OT

One Touch... D'une simple pression du doigt, il est possible de préparer cappuccino, et latte macchiato, bref, toutes les variations possibles et imaginables d'un café délicieux. Sous sa robe sobre et élégante, avec des touches en chrome fumé et des buses d'écoulement du café en métal massif, la machine à café IMPRESSA S9 One Touch est en accord parfait avec l'esprit du temps, une synthèse réussie du design et de l'ingénierie. Cette machine de première qualité signée JURA représente une valeur sûre en raison de l'excellence des produits suisses, de leur design raffiné et de leur facilité d'utilisation.

www.juraquebec.com

# VINS DE LA VIEILLE EUROPE

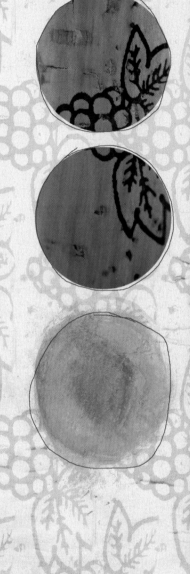

# VINS BLANCS
# DE LA VIEILLE
# EUROPE

## Chardonnay Settesoli 2009

SICILIA, CANTINE SETTESOLI, ITALIE

| 9,95 $ | SAQ C (10669277) | ★★ $ | Léger+ |
|---|---|---|---|

Cette excellente cave sicilienne présente depuis quelques millésimes un chardonnay d'un rapport qualité-plaisir imbattable, comme elle le fait d'ailleurs avec l'ensemble de sa gamme de vins, salué dans plusieurs éditions de ce guide. Aromatique, fin et délicat, au nez étonnamment riche pour son rang, aux notes de miel, de noisette et de melon, à la bouche d'une acidité fraîche et saisissante, mais harmonisée par une texture d'une bonne ampleur, aux longues saveurs de fruits secs et de pêche blanche. **Servez-le à table, entre autres, soit avec les ingrédients complémentaires au melon (bière blanche et blonde, citron, citronnelle, gingembre), soit avec ceux à la noisette (crevette, arachide, café, orge rôtie, sauce soya, tofu et vanille) – notez que ces aliments possèdent une structure moléculaire proche parent du melon ou de la noisette, faisant d'eux des ingrédients au grand pouvoir harmonique lorsque cuisinés ensemble et accompagnés de ce type de vin qui partage les mêmes composés volatils dominants.** **Cépage :** chardonnay. **Alc./**12,5 % www.cantinesettesoli.it

☛ *Servir dans les deux années suivant le millésime, à 12 °C*

Salade de crevettes et vinaigrette au gingembre et sauce soya (avec jus de citron), brochette de crevettes satay (sauce aux arachides), sauté de tofu et crevettes à la bière blanche (avec sauce soya, citronnelle, gingembre, arachides et noisettes).

## Verdicchio Classico Umani Ronchi 2009

VERDICCHIO DEI CASTELLI DI JESI, UMANI RONCHI, ITALIE

| 10,80 $ | SAQ C (10544790) | ★★ $ | Léger+ |
|---|---|---|---|

Difficile d'être plus festif et apéritif pour le prix! Un blanc sec italien au nez fin, exhalant des notes de pomme, d'amande et de fleur, à la manière d'un muscadet, à la bouche étonnamment souple, mais avec une fraîcheur zestée ainsi qu'une tenue qui surprend pour un verdicchio de ce rang. Une inspirante fin de bouche, digeste au possible, laissant un agréable goût d'amande fraîche signe ce vin de soif. Mais de grâce, ne le servez pas trop froid afin de lui permettre de dilater sa texture sur vos papilles qui en redemanderont! **Cépages :** 90 % verdicchio, 10 % malvasia. **Alc./**12 % www.umanironchi.it

☛ *Servir dans les deux années suivant le millésime, à 12 °C*

Apéritif, trempette tzatziki à la menthe fraîche, salade César, *fish and chips* sauce tartare, éperlans frits arrosés de jus de citron ou raclette.

## Beauvignac Picpoul de Pinet 2009

COTEAUX-DU-LANGUEDOC PICPOUL DE PINET, LES COSTIÈRES DE POMÉROLS, FRANCE

| 11,50 $ | SAQ C (632315) | ★☆ $ | Léger |
|---|---|---|---|

Vous cherchez un blanc sec, léger et rafraîchissant? Ne cherchez plus et optez pour ce picpoul tout en finesse et en vivacité, exprimant des tonalités subtiles de pomme et d'agrumes. La bouche suit avec une acidité croquante, un corps satiné et des saveurs de citron vert et de pamplemousse. Vin simple mais efficace, à prix doux. **Cépage :** pinot blanc. **Alc./**12,5 % www.cave-pomerols.com

☛ *Servir dans les deux années suivant le millésime, à 12 °C*

Apéritif, *fish and chips* sauce tartare, **huîtres crues en version anisée (\*\*)** ou poisson grillé arrosé de jus de citron.

## Albis 2009

TERRAS DO SADO, JOSÉ MARIA DA FONSECA SUCCS, PORTUGAL

| 11,90 $ | SAQ S* (319905) | ★★ $ | Léger+ |
|---|---|---|---|

D'une régularité sans faille, ce blanc se montre plus enjôleur que jamais, toujours aussi désaltérant et parfumé, ce qui fait de lui, comme à son habitude, un excellent achat, tout particulièrement pour l'apéritif. Rien de tel pour éblouir vos cils olfactifs que ses effluves floraux, rappelant le muguet printanier, à la bouche on ne peut plus souple, caressante et rafraîchissante, presque moelleuse, mais avec fraîcheur, à l'acidité discrète et aux saveurs gourmandes et festives, rappelant les bonbons et le melon. À boire jusqu'à plus soif. **Cépages :** 90 % moscatel de setubal, 10 % arinto. **Alc./**12 % **www.jmf.pt**

☛ *Servir dans les deux années suivant le millésime, à 12 °C*

Apéritif, trempette de guacamole et mangue, crème de carotte au safran et moules, sole pochée et tagliatelles au safran et au fenouil ou **dos de morue poché au lait de coco à la rose (gingembre mariné et pois craquants) (\*\*).**

## Gros Manseng/Sauvignon « Brumont » 2009　✓ TOP 20 BAS PRIX

VIN DE PAYS DES CÔTES-DE-GASCOGNE, ALAIN BRUMONT, FRANCE

| 12,35 $ | SAQ C (548883) | ★★?☆ $ | Modéré |
|---|---|---|---|

Comme par les millésimes passés, ce blanc sec d'Alain Brumont, l'un des maîtres de Madiran, est à ranger parmi les vins que je qualifie « à acheter, bon an mal an, les yeux fermés ». Il se montre plus que jamais d'un charme fou et d'un prix plus que doux pour son rang. Laissez-vous charmer par son nez à la fois fin et délicat, mais aussi très aromatique et détaillé, s'exprimant par des tonalités de pamplemousse, de buis et de menthe fraîche, à la bouche croquante et vivace, pour ne pas dire festive, mais dotée d'une texture plus substantielle que l'année dernière, tout en demeurant satinée, aux longues saveurs à la fois florales et exotiques. **Cépages :** gros manseng, sauvignon blanc. **Alc./**13 % **www.brumont.fr**

☛ *Servir dans les trois années suivant le millésime, à 12 °C*

Apéritif, **huîtres frites à la coriandre et wasabi (\*\*),** canapés d'asperges enroulées de saumon fumé et d'aneth, rouleaux de printemps à la menthe, salade d'asperges et de mozzarella à l'émulsion de jus de pamplemousse rose ou minibrochettes de crevettes et trempette tzatziki à la menthe fraîche.

## Sauvignon Domaine du Tariquet 2009

VIN DE PAYS DES CÔTES-DE-GASCOGNE, P. GRASSA FILLE ET FILS, FRANCE

| 12,80 $ | SAQ S* (484139) | ★★?☆ $ | Léger+ |
|---|---|---|---|

Un blanc moderne, fidèle à son style, donc marqué par des parfums amyliques de bonbon et de banane, à la bouche à la fois très fraîche et caressante, presque sucrée « sans sucre », satinée et suave, aux saveurs étonnamment longues et rafraîchissantes. Yves Grassa a su à nouveau accoucher d'un sauvignon d'une très belle suavité, à l'acidité discrète, juste dosée. Il faut dire qu'il connaît la chanson et que tous ces vins sont à recommander, bon an mal an, « presque les yeux fermés ». **Cépage :** sauvignon blanc. **Alc./**12 % **www.tariquet.com**

☛ *Servir dans les trois années suivant le millésime, à 12 °C*

Apéritif, **émulsion d'asperges vertes aux crevettes_Mc$^2$ (\*\*), huîtres frites à la coriandre et wasabi (\*\*),** minibrochettes de crevettes au basilic ou truite et purée de céleri-rave.

## Borsao « Seleccion Joven » 2009

CAMPO DE BORJA, BODEGAS BORSAO, ESPAGNE

| 12,85 $ | SAQ S* (10856161) | ★★☆ $ | Modéré |
|---|---|---|---|

Coup de cœur de la précédente édition de *La Sélection*, depuis son arrivée au Québec, avec le millésime 2006 (commenté dans *La Sélection 2009*), ce blanc espagnol ne cesse d'être l'un des meilleurs achats chez les blancs hispaniques offerts sous la barre des quinze dollars. Il récidive à nouveau avec ce cru au nez expressif au possible (fleur séchée, agrumes, tilleul), à la bouche à la fois aérienne et texturée, fraîche et patinée, aux saveurs gourmandes, un brin minérales. Il faut dire que ce maccabeo est élaboré sous la houlette des fameuses Bodegas Borsao, qui connaissent un succès retentissant au Québec avec toute leur gamme de vins rouges. Ceci explique cela. Alors, quel que soit le millésime disponible lorsque vous lirez ces lignes, vous pouvez acheter ce blanc les yeux fermés. **Cépage :** maccabeo. **Alc./**13,5 % www.bodegasborsao.com

☞ *Servir dans les trois années suivant le millésime, à 14 °C*

Lapin à la crème moutardée (*), mignon de porc mangue-curry (*), filet de sole à la moutarde et au miel, saumon fumé sauce au miel, vol-au-vent de fruits de mer ou **dos de morue poché au lait de coco à la rose (gingembre mariné et pois craquants) (**).**

## Riesling Selbach 2008

MOSEL-SAAR-RUWER, J. & H. SELBACH, ALLEMAGNE

| 13,75 $ | SAQ S (11034741) | ★★★ $$ | Léger+ |
|---|---|---|---|

Il est plutôt difficile de dénicher un riesling de cette qualité chez les crus germaniques et français offerts sous la barre des vingt dollars – d'autant plus que son prix a été baissé de 1,40 $ depuis octobre 2009. Un vin aromatique à souhait, vivace et raffiné, aux notes classiques de conifères et de pomme verte, à la bouche électrisante, marquée par une acidité rafraîchissante au possible, sans excès, contrebalancée par un toucher toujours aussi satiné, terminant sa course sur des notes d'agrumes. À boire jusqu'à plus soif. **Cépage :** riesling. **Alc./**11 % www.selbach-oster.de

☞ *Servir dans les cinq années suivant le millésime, à 12 °C*

Apéritif, rouleaux de printemps au crabe et à la coriandre fraîche, **fromage de chèvre cendré à l'huile d'olive et romarin (**), calmars en tempura d'amandes, fleur de sel au cèdre, mousse de riz en paella (**) ou filet de truite en gravlax nordique, granité de gingembre et de pamplemousse (**).**

## Les Fumées Blanches 2009

VIN DE FRANCE, FRANÇOIS LURTON, FRANCE

| 13,85 $ | SAQ C (643700) | ★★☆ $ | Léger+ |
|---|---|---|---|

Coup de cœur à plusieurs reprises au fil des quinze ans de *La Sélection*, chez les blancs de ce cépage offerts à prix doux, ce très aromatique, anisé, mentholé et vivace sauvignon, de cette désormais populaire maison dirigée avec doigté par le sympathique et dynamique François Lurton, est à ranger parmi les bons achats à prix doux. **Si vous servez vos tomates fraîches avec le classique basilic frais, tout comme avec des asperges, de la mozzarella, une émulsion d'huile d'olive et de jus de pamplemousse rose, des crevettes ou de la papaye** – notez que ces derniers sont à ranger parmi les ingrédients complémentaires ayant un pouvoir d'attraction avec la tomate –, **c'est ce sauvignon blanc qu'il vous faut. Cépage :** sauvignon blanc. **Alc./**12 % www.francoislurton.com

☞ *Servir dans les deux années suivant le millésime, à 12 °C*

🍴 Salade d'asperges et de mozzarella à l'émulsion de jus de pamplemousse rose, assiette de tomates fraîches et basilic, salade de crevettes et tomates à la vinaigrette de papaye ou taboulé de menthe fraîche.

## Viognier Domaine de Gourgazaud 2009
VIN DE PAYS D'OC, CHÂTEAU DE GOURGAZAUD, FRANCE

| 13,90 $ | SAQ S* (912469) | ★★★ $$ | | Corsé |
|---|---|---|---|---|

Millésime après millésime, ce généreux blanc sec languedocien se positionne parmi les références en blanc du Midi offertes sous la barre des vingt dollars. Le nez est riche et prenant, exhalant des notes jouant la plupart du temps dans l'univers de l'abricot, de l'osmanthus et de la coriandre fraîche. La bouche est pleine, texturée, fraîche et même minéralisante. Pour avoir servi ce vin, à plus d'une reprise, sur une cocotte de poulet et lentilles aux piments forts, curcuma, cardamome et coriandre, difficile de trouver mieux pour soutenir les mets aussi épicés. Et ce, même après avoir servi un rouge! L'harmonie, vibrante avec la capsaïcine des piments (molécule feu de ces derniers) démontre qu'il faut un vin généreux en alcool, et non léger comme trop souvent les livres harmoniques le recommandent. Enfin, osez le servir à température plus élevée, soit à 14 ou 15 degrés, ainsi vous serez en mesure d'apprécier sa texture ample tout comme ses parfums exubérants. **Cépage :** viognier. **Alc./**13,5 % **www.gourgazaud.com**

☞ *Servir dans les trois années suivant le millésime, à 14 °C*

🍴 Rôti de porc farci aux abricots, escalopes de porc à la salsa de pêche et curcuma ou cocotte de poulet et lentilles aux piments forts, curcuma, cardamome et coriandre.

## Sylvaner Ruhlmann « Bouquet Printanier » 2009
ALSACE, DOMAINE RUHLMANN, FRANCE

| 13,95 $ | SAQ C (11184853) | ★☆?☆ $ | | Léger |
|---|---|---|---|---|

Les amateurs de sylvaner, tout comme de vin blanc sec et sapide, seront heureux avec cette agréable nouveauté alsacienne. Convivial et croquant, difficile de trouver mieux à l'apéritif. Un blanc sec aromatique et fin, exhalant des notes de fleurs blanches, de poire et de pomme verte, à la bouche vive et aérienne, digeste et légère comme une brise estivale. Rien de compliqué, mais drôlement efficace en matière de blanc rafraîchissant. **Cépage :** sylvaner. **Alc./**12 % **www.ruhlmann.fr**

☞ *Servir dans les deux années suivant le millésime, à 10 °C*

🍴 Apéritif, trempette tzatziki à la menthe fraîche, poisson grillé arrosé de jus de citron, salade César, salade de crevettes à la mayo-wasabi ou salade de fenouil et pommes.

## Aligoté Bouchard Père & Fils 2009
BOURGOGNE-ALIGOTÉ, BOUCHARD PÈRE & FILS, FRANCE

| 14 $ | SAQ S (464594) | ★★☆ $$ | | Modéré |
|---|---|---|---|---|

Cet excellent aligoté est né d'un millésime qui permettra aux amateurs qui boudent trop souvent les vins de cette appellation d'y revenir avec plaisir. Ils y dénicheront un blanc sec qui étonne par son ampleur, pour le cépage, et qui s'exprime avec éclat, netteté et précision, laissant deviner de subtils effluves à la fois anisés et fruités, rappelant le citron et l'orange. Sapide et digeste, mais avec présence. Osez le servir à température plus élevée qu'à l'habitude, ainsi vous serez à même de profiter de son étonnant toucher de bouche – pour l'appellation, je le rappelle. **Cépage :** aligoté. **Alc./**14 % **www.bouchard-pereetfils.com**

☛ *Servir dans les trois années suivant le millésime, à 14 °C*

Salade César aux crevettes grillées, truite grillée et purée de céleri-rave, salade de vermicelles au poulet et au citron, sashimi de poisson ou **calmars en tempura d'amandes, fleur de sel au cèdre, mousse de riz en paella (\*\*)**.

## Dr. Loosen Bros 2009
MOSEL-SAAR-RUWER, WEINGUT DR. LOOSEN, ALLEMAGNE

| **14 $** | SAQ C (10685251) | ★★☆ $$ | Léger+ |
|---|---|---|---|

Voilà un autre millésime réussi de ce bien beau riesling allemand, offert à bas prix. Un vin très aromatique, aux notes typiques de pomme verte et d'épinette, à la bouche vivifiante, marquée par une acidité quasi électrisante, mais contrebalancée par une certaine dose de sucre résiduel qui disparaît presque en fin de bouche, laissant place à une belle sécheresse minérale. Très bel équilibre, inspirante harmonie et, comme à son habitude, beaucoup de digestibilité dans ce vin à seulement 8,5 % d'alcool. **Cépage :** riesling. **Alc./**8,5 % **www.drloosen.com**

☛ *Servir dans les trois années suivant le millésime, à 12 °C*

**Fromage de chèvre cendré à l'huile d'olive et romarin (\*\*)**, ceviche de poisson blanc, flétan au beurre d'agrumes, salade de vermicelles au poulet et au citron, turbot au jus de pomme ou **calmars en tempura d'amandes, fleur de sel au cèdre, mousse de riz en paella (\*\*)**.

## Château La Grave « Expression » 2009
✓ TOP 100 CHARTIER

MINERVOIS, OROSQUETTE, FRANCE

| **14,40 $** | SAQ S* (864561) | ★★☆?☆ $$ | Modéré |
|---|---|---|---|

Pour une ixième fois consécutive, ce domaine présente un blanc réussi avec brio, au nez raffiné, à la fois anisé, mentholé et fruité, à la bouche toujours aussi satinée, marquée par une acidité minéralisante, lui procurant élan et digestibilité. Croquant et persistant. Il faut savoir que ce blanc, à base de cépages autochtones, était devenu au fil des dix premières éditions de *La Sélection Chartier* l'une des valeurs sûres chez les languedociens. Après une petite absence de ce guide, le revoilà enfin de retour au sommet depuis deux éditions. **Cépages :** 80 % maccabeu, 10 % vermentino, 10 % marsanne. **Alc./**12,5 % **www.chateau-la-grave.net**

☛ *Servir dans les trois années suivant le millésime, à 12 °C*

Saumon mariné en sauce à l'aneth (\*), saumon grillé et béarnaise de crottin de Chavignol (\*), salade au crottin de Chavignol aux herbes (basilic, cerfeuil et fenouil) et à l'huile ou pâtes aux fruits de mer et au Pernod.

## Pinot Grigio Garganega Canaletto 2009

VÉNÉTIE, CASA GIRELLI, ITALIE

| 14,50 $ | SAQ C (928887) | ★★?☆ $$ | Léger+ |
|---|---|---|---|

Cet enchanteur pinot gris version vénitienne – notez que le pinot gris italien n'a pas la charpente de celui cultivé en Alsace, il se rapproche plus d'ailleurs du pinot blanc alsacien –, certes commercial mais drôlement efficace, est spécialement engageant à l'heure de l'apéritif. Vous y dénicherez un nouveau millésime tout aussi rafraîchissant et croquant de vérité, aux parfums de miel, de fleurs et d'agrumes, à la texture presque suave et aérienne, tout en fraîcheur. **Cépages :** pinot grigio, garganega. **Alc./**12 % **www.casagirelli.it**

☛ *Servir dans les deux années suivant le millésime, à 12 °C*

Apéritif, blanquette de veau, fondue au fromage suisse, raclette, salade César, trempette crémeuse et légumes ou escalopes de porc à la salsa fruitée.

## Château de Nages Réserve 2009

COSTIÈRES-DE-NÎMES, R. GRASSIER, FRANCE

| 14,90 $ | SAQ C (427609) | ★★☆ $ | Modéré+ |
|---|---|---|---|

Un assemblage rhodanien à la fois vivifiant et quasi généreux, comme par les millésimes passés célébrés dans ce guide à maintes reprises. De subtils parfums d'amande et de pêche donnent le ton au nez. La bouche se montre droite et svelte, avec un certain moelleux qui se cache à l'arrière-scène et qui, une fois le vin passé en carafe et servi à température plus élevée, prend les devants de la scène. Belle et étonnamment longue finale, pour son rang, laissant des traces d'abricot et de fleurs blanches, résultant en un blanc sec de plaisirs harmoniques à table. **Utilisez les ingrédients complémentaires, donc de même famille moléculaire, à ses arômes de pêche et d'amande, comme le sont, entre autres, l'abricot, le miel, le curcuma, la noix de coco et la viande de porc.** **Cépages :** 60 % grenache blanc, 40 % roussanne. **Alc./**14 % **www.michelgassier.com**

☛ *Servir dans les trois années suivant le millésime, à 14 °C et oxygéné en carafe 15 minutes*

Escalopes de porc à la salsa de pêche et curcuma, rôti de porc farci aux abricots ou curry de porc à la noix de coco (voir Curry de poulet à la noix de coco) (*).

## Château Roquetaillade La Grange 2009

GRAVES, B. D. & P. GUIGNARD, FRANCE

| 14,95 $ | SAQ C (240374) | ★★?★ $$ | Modéré |
|---|---|---|---|

Plus attrayant que jamais, même si d'une régularité sans faille, millésime après millésime, ce nouveau Roquetaillade représente à nouveau l'un des meilleurs bordeaux blancs offerts sous la barre des seize dollars. L'attaque en bouche est toujours aussi satinée et enveloppante, signalant son pourcentage élevé de sémillon, ainsi que le style du domaine, tandis qu'une croquante et vivifiante acidité lui procure de l'élan, de la fraîcheur, de la droiture, du plaisir à boire et une grande digestibilité. Pamplemousse rose, miel et menthe fraîche en signent le bouquet. **Cépages :** 60 % sémillon, 20 % sauvignon blanc, 20 % muscadelle. **Alc./**12,5 %

☛ *Servir dans les trois années suivant le millésime, à 12 °C*

Saumon fumé vinaigrette au miel, escargots à la crème de persil, fettucine au saumon fumé à l'aneth ou **émulsion d'asperges vertes aux crevettes_Mc$^2$ (**).

## Hermanos Lurton 2009
RUEDA, BODEGAS FRANÇOIS LURTON, ESPAGNE

| 14,95 $ | SAQ S* (727198) | ★★★ $$ | | Modéré+ |
|---|---|---|---|---|

Difficile d'être plus représentatif du cépage espagnol verdejo, qui sait se donner des airs de sauvignon blanc, en exprimant un nez exubérant et anisé de menthe fraîche, de gazon fraîchement coupé et de pamplemousse rose. En bouche, toujours le même profil « sauvignoné », au rendez-vous, d'une certaine ampleur, avec fraîcheur, éclat et texture satinée. Il mérite enfin sa troisième étoile. **C'est donc l'occasion plus que jamais de faire vos gammes aromatiques avec ce cépage original et unique à l'Espagne et de vous amuser en cuisine avec des recettes dominées par les aliments de la famille des anisés ou des ingrédients complémentaires au safran (voir ces chapitres dans le tome I de** *Papilles et Molécules*). **Cépages :** 85 % verdejo, 10 % sauvignon, 5 % viura. **Alc./**13 % **www.jflurton.com**

☛ *Servir dans les trois années suivant le millésime, à 12 °C*

**Calmars en tempura d'amandes, fleur de sel au cèdre, mousse de riz en paella (**\*\***)**, bruschetta au pesto, fusillis au saumon et au basilic, moules au vin blanc et à l'émincé de fenouil frais ou **crevettes caramélisées, écume de carotte, pomme McIntosh et graines de cumin, purée de carottes à l'huile de crustacés et** *pimentón* **fumée (**\*\***)**.

## Viña Esmeralda 2009
CATALUNYA, MIGUEL TORRES, ESPAGNE

| 14,95 $ | SAQ S (10357329) | ★★☆ $$ | | Modéré |
|---|---|---|---|---|

Comme toujours avec cette cuvée à base de muscat, ce vin est l'apéritif sur mesure. Vous y dénicherez un blanc floral au possible, mais légèrement plus nourri que le précédent 2008, qui était, lui, léger et aérien. Un vin presque sec, tout en ayant une très légère pointe de sucre résiduel qui titille le bout de la langue avec bonheur, sans apporter aucune lourdeur, d'une fraîcheur parfaite et d'une digestibilité festive. **Cépages :** 85 % moscatel (muscat d'alexandrie), 15 % gewürztraminer. **Alc./**11,5 % **www.torreswines.com**

☛ *Servir dans les deux années suivant le millésime, à 12 °C*

Apéritif, **fromage de chèvre cendré à l'huile d'olive et romarin (**\*\***)**, trempette de guacamole et mangue, canapés de minibrochettes de poulet à la salsa d'ananas ou fricassée de poulet aux fraises et au gingembre.

## Clos de la Briderie « Vieilles Vignes » 2008
TOURAINE-MESLAND, VINCENT GIRAULT, FRANCE

| 15 $ | SAQ S* (861575) | ★★☆?☆ $$ | Léger+ | BIO |
|---|---|---|---|---|

Coup de cœur de la précédente édition et grand classique de son appellation, ce blanc sec bien connu des amateurs de vins sans artifice ni poudre de perlimpinpin, provenant de vieilles vignes cultivées selon les principes de la biodynamie, se montre tout aussi réussi que par le passé. Vous y dénicherez plus que jamais un blanc très aromatique, au nez fin et charmeur, aux notes de fleurs blanches, de pomme, d'agrumes et de tilleul, à la bouche d'une acidité toujours aussi croquante, qui lui procure de l'élan, et à la texture plus que jamais satinée. **Cépages :** chenin blanc (majoritaire), chardonnay. **Alc./**12,5 %

☛ *Servir dans les quatre années suivant le millésime, à 12 °C*

🍴 **Fromage de chèvre cendré à l'huile d'olive et romarin (\*\*), huîtres frites à la coriandre et wasabi (\*\*)**, truite grillée et purée de céleri-rave, salade de fenouil grillé et fromage de chèvre chaud, salade d'asperges à l'émulsion de jus de pamplemousse rose et paprika.

## San Vincenzo Anselmi 2009

✓ TOP 100 CHARTIER

VENETO, AZIENDA AGRICOLA ROBERTO ANSELMI, ITALIE

| 15,25 $ | SAQ C (585422) | ★★★ $$ | Modéré+ |
|---|---|---|---|

Plus que jamais, Roberto Anselmi présente un 2009 des plus réussis et volant au-dessus de la mêlée des vins de cette région, dont nombreux sont offerts à un prix plus élevé que ce dernier. Malgré que le San Vincenzo ne soit que cuvée de base, ce vin est vraiment un modèle d'équilibre et de haute définition. Un élevage de six mois en cuves inox, sur lies et avec bâtonnages permet d'en complexifier le bouquet et la texture. Difficile de faire mieux à un prix aussi doux. Pureté aromatique, fraîcheur et ampleur en bouche, égrainant de longues et précises saveurs d'agrumes et de noix légèrement grillées, tout en dévoilant son habituelle minéralité électrisante. Sapide et digeste au possible, mais non dénué de corps, ce qui lui vaut une place plus que méritée dans le « TOP 100 CHARTIER » anniversaire. **Cépages :** 80 % garganega, 15 % chardonnay, 5 % trebbiano di soave. **Alc./**13 % www.robertoanselmi.com

☛ *Servir dans les quatre années suivant le millésime, à 12 °C*

🍴 Assiette de tomates fraîches et mozzarella à l'émulsion d'huile d'olive et jus de pamplemousse rose, **huîtres frites à la coriandre et wasabi (\*\*)**, escargots aux champignons et à la crème de persil, fettucine Alfredo ou fettucine au saumon fumé à l'aneth.

## Cuvée des Conti
## « Tour des Gendres » 2009

✓ TOP 100 CHARTIER

BERGERAC, FAMILLE DE CONTI, CHÂTEAU TOUR DES GENDRES, FRANCE

| 15,30 $ | SAQ S* (858324) | ★★★?☆ $$ | Modéré+ | BIO |
|---|---|---|---|---|

L'un des blancs ayant reçu le plus souvent un coup de cœur au fil des millésimes depuis quinze ans, cette plus que jamais gourmande Cuvée des Conti, vinifiée avec maestria par Luc de Conti, dynamo de l'appellation, est à ranger parmi les références les plus abordables de la France des terroirs. Quelle réussite que ce 2009! Tout y est. Expressivité, détail, finesse et complexité aromatique, jouant dans l'univers de l'abricot, de l'acacia, du miel, de la menthe et du pamplemousse, avec une bouche plus texturée et enveloppante que jamais, au volume étonnant pour son rang, à l'éclat juste et précis et aux saveurs d'une grande allonge. Que dire de plus que merci à la famille de Conti! **Cépages :** 70 % sémillon, 20 % sauvignon blanc, 10 % muscadelle. **Alc./**13,5 % www.chateautourdesgendres.com

☛ *Servir dans les quatre années suivant le millésime, à 14 °C*

🍴 **Amandes apéritives à l'espagnole (***pimentón*** fumé, miel et huile d'olive) (\*\*)**, filet de porc grillé au miel et aux poires, poulet au gingembre et à l'ananas ou **crabe des neiges, ketchup aux pois verts, épinards fanés à l'huile d'olive, caviar de mulet et mousse de bière noire (\*\*)**.

## Basa 2008

RUEDA, VINOS TELMO RODRÍGUEZ, ESPAGNE

| 15,50 $ | SAQ **S** (10264018) | ★★☆ $$ | Léger+ |
|---|---|---|---|

Élaboré par le maestro Telmo Rodríguez, l'une des étoiles des vinificateurs espagnols – magnifiant des terroirs aux quatre coins de l'Espagne –, ce blanc sec se montre plus parfumé que jamais et toujours aussi raffiné et épuré. Des notes de verdejo et de sauvignon blanc donnent le ton en bouche (fenouil, menthe, gazon fraîchement coupé, pamplemousse rose), appuyées par une texture vivifiante et croquante. **Cépages :** verdejo (majoritaire), viura, sauvignon blanc. **Alc./**13 % www.telmorodriguez.com

☛ *Servir dans les trois années suivant le millésime, à 12 °C*

Apéritif, **huîtres crues en version anisée (\*\*)**, ceviche d'huîtres au wasabi et à la coriandre fraîche ou moules au vin blanc et à l'émincé de fenouil frais.

## Château Cailleteau Bergeron « Tradition » Blanc 2009

PREMIÈRES-CÔTES-DE-BLAYE, DARTIER ET FILS, FRANCE

| 15,70 $ | SAQ **S** (10863281) | ★★☆ $$ | Modéré |
|---|---|---|---|

Les vins rouges de ce château sont devenus, au fil des quinze ans de *La Sélection*, des incontournables en matière de bordeaux à prix civilisé, et ce blanc sec de qualité, dont le 2006 avait été salué dans l'édition 2009 de ce guide, s'ajoute à cette liste. Son nez est toujours aussi fin et précis, aux notes de pamplemousse rose et de menthe, suivi d'une bouche à la fois vivifiante et engageante, à la texture satinée, et aux saveurs d'une bonne allonge pour son rang. **Alc./**13 % www.cailleteau-bergeron.com

☛ *Servir dans les trois années suivant le millésime, à 12 °C*

**Émulsion d'asperges vertes aux crevettes_Mc² (\*\*)**, **huîtres crues en version anisée (\*\*)** ou *pasta* au citron, asperges et basilic frais.

## Côté Tariquet 2009

VIN DE PAYS DES CÔTES-DE-GASCOGNE, FAMILLE GRASSA, FRANCE

| 16 $ | SAQ **S\*** (561316) | ★★☆?☆ $$ | Modéré |
|---|---|---|---|

Difficile d'être plus régulière que cette cuvée devenue un incontournable des crus du Sud-Ouest, et même du Midi, offerts sous la barre des vingt dollars. Yves Grassa, à la tête de la plus grosse propriété familiale de France, installée à Eauze, en plein cœur de l'Armagnac, avec plus de 800 hectares de vignobles, dont 65 pour la production d'Armagnac, propose un nouveau millésime plus fin que jamais, au nez raffiné, empreint d'exotisme, très attrayant et rafraîchissant, à la bouche presque sucrée (sans sucre), juteuse et ample, mais en toute légèreté, presque aérienne pour le style, égrainant de longues saveurs d'abricot, de banane, de fleurs jaunes et de menthe. Difficile de ne pas y succomber tant le charme juvénile opère une fois de plus. **Cépages :** 50 % chardonnay, 50 % sauvignon. **Alc./**11 % www.tariquet.com

☛ *Servir dans les trois années suivant le millésime, à 14 °C*

Escalopes de porc à la salsa fruitée, filets de porc à la salsa de pêche et abricot, filets de porc au miel et gingembre ou fricassée de poulet au gingembre et au sésame.

## Domaine des Aubuisières « Cuvée de Silex » 2009

VOUVRAY, BERNARD FOUQUET, FRANCE

| 16,35 $ | SAQ S* (858886) | ★★★ $$ | Modéré+ |

Depuis le millésime 2001, cette cuvée s'est positionnée à plusieurs reprises comme l'un des bons achats de *La Sélection* en matière de blanc de Loire. Ce nouveau millésime n'y fait pas exception. Même s'il se montre presque comme un vin sec, sa texture suave et enveloppante pour l'appellation lui procure un charme fou. Un vin certes presque droit, mais parfumé à souhait, fin et minéralisant, presque longiligne, aux persistantes saveurs d'agrumes, de pomme, d'amande et de houblon. Donc, tout à fait classique et épuré de tout artifice. **Cépage :** chenin blanc. **Alc./**13 % **www.vouvrayfouquet.com**

☞ *Servir dans les cinq années suivant le millésime, à 14 °C*

Salade Waldorf à l'indienne (avec endives, noix et sauce à base de mayonnaise et de yogourt), avocats farcis à la chair de crabe et vinaigrette au jus d'agrumes ou fettucine alla morosana (cantaloup, huile d'olive, prosciutto et parmigiano reggiano) (*).

## Anthilia 2009

SICILIA, TENUTA DONNAFUGATA, ITALIE

| 16,45 $ | SAQ S (10542137) | ★★☆?☆ $$ | Modéré+ |

Comme depuis quelques millésimes, tous commentés dans les précédentes éditions de *La Sélection*, ce blanc sicilien, de cépages autochtones, représente d'année en année une excellente affaire. Donc, vous avez compris, c'est plus que jamais l'aubaine des aubaines italiennes en blanc! Vous vous délecterez d'un blanc sec, au nez au charme aromatique évident, d'une fraîcheur anisée exemplaire, à la bouche à la fois satinée et fraîche, ample et élancée, presque suave et aux saveurs longues et éclatantes de fleurs jaunes et d'agrumes, avec un relent d'abricot. **Cépages :** ansonica, catarratto. **Alc./**12,5 % **www.donnafugata.it**

☞ *Servir dans les trois années suivant le millésime, à 14 °C*

Fettucine Alfredo, linguine aux moules sauce crémeuse, escalopes de veau à l'orange et aux amandes, brochettes de poulet et de crevettes à la salsa d'ananas, fricassée de poulet à l'asiatique ou **chips de jambon serrano, pommade de nectar d'abricot, chapelure d'oreilles de crisse (**).**

## Château Saint-Martin de la Garrigue « Bronzinelle » 2009

✓ TOP 100 CHARTIER

COTEAUX-DU-LANGUEDOC, CHÂTEAU SAINT-MARTIN DE LA GARRIGUE, FRANCE
*(DISP. OCT. 2010)*

| 16,45 $ | SAQ S* (875328) | ★★★ $$ | Modéré+ |

Rares sont les blancs du Midi avec autant de fraîcheur, de minéralité et de digestibilité. Ce à quoi répond à nouveau ce 2009, dégusté en primeur en juillet 2010, qui fera suite au tout aussi bon 2008. Il s'exprime par un profil aérien, mais d'une certaine richesse, aux tonalités aromatiques complexes, rappelant l'abricot, la pêche, le miel, avec une pointe anisée à l'arrière-scène. Un blanc sec à la fois plein et très frais, ample et satiné, aux relents subtils de fruits exotiques et à la longue finale presque crémeuse, mais aussi revitalisante. Grande harmonie au rendez-vous pour son rang. **Cépages :** roussanne, grenache blanc et marsanne + picpoul, terret (vieilles vignes). **Alc./**13,5 % **www.stmartingarrigue.com**

☞ *Servir dans les quatre années suivant le millésime, à 14 °C*

Escalopes de porc à la salsa fruitée, mignon de porc mangue-curry (*), **petit poussin laqué (\*\*)** ou **pétoncles poêlés, couscous de noix du Brésil à l'orange sanguine, lait de coco au gingembre (\*\*)**.

## La Segreta Bianco 2009          ✓ TOP 100 CHARTIER
SICILIA, PLANETA, ITALIE

| 16,55 $ | SAQ S* (741264) | ★★☆ $$ | Modéré |
|---|---|---|---|

Ce savant assemblage non boisé de grecanico, de fiano, de chardonnay et de viognier est toujours aussi croquant et festif, vivifiant et aromatique, fin et digeste. Il faut dire que ce blanc sec, qui est signé par l'une des meilleures maisons du Midi de la péninsule, se place plus que jamais parmi les aubaines de l'heure chez les vins offerts sous la barre des vingt dollars. **Difficile de trouver mieux pour les salades estivales où entrent les ingrédients comme le concombre frais, la coriandre et le yogourt, mais aussi comme le basilic, la menthe, le fenouil frais, la lime, les crevettes et les poissons blancs. Cépages :** 50 % grecanico, 30 % chardonnay, 10 % viognier, 10 % fiano. **Alc./**12,5 % **www.planeta.it**

☞ *Servir dans les trois années suivant le millésime, à 12 °C*

Salade « raita » estivale de concombre (coriandre fraîche, cumin et yogourt), brochettes de poulet et de crevettes à la salsa d'ananas, fricassée de poulet à l'asiatique ou calmars au mojo (ail, huile d'olive, graines de cumin grillées, jus de lime et jus d'orange).

## Château Grinou Réserve 2007
BERGERAC, CATHERINE ET GUY CUISSET, FRANCE

| 16,90 $ | SAQ S* (850255) | ★★★ $$ | Modéré+ |
|---|---|---|---|

Ce château nous a habitués, au fil des quinze ans de *La Sélection*, à des réussites répétées, que ce soit en blanc comme en rouge. D'ailleurs, leurs vins sont à mon sens de vifs concurrents de certains bordeaux vendus beaucoup plus cher. Quoi qu'il en soit, vous trouverez ici un blanc sec au nez toujours aussi ultrafin, s'exprimant sur des tonalités de fleurs, de menthe, de miel et de vanille, à la bouche à la fois ample et dense, non sans fraîcheur, à la texture patinée comme par les millésimes passés, et aux saveurs d'une bonne allonge. Un assemblage de vieilles vignes de 35 ans et un élevage maîtrisé en barriques de chêne, dont une partie était neuve, expliquent la qualité régulière de cette référence du Sud-Ouest. **Cépages :** 50 % sémillon blanc, 50 % sauvignon blanc. **Alc./**12,5 % **www.chateau-grinou.com**

☞ *Servir dans les cinq années suivant le millésime, à 14 °C*

Pétoncles poêlés et salade de champignons portabellos sautés et de copeaux de parmesan (vinaigrette à la moutarde), mon lapin exotique pour amateurs de vins blancs (*) ou saumon grillé infusé au saké et champignons shiitakes. Fromages : gouda (très vieux) ou Casimir.

## Casal di Serra « Classico Superieure » 2008
VERDICCHIO DEI CASTELLI DI JESI, UMANI RONCHI, ITALIE

| 16,95 $ | SAQ S (10254725) | ★★★ $$ | Modéré+ |
|---|---|---|---|

Souligné depuis plusieurs éditions de ce guide, ce blanc sec des Marches se montre, bon an mal an, toujours aussi avantageux pour son prix. Ce qu'il offre à nouveau avec ce récent 2008, qui est en fait l'une des plus belles réussites des derniers millésimes pour ce blanc sec de verdicchio, exhalant un nez complexe et distingué de noisette, d'amande fraîche, de poire et d'acacia, à la bouche fraîche et texturée, ample et élancée, aux longues saveurs de noyau de pêche. Servez-le à table, entre autres, avec les ingrédients complémentaires à la noisette (crevette, arachide, café, orge rôtie, sauce soya, tofu et vanille) – notez que ces aliments possèdent une structure moléculaire proche parente de la noisette, faisant d'eux des ingrédients au grand pouvoir harmonique lorsque cuisinés ensemble et accompagnés de ce type de vin qui partage les mêmes composés volatils dominants. **Cépage :** verdicchio. **Alc./**13,5 % www.umanironchi.it

☛ *Servir dans les quatre années suivant le millésime, à 14 °C*

Filet de sole aux amandes grillées, salade de crevettes et vinaigrette au gingembre et sauce soya (avec jus de citron), brochette de crevettes satay (sauce aux arachides), sauté de tofu et crevettes à la bière blanche (avec sauce soya, citronnelle, gingembre, arachides et noisettes).

## Gentil Hugel 2009

ALSACE, HUGEL ET FILS, FRANCE *(DISP. AUTOMNE 2010)*

| 16,95 $ | SAQ C (367284) | ★★?☆ $$ | Modéré |
|---------|----------------|---------|--------|

Nouveau millésime 2009, dégusté en primeur, en juillet 2010, d'un échantillon du domaine, cet assemblage de cépages alsaciens se montre subtilement aromatique, très fin et délicat, à la texture satinée, à l'acidité discrète et aux saveurs tout aussi en détail et en retenue. Une fleur qui éclot à peine… **Cépages :** gewürztraminer, pinot gris, riesling, muscat, sylvaner. **Alc./**12,5 % www.hugel.com

☛ *Servir dans les trois années suivant le millésime, à 12 °C*

Apéritif, linguine aux crevettes au cari et à l'orange ou calmars au mojo (ail, huile d'olive, graines de cumin grillé, jus de lime et jus d'orange).

## Domaine des Huards 2009

CHEVERNY, MICHEL GENDRIER, FRANCE

| 17 $ | SAQ S (961607) | ★★★ $$ | Modéré+ | BIO |
|------|----------------|--------|---------|-----|

Comme par le passé, dans ce nouveau millésime, ce sauvignon blanc est à ranger parmi les bonnes affaires nous provenant de la Loire. Vous vous sustenterez d'un blanc sec comme vous en avez rarement dégusté, au nez pur et précis, offrant, et ce, pour un prix plus que doux, subtilité, prestance, présence et élégance. Il se montre toujours aussi droit, élancé, mais d'un satiné de texture hors norme, spécialement pour un vin de ce prix. Miel, pâte d'amandes, acacia s'entremêlent en bouche dans une très longue finale anisée. Une vraie aubaine. **Cépages :** 85 % sauvignon blanc, 15 % chardonnay. **Alc./**12,5 % www.gendrier.com

☛ *Servir dans les quatre années suivant le millésime, à 12 °C*

Salade de fenouil et fromage de chèvre chaud, risotto de crevettes au basilic ou fettucine au saumon fumé et à l'aneth.

## Château Jolys 2007

JURANÇON SEC, DOMAINES LATRILLE, FRANCE

| **17,25 $** | SAQ **S** (11154718) | ★★★?☆ **$$** | Corsé |
|---|---|---|---|

Coup de cœur de l'édition 2010 de *La Sélection*, ce nouveau blanc était toujours disponible au moment de mettre sous presse. Avec un phrasé tendu comme un Stradivarius, il frappe l'inconscient de l'amateur de blanc de haute tenue, et ce, à un prix plus que compétitif. Quelle vitalité! Du nerf, de l'élan et de la minéralité, dans un ensemble nourri, dense et complexe, égrainant des saveurs de miel, de lime et de pamplemousse rose. Intemporel. **Cépages :** 95 % gros manseng, 5 % petit manseng. **Alc./**13 % www.chateau-jolys.com

☛ *Servir dans les sept années suivant le millésime, à 14 °C*

Avocats farcis à la chair de crabe et émulsion d'huile d'olive et de jus de pamplemousse rose, saumon confit dans l'huile d'olive et orzo à la bette à carde, sashimi sur salade de nouilles de cellophane au gingembre et au sésame ou suprême de poulet au citron et parfum de gingembre. Fromages : asiago stravecchio ou cabra transmontano.

## Pinot Grigio Santa Margherita 2009

VALDADIGE, SANTA MARGHERITA, ITALIE

| **17,85 $** | SAQ **S*** (964601) | ★★★ **$$** | Modéré |
|---|---|---|---|

Il y a plusieurs millésimes déjà que ce blanc sec italien ne m'avait autant inspiré. Dans ce récent millésime, il se montre très aromatique, fin, élégant et même envoûtant, aux notes fraîches de pomme verte, d'agrumes et de fleurs, à la bouche dont l'acidité claque à l'attaque en bouche sur les papilles, mais aussitôt calmée par une texture satinée, presque ample et prenante, lui procurant un corps d'une largeur qui étonne pour ce cépage en sol italien – il faut dire que le pinot gris de la péninsule est souvent à mille lieues des plus substantiels pinots alsaciens. Sérieux. Ce qui le positionne parmi les bons achats en la matière. Osez le servir à température plus élevée, vous lui permettrez ainsi de vous prendre au corps! Puis, présentez-lui des recettes dominées par des aliments au « goût de froid », telles que proposées dans *Les Recettes de Papilles et Molécules*. **Cépage :** pinot gris. **Alc./**12 % www.santamargherita.us

☛ *Servir dans les trois années suivant le millésime, à 14 °C*

**Huîtres frites à la coriandre et wasabi (\*\*)**, taboulé à la menthe fraîche ou **lotte à la vapeur de thé gyokuro, salade d'agrumes et pistils de safran (\*\*)**.

## Chardonnay Louis Latour 2008

BOURGOGNE, MAISON LOUIS LATOUR, FRANCE

| **17,90 $** | SAQ **C** (055533) | ★★☆ **$$** | Modéré |
|---|---|---|---|

Contrairement au moelleux et prenant 2007, coup de cœur de l'édition 2010, ce 2008 se montre plus frais, plus élancé et plus minéral, donc dans un style complètement différent. Les amateurs de chablis épurés et tendus se retrouveront dans ce chardonnay 2008. Tandis que ceux qui préfèrent les chardonnays plus texturés et plus mûrs, aux courbes plus larges, se trouveront heureux avec le **Chardonnay Louis Latour 2009**, dégusté en primeur en août 2010, qui prendra sa relève quelque part en début d'année 2011. **Cépage :** chardonnay. **Alc./**13 % www.louislatour.com

☛ *Servir entre 2010 et 2013, à 14 °C et oxygéné en carafe 15 minutes*

Apéritif, salade de crevettes ou salade de fenouil grillé et fromage de chèvre chaud.

## Nosis 2008

RUEDA, BUIL & GINÉ, ESPAGNE *(DISP. FÉVR. 2011)*

| 17,95 $ | SAQ S (10860928) | ★★★ $$ | | Modéré |
|---|---|---|---|---|

Salué dans les deux éditions précédentes de ce guide pour ses millésimes 2005 et 2007, ce très bon et régulier verdejo, que j'ai dégusté
en primeur en juillet 2010, d'un échantillon du domaine, sera de
retour en février 2011. Il a même retrouvé le tonus du 2005, qui man-
quait légèrement au 2007, sans compter qu'il sera offert à plus ou
moins deux dollars de moins que l'année dernière. Fidèle à ses habitudes, il exhale ses classiques parfums anisés de menthe fraîche et
de gazon fraîchement coupé, auxquels s'ajoutent des pointes de
pomme verte et de pamplemousse rose, tandis que la bouche se
montre plus que jamais vivifiante et sapide, aérienne et satinée,
d'une vitalité juvénile engageante au possible. **Cépage :** verdejo.
**Alc./**13 % www.builgine.com

☛ *Servir dans les quatre années suivant le millésime, à 12 °C*

Apéritif, **bloody Ceasar_Mc² (version solide pour
l'assiette) (\*\*)**, bruschetta au pesto, ceviche d'huîtres
au wasabi et à la coriandre fraîche, **émulsion d'asperges vertes aux
crevettes_Mc² (\*\*)** ou **huîtres frites à la coriandre et wasabi
(\*\*).**

## Riesling Hugel 2009

ALSACE, HUGEL ET FILS, FRANCE *(DISP. AUTOMNE 2010)*

| 17,95 $ | SAQ C (042101) | ★★☆?☆ $$ | | Modéré+ |
|---|---|---|---|---|

Nouveau millésime 2009, dégusté en primeur, en juillet 2010, d'un
échantillon du domaine, ce riesling se montre on ne peut plus juvénile, sur les fruits à chair blanche, doté d'une acidité presque mordante et désaltérante à souhait. Très sec, droit et croquant de
vérité. Ici, pas de poudre de perlimpinpin (entendre pas de sucre)
pour camoufler le terroir et le climat de l'année. Vivacité d'esprit
et véracité de propos dans la définition, pour son rang bien sûr.
**Cépage :** riesling. **Alc./**12,5 % www.hugel.com

☛ *Servir dans les cinq années suivant le millésime, à 12 °C*

Apéritif, huîtres fraîches à la coriandre fraîche et au jus de
lime, crevettes aux épices et légumes croquants (\*), rouleaux de printemps et sauce citron-soja ou fettucine aux crevettes
et coriandre fraîche.

## Château Coupe Roses 2009

✓ TOP 100 CHARTIER

MINERVOIS, FRANÇOISE FRISSANT-LE CALVEZ, FRANCE

| 18,20 $ | SAQ S (894519) | ★★★?☆ $$ | Corsé | BIO |
|---|---|---|---|---|

Domaine phare de l'appellation, les vins blancs et rouges de ce château se sont taillé une belle réputation au Québec au fil des quinze
ans de *La Sélection Chartier*, ce qui lui vaut une belle place dans le
« TOP 100 CHARTIER » anniversaire. Ce millésime 2009 a offert dans
le Languedoc de nombreux blancs très expressifs, en ce qui concerne
ceux qui sont engendrés sur des terroirs de qualité, passablement
frais. Et Coupe Roses, comme à son habitude, n'y fait pas exception.
Après un 2006 riche de promesses, généreux et sphérique, ainsi
qu'un 2007 parfumé à souhait, ample et suave, et un 2008 dense,
plein et complet, Coupe Rose a récidivé avec un blanc sec parfumé,
ample et complexe, donc, à l'image du très bon 2007! Un vin pénétrant, comme toujours, aux saveurs intenses, jouant dans l'univers
des fleurs blanches, du miel et de l'abricot. Comme je vous l'écris
depuis quelques années déjà, Coupe Roses est l'un des multiples vins

de la vieille Europe riche d'un encépagement unique, plus précisément de roussanne, à mille lieues des trop souvent omniprésents chardonnays de ce monde. **Cépage :** roussanne. **Alc./**13,5 %
**www.coupe-roses.com**

☛ *Servir dans les six années suivant le millésime, à 14 °C et oxygéné en carafe 15 minutes*

Crevettes sautées aux noisettes concassées et réduction de sauce soya et café noir, fricassée de porc au soya et sésame, **morceau de flanc de porc poché, vinaigrette de boudin à la noix de coco,** *crumble* **de boudin noir (\*\*)** ou **pétoncles rôtis fortement, shiitakes poêlés, copeaux de parmigiano reggiano et écume de bouillon de kombu (\*\*).**

## Riesling Gun Metal Hewitson 2009
EDEN VALLEY, HEWITSON, AUSTRALIE

| | | | |
|---|---|---|---|
| **19,90 $** | SAQ **S** (11034134)   ★ ★ ★ **$$** | | Corsé |

Vous désirez un riesling au profil typé très « rhénan », tout en n'étant pas allemand? Alors servez ce très sec, droit, incisif et minéralisant Gun Metal. Un australien aux saveurs classiques d'épinette, de romarin et d'agrumes. Donnez-lui une ou deux années de bouteille et il deviendra encore plus terpénique – c'est-à-dire marqué par la complexité aromatique qui compose le bouquet du romarin. **Il confondra alors sur son origine les dégustateurs les plus avertis et ravira les cuisiniers qui lui concocteront des plats avec les ingrédients complémentaires au romarin, comme le sont, entre autres, la sauge, le laurier, les baies de genièvre, la cardamome, le safran et la bergamote. Cépage :** riesling. **Alc./**12,5 %
**www.hewitson.com.au**

☛ *Servir dans les quatre années suivant le millésime, à 14 °C*

**Vraie crème de champignons_Mc² (lait de champignons de Paris et mousse de lavande) (\*\*), fromage de chèvre cendré à l'huile d'olive et romarin (\*\*)** ou **gigot d'agneau, cuisson lente, au romarin, casserole de panais à la cardamome (\*\*).**

## Gewurztraminer Hugel 2008   ✓ TOP 100 CHARTIER
ALSACE, HUGEL ET FILS, FRANCE

| | | | |
|---|---|---|---|
| **19,95 $** | SAQ **S\*** (329235)   ★ ★ ★ **$$** | | Corsé |

Comme depuis plus de quinze ans, difficile d'être plus *bench mark* que ce blanc sec alsacien! Enchanteur au possible, exhalant des notes de litchi, à la bouche à la fois ronde et très fraîche, pulpeuse et aérienne, terminant sa longue course sur des pointes minérales et fruitées à souhait, sans excès. Grande harmonie et plaisir garanti. **Le vin sur mesure pour cuisiner avec ses aliments complémentaires, qui partagent le même profil moléculaire –** tel que détaillé au chapitre « Gewurztraminer/Litchi » du tome I du livre *Papilles et Molécules* –, comme le sont, entre autres, l'ananas, la fraise, la cannelle, l'eau de rose, la lavande, la noix de coco, la citronnelle, l'eucalyptus, le romarin et le géranium. **Cépage :** gewurztraminer. **Alc./**13 % **www.hugel.com**

☛ *Servir dans les cinq années suivant le millésime, à 14 °C*

Soupe de poulet à la citronnelle et à la noix de coco, **carré de porc glacé aux fraises, poivre du Sichuan, galanga et miel (\*\*),** côtes levées au curry à la cannelle, poulet aux litchis et aux piments ou **filet de truite en gravlax nordique, granité de gingembre et pamplemousse, litchi (\*\*).**

## Gewurztraminer Hugel 2009

ALSACE, HUGEL ET FILS, FRANCE *(DISP. AUTOMNE 2010)*

| **19,95 $** | SAQ C (329235) | ★★☆?☆ $$ | Modéré+ |
|---|---|---|---|

Nouveau millésime 2009, dégusté en primeur, en juillet 2010, d'un échantillon du domaine. Si le Gentil Hugel 2009 est une fleur qui vient à peine d'éclore, ce gewurztraminer en est une épanouie, dans toute sa splendeur aromatique, sans être par contre trop odorante. Juste et précis, le nez, d'une certaine complexité, s'exprime par des notes de rose blanche, de lime et de litchi. Sec, en bouche il se montre à la fois suave et caressant, ample et frais, long et savoureux, terminant dans une assez longue finale sur les fruits jaunes. Tout comme le 2008 (aussi commenté), et qui était disponible au moment de mettre sous presse, difficile d'être plus *bench mark* gewurztraminer que ce blanc sec de la grande famille Hugel. **Cépage :** gewürztraminer. **Alc./**13,5 % www.hugel.com

☞ *Servir dans les quatre années suivant le millésime, à 14 °C*

Soupe de poulet à la citronnelle et à la noix de coco, poulet aux litchis et aux piments ou **filet de truite en gravlax nordique, granité de gingembre et pamplemousse, litchi (\*\*)**.

## Domaine Pellé « Morogues » 2008   ✓ TOP 100 CHARTIER

MENETOU-SALON, DOMAINE HENRY PELLÉ, FRANCE

| **20 $** | SAQ S (852434) | ★★★☆ $$ | Modéré+ |
|---|---|---|---|

Coup de cœur de la précédente édition, comme d'ailleurs à plusieurs reprises depuis la toute première *Sélection Chartier*, ce domaine présente l'une de ses plus belles réussites des derniers millésimes pour cette cuvée. Nez engageant au possible, bouche pleine, extravertie, presque juteuse, tout en étant rafraîchissante, satinée et longue. Fruit de la passion, agrumes et pomme McIntosh signent cette remarquable réussite coup de cœur. **Si vous servez vos tomates fraîches avec le classique basilic frais, tout comme avec des asperges, de la mozzarella, une émulsion d'huile d'olive et de jus de pamplemousse rose, des crevettes ou de la papaye, qui sont tous des aliments complémentaires à ce cépage, c'est ce sauvignon blanc qu'il vous faut! Cépage :** sauvignon blanc. **Alc./**12,5 % www.domainepelle.com

☞ *Servir dans les quatre années suivant le millésime, à 12 °C*

**Jarret d'agneau au pastis et tomates fraîches (\*\*)**, salade de tomates fraîches et asperges au basilic frais, assiette de tomates fraîches et mozzarella à l'émulsion d'huile d'olive et jus de pamplemousse rose, crevettes sautées à la papaye et basilic.

## Barranc dels Closos « blanc »   ✓ TOP 100 CHARTIER
## 2009

PRIORAT, IGNEUS, ESPAGNE

| **20,20 $** | SAQ S (10857729) | ★★★?☆ $$ | Corsé | BIO |
|---|---|---|---|---|

Depuis le millésime 2006, ce puissant blanc sec a été l'un de mes coups de cœur favoris chez les puissants blancs du Midi. Ce qui joue en sa faveur, c'est que, malgré cette concentration, il sait aussi se montrer minéral et élancé. Vous y dénicherez donc un blanc sec à la fois riche et raffiné, harmonieux et frais, au volume substantiel et aux saveurs tout aussi expressives que dans les millésimes l'ayant précédé. Le terroir de schiste parle à nouveau. Plus que jamais l'une des plus belles références en blanc, à prix doux, pour le niveau, venant d'Espagne, tout en sachant qu'il gagnera en complexité d'ici trois ans. **Cépages :** 50 % grenache blanc, 30 % maccabeo, 17 % pedro ximénez, 3 % muscat. **Alc./**14 % www.masigneus.com

☞ *Servir dans les cinq années suivant le millésime, à 14 °C et oxygéné en carafe 30 minutes*

🍴 **Fondue à Johanne_Mc² (cubes de fromage à croûte lavée, frits et parfumés à l'ajowan) (\*\*)**, pétoncles rôtis fortement, shiitakes poêlés, copeaux de parmigiano reggiano et écume de bouillon de kombu (\*\*) ou homard frit au *pimentón* doux fumé, compote de poivrons jaunes au concentré de jus d'orange (\*\*).

## Champs Royaux 2008
CHABLIS, WILLIAM FÈVRE, FRANCE                          ✓ TOP 100 CHARTIER

| 20,25 $ | SAQ C (276436) | ★★★?☆ $$ | Modéré+ |
|---|---|---|---|

Difficile de trouver un chablis village aussi régulier, bon an mal an, et aussi pur et précis. Plus que jamais, vous vous sustenterez d'un blanc sec qui sait être à la fois aérien, subtil, épuré, minéral et satiné, ainsi que croquant et nourri, avec ampleur et présence. Rares sont les blancs de ce prix à se montrer aussi distingués et intelligibles. À servir impérativement à 14 degrés si vous voulez vraiment saisir l'ensemble de son bouquet complexe (pomme, amande, fleur, anis) et sa texture unique. **Cépage :** chardonnay. **Alc./**12,5 % **www.williamfevre.fr**

☞ *Servir dans les cinq années suivant le millésime, à 14 °C*

🍴 Canapés d'asperges enroulées de saumon fumé et d'aneth, avocats farcis à la chair de crabe et mayonnaise au wasabi, salade de crevettes au jus d'agrumes et au sésame, paella aux fruits de mer et safran, risotto de crevettes au basilic ou escalope de saumon au cerfeuil et citron.

## La Sereine Cuvée L. C. 2007
CHABLIS, LA CHABLISIENNE, FRANCE *(DISP. SEPT./OCT. 2010)*

| 20,75 $ | SAQ C (565598) | ★★★ $$ | Modéré+ |
|---|---|---|---|

Un chablis tout aussi épuré de tout artifice, élégant et frais, comme il se montrait déjà dans le millésime 2006, avec une minéralité et des notes d'anis et de pomme, à l'acidité croquante, mais juste dosée, au corps à la fois satiné et tendu. Digeste et nourrissant, intellectuellement parlant... Résultant à nouveau en du très beau chablis, à bon prix. **Cépage :** chardonnay. **Alc./**12,5 % **www.chablisienne.com**

☞ *Servir dans les sept années suivant le millésime, à 12 °C*

🍴 **Huîtres frites à la coriandre et wasabi (\*\*)**, saumon mariné à l'aneth (\*), saumon confit et sauté de fenouil et pommes vertes ou **crevettes caramélisées, écume de carotte, pomme McIntosh et graines de cumin, purée de carottes à l'huile de crustacés** et *pimentón* fumée (\*\*).

## Cuvée Marie 2008
JURANÇON SEC, CHARLES HOURS, FRANCE                    ✓ TOP 100 CHARTIER

| 20,80 $ | SAQ S* (896704) | ★★★☆ $$ | Corsé |
|---|---|---|---|

Ayant reçu des coups de cœur à moult reprises au fil des millésimes, grâce à un phrasé unique, à la fois tendu et enveloppant, minéralisant et pénétrant, ce jurançon de référence mériterait pratiquement l'Ordre national du Québec tant sa régularité au fil des quinze ans de *La Sélection* a été exemplaire. Il signe et persiste mais ce plus que parfumé 2008, subtilement boisé, à la bouche certes tendue comme un arc prêt à tirer sa flèche dans le temps, mais aussi texturée et pleine, dotée d'une minéralité sous-jacente qui lui procure une digestibilité unique, et d'une allonge de grand vin, égrainant des tonalités de miel, de pêche et de fruits exotiques. Quelle vivacité! Comme vous le mentionneriez sur *facebook* : J'aime! **Cépages :** 90 % gros manseng, 10 % petit courbu. **Alc./**13,5 % **www.uroulat.com**

☛ *Servir dans les huit années suivant le millésime, à 14 °C*

**Carré de porc glacé aux fraises, poivre du Sichuan, galanga et miel (\*\*)**, chutney d'ananas au curcuma, gingembre et vinaigre de xérès (\*\*) ou brochettes de porc glacées à l'orange et au miel. Fromages : comté (12 mois d'affinage), Gré des Champs ou saint-marcelin.

## Capitel Foscarino 2009
✓ TOP 100 CHARTIER

VENETO, ROBERTO ANSELMI, ITALIE

| 21,05 $ | SAQ S (928218) | ★★★☆ $$ | Modéré+ |
|---|---|---|---|

Coup de cœur sur plusieurs millésimes au fil des quinze ans de *La Sélection*, le Foscarino de Roberto Anselmi est à ranger parmi les blancs secs à acheter les yeux fermés, bon an mal an, tant la qualité est d'une régularité sans faille. Comme pour tous les vins signés par cette maison vénitienne, d'ailleurs. Un blanc d'une grande définition aromatique, au nez passablement riche et d'une grande fraîcheur, se définissant par des effluves d'agrumes et de fleurs, avec une arrière-scène minéralisante, comme toujours pour ce cru. En bouche, il sait se montrer à la fois plein et revitalisant, texturé et élancé, tendu par une acidité minérale, aux saveurs subtiles et d'une grande allonge, laissant des traces d'amande fraîche, de tilleul, de miel et de citron. Plus que jamais une référence en matière de blancs italiens digestes et singuliers. **Servez-le à table avec les aliments de même profil moléculaire que le tilleul dont font partie, entre autres, le miel, le gingembre, le fenouil, le laurier, la lavande, la réglisse et les agrumes – c'est que la signature aromatique du tilleul est dominée par un composé aromatique, donc par une molécule du nom de ho-triénol, que l'on trouve aussi dans ces aliments. Cépage :** garganega. **Alc./**13 % **www.robertoanselmi.com**

☛ *Servir dans les six années suivant le millésime, à 14 °C*

Suprêmes de poulet au tilleul, pétoncles à l'émulsion d'huile d'olive et au jus de limette ou **dos de morue poché au lait de coco à la rose (gingembre mariné et pois craquants) (\*\*)**.

## Vigna di Gabri 2008

CONTESSA ENTELLINA BIANCO, TENUTA DONNAFUGATA, ITALIE

| 21,55 $ | SAQ S (11098269) | ★★★ $$ | Modéré+ |
|---|---|---|---|

Ixième réussite pour ce domaine phare qui présente ici un blanc, à base d'ansonica, épuré de tout artifice, en mode subtilité et raffinement, à la texture satinée et fine, à l'acidité certes discrète, mais jouant les funambules à l'arrière-plan, tendant le vin vers le haut, aux saveurs nettes et précises, rappelant le miel, les fleurs blanches et l'amande fraîche. Digeste et intelligible. **Alc./**13 % **www.donnafugata.it**

☛ *Servir dans les cinq années suivant le millésime, à 14 °C*

**Huîtres crues en version anisée (\*\*)**, salade de fenouil frais vinaigrette à l'orange et gingembre ou **lotte à la vapeur de thé gyokuro, salade d'agrumes et pistils de safran (\*\*)**.

## Simonnet-Febvre « Chablis » 2008

CHABLIS, SIMONNET-FEBVRE, FRANCE *(RETOUR OCT./NOV. 2010)*

| | | | |
|---|---|---|---|
| **22,30 $** | SAQ S (10864970)   ★★★ $$ | | Modéré |

Du très beau et classique chablis, c'est-à-dire droit et tendu, minéral comme de l'eau de roche, sans aucun boisé ni gras superflu. Sapide, digeste et long en bouche, il se donne et nourrira quiconque sait apprécier la fraîcheur et la vérité pure. Un ixième arrivage, dans le même millésime, était attendu au moment de mettre sous presse. D'une maison fort connue de Chablis, qui fait maintenant partie du giron de l'historique maison beaunoise Latour. Il ne reste plus qu'à souhaiter maintenant qu'il devienne un produit courant, disponible à la grandeur du réseau. **Cépage :** chardonnay. **Alc./**12,5 % **www.simonnet-febvre.com**

☛ *Servir dans les six années suivant le millésime, à 14 °C*

Saumon mariné en sauce à l'aneth (*), saumon poché au cerfeuil et au citron, assiette de fromages (azeitão, comté Fort des Rousses 12 mois d'affinage ou Victor et Berthold) ou **calmars en tempura d'amandes, fleur de sel au cèdre, mousse de riz en paella (**).**

## Château Reynon 2008

BORDEAUX, DENIS ET FLORENCE DUBOURDIEU, FRANCE

| | | | |
|---|---|---|---|
| **22,85 $** | SAQ S (11170486)   ★★★?☆ $$ | | Modéré+ |

Ce blanc est devenu depuis plusieurs millésimes l'archétype du bordeaux blanc sec, dont tout un chacun a suivi la trace, grâce au travail sur la définition aromatique du sauvignon blanc effectué par l'œnologue Denis Dubourdieu, propriétaire des lieux. Comme à son habitude, il exhale d'expressifs parfums de menthe fraîche, de pamplemousse rose, avec une arrière-scène rappelant la papaye, sans aucun boisé apparent. La bouche suit avec la même expressivité et avec une texture quasi satinée, mais dans une droiture minéralisante et digeste. Acidité fraîche et saveurs longues et précises, terminant sur une tonalité subtilement anisée. **Cépages :** 88 % sauvignon blanc, 12 % sémillon blanc. **Alc./**12,5 % **www.denisdubourdieu.com**

☛ *Servir dans les six années suivant le millésime, à 14 °C*

**Huîtres frites à la coriandre et wasabi (**)**, émulsion d'asperges vertes aux crevettes_Mc$^2$ (**)**, escargots à la crème de persil, rouleaux de printemps parfumés à la menthe fraîche ou **homard frit au *pimentón* doux fumé, compote de poivrons jaunes au concentré de jus d'orange (**).**

## Château de Cruzeau Blanc 2007

PESSAC-LÉOGNAN, ANDRÉ LURTON, FRANCE

| | | | |
|---|---|---|---|
| **23,50 $** | SAQ C (225201)   ★★★ $$ | | Modéré |

Comme depuis des lustres, Cruzeau se montre une valeur sûre en matière de bordeaux blancs offerts à prix assez doux. En jeunesse, la robe est jaune pâle, au reflet doré et d'une belle limpidité cristalline. Le nez est délicat, et même discret, mais s'ouvrant doucement après oxygénation rapide en carafe, dégageant des notes florales d'acacia et d'aubépine, ainsi qu'une pointe classique de sauvignon blanc rappelant le fruit de la passion. La bouche s'exprime par une acidité fraîche, une texture satinée, presque grasse, sans trop, d'une finale mellifère persistante. Harmonieux et évolue en beauté, gagnant même en complexité aromatique à compter de sa troisième année de bouteille. **Cépage :** sauvignon blanc. **Alc./**12,5 % **www.andrelurton.com**

☛ *Servir dans les cinq années suivant le millésime, à 12 °C et oxygéné en carafe 5 minutes*

Canapés d'asperges enroulées de saumon fumé et d'aneth ou truite saumonée à l'huile de basilic.

## Pascal Jolivet Sancerre 2009    ✓ TOP 100 CHARTIER
SANCERRE, PASCAL JOLIVET, FRANCE

| 23,75 $ | SAQ S* (528687) | ★★★☆ $$$ | Corsé |
|---|---|---|---|

Avec une baisse de prix de près que cinq dollars, comparativement à l'automne 2009, ce sancerre, coup de cœur à plusieurs reprises au fil des quinze ans de *La Sélection*, devient, avec son 2009, littéralement un *must* de Chartier! Encore plus réussi que le déjà très beau pouilly-fumé 2009 du même viticulteur (aussi commenté), mais avec, comme à son habitude, une complexité et une expressivité plus affirmées. Le nez est hyper aromatique et vibrant, aux puissants effluves de basilic, de cerfeuil et de pamplemousse rose. La bouche suit avec une acidité toujours aussi électrisante, mais aussi juste dosée, une texture ample, lui procurant du relief, et des saveurs d'une grande allonge où s'entremêlent la pomme verte, le fenouil, l'asperge et la craie blanche. Un grand sancerre, parfumé et nourri. **Cépage :** sauvignon blanc. **Alc./**12,5 % **www.pascal-jolivet.com**

☛ *Servir dans les cinq années suivant le millésime, à 14 °C*

**Jarret d'agneau au pastis et tomates fraîches (\*\*)**, salade de fenouil et fromage de chèvre chaud, risotto de crevettes au basilic ou **filet d'escolar poêlé, anguille « unagi » BBQ, crème de céleri-rave aux graines de cerfeuil, feuilles et huile de menthe fraîche (\*\*)**.

## Saint Martin Laroche 2008
CHABLIS, DOMAINE LAROCHE, FRANCE

| 23,95 $ | SAQ C (114223) | ★★★?☆ $$ | Modéré+ |
|---|---|---|---|

Ce nouveau millésime du chablis d'entrée de gamme de Laroche se montre comme il le fait pratiquement à chaque millésime. C'est-à-dire d'une pureté, d'une franchise et d'une précision qui bousculent, sans détrôner les autres chablis villages offerts à la SAQ. Pomme, anis et fleurs blanches donnent le ton au nez expressif et passablement riche, pour son rang, tandis que fraîcheur, ampleur et plaisir à boire signent une bouche aux saveurs étonnamment expressives et persistantes. Un modèle, si vous cherchez un chablis sans esbroufe. **Cépage :** chardonnay. **Alc./**12 % **www.larochewines.com**

☛ *Servir dans les cinq années suivant le millésime, à 14 °C*

Salade de demi-bulbes de fenouil grillés surmontés de fromage de chèvre chaud, saumon mariné en sauce à l'aneth (\*), truite braisée au cidre, tartare de saumon ou huîtres fraîches et jus de lime.

## Pinot Gris « Barriques » Ostertag 2007
ALSACE, DOMAINE ANDRÉ OSTERTAG, FRANCE *(DISP. SEPT. 2010)*

| 25,75 $ | SAQ S (866681) | ★★★?☆ $$$ | Modéré+    BIO |
|---|---|---|---|

Nez mûr et presque confit pour ce pinot gris, suivi d'une bouche à la fois gourmande et texturée, pleine et fraîche, aux saveurs passablement intenses, sans excès, laissant des traces de pamplemousse, de coing et de miel. Grandes suavité et persistance, mais aussi minéralité plus marquée, pour un cru à nouveau réussi par ce vigneron intuitif. Depuis 1983, André Ostertag vinifie ses trois pinots – le blanc, le gris et le noir – en barriques bourguignonnes, ce qui démarque, entre autres, cette cuvée de celles des autres vignerons alsaciens qui ne séjournent habituellement pas dans des barriques de ce type. **Cépage :** pinot gris. **Alc./**13,5 %

☛ *Servir entre 2009 et 2013, à 14 °C et oxygéné en carafe 15 minutes*

Morceau de flanc de porc poché, vinaigrette de boudin à la noix de coco, *crumble* de boudin noir (\*\*), flanc de porc « façon bacon » fumé au bois de pommier, mélasse, sauce soya, rhum et clou de girofle (\*\*) ou crabe des neiges, ketchup aux pois verts, épinards fanés à l'huile d'olive, caviar de mulet et mousse de bière noire (\*\*).

## Les Baronnes 2008
SANCERRE, DOMAINE HENRI BOURGEOIS, FRANCE

| 25,80 $ | SAQ S* (303511) | ★★★☆ $$ | Modéré+ |
|---------|-----------------|---------|---------|

Coup de cœur de la précédente édition de *La Sélection*, voici plus que jamais un ixième sauvignon blanc signé avec brio par la famille Bourgeois. Du fruit, de l'éclat, de la fraîcheur, de la texture, de la vitalité, de la minéralité et de la persistance, pour un prix plus que correct. Ananas, papaye, pamplemousse et jacinthe participent au plaisir immédiat. **Cépage :** sauvignon blanc. **Alc./**12,5 % www.henribourgeois.com

☛ *Servir dans les cinq années suivant le millésime, à 12 °C*

Salade d'asperges et de mozzarella à l'émulsion de jus de pamplemousse rose ou salade de crevettes et tomates à la vinaigrette de papaye.

## La Moussière 2009
✓ TOP 100 CHARTIER

SANCERRE, ALPHONSE MELLOT, FRANCE

| 25,90 $ | SAQ S* (033480) | ★★★☆ $$ | Modéré+ | BIO |
|---------|-----------------|---------|---------|-----|

S'il y a un vin au fil des quinze ans de *La Sélection* qui s'est hissé plus souvent que les autres dans la liste des coups de cœur annuels, c'est bien la cuvée La Moussière des sympathiques et dynamiques « Alphonse ». Alphonse père et Alphonse fils élaborent depuis des lustres un sancerre « bench mark » qui, depuis une dizaine de millésimes, a atteint un niveau de définition et d'expressivité rarement vu à ce prix. Du fruit à revendre, de l'expressivité, de la facilité à boire jusqu'à plus soif, de l'élégance non dénuée de fraîcheur et de persistance. Vraiment un très beau Sancerre, marqué par le retour de son habituelle minéralité électrisante, qui était moins présente dans les deux précédents millésimes, avec un fruité toujours aussi engageant qu'il serait difficile de ne pas y succomber. Chapeau bas, chers Alphonse, le père comme le fils. **Cépage :** sauvignon blanc. **Alc./**13 % www.mellot.com

☛ *Servir dans les six années suivant le millésime, à 12 °C*

Huîtres crues en version anisée (\*\*), salade d'asperges et de mozzarella à l'émulsion de jus de pamplemousse rose, homard frit au *pimentón* doux fumé, compote de poivrons jaunes au concentré de jus d'orange (\*\*) ou blanc de volaille cuit au babeurre, émulsion d'asperges vertes aux crevettes_Mc$^2$ (feuilles de choux de Bruxelles, vinaigrette acide à la chicorée) (\*\*).

## Pascal Jolivet Pouilly-Fumé 2009

POUILLY-FUMÉ, PASCAL JOLIVET, FRANCE

| **26,30 $** | SAQ S* (10272616) ★★★?☆ $$$ | Modéré+ |
| --- | --- | --- |

Comme à son habitude depuis les premières éditions de *La Sélection*, l'allumé et talentueux Pascal Jolivet propose bon an mal an un pouilly réussi avec brio. Il en résulte un sauvignon blanc au nez distingué, marqué par de puissants effluves de pamplemousse, de citron vert et de pomme verte. La bouche se montre, quant à elle, d'une acidité presque vive, à la texture satinée, aux saveurs d'une allonge persistante, laissant des traces anisées de menthe fraîche. **Cuisinez-le en l'harmonisant avec des plats marqués par les aliments complémentaires à la menthe et au sauvignon, comme le basilic, la coriandre fraîche, le cerfeuil, l'aneth ou le fenouil.** **Cépage :** sauvignon. **Alc./**12,5 % **www.pascal-jolivet.com**

☛ *Servir dans les quatre années suivant le millésime, à 12 °C*

**Huîtres crues en version anisée (\*\*)**, escalope de saumon au cerfeuil et au citron, ceviche de crevettes à la coriandre fraîche ou truite saumonée à l'huile de basilic.

## Les Vénérables Vieilles Vignes 2006

CHABLIS, LA CHABLISIENNE, FRANCE

| **28,95 $** | SAQ **S** (11094639) ★★★☆ $$ | Corsé |
| --- | --- | --- |

Coup de cœur de l'édition 2010, avec son très beau 2005, cette cave performante récidive avec un 2006 encore plus harmonieux, à la fois plein et fluide, ample et minéralisant, presque comme de l'eau de roche, mais aussi texturé comme seul en connaît le secret le chardonnay en terres bourguignonnes. Grande allonge aux tonalités de pomme poire et d'amande fraîche, avec des touches anisées et mellifères. Plus que jamais sérieux, ajoutant aux différentes cuvées de cette excellente cave qui fait un retour en force à la SAQ depuis 2009. **Alc./**12,5 % **www.chablisienne.com**

☛ *Servir dans les sept années suivant le millésime, à 14 °C*

Salade de fenouil grillé et fromage de chèvre chaud, coulibiac de saumon, fricassée de poulet aux champignons ou homard grillé et mayonnaise à l'aneth.

## Malleval Pierre Gaillard 2008

SAINT-JOSEPH, PIERRE GAILLARD, FRANCE

| **38,25 $** | SAQ **S** (10988850) ★★★☆?☆ $$$ | Corsé |
| --- | --- | --- |

Si vous désirez monter quelques marches dans l'échelle qualitative, faites-vous plaisir avec le très réussi saint-joseph blanc sec de Pierre Gaillard. Tout y est, comme dans tous les vins signés par ce vigneron intuitif. Un blanc à forte personnalité aromatique, à la fois plein, ample, texturé, très frais, presque minéralisant et d'une grande allonge, laissant éclater des notes d'abricot et d'osmanthus (une fleur chinoise qui, une fois en tisane, s'exprime par une note douce de pêche), avec une arrière-scène boisée. La matière requise pour affronter des plats où les fruits ou les épices interviennent. Sans oublier sa grande capacité à interpénétrer les fromages avec maestria, spécialement si vous le passez une bonne vingtaine de minutes en carafe avant de le servir. **Cépage :** roussanne. **Alc./**14 % **www.domainespierregaillard.com**

☛ *Servir dans les sept années suivant le millésime, à 14 °C*

Mignon de porc mangue-curry (\*) ou mon lapin exotique pour amateurs de vins blancs (\*). Fromages, servis avec des **noix de macadamia sablées au sirop d'érable et curry (\*\*)** : chaumes, pied-de-vent ou comté (12 mois d'affinage).

# *RÉPERTOIRE ADDITIONNEL*

Les vins des *Répertoires additionnels*, qui font l'objet d'une description plus concise, mais presque tous offerts avec un choix de mets, sont ou seront généralement disponibles dans les mois suivant la parution de cette quinzième édition. De multiples futurs arrivages y sont aussi commentés cette année. En revanche, certains de ces vins peuvent ne plus être disponibles au moment où vous lirez ces lignes, ce qui explique le commentaire moins détaillé pour certains crus.

Soyez tout de même vigilants, car la majorité de ces vins fera l'objet d'un nouvel arrivage au cours de l'automne 2010 et des premiers mois de 2011, et ce, dans le même millésime proposé dans ce guide. Autre fait important cette année, plusieurs vins des *Répertoires additionnels* sont de futurs arrivages, commentés ici en primeur, avec leur date de mise en marché. Le retour ou l'arrivée de ces vins, comme de tous les vins commentés dans *La Sélection Chartier 2011*, vous sera annoncé par le biais du service de **Mises à jour Internet de *La Sélection Chartier 2011***, via le site Internet **www.francoischartier.ca**.

## Genolí 2009
RIOJA, VIÑA IJALBA, ESPAGNE
**12 $**          SAQ **S** (883033)     ★★ **$**                    **Modéré**     BIO
À presque deux dollars de moins sur l'année dernière, ce blanc sec, parfumé et croquant de vérité devient un incontournable. Dommage qu'il ne soit pas un produit courant... Quoi qu'il en soit, il se montre comme à son habitude presque comme une limonade, sans l'acidité du citron, bien sûr (!), tant sa fraîcheur et son fruité sont engageants et désaltérants.
**Cépage :** viura. **Alc./**12,5 % www.ijalba.com ■ *Trempette de légumes tzatziki à la menthe fraîche ou moules marinière « à ma façon » (\*)*

## Gros Manseng/Sauvignon « Brumont » 2008
VIN DE PAYS DES CÔTES-DE-GASCOGNE, ALAIN BRUMONT, FRANCE
**12,35 $**          SAQ **C** (548883)     ★★ **$**                    **Léger+**
■ *Nems aux crevettes et à la menthe fraîche.* (Voir commentaire détaillé dans *La Sélection Chartier 2010*)

## Arrogant Frog Chardonnay/Viognier 2009
VIN DE PAYS D'OC, THE HUMBLE WINE MAKER, JEAN-CLAUDE MAS, FRANCE
**13,90 $**          SAQ **C** (10915301)     ★★ **$**                    **Modéré**
À l'image du rouge du même nom (aussi commenté), ce blanc, qui se montre certes commercial d'approche, n'en demeure pas moins très aromatique et engageant, s'exprimant par des notes d'agrumes, de pêche et d'amande, un brin exotiques, offrant une bouche ronde, texturée, quasi sucrée, à l'acidité discrète, laissant toute la place à un moelleux et à une ampleur de saveurs qui feront le plaisir des jeunes papilles de ce monde.
**Alc./**13,5 % www.arrogantfrog.fr ■ *Sandwich « pita » au poulet et au chutney de mangue ou brochettes de poulet à l'ananas et au cumin.*

## Chardonnay De La Chevalière 2009
VIN DE PAYS D'OC, LAROCHE, FRANCE
**13,95 $**          SAQ **C** (572636)     ★★ **$**                    **Léger+**
Un 2009 d'une fraîcheur exemplaire chez les blancs du Midi, expressif à souhait, mais tout en finesse et en délicatesse, à la bouche revitalisante, presque fluide et aérienne, aux saveurs expressives (citron, acacia et chèvrefeuille). **Alc./**13 % www.larochewines.com ■ *Salade de crevettes ou salade de fenouil et fromage de chèvre chaud.*

### Viognier De La Chevalière 2009
VIN DE PAYS D'OC, LAROCHE, FRANCE
13,95 $     SAQ C (632323)    ★★?☆ $     Modéré
Un viognier aromatique à souhait, comme il se doit, mais avec fraîcheur et finesse, aux effluves classiques (abricot, pêche et fleurs jaunes), à la bouche satinée et d'une certaine ampleur, mais aussi très fraîche et digeste. **Alc./**13 % www.larochewines.com ■ *Escalopes de porc à la salsa fruitée.*

### Nótios 2009
VIN DE PAYS DU PÉLOPONNÈSE, GAIA WINES, GRÈCE *(RETOUR OCT./NOV. 2010)*
14,10 $     SAQ S (10700924)   ★★☆ $$     Modéré
À nouveau un envoûtant blanc sec pour ce domaine qui est à compter parmi les meilleurs de l'ère moderne de la Grèce. Invitante fraîcheur aromatique, aux notes raffinées de pomme et de fleurs, soutenue par une bouche minérale comme par les millésimes passés, vivifiante, presque tendue, non sans texture, et digeste au possible. **Cépages :** 50 % moschofilero, 50 % roditis. **Alc./**12 % www.gaia-wines.gr ■ *Carpaccio de courgettes fraîches et de vieux cheddar (arrosé d'huile d'olive et accompagné de tomates fraîches et de quelques pousses de roquette).*

### Quinta do Valdoeiro 2009
BAIRRADA, DOS VINHOS MESSIAS, PORTUGAL
14,10 $     SAQ S (10371681)   ★★☆ $$     Modéré
Un très bel assemblage portugais, composé d'arinto, de bical et de chardonnay, à la fois anisé et minéralisant, satiné et vibrant, au corps fluide et digeste, désaltérant au possible. **Alc./**13 % www.cavesmessias.pt ■ *Calmars en tempura d'amandes, fleur de sel au cèdre, mousse de riz en paella (**).*

### Salviano 2009
ORVIETO CLASSICO SUPERIORE, TITIGNANO AGRICOLA, ITALIE
14,10 $     SAQ S (10782034)   ★★☆?☆ $$     Modéré+
Se montre à nouveau passablement nourri pour un orvieto, comme en 2006 et 2005 (voir commentaires dans *La Sélection 2008* et *2009*). Étonnamment généreux, ample et même moelleux, à l'acidité discrète, mais juste fraîche, et au corps texturé, spécialement pour l'appellation et pour son prix. **Alc./**13 % www.titignano.it ■ *Casserole de poulet à la pancetta.*

### Cuvée des Conti « Tour des Gendres » 2008
BERGERAC, FAMILLE DE CONTI, CHÂTEAU TOUR DES GENDRES, FRANCE
15,30 $     SAQ S* (858324)   ★★★ $$     Modéré+   BIO
Coup de cœur de l'édition 2010. ■ *Saumon confit et sauté de fenouil et pommes vertes.*

### Riesling Selbach Kabinett Halbtrocken Zeltinger Himmelreich 2008
MOSEL, J. & H. SELBACH, ALLEMAGNE
16,20 $     SAQ S (927962)   ★★☆ $$     Léger+
Un riesling supposément demi-sec (halbtrocken), selon l'étiquette, mais qui se montre plutôt sec tant l'acidité nerveuse couvre la perception des sucres résiduels. La bouche se montre plus expressive que le nez, presque éclatante, sans trop, au corps modéré et longiligne, et au fruité rafraîchissant, jouant dans la sphère aromatique de la pomme verte et du pamplemousse. **Alc./**10 % www.selbach-oster.de ■ *Crevettes aux épices et légumes croquants (*).*

### Verdejo Prado Rey 2009
RUEDA, PRADO REY, ESPAGNE *(DISP. JANV. 2011)*
16,35 $     SAQ S (10856371)   ★★☆ $$     Modéré
Vous serez charmé à nouveau par ce verdejo, cépage cousin du sauvignon blanc, qui s'exprime en 2009 par des notes aromatiques toujours aussi proches de ce dernier, où l'on retrouve des tonalités de pamplemousse rose, de menthe fraîche, de pomme verte et de gazon fraîchement coupé. En bouche, il se montre tout aussi croquant, vivifiant et d'une belle allonge pour son rang. **Alc./**12,5 % www.pradorey.com ■ *Rouleaux de printemps à la menthe.*

### Château Thieuley 2008
BORDEAUX, FRANCIS COURCELLE, FRANCE
**16,90 $**      SAQ S (10389208)   ★★★ $$            Modéré
Cet excellent domaine présente, avec ce nouveau millésime, un ixième élégant assemblage à parts égales de sauvignon et de sémillon, élevé sur lies en cuves inox, livrant des parfums toujours aussi raffinés, rappelant la menthe fraîche, le pamplemousse et le miel. En bouche, il se montre plus que jamais saisissant de fraîcheur et satiné à souhait, aux saveurs d'une bonne allonge. **Alc./**12 % ■ *Escalope de saumon au cerfeuil et au citron.*

### Duas Quintas « blanco » 2009
DOURO, ADRIANO RAMOS PINTO, PORTUGAL
**17,10 $**      SAQ S (10668514)   ★★☆?☆ $$            Modéré
Très beau et étonnant blanc sec du Douro, d'une minéralité et d'une fraîcheur digestes et vibrantes. Droit, aérien, fin et sapide. Cette excellente propriété, gérée avec maestria par João Nicolau de Almeida, appartient à la maison de champagne française Roederer. **Alc./**14 % **www.ramospinto.pt**
■ *Salade de fenouil et de pommes au fromage de chèvre chaud.*

### Inama 2009
SOAVE CLASSICO, AZIENDA AGRICOLA INAMA, ITALIE
**17,35 $**      SAQ S* (908004)   ★★☆?☆ $$            Modéré
Un nouveau millésime au nez toujours aussi fin et détaillé, rappelant les agrumes, l'amande fraîche et le tilleul, à la bouche fraîche, aérienne et minérale comme il se doit pour ce cru, au corps modéré, à la texture satinée et aux saveurs passablement longues. Pureté et haute définition plus que jamais au rendez-vous pour ce blanc à base de garganega, salué à plusieurs reprises au fil des quinze ans de *Sélection*. **Alc./**12 % **www.inamaaziendaagricola.it** ■ *Arancini au safran, bruschetta au pesto de roquette ou casserole de poulet à la pancetta.*

### Castello di Pomino 2009
POMINO BIANCO, MARCHESI DE FRESCOBALDI, ITALIE
**18,65 $**      SAQ C (065086)   ★★☆ $$            Modéré
Très beau millésime pour cet assemblage chardonnay/pinot blanc, aux parfums délicats, exhalant des notes florales (acacia, jasmin, fleur d'oranger), mellifères et fruitées (pomme poire et amande). La bouche se montre d'une belle texture ample et satinée, à l'acidité fraîche, juste dosée, aux saveurs longues et expressives. **Alc./**12,5 % **www.frescobaldi.it**
■ *Coulibiac de saumon ou fricassée de poulet aux champignons.*

### Shaya Verdejo Old Vines 2008
RUEDA, JORGE ORDOÑEZ, ESPAGNE *(DISP. MARS 2011)*
**18,80 $**      SAQ S (11377014)   ★★★ $$            Corsé
■ **NOUVEAUTÉ!** Un verdejo plus texturé et plus riche que d'habitude, au corps ample, malgré une belle acidité à l'arrière-scène. Longues saveurs exubérantes, rappelant les agrumes, le melon de miel et les fleurs séchées. Sérieux. **Alc./**13,5 % ■ **Lotte à la vapeur de thé gyokuro, salade d'agrumes et pistils de safran (\*\*).**

### Cendrillon 2009
TOURAINE, DOMAINE DE LA GARRELIÈRE, FRANCE *(DISP. OCT./NOV. 2010)*
**20,25 $**      SAQ S (10211397)   ★★☆?☆ $$      Léger+      BIO
Un 2009 peu loquace et plutôt fluide en bouche, lors de sa dégustation en primeur, en juillet 2010, malgré une belle minéralité. À suivre à l'arrivée. **Alc./**13 %

### Riesling Selbach-Oster Kabinett 2008
MOSEL, WEINGUT SELBACH-OSTER, ALLEMAGNE
**20,70 $**      SAQ S (10750841)   ★★★ $$            Modéré
Parfumé par des notes de houblon et de camomille, comme le sont certaines bières, ce riesling se montre pur, détaillé et précis, doté d'une attaque quasi sucrée, dont l'acidité minéralisante vient faire oublier ce sucre pour propulser le vin dans le temps et le futur. Une subtile présence de $CO_2$ en bouche lui procure un profil presque vaporeux, rarissime chez les rieslings germaniques. **Sapide et digeste au possible, pour de**

grands plaisirs harmoniques à table avec les aliments complémentaires à la camomille, comme le sont, entre autres, l'amande, la lavande, la fève tonka, la cannelle, la racine d'angélique, le clou de girofle, la réglisse et la vodka polonaise Zubrówka. **Alc./**8,5 % www.selbach-oster.de ■ *Salade de crevettes et fenouil frais à l'huile de lavande ou flétan cuit à la vapeur de camomille.*

### Cuvée Marie 2007
JURANÇON SEC, CHARLES HOURS, FRANCE
**20,80 $**       SAQ S* (896704)   ★★★☆ **$$**       Corsé
Coup de cœur de *La Sélection 2010*. ■ *Saumon grillé infusé au saké et champignons shiitakes.*

### Les Clos de Paulilles 2008
COLLIOURE, CHÂTEAU DE JAU, FRANCE
**20,90 $**       SAQ S (11096028)   ★★★?☆ **$$**       Modéré+
■ **NOUVEAUTÉ!** Remarquable blanc sec, de grenache blanc, d'une singularité unique, pratiquement comme de l'eau de roche tant la minéralité est électrisante, mais aussi subtilement texturé, satiné et presque suave tant le travail des lies, en barriques, a été judicieux. Aubépine, pâte d'amandes et miel en complexifient le bouquet. **Alc./**13,5 % www.chateaudejau.com ■ *Crevettes sautées aux noisettes concassées et réduction de sauce soya et café noir.*

### Capitel Foscarino 2008
VENETO, ROBERTO ANSELMI, ITALIE
**21,05 $**       SAQ S (928218)   ★★★?☆ **$$**       Modéré+
Coup de cœur de *La Sélection 2010*. ■ *Salade de fenouil frais vinaigrette à l'orange et gingembre.*

### Grüner Veltliner « Kamptaler Terrassen » 2007
KAMPTAL, WEINGUT W. BRÜNDLMAYER, AUTRICHE
**21,25 $**       SAQ S (10707069)   ★★★ **$$**       Modéré
À nouveau un grüner veltliner classique, c'est-à-dire sec, vibrant, perlant, floral, poivré et aérien à souhait, laissant de longues traces minérales en fin de bouche, avec une expressive tonalité de pamplemousse. Amusez-vous à table avec les aliments complémentaires à cet agrume, comme le sont la tomate, le melon d'eau, le safran, la cannelle, le basilic européen, la papaye, l'eau de rose. **Alc./**12,5 % www.bruendlmayer.at ■ *Salade de tomates fraîches et de cubes de melon d'eau à l'huile de basilic.*

### Terras Gauda 2007
RÍAS BAIXAS, BODEGAS TERRAS GAUDA, ESPAGNE
**21,70 $**       SAQ S (10858351)   ★★★ **$$**       Modéré
■ *Flétan au beurre d'agrume.* [S] (Voir commentaire détaillé dans *La Sélection Chartier 2010*)

### Terras Gauda 2009
RÍAS BAIXAS, BODEGAS TERRAS GAUDA, ESPAGNE *(DISP. OCT./NOV. 2010)*
**21,70 $**       SAQ S (10858351)   ★★★?☆ **$$**       Modéré+
Cette référence de Galice se montre dans ce nouveau millésime, dégusté en primeur en juillet 2010, toujours aussi pure, nette et précise, d'une fraîcheur exemplaire, d'une minéralité juste et d'un corps plus nourri que dans le 2007, tout en demeurant élancé. Tilleul, lime et poire donnent le ton, tant au nez qu'en bouche, à ce vin digeste et singulier, à mille lieues des trop souvent communs chardonnays hors Bourgogne. **Cépages :** albariño (majoritaire), caiño branco, loureira. **Alc./**12,5 % www.terrasgauda.com ■ *Calmars en tempura d'amandes, fleur de sel au cèdre, mousse de riz en paella (\*\*).*

### Domaine Millet 2008
CHABLIS, MILLET PÈRE & FILS, FRANCE
**22,75 $**       SAQ S (10792216)   ★★★ **$$**       Modéré+
Tout comme l'avait été le 2005, commenté dans *La Sélection 2009*, et le 2007, signalé dans l'édition 2010, Millet récidive à nouveau avec l'un des plus beaux chablis villages dégustés en 2010. Mordant, minéralisant et éclatant, aux saveurs pures et bien définies, rappelant la pomme

McIntosh, l'amande et l'acacia. Un modèle, comme pour l'abordable et « grand » petit-chablis 2008 du même domaine (aussi commenté). **Alc./**12,5 % www.chablis-millet.fr ■ *Lotte à la vapeur de thé gyokuro, salade d'agrumes et pistils de safran (\*\*).*

### Inama « Vigneti di Foscarino » 2007
SOAVE CLASSICO, AZIENDA AGRICOLA INAMA, ITALIE
23,40 $          SAQ S (907428)     ★★★?☆ $$          Modéré+
Très beau blanc sec, au nez très fin et à la bouche vivifiante, droite, anisée et satinée, comme tous les crus de cette excellente maison. **Alc./**13 % www.inamaaziendaagricola.it ■ *Vol-au-vent de crevettes au Pernod.*

### Chant des Vignes 2007
JURANÇON SEC, DOMAINE CAUHAPÉ, HENRI RAMONTEU, FRANCE
23,85 $          SAQ S (10256675)     ★★★?☆ $$          Modéré+
D'un domaine de référence, tant pour ses vins secs que ses liquoreux, cette cuvée Chant des Vignes est un *must* de *La Sélection*, millésime après millésime. Tout y est. Fraîcheur revitalisante, nez très aromatique, aux effluves d'agrumes, de papaye et de pomme, à la bouche tendue comme un grand riesling, mais avec une densité classique du cru et une persistance tout aussi dans le ton des vins du domaine. **Alc./**14 % www.cauhape.com ■ *Avocats farcis à la chair de crabe et vinaigrette au jus d'agrumes ou filet de truite saumonée grillée à l'huile de basilic.*

### Bründlmayer Kamptaler Terrassen 2008
KAMPTAL, WEINGUT W. BRÜNDLMAYER, AUTRICHE
24 $          SAQ S (10369311)     ★★★ $$          Modéré+
Un riesling sec, aromatique, jeune et fringant, comme je les aime, exhalant des notes à la fois florales et fruitées, surtout sur les agrumes, se montrant droit, presque mordant et aérien en bouche, aux saveurs qui giclent au palais et qui fouettent les papilles, terminant sur une tonalité subtilement anisée. **Alc./**12 % www.bruendlmayer.at ■ *Huîtres crues en version anisée (\*\*).*

### Vermentino Tenuta Guado al Tasso 2009
BOLGHERI, TENUTA GUADO AL TASSO, MARCHESI ANTINORI, ITALIE *(DISP. JANV. 2011)*
24,85 $          SAQ S (10221309)     ★★★?☆ $$          Modéré+
Ce cru, à base de l'original cépage vermentino, se montre plus que jamais engageant, complexe, raffiné, minéralisant, expressif, long et harmonieux, non sans être aussi nourri pour le style. Un profil à mi-chemin entre le sauvignon blanc de la Loire et le riesling germanique sec. **Alc./**13 % www.antinori.it ■ *Filet d'escolar poêlé, anguille « unagi » BBQ, crème de céleri-rave aux graines de cerfeuil, feuilles et huile de menthe fraîche (\*\*).*

### Les Challeys 2007
SAINT-JOSEPH, DELAS, FRANCE
25,95 $          SAQ S (11153846)     ★★★☆ $$          Corsé
Un blanc gras et patiné, à l'acidité en retrait, qui laisse place à une texture généreuse et prenante, tout comme aux longues saveurs boisées, beurrées, crémeuses et noisetées. Plein les papilles! **Alc./**14,5 % ■ *Fougasse parfumée au clou de girofle et fromage bleu fondant caramélisé (\*\*).*

### En Travertin 2008
POUILLY-FUMÉ, DOMAINE HENRI BOURGEOIS, FRANCE
27,60 $          SAQ S\* (412312)     ★★★☆ $$$          Modéré+
Proposer un pouilly-fumé avec un jarret d'agneau à l'anis étoilé et pastis! Chartier aurait-il perdu la tête (ou les papilles)? L'accord, tel que détaillé dans la recette du livre *Les Recettes de Papilles et Molécules*, s'effectue ici par le pouvoir d'attraction qui s'opère entre les saveurs anisées du sauvignon et celles tout aussi anisées de l'anis étoilé, du fenouil et du pastis. Cet excellent pouilly, aromatique et complexe, frais et d'une certaine densité pour le style, servi à plus ou moins 14 °C, gagne littéralement en expressivité et en volume lorsqu'il entre en contact avec les saveurs de ce jarret d'agneau. Résultant en une révélation harmonique peu commune. **Alc./**13 % www.henribourgeois.com ■ *Jarret d'agneau à l'anis étoilé et pastis (\*\*).*

### Drouhin Vaudon 2009
CHABLIS, JOSEPH DROUHIN, FRANCE *(DISP. AUTOMNE 2010)*
28,95 $          SAQ S (10524609)   ★★★?☆ $$$          Modéré+
Cuvée du Moulin de Vaudon, voici un nouveau millésime, dégusté en primeur en août 2010, qui se montre alléchant au possible, à la fois satiné et vivifiant, plein et aérien, complexe et mellifère, d'une grande persistance et épuré comme il se doit. Pomme et amande viennent complexifier la finale croquante à souhait. **Alc./**12,5 % **www.drouhin.com** ■ *Salade de fenouil grillé et fromage de chèvre chaud.*

### Les Vénérables Vieilles Vignes 2007
CHABLIS, LA CHABLISIENNE, FRANCE *(DISP. HIVER 2011)*
28,95 $          SAQ S (11094639)   ★★★?☆ $$          Modéré+
Coup de cœur de l'édition 2010, avec son très beau 2005, cette cave performante, qui a récidivé avec un 2006 encore plus harmonieux (voir commentaire), reviendra à la charge au cours de l'hiver 2011 avec un 2007, dégusté en primeur en août 2010, de même niveau. Donc, un blanc sec à la fois nourri et minéralisant, texturé et cristallin, comme seul en connaît le secret le chardonnay en terres bourguignonnes. Grande allonge aux saveurs anisées et grillées. **Alc./**12,5 % **www.chablisienne.com** ■ *Coulibiac de saumon à l'aneth.*

### Fourchaume 2006
CHABLIS 1ᴱᴿ CRU, LA CHABLISIENNE, FRANCE *(DISP. OCT./NOV. 2010)*
29,30 $          SAQ S (11094671)   ★★★?☆ $$$          Modéré
Un premier cru qui se montre plus bavard en bouche qu'au nez, déroulant un tapis de satin, une fraîcheur croquante, sans trop, des saveurs longues, pures et précises, laissant deviner des effluves de pain grillé, de poire et d'amande, ainsi qu'une discrète tonalité fumée et minérale. Comme de l'eau de roche, sapide et digeste au possible. Attendez-le jusqu'au printemps 2011, vous en serez grandement récompensé. **Alc./**13 % **www.chablisienne.com** ■ *Tartelettes chaudes de fromage de chèvre frais et de noix de pin grillées.*

### Coudoulet de Beaucastel 2008
CÔTES-DU-RHÔNE, VIGNOBLES PIERRE PERRIN, FRANCE
29,50 $          SAQ S* (449983)   ★★★ $$$          Modéré+
Un coudoulet au nez plus discret et moins riche que par les millésimes passés, mais à la bouche toujours aussi suave, satinée, texturée et harmonieuse. **Alc./**13 % **www.beaucastel.com** ■ *Pétoncles poêlés, couscous de noix du Brésil à l'orange sanguine, lait de coco au gingembre (\*\*).*

### Riesling Herrenweg 2007
ALSACE, DOMAINE BARMÈS BUECHER, FRANCE
29,70 $          SAQ S (11153117)   ★★★★ $$$          Corsé+
■ **NOUVEAUTÉ!** Un grand riesling, qui allie puissance et raffinement, droiture et expressivité, volume et longueur inouïe, terpénique à fond, corps et impression sapide, pour ne pas dire digeste comme de l'eau de roche! Sa grande minéralité cosmique « mange » littéralement les quelques grammes de sucres résiduels, offrant ainsi une finale aristocratique de grand vin sec aux innombrables secousses telluriques. Il me faudrait pouvoir utiliser l'icône de *Facebook* avec le pouce levé : « François Chartier aime ça. » **Alc./**13,5 % **www.barmes-buecher.com** ■ *Filet d'escolar poêlé, anguille « unagi » BBQ, crème de céleri-rave aux graines de cerfeuil, feuilles et huile de menthe fraîche (\*\*).*

### Plácet « Valtomelloso » 2007
RIOJA, PALACIOS REMONDO, ESPAGNE *(DISP. FIN 2010/DÉBUT 2011)*
29,95 $          SAQ SS (11318170)   ★★★☆ $$$          Corsé
Un blanc sec très aromatique, sur les fruits blancs très jeunes, à la bouche fraîche et expressive, ayant gagné en amplitude et en texture moelleuse depuis l'année dernière, aux longues saveurs pures et précises. Goyave, miel, fleurs blanches, crème pâtissière et amande grillée donnent le ton. À base de viura, en très petits rendements, et de maccabeo, qui est le chardonnay du sud selon Àlvaro. Fermentation en barriques ovales, durant neuf mois, avec élevage sur lies. Enfin, les peaux du marc

sont remises dans les fûts pour trois mois, pour une fermentation à très basse température. C'est le seul vin levuré parmi tous ses vins. Heureusement pour nous, la SAQ a finalement ouvert son carnet de commandes, suite à mes commentaires de l'édition 2010. **Alc./**14 % ■ *Salade de demi-bulbes de fenouil grillés surmontés de fromage de chèvre chaud.*

### Riesling Heissenberg 2007
✓ TOP 100 CHARTIER

ALSACE, DOMAINE ANDRÉ OSTERTAG, FRANCE *(RETOUR SEPT./OCT. 2010)*

**33,25 $**   SAQ **S** (739813)   ★★★☆?☆ **$$$$**   Corsé   BIO

Nez profondément mûr et détaillé, laissant échapper des notes à la fois complexes et subtiles d'épinette, de racine d'angélique confite et de cédrat. Bouche presque vaporeuse pour un riesling alsacien, ample et prenante, à l'acidité discrète, mais jouant les funambules avec brio, tendant le vin sans le rendre vif ni nerveux. **Alc./**13 % ■ *Gigot d'agneau, cuisson lente, au romarin, casserole de panais à la cardamome (**).*

### Côte de Léchet 2006

CHABLIS 1ER CRU, LA CHABLISIENNE, FRANCE *(DISP. HIVER 2011)*

**33,50 $**   SAQ **S** (869198)   ★★★☆ **$$$**   Modéré+

Ce nouveau millésime, dégusté en primeur en août 2010, attendu au cours de l'hiver 2011, se montre tout aussi réussi que le précédent (voir commentaire). La même présence de bouche, tout en fraîcheur, en minéralité et en richesse d'expression, richement pourvu en saveurs fruitées et en acidité fraîchement revitalisante mais harmonieuse, laissant place à une certaine texture satinée, pour ne pas dire à une certaine tendresse. Le meilleur des deux mondes. **Alc./**13 % **www.chablisienne.com** ■ *Huîtres crues en version anisée (**).*

### Le MD de Bourgeois 2008

SANCERRE, DOMAINE HENRI BOURGEOIS, FRANCE *(DISP. SEPT./OCT. 2010)*

**35,75 $**   SAQ **S** (967778)   ★★★☆ **$$$**   Modéré+

Un nouveau millésime, dégusté en primeur en juillet 2010, toujours aussi saisissant au nez, à la fois subtil et riche, exhalant des notes mûres de menthe, de pamplemousse rose et de papaye, suivi d'une bouche d'une bonne ampleur et tout aussi revitalisante que le nez, mais avec une droiture verticale plus prononcée que dans le remarquable pouilly-fumé La Demoiselle de Bourgeois (aussi commentée). Donc, un blanc sec d'une minéralité évidente, d'un fruité expressif et d'une bonne plénitude. **Alc./**13 % **www.henribourgeois.com** ■ *Lotte à la vapeur de thé gyokuro, salade d'agrumes et pistils de safran (**) ou pâte concentrée de poivrons verts et menthe (voir chapitre Recettes).*

### Domaine Grand Veneur blanc 2008

CHÂTEAUNEUF-DU-PAPE, VIGNOBLES ALAIN JAUME ET FILS, FRANCE

**40,75 $**   SAQ **S** (967034)   ★★★☆?☆ **$$$**   Corsé

Comme à son habitude, Grand Veneur présente un nouveau millésime sur une retenue de jeunesse, qui aura besoin de temps ou d'oxygène pour se révéler. Une fois carafé, il se montre aromatique, fin et détaillé, ainsi que d'une droiture vivifiante, un vin ramassé, compact, aux longues et pénétrantes saveurs subtiles, un brin anisées, mais aussi jouant dans l'univers de l'abricot et des fleurs jaunes. **Cépages :** 40 % roussanne, 30 % grenache blanc, 30 % clairette. **Alc./**14 % **www.domaine-grand-veneur.com** ■ *Morue au fenouil et à la pêche.*

### La Demoiselle de Bourgeois 2008
✓ TOP 100 CHARTIER

POUILLY-FUMÉ, DOMAINE HENRI BOURGEOIS, FRANCE *(DISP. OCT./NOV. 2010)*

**40,75 $**   SAQ **S** (702126)   ★★★★ **$$$$**   Corsé

Quel nez! Un blanc hyper aromatique, richissime et complexe, sans trop, aux tonalités de papaye, de graine de cerfeuil, de groseille blanche, de cassis et de pamplemousse rose, à la fois plein, éclatant, texturé, enveloppant pour l'appellation, saisissant de fraîcheur et d'une grande allonge. Une grande réussite. **Alc./**13 % **www.henribourgeois.com** ■ *Blanc de volaille cuit au babeurre, émulsion d'asperges vertes aux crevettes_Mc² (feuilles de choux de Bruxelles, vinaigrette acide à la chicorée) (**) ou filet d'escolar poêlé, anguille « unagi » BBQ, crème de céleri-rave aux graines de cerfeuil, feuilles et huile de menthe fraîche (**).*

## Were Dreams... 2007
VENEZIA GIULIA, JERMANN, ITALIE
49,25 $　　　SAQ S (10853998)　★★★★?☆ $$$$　　Corsé+

Du grand art, à mi-chemin entre le style dense et profond des grands meursaults, et celui plus évolutif et minéralisant des vibrants jurassiens de Stéphane Tissot. Complexe à en être étourdissant, texturé comme une... Italienne (!), et patiné comme un vieux meuble centenaire. Plus umami que ça... **Alc.**/13,5 % www.jermann.it ■ *Pétoncles rôtis fortement, shiitakes poêlés, copeaux de parmigiano reggiano et écume de bouillon de kombu (\*\*).*

## Clos de la Bergerie 2001
SAVENNIÈRES, NICOLAS JOLY, FRANCE
50,25 $　　　SAQ SS (718528)　★★★★ $$$$　　Corsé　　BIO

Nicolas Joly, chef de file dans le domaine de la biodynamie, élabore actuellement des vins blancs remarquables, en ce qu'ils transcendent toute adhésion dogmatique de l'œnologie moderne, ainsi que toutes préoccupations esthétiques, frivoles et stériles. Excellent exemple du viticulteur qui a enrichi son époque en n'y appartenant pas, il a su créer sa propre synthèse du temps sans être soumis aux conformités que ce temps impose! **www.coulee-de-serrant.com** ■ *Crevettes à la citronnelle.*

## Blanchot 2005
CHABLIS GRAND CRU, LA CHABLISIENNE, FRANCE
70,25 $　　　SAQ S (11094663)　★★★★ $$$$　　Corsé+

Engageant et prenant, voilà un grand cru à ne pas laisser passer. Nez intensément aromatique, riche et fruité à souhait, exhalant des notes de goyave, de miel, d'ananas et de crème fraîche, un brin vanillée. Bouche volumineuse, fraîche et concentrée, au boisé présent, mais juste dosé, égrainant de très longues et expressives saveurs de la famille des lactones (noix de coco, pêche), ainsi que des notes de pomme golden, de noisette, de beurre d'arachides et de crème anglaise. Une grande pointure, au profil mûr et boisé, jouant dans la cour des chardonnays du Nouveau Monde, mais avec une assise minérale et élancée on ne peut plus chablisienne. **Alc.**/13 % www.chablisienne.com ■ *Homard rôti à la salsa d'ananas au quatre-épices.*

## Blanchot 2005
CHABLIS GRAND CRU, LA CHABLISIENNE, FRANCE *(DISP. HIVER 2011)*
70,25 $　　　SAQ S (11094663)　★★★★ $$$$　　Corsé

Après un engageant et prenant 2005 (voir commentaire), voilà un nouveau millésime qu'il ne faudra pas laisser passer. Tout y est : puissance aromatique, haute définition, boisé luxueux et intégré au cœur de la matière, plénitude de bouche, texture patinée, acidité sous-jacente vibrante et longueur excessive. Quand le terroir rime avec art. **Alc.**/13 % **www.chablisienne.com** ■ *Pétoncles rôtis fortement, shiitakes poêlés, copeaux de parmigiano reggiano et écume de bouillon de kombu (\*\*).*

## Clos du Domaine 2006
MEURSAULT, DOMAINE HENRI DARNAT, FRANCE
83,50 $ 1,5 litre　SAQ SS (11214135)　★★★★ $$$$　　Corsé

Un magnum de meursault au charme évident, marqué par un nez exubérant de poire et de pomme Golden très mûres, à la bouche gourmande, fruitée au possible, moelleuse, à l'acidité discrète, mais juste fraîche pour donner de la vitalité, aux longues saveurs de praline, de miel, de poire et de noix de coco. Que de plaisir! Avec ce format 1,5 litre, c'est le moment d'inviter les bons amis à table. **Alc.**/13,5 % www.domaine-darnat.com ■ *Pétoncles rôtis fortement, shiitakes poêlés, copeaux de parmigiano reggiano et écume de bouillon de kombu (\*\*) ou pot-au-feu d'agneau cuit rosé, au thé et aux épices (\*\*).*

## Château Grenouilles 2005
CHABLIS GRAND CRU, LA CHABLISIENNE, FRANCE
95,50 $　　　SAQ S (10785083)　★★★★ $$$$$　　Modéré+

Ce rarissime grand cru se montre comme toujours d'une exquise finesse aromatique et d'une superbe ligne droite de bouche, bâti pour défier le temps. Tout le contraire du Blanchot 2005 (aussi commenté) de la même

cave, qui se montre, lui, pulpeux et généreux, Grenouilles est retenu, épuré, racé et élégant, tout en étant savoureux et d'une grande et subtile allonge de bouche. Ceux qui l'attendront découvriront dans quelques années un cru plus large et plus détaillé. **Alc./**13 % **www.chablisienne.com**
■ *Saumon infusé au saké et aux champignons shiitake.*

### Château Grenouilles 2006
CHABLIS GRAND CRU, LA CHABLISIENNE, FRANCE *(DISP. HIVER 2011)*
**95,50 $**        SAQ **S** (10785083)   ★★★★ **$$$$**$        **Modéré+**
Grande élégance aromatique et bouche tendue, bâti pour défier le temps, ce nouveau millésime à venir, dégusté en primeur en août 2010, se montre, comme toujours dans ses premières années, compact, dense et longiligne, malgré une certaine tendreté typique du millésime, et d'une très grande allonge. Les plus patients découvriront dans quelques années un cru plus aromatique et plus texturé. **Alc./**13 % **www.chablisienne.com**
■ *Saumon fumé sans fumée_Mc² (au thé noir fumé Lapsang Souchong) (\*\*).*

### Clos de la Coulée de Serrant 2001
SAVENNIÈRES, NICOLAS JOLY, FRANCE
**97,25 $**        SAQ **SS** (718536)   ★★★★★ **$$$$$**        **Corsé+**        BIO
(Voir commentaire détaillé dans *La Sélection Chartier 2005*)

### Clos de la Coulée de Serrant 2006
SAVENNIÈRES, NICOLAS JOLY, FRANCE
**110,75 $**        SAQ **SS** (10222088) ★★★★☆ **$$$$**$        **Corsé**        BIO
Plus qu'un vin, la Coulée de Serrant est une très grande œuvre qui dépeint, en saveurs complexes et profondément belles, les multiples strates géologiques de cet exceptionnel clos de sept hectares, cultivé depuis 800 ans. Et cette minéralité tellurique résonne haut et fort dans ce 2006, ultracomplexe et pénétrant, vibrant et tendu, plus que long et compact, égrainant de subtils effluves de miel, de cardamome, de fleurs et de gingembre sauvage. Rares sont les occasions de déguster les vins de Nicolas Joly, artisan vigneron, grand défenseur de la diversité des terroirs français et LA référence européenne en matière de biodynamie. **Alc./**14,5 % **www.coulee-de-serrant.com** ■ *Blanc de volaille cuit au babeurre, émulsion d'asperges vertes aux crevettes_Mc² (feuilles de choux de Bruxelles, vinaigrette acide à la chicorée) (\*\*) ou crabe des neiges, ketchup aux pois verts, épinards fanés à l'huile d'olive, caviar de mulet et mousse de bière noire (\*\*).*

# VINS ROUGES
# DE LA VIEILLE
# EUROPE

## Bonal « Tempranillo » 2007   ✓ TOP 20 BAS PRIX

VALDEPEÑAS, BODEGAS REAL, ESPAGNE *(DISP. AUTOMNE 2010)*

| 8 $ | SAQ C (548974) | ★★?☆ $ | Modéré+ |
|---|---|---|---|

Coup de cœur de l'édition 2010 de ce guide, tout comme de quelques-unes des précédentes *Sélection*, cet abordable rouge espagnol est à compter parmi les crus à acheter les yeux fermés bon an mal an. Quelle gourmandise solaire! Un rouge complet et jouissif, pour son rang. Il est quasi impossible de dénicher des rouges sous la barre des neuf dollars avec autant de matière à se mettre sous la dent – d'autant plus que son prix a été abaissé de presque un dollar depuis le début de l'année 2010. Laissez-vous conquérir par ce vin ample, texturé, presque joufflu, aux saveurs fraîches et éclatantes, rappelant le raisin frais et la cerise noire, et aux tanins qui ont du grain, ce qui étonne à ce prix. Du plaisir, rien que du plaisir. Comme je l'écrivais déjà pour le 2005, ce cru hispanique est plus que jamais l'une des références européennes chez les rouges de qualité offerts à ce prix. **Cépage :** tempranillo. **Alc./**13,5 % **www.bodegas-real.com**

☛ *Servir dans les quatre années suivant le millésime, à 16 °C*

Pain de viande à la tomate, pizza aux olives noires, spaghetti bolognaise épicé, sandwich au bœuf grillé et aux oignons caramélisés ou saucisses italiennes grillées.

## Castillo de Monséran 2009   ✓ TOP 20 BAS PRIX

CARIÑENA, BODEGAS SAN VALERO, ESPAGNE

| 8,85 $ | SAQ C (624296) | ★★?☆ $ | Modéré |
|---|---|---|---|

Après un 2007 fort convaincant, et un 2008 fort séduisant, ce cru récidive une fois de plus avec un nouveau millésime, le 2009, meilleur que jamais. Son profil oscille cette fois entre celui des gourmands rouges du Nouveau Monde et des saisissantes fraîcheurs rouges européennes. Donc, un espagnol parfumé à souhait, marqué par des tonalités de fruits rouges, de giroflée et d'épices douces, à la bouche ronde et dodue, relevée par une juste acidité qui lui donne de l'éclat et de la digestibilité. Du fruit à revendre et un certain grain de tanins, qui lui donne une impression de corps. Que demander de plus à ce prix, si ce n'est que ceux et celles qui vont encore perdre leur argent au dépanneur optent enfin pour ce style de cru mille fois plus avantageux à un prix plus doux que ceux offerts chez les épiciers... **Cépage :** garnacha. **Alc./**12,5 % **www.sanvalero.com**

☛ *Servir dans les deux années suivant le millésime, à 16 °C*

Lasagne au four, pizza aux saucisses italiennes épicées, salade d'endives braisées et de cerises (avec noix et fromage bleu), chili con carne, poulet grillé au quatre-épices ou camembert aux clous de girofle (macérés quelques jours au centre du fromage).

## Sangiovese Farnese 2009

DAUNIA, FARNESE VINI, ITALIE *(DISP. OCT./NOV. 2010)*

| 8,90 $ | SAQ C (10669331) | ★★?☆ $ | Modéré+ |
|---|---|---|---|

Coup de cœur des récentes éditions de La Sélection pour ses millésimes d'avant 2009, ce cru à prix doux demeure plus que jamais un incontournable du répertoire général de la SAQ. D'autant plus que son prix est passé de dix à moins de neuf dollars au cours des derniers mois. Bonne coloration violacée. Présence aromatique qui étonne pour son rang, aux notes fraîches et fines de fruits rouges, de fleurs et d'épices. Expressive à souhait, la bouche suit avec une acidité fraîche juste dosée, des tanins toujours aussi fins, et une texture presque gourmande, pour ne pas dire dodue. Difficile de résister au charme immédiat. **Cépage :** sangiovese. **Alc./**12,5 % www.farnesevini.com

☛ *Servir dans les trois années suivant le millésime, à 16 °C*

Pizza à l'américaine et à l'huile épicée, brochettes souvla-kis, sauté de porc à l'asiatique, veau marengo ou **on a rendu le pâté chinois (\*\*)**.

## Tempranillo Campobarro 2008

RIBERA DEL GUARDIANA, COOP. SAN MARCOS, ESPAGNE

| 8,95 $ | SAQ C (10357994) ★★ $ | Modéré+ |
|---|---|---|

D'une belle régularité, bon an mal an ce tempranillo représente un bon coup chez les crus offerts sous la barre des dix dollars. Il se montre à nouveau passablement fruité, au corps étonnamment nourri pour son rang, aux tanins souples, à l'acidité discrète et aux saveurs qui ont du bagou, laissant apparaître des notes de cerise noire, de framboise et de girofle. Ce dernier étant l'épice qui créé le lien harmonique le plus fort avec les grillades, voilà donc votre vin pour l'heure où le grill est allumé! **Cépage :** tempranillo. **Alc./**14 % www.campobarro.com

☛ *Servir dans les trois années suivant le millésime, à 16 °C*

Grillades variées, **feuilles de vigne farcies_Mc² (riz sauvage soufflé, bacon de sanglier, sirop de riz brun/café) (\*\*)** ou saucisses épicées grillées.

## Primitivo I Monili 2009      ✓ TOP 20 BAS PRIX

PRIMITIVO DEL TARANTINO, PERVINI, ITALIE

| 9,65 $ | SAQ C (577684) ★★☆ $ | Modéré+ |
|---|---|---|

Coup cœur depuis quelques éditions de *La Sélection*, cette cuvée récidive avec un nouveau millésime tout aussi enchanteur que les précédents. Et comme si ce n'était pas assez, le prix a été ajusté à la baisse, de un dollar, depuis l'automne 2009, étant donné la faiblesse de l'euro sur notre huard. Quoi qu'il en soit, il mérite plus que jamais le détour pour un bon ballon de rouge quotidien à prix d'ami. Du charme et du plaisir à boire jusqu'à plus soif, tout en étant aromatique à souhait, avec pureté et précision, texturé, souple et même dodu, terminant sa course sur des arômes jouant dans la sphère de la prune et du poivre. Mérite donc une place dans le « TOP 20 BAS PRIX » anniversaire. **Cépages :** 90 % primitivo, 10 % montepulciano. **Alc./**12,5 %

☛ *Servir dans les trois années suivant le millésime, à 17 °C*

Bifteck à la pommade d'olives noires, bœuf bourguignon et polenta crémeuse, hamburger aux poivrons rouges confits et au fromage cheddar, lasagne aux saucisses italiennes épicées ou chili de Cincinnati.

## Duque de Medina « Tempranillo & Garnacha » 2008

CARIÑENA, BODEGAS IGNACIO MARÍN, ESPAGNE

| 9,85 $ | SAQ C (10325925) ★★?☆ $ | Modéré |
|---|---|---|

Le nouveau millésime de cet espagnol se montre à nouveau comme l'une des valeurs sûres de l'année chez les rouges européens vendus sous la barre des dix dollars. Du fruit, des parfums épicés et fruités (girofle, cerise noire), de la fraîcheur, de la texture, presque veloutée, et de la persistance. Tout ça pour moins de dix dollars. **Cépages :** tempranillo, grenache. **Alc./**12,5 % www.ignaciomarin.com

☞ *Servir dans les trois années suivant le millésime, à 16 °C*

🍴 Pizza au capicolle et poivrons rouges confits, hamburgers aux champignons et aux lardons, poulet rôti et ratatouille sur couscous, tourtière, brochettes de porc glacées à l'orange et au miel, chipolatas grillées ou brochettes souvlakis.

## Domaine des Cantarelles 2008

COSTIÈRES-DE-NÎMES, JEAN BERTEAU, FRANCE

| 10,30 $ | SAQ C (518720) | ★★ $ | Modéré+ |
|---|---|---|---|

Un ixième beau millésime du Midi pour cette cuvée plus souple et veloutée que jamais, aux courbes sensuelles, aux tanins ronds et aux saveurs expressives et longues, laissant des traces de framboise, de mûre, de garrigue, d'épices douces et de café. **Cépages :** syrah, grenache. **Alc./**12,5 % www.domaine-cantarelles.com

☞ *Servir dans les quatre années suivant le millésime, à 16 °C*

🍴 Lasagne au four, chili con carne, hamburgers d'agneau aux poivrons rouges confits et au curcuma ou sushis pour amateurs de vin rouge (à la pommade d'olives noires, poivre et riz sauvage soufflé au café) (voir aussi chapitre *Recettes*).

## Luc Saint-Roche 2009

VIN DE PAYS DU MONT BAUDILE, LES VIGNERONS RÉUNIS, FRANCE

| 10,30 $ | SAQ S* (11015831) | ★★☆ $ | Modéré |
|---|---|---|---|

Provenant du secteur de Montpeyroux, l'un des meilleurs terroirs du Languedoc, cette nouvelle cuvée, débarquée en début d'année et commentée en primeur dans l'édition 2010 de ce guide, a été pensée dans le but d'offrir aux amateurs un vin de plaisir, alliant la fraîcheur expressive des meilleurs vins du Beaujolais au profil solaire des vins du Nouveau Monde. Le pari est franchement réussi, car, dans ce nouveau millésime, quel nez et quelle bouche! Le nez, toujours aussi exubérant que dans le précédent 2008, détaille des parfums festifs de fruits rouges et de fleurs. La bouche suit avec un fruité tout aussi satiné, des tanins toujours aussi souples et fondus, une acidité fraîche et une texture caressante à souhait. Il vous sera difficile de ne pas y succomber... surtout pour le prix demandé – sans compter qu'il a subi une basse de deux dollars cinquante au fil des premiers mois de 2010. **Cépages :** grenache (majoritaire), syrah. **Alc./**13 %

☞ *Servir dans les trois années suivant le millésime, à 16 °C*

🍴 Ailes de poulet, pâtes sauce à la tomate minute, poulet rôti accompagné de ratatouille, salade d'endives braisées et cerises (avec noix et fromage parmesan émietté), tartare de bœuf, sukiyaki de bœuf aux poivrons verts ou côtelettes de porc à la niçoise.

## Monasterio de Las Viñas ✓ TOP 20 BAS PRIX
## « Crianza » 2005

CARIÑENA, GRANDES VINOS Y VIÑEDOS, ESPAGNE

| 10,60 $ | SAQ C (539528) | ★★☆?☆ $ | Modéré+ |
|---|---|---|---|

Cet incontournable rouge d'Espagne, souligné à moult reprises dans les précédentes *Sélection*, se montre encore meilleur que par le passé dans ce nouveau millésime. Et comme le prix a été abaissé de deux dollars au fil de la dernière année, faiblesse de l'euro oblige, c'est le temps de stocker! Vous y retrouverez un vin toujours aussi joufflu et généreux, pour son rang, aromatique comme jamais, jouant dans la sphère de la framboise, de la cerise, du café et de la fumée, à la bouche d'une certaine ampleur, aux tanins enveloppés, presque dodus, d'une belle fraîcheur et d'une bonne allonge. À nouveau, les amateurs de rouges du Nouveau Monde s'y retrouveront, tout comme les aficionados de l'Espagne moderne, et ce, à un prix défiant toute concurrence. Je me suis même retenu pour ne pas lui donner trois étoiles... **Cépages :** 45 % garnacha, 35 % tempranillo, 10 % cariñena, 10 % cabernet sauvignon. **Alc./**13 % www.grandesvinos.com

☛ *Servir dans les sept années suivant le millésime, à 16 °C*

**Feuilles de vigne farcies_Mc² (riz sauvage soufflé, bacon de sanglier, sirop de riz brun/café) (\*\*)**, fettucine all'amatriciana « à ma façon » (\*), hamburgers d'agneau aux poivrons rouges confits et au *pimentón*, brochettes de bœuf sauce teriyaki, bœuf bourguignon, filet de porc au café noir (voir Filets de bœuf au café noir) (\*) ou **pétoncles poêlés, couscous de noix du Brésil à l'orange sanguine, lait de coco au gingembre (\*\*)**.

## Meia Encosta 2008
DÃO, SOCIEDADE DOS VINHOS BORGES, PORTUGAL

| 10,65 $ | SAQ C (250548) | ★★ $ | Léger+ |
|---|---|---|---|

Depuis le millésime 2005, ce vin rouge portugais représente une sacrée bonne affaire chez les crus offerts sous la barre des treize dollars. Tout y est. De la couleur. Du nez, aux parfums soutenus et des plus agréables, rappelant la cerise et le thym. De la bouche, se montrant passablement souple et coulante, au corps modéré mais bien présent, à l'acidité juste dosée et aux saveurs d'une allonge plus que correcte pour son rang, où s'ajoute une pointe poivrée de girofle. Finale juste ferme. **Servez-le sur des plats où dominent les aliments complémentaires au thym, l'une de ses clés aromatiques pour réaliser l'harmonie : agneau, ajowan, origan, cardamome, genièvre ou laurier sont à privilégier. Cépages :** touriga nacional, jaen, alfrocheiro, tinta roriz. **Alc./**13 % **www.borgeswines.com**

☛ *Servir dans les trois années suivant le millésime, à 16 °C*

Sandwich au rôti de bœuf parfumé au thym frais, brochettes d'agneau à l'ajowan, pizza aux tomates séchées et à l'origan ou steak de thon rouge grillé et frotté au concassé de baies de genièvre.

## Teroldego Mezzacorona 2008
TEROLDEGO ROTALIANO, MEZZACORONA, ITALIE

| 11,05 $ | SAQ C (573568) | ★★ $ | Modéré |
|---|---|---|---|

Côté nectar, nous savons maintenant que les vins rouges à base du cépage pinot noir trônent au sommet de la liste des vins étant le plus richement pourvus en resvératrol, cette fameuse molécule aux propriétés antioxydantes et anti-inflammatoires que la vigne sécrète naturellement pour se défendre contre les attaques des champignons, spécialement en situation de climat humide. Mais nous avons appris aussi que d'autres cépages possèdent ce système naturel de défense, qui sied à la fois au raisin et à l'homme. Ce sont les cépages teroldego d'Italie, tannat de Madiran et d'Uruguay, malbec de Cahors et d'Argentine et grenache. Si vous cherchez la perle et la matière, qui offre à la fois plaisir à boire et une bonne dose d'antioxydants, alors ne cherchez plus et sustentez-vous du plus que jamais réussi Teroldego de Mezzacorona. Une véritable aubaine santé! Tout y est. Couleur. Nez très engageant, riche de parfums fruités, tout en fraîcheur. Bouche à la fois ample et coulante, pleine et dodue, marquée par des tanins très doux, à l'image de nombreux vins de pinot noir. En plus, ce cru est d'une régularité sans faille bon an mal an. **Cépage :** teroldego. **Alc./**12,5 % **www.mezzacorona.it**

☛ *Servir dans les trois années suivant le millésime, à 16 °C*

Salade de champignons portabellos sautés et copeaux de parmesan, caponata à la sicilienne (version italienne de la ratatouille niçoise), pizza aux tomates séchées et au fromage de chèvre, saumon teriyaki ou filets de maquereau à la tomate et tian de légumes (tomates, aubergines, poivrons, oignons, ail).

## Sangiovese Medoro 2009     ✓ TOP 20 BAS PRIX

MARCHE, TENUTA UMANI ROCHI, ITALIE *(DISP. OCT. 2010)*

| 11,20 $ | SAQ C (565283) | ★★☆ $ | Modéré+ |
|---|---|---|---|

Il faut savoir que toute la gamme des vins rouges et blancs de la maison Umani Ronchi mérite amplement votre attention, grâce à une évolution qualitative unique au fil des quinze ans de *La Sélection*. Pour preuve, deux vins rouges aux deux spectres, soit le grandissime Pelago 2006 (40,25 $; 735977) de la même maison, aussi commenté, et ce plus qu'abordable sangiovese. Ce dernier est d'une bonne coloration, au nez toujours aussi enchanteur que par le passé, exhalant des notes de violette et de cerise noire, à la bouche aux courbes quasi sensuelles, aux tanins fins, bien enveloppés, et aux saveurs passablement longue. Un vin harmonieux, élaboré par une maison au sommet de l'élite des Marches. **Cépage :** sangiovese. **Alc./**13 % **www.umanironchi.it**

☛ *Servir dans les trois années suivant le millésime, à 17 °C*

Bifteck au poivre et à l'ail, côtes levées sauce barbecue épicée, poulet aux olives noires, moussaka ou pâtes en sauce méditerranéenne aux aubergines et à l'ail (avec poivrons, olives noires, câpres, tomates, origan).

## Taja Monastrell 2008

JUMILLA, MÄHLER-BESSE, ESPAGNE

| 11,30 $ | SAQ C (243329) | ★★☆ $ | Corsé |
|---|---|---|---|

Une ixième réussite, provenant de Jumilla, l'appellation espagnole montante, fort colorée, richement aromatique (cuir, mûre, sous-bois et réglisse), à la bouche à la fois débordante et juteuse, pleine et texturée, aux tanins tendres, à l'acidité discrète et aux saveurs pleines et persistantes, rappelant les fruits noirs et les épices douces. Difficile de faire mieux à un prix aussi doux. Encore une fois, la troisième étoile n'était pas loin... Il faut dire que les vins de cette zone, riche de vieilles vignes, sont devenus LA référence espagnole chez les crus à bas prix. **Cépage :** monastrell. **Alc./**14 % **www.mahler-besse.com**

☛ *Servir dans les cinq années suivant le millésime, à 17 °C*

Filet de bœuf à l'émulsion de « Mister Maillard » (voir chapitre *Recettes*), purée de navets à l'anis étoilé (voir chapitre *Recettes*), hamburgers d'agneau à la pommade d'olives noires et poivre, pâtes aux saucisses italiennes épicées ou chili de Cincinnatti.

## Château Haut Perthus 2006

BERGERAC, DUPUY, FRANCE

| 11,85 $ | SAQ C (10802955) | ★★?☆ $ | Modéré |
|---|---|---|---|

Introduit au Québec en 2008, avec son très bon millésime 2005, il récidive avec un nouveau millésime pratiquement aussi réussi que le précédent, spécialement pour le prix demandé. Très beau nez, toujours aussi expressif et fin, exhalant des notes de poivron, de fruits rouges, à la bouche tout aussi invitante qu'en 2005, peut-être un brin moins gourmande, mais à ce prix…, s'exprimant par des saveurs fraîches, des tanins presque dodus, mais avec un certain grain. Vraiment agréable, et plaira à l'amateur de Bordeaux qui a délaissé les bordeaux à cause des prix à la hausse, même chez les « petits » bordeaux… **Cépages :** 60 % cabernet franc, 40 % merlot. **Alc./**13,7 % **www.lagrandepleyssade.com**

☛ *Servir dans les six années suivant le millésime, à 16 °C*

Hamburger de bœuf à la pâte concentrée de poivron vert à la menthe (voir chapitre *Recettes*), brochettes de foie de veau et de poivrons rouges ou poulet basquaise.

## Solaz « Tempranillo/ Cabernet Sauvignon » 2007

✓ TOP 20 BAS PRIX

VINO DE LA TIERRA DE CASTILLA, BODEGAS OSBORNE, ESPAGNE

| 11,95 $ | SAQ C (610188) | ★★☆ $ | Modéré |
|---|---|---|---|

Dégusté, à l'aveugle, après avoir dégusté quelques excellents bourgognes, vendus quatre à cinq fois son prix, cet assemblage espagnol tenait la route avec brio! Un beau rouge, aromatique à souhait, passablement riche pour son rang, aux effluves de cerise au maraschin et de girofle, à la bouche presque crémeuse tant les tanins sont gras et la texture veloutée. Plaisir, rien que du plaisir! **Cépages :** tempranillo, cabernet sauvignon. **Alc./**13,5 %

☛ *Servir dans les cinq années suivant le millésime, à 17 °C*

**Pâté chinois (voir recette On a rendu le pâté chinois) (\*\*), feuilles de vigne farcies_Mc² (riz sauvage soufflé, bacon de sanglier, sirop de riz brun/café) (\*\*),** hamburgers d'agneau aux poivrons rouges confits et au curcuma, foie de veau en sauce à l'estragon ou lasagne aux saucisses italiennes épicées.

## Château de Gourgazaud 2008

MINERVOIS-LA LIVINIÈRE, CHÂTEAU DE GOURGAZAUD, FRANCE

| 12,20 $ | SAQ C (022384) | ★★☆ $ | Modéré+ |
|---|---|---|---|

Cette cuvée, qui est depuis plusieurs millésimes l'un des meilleurs rapports qualité-prix languedociens chez les rouges offerts en produits courants et sous la barre des quinze dollars, se montre toujours aussi engageante et gorgée de saveurs. Tout y est. Un nez expressif et élégant, jouant dans la sphère aromatique du cassis, du poivre et de la muscade. Une bouche ample et veloutée à souhait, aux tanins ronds, à l'acidité fraîche et à la texture presque dodue comme à son habitude. Poivre et violette signent une étonnamment longue fin de bouche pour un cru de ce rang. Vraiment, il serait dommage de ne pas le mettre dans votre liste de ballons de rouge quotidien. **Servez-le à table sur des plats aux aliments complémentaires à ses saveurs, comme le sont les olives noires, la carotte, les épices et les herbes de Provence. Cépages :** syrah et mourvèdre. **Alc./**13,5 % **www.gourgazaud.com**

☛ *Servir dans les trois années suivant le millésime, à 17 °C*

Pâtes aux olives noires (\*), bœuf braisé au jus de carotte, lasagne aux saucisses italiennes épicées, brochettes souvlakis ou poulet grillé sur une canette de bière frotté aux épices barbecue et copeaux d'hickory.

## Laguna de la Nava Reserva 2005

VALDEPEÑAS, BODEGAS NAVARRO LÓPEZ, ESPAGNE

| 12,20 $ | SAQ S* (902973) | ★★☆ $ | Modéré |
|---------|-----------------|-------|--------|

Beau rouge espagnol, fidèle à lui-même, d'approche certes commerciale, mais charmeur, rond et engageant pour son rang. Un rouge aromatique, au fruité mûr, à la bouche passablement texturée, aux tanins tendres, à l'acidité discrète et aux saveurs assez longues, laissant deviner des notes de fruits rouges et de torréfaction. Difficile de ne pas succomber au charme velouté si vous appréciez les vins gourmands et un brin boisés. **Cépage :** tempranillo. **Alc./**12,5 % www.bodegas-navarro-lopez.com

☛ *Servir dans les sept années suivant le millésime, à 16 °C*

Bruschetta à la tapenade de tomates séchées, spaghetti gratiné aux saucisses italiennes, pâtes aux champignons, sandwich de poulet grillé au pesto de tomates séchées ou poulet cacciatore.

## Animus 2007

✓ TOP 20 BAS PRIX

DOURO, VINCENTE LEITE DE FARIA, PORTUGAL

| 12,25 $ | SAQ C (11133239) | ★★☆ $ | Modéré |
|---------|------------------|-------|--------|

■ NOUVEAUTÉ! Un plus que charmeur et avantageux nouveau produit courant portugais, provenant de la grande région du Douro, où, soit dit en passant, naissent aussi les portos. Tout y est. De la couleur, du nez, de la fraîcheur, de la complexité, de l'ampleur, de la tendresse et de la persistance. Sans oublier du plaisir à boire! Pivoine, cerise et coriandre fraîche donnent la signature aromatique de très joli vin. Il mériterait un coup de cœur tant le prix est plus que doux. **Cépages :** touriga franca, tinta roriz, touriga nacional. **Alc./**13 % www.vlfvinhos.com

☛ *Servir dans les quatre années suivant le millésime, à 16 °C*

Dindon rôti sauce au pinot noir, filet de saumon au pinot noir (*), filets de porc à la cannelle et aux canneberges, pâtes à la sauce tomate au prosciutto et à la sauge, salade de bœuf grillé à l'orientale, ou tourtière aux épices douces (cannelle et muscade).

## Primitivo Col di Sotto 2009

SALENTO, CASA VINICOLA BOTTER, ITALIE

| 12,25 $ | SAQ C (571513) | ★★ $ | Modéré+ |
|---------|----------------|------|---------|

Pour moins de treize dollars, ce délectable cru du Midi de la péninsule italienne, certes simplissime, se montre bon an mal an sur le fruit, au nez très aromatique, exhalant des notes jouant dans l'univers de la réglisse rouge et des fruits noirs, à la bouche généreuse, aux tanins granuleux, sans être fermes, au corps presque nourri et aux saveurs d'une bonne longueur pour son rang. Fait office de ballon de rouge sur mesure pour soutenir les pizzas et les lasagnes relevées. **Cépage :** primitivo. **Alc./**13 % www.botter.it

☛ *Servir dans les trois années suivant le millésime, à 16 °C*

Lasagne aux saucisses italiennes épicées, pizza aux olives noires, bifteck grillé au poivre, côtes levées ou foie de veau aux oignons caramélisés.

## Tempranillo Canforrales 2008

LA MANCHA, BODEGAS CAMPOS REALES, ESPAGNE

| 12,35 $ | SAQ C (10327373) ★★☆ $ | Modéré+ |
|---|---|---|

Poivre, clou de girofle et bleuet donnent le ton à cette cuvée espagnole qui se montre dans cette version toujours aussi pulpeuse et généreuse, pleine et nourrie que par les millésimes passés. Les tanins étaient un brin plus fermes en août 2009, mais se sont rapidement montrés plus dodus à compter d'avril 2010. Ce qui en fait à nouveau un cru d'un excellent rapport qualité-prix, pour quiconque apprécie les rouges au profil Nouveau Monde, comme le sont les vins d'Australie et les vins de l'Espagne moderne. **Cépage :** cencibel (tempranillo). **Alc./**13,5 % **www.bodegascamposreales.com**

☛ *Servir dans les quatre années suivant le millésime, à 17 °C*

**Feuilles de vigne farcies_Mc² (riz sauvage soufflé, bacon de sanglier, sirop de riz brun/café) (\*\*), flanc de porc « façon bacon » fumé au bois de pommier, mélasse, sauce soya, rhum et clou de girofle (\*\*)**, pizza aux tomates séchées et à l'origan ou pâtes aux olives noires et au poivre.

## Viña Alarba « Grenache Vieilles Vignes » 2008

CALATAYUD, BODEGAS Y VINEDOS DEL JALÓN, ESPAGNE

| 12,65 $ | SAQ S (10856857) ★★?☆ $ | Modéré |
|---|---|---|

Un bel et distingué catalan rouge, s'exprimant par des tonalités de fruits rouges et de poivre, en toute fraîcheur, sans surmaturité ni boisé inutiles, à la bouche quasi veloutée, au charme immédiat, aux tanins soyeux, à l'acidité discrète et au corps presque moelleux. Du plaisir à boire sans se poser de question, mais non sans nourrir l'esprit curieux. **Cépage :** garnacha (vieilles vignes). **Alc./**14 %

☛ *Servir dans les quatre années suivant le millésime, à 17 °C*

Tartinades de pommade d'olives noires au poivre, hamburgers de bœuf à la pommade d'olives noires, poulet et ratatouille, poulet grillé sur une canette de bière frotté aux épices barbecue et copeaux d'hickory ou *wraps* au poulet grillé teriyaki.

## Laderas de El Sequé 2009   ✓ TOP 20 BAS PRIX

ALICANTE, BODEGAS Y VINEDOS EL SEQUÉ, ESPAGNE

| 12,75 $ | SAQ S* (10359201) ★★☆?☆ $$ | Corsé |
|---|---|---|

Pour en avoir fait à quelques reprises un coup de cœur de *La Sélection*, ce cru d'Alicante, qui se montre toujours aussi engageant, complet, passablement riche, généreux et d'une bonne allonge, spécialement pour le prix demandé, mérite haut la main sa place dans le haut du plateau du « Top 20 BAS PRIX ». Le plus beau, c'est qu'avec le temps, après une ou deux années de bouteille, il gagne en définition et en expressivité. Sachez que le domaine Laderas de Pinoso, appartenant à la célébrissime maison Artadi, a été fondé en 1999 par les réputés Agapito Rico, spécialistes du monastrell dans la zone de Jumilla, et Juan Carlos López de Lacalle, de la Rioja. Ceci explique cela. À table, réservez-lui les aliments complémentaires au poivre et au romarin, tels que l'olive noire, le café, le clou de girofle, le gingembre, qui lui donnent sa ligne harmonique. **Cépages :** 70 % monastrell (vignes centenaires), 30 % syrah et cabernet sauvignon. **Alc./**13,5 % **www.artadi.com**

☛ *Servir dans les six années suivant le millésime, à 17 °C et oxygéné en carafe 15 minutes*

🍴 Salade de betteraves rouges parfumées au quatre-épices (poivre, muscade, gingembre en poudre et clou de girofle), sauté de bœuf au gingembre, filets de bœuf au poivre et patates douces au romarin et aux olives noires ou brochettes de bœuf au café noir (voir Filets de bœuf au café noir) (*).

## Il Brecciarolo 2007
ROSSO PICENO SUPERIORE, VELENOSI, ITALIE

| 12,85 $ | SAQ S* (10542647) | ★★☆ $ | Modéré+ |
|---|---|---|---|

Très beau et plus qu'abordable rouge des Marches, signé par l'une des grandes maisons de cette région, s'exprimant par un caractère fruité, d'une grande fraîcheur et digestibilité, aux tanins fins et soyeux, à l'acidité fraîche, au corps modéré et aux saveurs longues et qui ont de l'éclat, laissant des traces de grenadine, de cerise et de pivoine. Dommage qu'il ne soit pas en produit courant, il ferait un malheur et ne serait pas en rupture de stock! **Cépages :** montepulciano, sangiovese. **Alc./**13,5 % www.velenosivini.com

☛ *Servir dans les cinq années suivant le millésime, à 17 °C*

🍴 Brochettes de poulet et lardons, spaghetti bolognaise épicé, rôti de porc aux épices à steak, salade de champignons portabellos sautés et copeaux de parmesan ou saumon grillé et coulis de sauce tomate de longue cuisson.

## Casale Vecchio 2008
MONTEPULCIANO D'ABRUZZO, FARNESE VINI, ITALIE

| 12,90 $ | SAQ C (10921276) | ★★☆?☆ $$ | Corsé |
|---|---|---|---|

Cette nouvelle bombe de fruit italienne, débarquée à l'automne 2008, a été soulignée dans les deux dernières éditions de ce guide pour son excellent rapport qualité-prix. Ce cru est donc une fois de plus à privilégier dans vos achats. Le nez, sans être fin, est étonnamment très aromatique, riche et concentré. La bouche est quant à elle dense, pleine et juteuse, aux tanins qui ont du grain, presque serrés, aux saveurs explosives, rappelant la framboise, le bleuet et les épices douces. Le boisé, qui était plutôt dominant dans le millésime 2007, surtout lors de son arrivée, se montre ici plus harmonieux, même si présent. Rarement un montepulciano offert sous la barre des quinze dollars aura été aussi gourmand et substantiel. **Cépage :** montepulciano. **Alc./**14 % www.zaccagnini.it

☛ *Servir dans les cinq années suivant le millésime, à 17 °C et oxygéné en carafe 30 minutes*

🍴 Bœuf braisé au jus de carotte, steak de thon rouge enveloppé d'algues nori ou carré de porc aux tomates séchées.

## Riparosso 2008
BAIRRADA, AZIENDA AGRICOLA DINO ILLUMINATI, ITALIE

| 12,95 $ | SAQ C (10669787) | ★★☆ $$ | Modéré+ |
|---|---|---|---|

Ce montepulciano se montre meilleur que jamais, au nez aromatique, laissant deviner des notes jouant dans la sphère de la cerise noire et du café, à la bouche charnue, d'un certain tonus, aux tanins présents, mais presque ronds, aux saveurs juteuses et persistantes, faisant de lui l'un des bons achats de l'appellation chez les crus offerts sous la barre des seize dollars. **Cépage :** montepulciano. **Alc./**13 % www.illuminativini.it

☛ *Servir dans les cinq années suivant le millésime, à 17 °C*

Pizza sicilienne aux saucisses épicées et aux olives noires, côtelettes de porc braisées aux poivrons rouges confits épicés ou fettucine all'amatriciana « à ma façon » (*).

## Caldas 2008

✓ TOP 20 BAS PRIX

DOURO, DOMINGOS ALVES DE SOUSA, PORTUGAL

| 13 $ | SAQ S* (10865227) ★★☆?☆ $$ | Modéré+ |
|---|---|---|

Coup de cœur millésime après millésime, cette cuvée portugaise, de l'un des vinificateurs les plus attentionnés du Douro, se montre à niveau au sommet. Difficile de trouver mieux à ce prix au Portugal, d'autant plus que le prix a été revu à la baisse de deux dollars. Toujours aussi aromatique, presque jouissif (!), exhalant de riches effluves de chanvre, d'épices douces, de chêne et de prune, à la bouche étonnamment ample et pleine pour son rang, aux tanins enrobés, mais démontrant un grain fin, au corps généreux et aux saveurs longues et précises. Un vin complet, d'une certaine profondeur, qui se positionne plus que jamais comme l'une des références chez les crus européens offerts à plus ou moins quinze dollars. **Cépages :** 30 % tinta roriz, 40 % tinta barroca, 30 % touriga nacional. **Alc./**13,5 % www.alvesdesousa.com

☞ *Servir dans les six années suivant le millésime, à 17 °C et oxygéné en carafe 5 minutes*

Sandwich au rôti de bœuf parfumé au thym frais, fettucine all'amatriciana « à ma façon » (*) ou hamburgers d'agneau aux poivrons rouges confits et au paprika.

## Malbec Saint Helme 2008

✓ TOP 20 BAS PRIX

CAHORS, FRANÇOIS PÉLISSIÉ, R.V.S.O., FRANCE

| 13 $ | SAQ C (11073352) ★★?☆ $ | Modéré |
|---|---|---|

■ **NOUVEAUTÉ!** Voilà un cahors facile d'approche, mais ô combien charmeur, débordant de fruits (framboise, cassis, mûre), aux tanins soyeux, au corps modéré et aux saveurs d'une bonne allonge pour le prix. Fraîcheur, ampleur et plaisir, sans aucune note boisée à l'horizon. Un bel ajout au répertoire courant. **Cépage :** malbec. **Alc./**13 % www.pigmentum.fr

☞ *Servir dans les quatre années suivant le millésime, à 17 °C*

Brochettes souvlakis, foie de veau en sauce à l'estragon, moussaka, hachis Parmentier de canard au quatre-épices, poulet chasseur ou *wraps* au bifteck et aux champignons.

## Syrah Cusumano 2009

SICILIA, CUSUMANO, ITALIE

| 13 $ | SAQ S* (10960777) ★★☆ $$ | Corsé |
|---|---|---|

Une petite bombe de fruit à la sicilienne, colorée, aromatique, mûre, pleine, joufflue, généreuse et persistante à souhait. Fruits confits, café et poivre signent le nez, sans vraiment lui donner un profil syrah, mais demeurant tout de même plus que satisfaisant pour quiconque recherche un rouge de style Nouveau Monde à prix doux. La troisième étoile n'était pas loin. Enfin, vous serez surpris par son ingénieux et efficace bouchon en verre, fait rarissime chez les crus offerts à ce prix. **Cépage :** syrah. **Alc./**14 % www.cusumano.it

☞ *Servir dans les trois années suivant le millésime, à 17 °C*

Bifteck à la pommade d'olives noires (olives noires dénoyautées et huile d'olive passées au robot), bœuf bourguignon et polenta ou hamburgers d'agneau aux poivrons rouges confits et au paprika.

## Luzon 2008

JUMILLA, BODEGAS LUZÓN, ESPAGNE

| 13,10 $ | SAQ S (10858158) | ★★★ $ | Corsé |
|---|---|---|---|

Depuis le premier millésime lancé au Québec, le 2006, au printemps 2008, ce cru de Jumilla a été salué à chaque reprise dans *La Sélection*. Il récidive à nouveau avec un vin qui se montre plus que jamais comme l'un des meilleurs rapports qualité-prix espagnols chez les rouges offerts sous la barre des vingt dollars. Il faut dire qu'il est élaboré par un domaine étroitement lié à la famille Gil – des fameux vins des *bodegas* El Nido et Juan Gil – qui a produit pendant longtemps des vins pour d'autres marques, comme le fameux Taja, disponible au Québec. Vous vous sustenterez donc d'un vin gorgé de soleil, mais aussi marqué par un fruité d'une certaine fraîcheur, à la bouche voluptueuse et généreuse, d'une harmonie d'ensemble rarissime chez ce style de cru solaire. Les tanins sont toujours aussi dodus, l'acidité juste dosée et les saveurs longues et expressives. **Notez que grâce à ses 14 % d'alcool et à ses tanins mûrs, c'est le rouge parfait pour soutenir la capsaïcine des piments forts (pour plus de détails sur l'harmonie avec la cuisine rehaussée de piments forts, voir le chapitre « Capsaïcine : la molécule feu des piments », dans le tome I du livre *Papilles et Molécules*). Cépages :** 65 % monastrell, 35 % syrah. **Alc./**14 % **www.bodegasluzon.com**

☛ *Servir dans les quatre années suivant le millésime, à 17 °C*

Chili de Cincinnati, cuisine mexicaine épicée, côtes levées à la cannelle et au curry de vin rouge, sauté de bœuf asiatique aux piments forts, brochettes d'agneau sauce teriyaki, cocotte de poulet et lentilles aux piments forts, curcuma, cardamome et coriandre ou pâtes aux saucisses italiennes épicées.

## Terres de Méditerranée 2007

VIN DE PAYS D'OC, DUPÉRÉ BARRERA, FRANCE

| 13,40 $ | SAQ S* (10507104) | ★★☆?☆ $$ | Modéré+ |
|---|---|---|---|

Saluée depuis quelques millésimes dans les précédentes éditions de ce guide, cette abordable cuvée languedocienne fait dorénavant partie de ce que j'appelle « les vins à acheter, bon an mal an, les yeux fermés ». Vous y dénicherez un rouge aromatique à souhait, s'exprimant par un fruité très frais et par un profil du Midi, donc très garrigue. La bouche est tout aussi engageante et fraîche que le nez, les tanins sont fins, avec du grain, le corps modéré et les saveurs longues et précises. Je vous rappelle que ce vin est élaboré dans le Languedoc, grâce à une entente contractuelle avec un vigneron qui s'occupe des vignes, sous les conseils du couple que forment la Québécoise Emmanuelle Dupéré et le Français Laurent Barrera, nouvelles étoiles de la Provence. **Cépages :** syrah, cabernet sauvignon, carignan, grenache. **Alc./**13 % **www.duperebarrera.com**

☛ *Servir dans les six années suivant le millésime, à 16 °C*

Focaccia à la sauce tomate de longue cuisson et aux olives noires et thym séché, sandwich au rôti de bœuf parfumé au thym frais, brochettes d'agneau grillées à l'ajowan ou hamburgers d'agneau à la pommade d'olives noires (olives noires dénoyautées et huile d'olive passées au robot).

## Domaine de la Maurelle « Vieilles Vignes » 2009

CÔTES-DU-RHÔNE, VIGNERONS DE CARACTÈRE, FRANCE

| 13,55 $ | SAQ C (540278) | ★★☆?☆ $$ | | Corsé |
|---|---|---|---|---|

Une ixième réussite qui, comme je vous l'écrivais déjà l'année der-nière avec le 2007, permettra à ce cru à prix plus que doux de se distinguer plus que jamais dans sa catégorie. Vous y dénicherez à nouveau un rouge au nez très aromatique, dévoilant des notes com-plexes de garrigue, de cacao et de cerise. En bouche, il se montre presque tannique, mais au grain fin, détendu et presque enrobé, à l'acidité juste dosée, à la texture d'une bonne ampleur pour son rang, et aux saveurs persistantes à souhait. À deux dollars de moins sur l'an passé, difficile de l'ignorer. **Cépages :** 65 % grenache, 30 % syrah, 5 % mourvèdre. **Alc./**14 % www.vigneronsdecaractere.com

☛ *Servir dans les quatre années suivant le millésime, à 17 °C*

Chili de Cincinnati, bœuf à la bière brune et polenta cré-meuse au parmesan, ragoût d'agneau au quatre-épices ou fromage à croûte fleurie aux clous de girofle (macérés quelques jours au centre du fromage).

## Garnacha Finca Antigua 2007

LA MANCHA, FINCA ANTIGUA, ESPAGNE

| 13,55 $ | SAQ C (11254225) | ★★☆?☆ $$ | | Corsé |
|---|---|---|---|---|

■ **NOUVEAUTÉ!** Difficile d'être plus poivré et « girofle » à l'espagnol que ce nouveau grenache, qui vient s'ajouter à la déjà très embal-lante syrah du même nom (aussi commentée). Vous vous délecterez d'un rouge pulpeux, texturé, moelleux et généreux, sans trop, aux longues saveurs torréfiées (la barrique américaine), ainsi que frui-tées et épicées. Du bonbon pour ceux qui apprécient les rouges espagnols au profil Nouveau Monde. Ce qui s'ajoute aux autres réfé-rences vinifiées avec maestria par l'équipe de la famille Bujanda dont les différentes marques connaissent un énorme succès tant au Québec qu'aux États-Unis. **Cépage :** garnacha (grenache). **Alc./**14 % www.familiamartinezbujanda.com

☛ *Servir dans les cinq années suivant le millésime, à 17 °C*

Feuilles de vigne farcies_Mc² (riz sauvage soufflé, bacon de sanglier, sirop de riz brun/café) (**) ou **bœuf grillé et réduction de Soyable_Mc² (**) et purée_Mc² pour ama-teur de vin au céleri-rave et clou de girofle (**).

## Clos La Coutale 2008

✓ TOP 20 BAS PRIX

CAHORS, V. BERNÈDE ET FILS, FRANCE

| 13,60 $ | SAQ C (857177) | ★★☆?☆ $$ | | Modéré+ |
|---|---|---|---|---|

À deux dollars de moins que l'année dernière, où il était déjà un excel-lent rapport qualité-prix, et ce, depuis de nombreuses années, La Coutale devient plus que jamais un *must* chez les cahors offerts sous la barre des vingt dollars. Tout y est. Couleur profonde, nez très aro-matique et étonnamment raffiné, alternant entre la fraise, la violette et le cassis, à la bouche débordante de saveurs et très fraîche, mais aux beaux tanins juste assez fermes et réglissés pour lui procurer le tonus qui sied bien aux vins de l'appellation, tout en étant presque soyeux et aimable au possible. Dans l'édition 2007 de ce guide, je reconnaissais avoir un faible pour ce cahors qui, millésime après mil-lésime, se montre d'une régularité sans faille, comme cette fois-ci, faisant de lui un rouge à acheter les yeux fermés. **Cépages :** 80 % mal-bec, 20 % merlot. **Alc./**13,1 % www.closlacoutale.com

☛ *Servir dans les huit années suivant le millésime, à 17 °C et oxygéné en carafe rapidement 5 minutes*

🍴 Hamburgers d'agneau et pâte concentrée de poivrons verts à la menthe (voir chapitre *Recettes*), brochettes de bœuf au café noir (voir Filets de bœuf au café noir) (*), foie de veau en sauce à l'estragon ou bœuf à la bière ou **feuilles de vigne farcies_Mc² (riz sauvage soufflé, bacon de sanglier, sirop de riz brun/café) (**)**.

## Laudum Nature « Barrica » 2007

ALICANTE, BODEGAS BOCOPA, ESPAGNE

| 13,70 $ | SAQ C (11015611) | ★★☆ $$ | Modéré+ | BIO |
|---------|------------------|--------|---------|-----|

Complète le nouveau duo avec son petit frangin, non élevé en barriques, le **Señorio de Elda 2008**. Il en résulte un cru espagnol marqué par un boisé très aromatique, sans excès, exhalant des tonalités passablement riches pour son rang, balsamiques et torréfiées, à la bouche ample, quasi juteuse, sans trop, fraîche et enveloppante, aux tanins arrondis par l'élevage et aux saveurs longues et gourmandes. Une bonne affaire pour quiconque apprécie l'aura aromatique complexe des vins boisés. **Cépages :** monastrell, tempranillo, cabernet sauvignon. **Alc./**13,5 % **www.bocopa.com**

☛ *Servir dans les cinq années suivant le millésime, à 17 °C*

🍴 **Bœuf grillé et réduction de Soyable_Mc² (**)**, filet de porc au café noir (voir Filets de bœuf au café noir) (*), fromage à croûte fleurie aux clous de girofle (macérés quelques jours au centre du fromage) ou **feuilles de vigne farcies_Mc² (riz sauvage soufflé, bacon de sanglier, sirop de riz brun/café) (**)**.

## Monasterio de Las Viñas Reserva 2004

CARIÑENA, GRANDES VINOS Y VIÑEDOS, ESPAGNE

| 13,75 $ | SAQ S* (854422) | ★★☆ $$ | Corsé |
|---------|-----------------|--------|-------|

Une réserve espagnole se montrant comme à son habitude à mi-chemin entre le fruité surmûri et le boisé dominant, exhalant de riches parfums de fruits rouges ainsi que des notes de bois brûlé rappelant la fumée, avec une pointe cacaotée. La bouche se montre tout aussi boisée, enveloppante, avec un brin de fermeté, presque pleine, passablement longue, et égrainant des notes rappelant le girofle et la vanille. Classiquement Rioja, même si de Cariñena, et **taillé pour les aliments complémentaires aux vins élevés en barriques de chêne, tout comme pour les recettes émanant de ces ingrédients**. **Cépages :** garnacha, tempranillo, cariñena et cabernet sauvignon. **Alc./**13 % **www.grandesvinos.com**

☛ *Servir dans les dix années suivant le millésime, à 17 °C*

🍴 *T-bone* grillé (aux épices à steak), ragoût de bœuf épicé à l'indienne, **feuilles de vigne farcies_Mc² (riz sauvage soufflé, bacon de sanglier, sirop de riz brun/café) (**) ou filet de boeuf de la Ferme Eumatimi, sauce *mole* mexicaine à la noix de coco et au cinq-épices (**)**.

## Juan Gil « Monastrell » 2009

JUMILLA, BODEGAS JUAN GIL, ESPAGNE

| 13,85 $ | SAQ S (10858086) | ★★☆?☆ $$ | Modéré+ |
|---------|------------------|----------|---------|

Comme à chaque millésime mis en marché depuis le 2006, ce plus qu'abordable monastrell, petit frère de la cuvée Juan Gil, se montre débordant de fruits, très épicé (poivre et girofle), au corps voluptueux, d'une certaine complexité, aux tanins gras et enveloppés, mais avec de la prise, à l'acidité discrète et aux saveurs étonnamment longues pour son rang, laissant des traces de cerise noire et de café. Avec les vins généreusement fruités et dodus qu'il engendre, ce cépage permet à l'Espagne de rivaliser avec brio sur la scène internationale contre les vins à prix doux du Nouveau Monde. **Alc./**14,5 % www.juangil.es

☛ *Servir dans les cinq années suivant le millésime, à 17 °C*

Brochettes de bœuf ou d'agneau sauce teriyaki, carré de porc à la sauce chocolat épicée *mole poblano*, chili de Cincinnati, foie de veau et confit de betteraves et d'oignons rouges au vinaigre balsamique ou **feuilles de vigne farcies_Mc² (riz sauvage soufflé, bacon de sanglier, sirop de riz brun/café) (\*\*)**.

## Lapaccio 2009
PRIMITIVO, AGRICOLA SURANI, ITALIE

| 13,85 $ | SAQ C (610204) | ★★☆ $$ | Modéré+ |
|---|---|---|---|

Ce nouveau millésime 2009 est à suivre encore une fois. D'une robe modérée, au pourtour pourpre, au nez aromatique, fin et charmeur, aux effluves actuellement discrets, à la bouche aux tanins souples, d'une acidité fraîche, d'une texture ample et veloutée, qui remplit étonnamment la bouche pour son rang et d'une longueur assez soutenue, qui déploie des notes de mûre, de framboise, de violette, de tabac et de poivre. Donc, gourmand au possible. Pour l'heure des hamburgers ou des saucisses grillées, servez plus que jamais ce rouge à la fois tonique et rond, comme le sont d'ailleurs de nombreux vins italiens de primitivo et de nero d'avola. **Cépages :** 95 % primitivo, 5 % negroamaro. **Alc./**13,5 % www.agricolasurani.it

☛ *Servir dans les trois années suivant le millésime, à 16 °C*

Saucisses épicées, raviolis_Mc² « pour amateur de vin rouge » (algue nori mouillée, pommade d'olives noires et poivre) (voir chapitre *Recettes*), bifteck à la pommade d'olives noires ou hamburgers d'agneau et poivrons rouges au cumin.

## Tedeschi « Valpolicella » 2008
VALPOLICELLA CLASSICO SUPERIORE, F.LLI TEDESCHI, ITALIE

| 13,85 $ | SAQ C (537316) | ★★☆ $$ | Modéré |
|---|---|---|---|

Comme à son habitude, ce « valpo » est à nouveau au sommet de sa catégorie des crus d'entrée de gamme de cette mondialement connue appellation vénitienne. Il a tout pour plaire à l'amateur de vins rouges de cette vallée. Du fruit à revendre, sans trop, de la fraîcheur, des parfums rafraîchissants (framboise, pivoine, cerise), une bouche aux tanins fins et souples, au corps soyeux et aux saveurs étonnamment longues pour l'appellation. Il faut dire que la maison Tedeschi fait partie de l'élite de l'appellation. **Cépages :** corvina, rondinella, molinara. **Alc./**12 % www.tedeschiwines.com

☛ *Servir dans les quatre années suivant le millésime, à 15 °C*

Pizza carré à la tomate et origan, salade d'endives braisées et cerises (avec noix et fromage parmesan émietté), salade de foies de volaille et de cerises noires, escalopes de veau alla parmigiano, blanquette de veau, steak tartare, linguine alla putanesca ou fettucine aux légumes grillés et au parmigiano.

## Cabernet Sauvignon/Merlot Arrogant Frog 2009
VIN DE PAYS D'OC, THE HUMBLE WINE MAKER, JEAN-CLAUDE MAS, FRANCE

| 13,90 $ | SAQ C (10915319) | ★★?☆ $ | Modéré+ |
|---|---|---|---|

Approche très américaine pour un vin français... cet assemblage languedocien, à la sauce Nouveau Monde, se montre très aromatique et engageant, même charmeur. Il exhale des notes passablement riches de fruits noirs et de violette, et il est aussi doté d'une touche de garrigue (romarin et thym séchés). En bouche, les tanins sont certes présents, mais elle est aussi marquée par un certain moelleux et une générosité solaire qui lui procure de larges courbes, ainsi que des saveurs presque confites et longues. Commercialement bon! **Cépages :** cabernet sauvignon, merlot. **Alc./**13,5 % www.arrogantfrog.fr

☛ *Servir dans les trois années suivant le millésime, à 17 °C*

Hamburgers d'agneau aux poivrons rouges confits et au paprika, brochettes de poulet aux champignons portabellos, **feuilles de vigne farcies_Mc$^2$ (riz sauvage soufflé, bacon de sanglier, sirop de riz brun/café) (\*\*)** ou **asperges vertes rôties, enrobées de chocolat noir (infusé au thé fumé Zheng Shan Xiao Zhong, fleur de sel au café) (\*\*).**

## Chaminé 2009
✓ TOP 100 CHARTIER

VINHO REGIONAL ALENTEJANO, CORTES DE CIMA, PORTUGAL

| 13,90 $ | SAQ S* (10403410) | ★★★ $$ | Modéré |
|---|---|---|---|

S'il y a un pays qui a pu voir sa renommée se multiplier par dix au fil des quinze ans de *La Sélection*, c'est bien le Portugal. D'une production de vins rouges au goût trop souvent moyenâgeux, ce petit pays d'une richesse ampélographique inouïe est passé à une élaboration de vins modernes, sans renier leurs origines plurielles. Malheureusement pour nous, mais heureusement pour lui, il a perdu son statut de « secret le mieux gardé » de la vieille Europe! Et les vins de Cortes de Cima ont été en tête de ce renouveau, à commencer par cette cuvée d'entrée de gamme. Difficile d'être plus jus de raisin et festif que ça! On a l'impression de croquer dans le raisin frais et de boire à même la cuve tant la prime jeunesse de cette référence portugaise est à l'avant-scène. De la couleur, du fruit à revendre (raisin, fraise, cerise), des épices (cannelle et poivre), de l'ampleur, des tanins passablement dodus et du plaisir à boire comme jamais. **Réalisez vos harmonies à table avec les aliments complémentaires aux saveurs précédemment décrites, comme entre autres la cerise, les endives, le parmesan, la betterave rouge, le gingembre, le clou de girofle, l'ajowan ou l'origan (tous des ingrédients partageant une structure moléculaire semblable). Cépages :** 51 % aragonez (tempranillo), 37 % syrah, 4 % trincadeira, 4 % touriga nacional, 4 % cabernet sauvignon. **Alc./**13,5 % www.cortesdecima.pt

☛ *Servir dans les quatre années suivant le millésime, à 16 °C*

Salade d'endives braisées et cerises (avec noix et fromage parmesan émietté), salade de betteraves rouges parfumées au quatre-épices, brochettes d'agneau à l'ajowan ou **jambon glacé aux fraises et girofle (\*\*).**

## Château de Gaudou « Tradition » 2008   ✓ TOP 100 CHARTIER

CAHORS, DUROU & FILS, FRANCE

| 13,90 $ | SAQ S* (919324) | ★★★ $$ | Modéré+ |
|---|---|---|---|

Nombreux sont les cahors de qualité offerts à plus ou moins quinze dollars, et cette cuvée Tradition est l'une des références en la matière depuis plusieurs millésimes, tous salués dans les précédentes éditions de *La Sélection* d'ailleurs. Elle se montre tout à fait expressive et enveloppante, d'une souplesse engageante et étonnante pour l'appellation, faisant d'elle un cahors à se mettre sous la dent dès sa mise en marché, même si elle possède le coffre pour évoluer favorablement cinq à sept ans en bouteille. Vous y trouverez un rouge d'une bonne coloration, au nez aromatique et passablement riche, à la bouche aux tanins mûrs et quasi veloutés, soutenue par des saveurs qui ont de l'éclat et de la longueur, égrainant des notes de prune, de café et de vanille. **Comme la cannelle, l'anis étoilé, le poivre, le basilic, le thé et le clou de girofle sont à ranger parmi les aliments complémentaires à la prune, sa signature aromatique, sélectionnez des recettes où ces aliments dominent. Cépages :** malbec, merlot, tannat. **Alc./**13 % **www.chateaudegaudou.com**

☛ *Servir dans les sept années suivant le millésime, à 17 °C*

Hachis Parmentier de canard au quatre-épices, pâtes aux tomates séchées et au basilic, foie de veau sauce au poivre vert et à la cannelle ou côtes levées à la cannelle et au curry de vin rouge.

## Château Puy-Landry 2008   ✓ TOP 100 CHARTIER

CÔTES-DE-CASTILLON, RÉGIS ET SÉBASTIEN MORO, FRANCE

| 13,90 $ | SAQ S* (852129) | ★★★ $$ | Modéré | BIO |
|---|---|---|---|---|

Violette, framboise et champignon de Paris s'entremêlent dans un nez affriolant à la fois pur, juste et précis, pour un cru d'un prix hors compétition. À la condition de miser sur l'élégance plus que l'extraction. Plus que jamais, l'une de mes références à petit prix chez les crus bordelais offerts à la SAQ. Quel plaisir en bouche! Un vin aérien, aux tanins soyeux, qui ont du grain, à l'acidité fraîche et digeste, aux saveurs étonnamment longues et expressives, où s'ajoutent des notes de poivron et de mine de crayon. À ranger avec les 2007 et 2005, qui étaient parmi les plus belles réussites de ce cru signé par la famille Moro – qui élabore aussi les très bons Vieux Château Champs de Mars et Château Pelan Bellevue. **Réservez-lui des plats dominés par des aliments complémentaires à la framboise et à la violette (mûre, algue, carotte cuite, thé noir), tout comme avec les recettes marquées par les poivrons et les champignons. Cépages :** 80 % merlot, 10 % cabernet franc, 10 % cabernet sauvignon. **Alc./**12,5 %

☛ *Servir dans les cinq années suivant le millésime, à 17 °C*

Raviolis froids d'algue nori mouillée au thé noir et farcis de purée de framboises fraîches, pétoncles poêlés enrubannés d'algues nori, escalopes de veau et lanières de poivrons rouges et verts, brochettes de foie de veau et de poivrons rouges ou poitrines de poulet farcies au chèvre et aux poivrons rouges.

## Moulin de Gassac « Élise » 2008

VIN DE PAYS DE L'HÉRAULT, LES VIGNERONS DE VILLEVEYRAC, FRANCE

| 13,90 $ | SAQ S* (602839) | ★★☆?☆ $$ | Modéré |
|---|---|---|---|

À nouveau une cuvée Élise au nez enchanteur, respirant les raisins frais, ainsi que la violette et la cerise, à la bouche soyeuse et fraîche, longue et jouissive, aux tanins fins et aux saveurs qui ont de l'éclat, de la pureté et de la présence. Comme toujours, cet assemblage de merlot et de syrah est vinifié avec les préceptes des anciens, c'est-à-dire sans poudre de perlimpinpin, sans enzyme et sans ajout de copeaux de chêne ou autres succédanés. **Cépages :** 60 % merlot, 40 % syrah. **Alc./**13 % www.daumas-gassac.com

☛ *Servir dans les quatre années suivant le millésime, à 16 °C*

Lasagne aux saucisses italiennes épicées, côtelettes de porc aux poivrons rouges confits épicés, poulet aux olives noires et aux tomates séchées, veau marengo sur pâtes aux œufs ou rôti de veau à la dijonnaise.

## Blés Crianza 2007

✓ TOP 20 BAS PRIX

VALENCIA, DOMINO DE ARANLEÓN, ESPAGNE

| 13,95 $ | SAQ C (10856427) | ★★★ $$ | Modéré+ | BIO |
|---|---|---|---|---|

Coup de cœur de la précédente édition de ce guide, ce cru issu de raisin d'agriculture biologique certifié, provenant de la région de Valence, récidive avec un nouveau millésime à ranger une fois de plus parmi les remarquables rapports qualité-prix espagnols – d'autant plus qu'il est offert à deux dollars de moins qu'à l'automne 2009. Il se montre plus que jamais étonnamment étoffé et gourmand pour son rang, à la texture veloutée et passablement large, aux tanins fins, avec du grain, aux saveurs longues, jouant dans la sphère aromatique des fruits rouges, des épices et de la torréfaction. Et mes vœux prononcés dans l'édition 2010 ont été exaucés! Il est, depuis, devenu un achat continu, donc disponible à la grandeur du réseau des succursales de la SAQ. **Cépages :** 60 % monastrell, 20 % bobal, 20 % cabernet sauvignon. **Alc./**14 % www.aranleon.com

☛ *Servir dans les six années suivant le millésime, à 17 °C*

Salade d'endives braisées et cerises (avec noix et fromage parmesan émietté), **feuilles de vigne farcies_Mc² (riz sauvage soufflé, bacon de sanglier, sirop de riz brun/café) (**), pâtes aux saucisses épicées, ragoût de bœuf épicé à l'indienne ou foie de veau et jus au café expresso (voir Carré d'agneau et jus au café expresso) (*).

## Ètim Negre 2007

MONTSANT, AGRICOLA FALSET-MARÇÀ, ESPAGNE

| 13,95 $ | SAQ S* (10898601) | ★★☆?☆ $ | Corsé |
|---|---|---|---|

Difficile de dénicher un rouge du Montsant à un prix aussi doux. Donc, ne laissez pas filer cette belle affaire, débordante de fruits et d'épices, au boisé juste dosé, généreuse, ample, dodue, aux courbes sensuelles et aux tanins gras. Le plus beau millésime à ce jour pour ce cru, ce qui en fait une véritable aubaine pour quiconque recherche un rouge au profil espagnol moderne. **Cépages :** garnacha, carignan, syrah. **Alc./**14 % www.falsetmarca.com

☛ *Servir dans les six années suivant le millésime, à 17 °C*

Pâte concentrée de poivrons rouges à l'huile de sésame grillé (voir chapitre *Recettes*), **purée_Mc² pour amateur de vin au céleri-rave et clou de girofle (**), feuilles de vigne** farcies_Mc$^2$ (riz sauvage soufflé, bacon de sanglier, sirop de riz brun/café) (\*\*) ou pétoncles poêlés, couscous de noix du Brésil à l'orange sanguine, lait de coco au gingembre (\*\*).

## Nero d'Avola Rapitalà 2009
SICILIA, TENUTA RAPITALÀ, ITALIE

| 13,95 $ | SAQ C (928739) | ★★☆ $$ | Modéré+ |
|---|---|---|---|

Ce plus que régulier et toujours aussi bon vin italien, à base de nero d'avola, noble cépage sicilien, salué à plusieurs reprises dans les quatorze éditions précédentes de ce guide, représente à nouveau un excellent achat. Il se montre coloré, richement parfumé, pour son rang, développant des tonalités de fruits rouges et de poivre, à la bouche presque pleine, au corps velouté et généreux, enveloppant littéralement les tanins, qui se font dodus, aux saveurs longues, laissant de longues traces épicées et torréfiées. **Cépage :** nero d'avola. **Alc./**13 % www.rapitala.it

☞

Bifteck grillé au beurre d'estragon, **feuilles de vigne farcies_Mc$^2$ (riz sauvage soufflé, bacon de sanglier, sirop de riz brun/café) (\*\*)**, hamburgers d'agneau aux poivrons rouges confits et au paprika, lapin aux pruneaux ou poitrines de poulet farcies aux olives noires et tomates séchées.

## Parallèle « 45 » 2008
CÔTES-DU-RHÔNE, PAUL JABOULET AÎNÉ, FRANCE *(DISP. SEPT./OCT. 2010)*

| 14 $ | SAQ C (332304) | ★★☆ $$ | Modéré+ |
|---|---|---|---|

Cette cuvée s'est rapidement positionnée parmi les bons achats du Rhône lors de son introduction au Québec, tout comme aux USA, au début des années quatre-vingt-dix. Rares ont été les millésimes à ne pas être réussis. Donc, plus que jamais un vin notable pour cette cuvée d'entrée de gamme, offerte à prix doux, qui se distingue par un caractère à la fois aromatique et dodu, spécialement après une courte oxygénation en carafe. Vous vous sustenterez d'un rouge passablement expressif, aux effluves passablement riches, s'exprimant par des notes de mûre, de poivre et d'olive noire, à la bouche de corps modéré, aux tanins fins, presque coulants, même si dotés d'un grain présent, à l'acidité fraîche et aux saveurs longues, gorgées de fruits noirs (mûre). **Servez-le à table avec les aliments complémentaires à la mûre**, comme la carotte cuite, la framboise et les algues nori, ainsi qu'avec les ingrédients de même famille moléculaire que l'olive noire et le poivre, comme le sont le basilic, le thym, le genièvre, le safran, le thé noir, le café et le gingembre. **Cépages :** grenache, syrah. **Alc./**14 % www.jaboulet.com

☞ *Servir dans les cinq années suivant le millésime, à 17 °C et oxygéné cinq minutes en carafe*

Sandwich au rôti de bœuf parfumé au thym frais, bœuf braisé au jus de carotte, filets de bœuf surmontés de raviolis de pâtes d'algues nori farcies à la purée de framboise ou steak de thon rouge grillé et frotté au concassé de baies de genièvre.

## Pinot Noir De La Chevalière 2009
VIN DE PAYS D'OC, LAROCHE, FRANCE

| 14,20 $ | SAQ C (10374997) | ★★?☆ $$ | Modéré |
|---|---|---|---|

Laroche nous présente un nouveau millésime dans la même veine que l'étaient les deux derniers, tout aussi réussis et salués dans *La Sélection 2009* et *2010*. Charme aromatique, fraîcheur, souplesse et invitante digestibilité, non sans expressivité ni grain de tanins. Épices douces et fruits rouges signalent le profil aromatique classique de ce cépage bourguignon. Demeure donc un très bon achat, étant donné que les pinots de qualité sous la barre des dix-huit dollars sont choses rares. **Cépage :** pinot noir. **Alc./**12,5 % www.larochewines.com

☛ *Servir dans les trois années suivant le millésime, à 16 °C*

Pâtes minute aux tomates et au basilic frais, pizza à l'américaine, veau marengo de cuisson rapide, poulet grillé, grillade de saucisses italiennes ou **pétoncles poêlés, couscous de noix du Brésil à l'orange sanguine, lait de coco au gingembre (\*\*).**

## Luzon Organic 2008
JUMILLA, BODEGAS LUZÓN, ESPAGNE *(DISP. SEPT./OCT. 2010)*

| 14,30 $ | SAQ S (10985780) | ★★☆ $$ | Modéré+ | BIO |
|---------|------------------|--------|---------|-----|

Un autre millésime réussi avec brio pour cet excellent domaine de la zone d'appellation Jumilla, nouvel Eldorado espagnol en matière de percutants rouges à prix doux. Vous vous sustenterez plus que jamais d'un vin, issu de raisins de culture biologique, richement parfumé mais avec finesse, au corps modéré mais aux saveurs pleines et expressives, aux tanins de jeune premier, donc qui ont une certaine prise, mais au grain fin, et à l'acidité juste fraîche, même si elle laisse toute la place à l'enveloppe charnelle. Toujours aussi digeste, comme l'était le 2007, coup de cœur de la précédente édition de ce guide. **Cépage :** monastrell. **Alc./**13,5 % www.bodegasluzon.com

☛ *Servir dans les cinq années suivant le millésime, 16 °C*

Rôti de porc aux épices à steak, cuisses de poulet grillées au pesto de tomates séchées, couscous aux merguez, mix grill de légumes au romarin ou pâté chinois aux lentilles.

## Syrah Finca Antigua 2008
✓ TOP 100 CHARTIER

LA MANCHA, FINCA ANTIGUA, ESPAGNE

| 14,30 $ | SAQ S\* (10498121) | ★★★ $$ | Corsé |
|---------|---------------------|--------|-------|

Avec deux dollars de moins à débourser sur le prix demandé à l'automne 2009, cette syrah hispanique, qui fait un tabac depuis quelques éditions de *La Sélection*, devient plus que jamais un coup de cœur parmi les coups de cœur. Tout y est. Couleur soutenue et violacée. Nez expressif et complexe, tout en fraîcheur et en concentration, pour son rang. Bouche à la fois pleine, généreuse, quasi veloutée, fraîche et persistance, aux longues saveurs de fruits noirs, de fleurs et de torréfaction. **Cépage :** syrah. **Alc./**14 % www.familiamartinezbujanda.com

☛ *Servir dans les six années suivant le millésime, à 16 °C*

Pâtes aux olives noires (\*), hamburgers d'agneau aux poivrons rouges confits et au curcuma, côtelettes de longe d'agneau épicées à la mode du Sichuan, bavette de bœuf sauce teriyaki ou bœuf épicé à l'indienne.

## Clos Château Gaillard 2009
TOURAINE-MESLAND, VINCENT GIRAULT, FRANCE

| 14,35 $ | SAQ S* (10337918) ★★☆?☆ $$ | Modéré | BIO |

Pour saisir plus que jamais toute la subtilité et toute l'expressivité dont sont capables les vins rouges de Loire, ne manquez surtout pas ce nouveau millésime de cette cuvée festive et épurée comme jamais. Le nez charme par son expressivité juvénile, laissant apparaître, après oxygénation en carafe, des notes de pivoine et de framboise. La bouche suit avec des tanins toujours aussi fins et soyeux, mais avec une belle grippe, ainsi qu'avec un corps aérien et des saveurs d'une grande présence de bouche même si fraîches et raffinées. Un vin de soif certes, mais aussi un vin de culture et de civilisation. **Cépages :** 45 % cot, 35 % gamay, 20 % cabernet franc. **Alc./**12,5 %

☛ *Servir dans les cinq années suivant le millésime, à 17 °C et oxygéné en carafe 5 minutes*

Tartare de bœuf, casserole d'escargots à la tomate et aux saucisses italiennes épicées, brochettes de poulet teriyaki, brochettes de foie de veau et de poivrons rouges, merguez ou poulet chasseur.

## Prado Rey 2007
RIBERA DEL DUERO, REAL SITIO DE VENTOSILLA, ESPAGNE

| 14,35 $ | SAQ S* (585596) ★★☆ $$ | Modéré |

Un millésime plus souple et plus détendu que dans les précédentes années. Vous y dénicherez un rouge aromatique, fin, agréable et coulant, marqué par des saveurs torréfiées ainsi que de cerise noire. Cette cuvée, qui était devenue, bon an mal an, au fil des quinze éditions de *La Sélection*, un incontournable chez les rouges hispaniques offerts sous la barre des vingt dollars, n'offre pas ici le même niveau de satisfaction, tout en demeurant un bon achat pour qui recherche un cru facile à boire et gourmand. Se montre d'ailleurs plus expressif qu'à l'automne 2009. **Cépages :** 95 % tempranillo, 3 % cabernet sauvignon, 2 % merlot. **Alc./**13,5 % **www.pradorey.com**

☛ *Servir dans les quatre années suivant le millésime, à 16 °C*

Brochettes de poulet aux champignons portabellos, foie de veau en sauce à l'estragon ou hachis Parmentier.

## Borsao Crianza 2007
CAMPO DE BORJA, BODEGAS BORSAO, ESPAGNE

| 14,50 $ | SAQ C (10463631) ★★☆ $$ | Modéré+ |

Ce nouveau millésime, tout aussi juteux et festif que les précédents, du gourmand *crianza* – l'un des grands frères du très abordable Borsao –, positionne ce sympathique rouge comme l'une des références espagnoles du répertoire général de la SAQ. Il se montre toujours aussi tonique et réussi, grâce à son profil solaire débordant de fruits noirs et d'épices douces, aux tanins gras, au corps dodu et aux saveurs longues et éclatantes. Disponible à la grandeur du réseau des succursales, et ce, à l'année, il n'y a aucune raison de bouder votre plaisir! **Cépages :** grenache, tempranillo, cabernet sauvignon. **Alc./**13,5 % **www.bodegasborsao.com**

☛ *Servir dans les cinq années suivant le millésime, à 17 °C*

Hamburgers d'agneau à la pommade d'olives noires, ragoût de bœuf à la bière, daube d'agneau au vin et à l'orange ou fromage à croûte fleurie grillé dans une feuille de brick parfumée au thym.

## Domaine La Croix d'Aline 2008
SAINT-CHINIAN, MICHEL GLEIZES, FRANCE

| **14,50 $** | SAQ S* (896308) | ★★☆ $$ | Modéré |
|---|---|---|---|

Depuis le millésime 2007, ce saint-chinian atteint des sommets inégalés pour cet abordable cru. Et ce 2008 n'y fait pas exception. Vous vous sustenterez d'une syrah, engendrée par un terroir de schistes purs, richement parfumée et presque juteuse, fraîche et expressive, gorgée de fruits rouges (framboise), de fleurs (violette, lis), d'épices douces (cannelle, muscade). À ranger assurément parmi les bons achats de l'heure en matière de rouges languedociens offerts sous la barre des seize dollars. **Cépages :** 60 % syrah, 40 % grenache. **Alc./**13,5 %

☞ *Servir dans les quatre années suivant le millésime, à 17 °C*

Bœuf braisé au jus de carotte, brochettes de boulettes d'agneau haché à la menthe, tranches d'épaule d'agneau aux herbes de Provence, carbonade à la flamande ou poulet cacciatore.

## Conde de Valdemar « Crianza » 2005
✓ TOP 100 CHARTIER

RIOJA, BODEGAS VALDEMAR-MARTINEZ BUJANDA, ESPAGNE

| **14,60 $** | SAQ S* (897330) | ★★★ $$ | Modéré+ |
|---|---|---|---|

Fidèle au style maison, au boisé à la fois soutenu, au fruité exubérant et aux tanins ronds, ce nouveau millésime de cette cuvée « Crianza » se montre plus engageant et plus satisfaisant que jamais. Un rouge charmeur, presque pulpeux, mais avec fraîcheur, aux tanins fins et bien arrondis par un judicieux et court élevage en barriques américaines et françaises, au corps modéré et aux saveurs qui ont de l'éclat, rappelant les fruits rouges, la violette, les épices douces, le café et le girofle. Du bonbon! **Cépages :** 85 % tempranillo, 10 % mazuela, 5 % graciano. **Alc./**13,5 %

☞ *Servir dans les huit années suivant le millésime, à 17 °C*

**Purée_Mc²** pour amateur de vin au céleri-rave et clou de girofle (\*\*), fettucine all'amatriciana « à ma façon » (\*), hamburgers d'agneau aux poivrons rouges confits et au paprika, brochettes de bœuf aux épices à steak, **feuilles de vigne farcies_Mc² (riz sauvage soufflé, bacon de sanglier, sirop de riz brun/café) (\*\*)** ou pétoncles poêlés, couscous de noix du Brésil à l'orange sanguine, lait de coco au gingembre (\*\*).

## Castillo de Monséran « Old Vine » 2007
CARIÑENA, BODEGAS SAN VALERO, ESPAGNE

| **14,65 $** | SAQ S* (10898723) | ★★☆?☆ $$ | Modéré+ |
|---|---|---|---|

■ NOUVEAUTÉ! Le grand frère du Castillo de Monséran 2009 (aussi commenté), succès commercial des dix dernières années chez les vins offerts sous la barre des dix dollars, cette version à base de vieilles vignes se montre tout aussi engageante que par les millésimes passés, à la fois boisée et poivrée, à la bouche presque jouflue, mais plus ramassée et plus dense que son frangin, aussi pleine et enveloppante, non dénuée de fraîcheur, aux tanins présents mais mûrs. Cassis, poivre, café et clou de girofle signent une assez longue fin de bouche. **Cépage :** garnacha. **Alc./**13 % www.sanvalero.com

☞ *Servir dans les six années suivant le millésime, à 17 °C*

Purée de navets au clou de girofle (voir chapitre *Recettes*), brochettes de bœuf au café noir (voir Filets de bœuf au café noir) (\*), rôti de porc aux épices à steak, côtes levées sauce teriyaki ou hamburgers de bœuf à la pommade d'olives noires (olives noires dénoyautées et huile d'olive passées au robot).

## Taurino Riserva 2007

SALICE SALENTINO, COSIMO TAURINO, ITALIE

| 14,70 $ | SAQ S* (411892) | ★★☆?☆ $$ | Modéré+ |

Bon an mal an, depuis les premières éditions de *La Sélection Chartier*, par sa grande régularité, ce cru mérite d'être acheté les yeux fermés. Taurino présente un nouveau millésime toujours aussi raffiné, frais et digeste, pour le style, aux saveurs encore précises, jouant dans la sphère de la cerise noire, du café et du poivre, aux tanins tout aussi fins, mais avec du grain, presque juvéniles, et à l'acidité juste. Donc, à nouveau un vin de soif, certes, mais qui s'exprime avec intelligence, dont la texture d'un certain velouté vous obligera à y revenir plus souvent qu'autrement! **Cépages :** 85 % negroamaro, 15 % malvasia nera. **Alc./**13 % www.taurinovini.it

☛ *Servir dans les sept années suivant le millésime, à 16 °C et oxygéné en carafe 5 minutes*

**Feuilles de vigne farcies_Mc² (riz sauvage soufflé, bacon de sanglier, sirop de riz brun/café) (**\*\***)**, pâtes au pesto de tomates séchées, focaccia à la sauce tomate (idéalement de longue cuisson) et aux olives noires ou risotto aux tomates séchées et aux olives noires.

## Merlot Tudernum 2008

UMBRIA, CANTINA TUDERNUM, ITALIE

| 14,75 $ | SAQ S (10781963) | ★★☆?☆ $$ | Modéré+ |

Puis-je me permettre un jamais trois sans quatre? C'est que cet excellent merlot italien devient, et ce, pour un quatrième millésime consécutif, l'une des références de *La Sélection* chez les italiens à prix doux. Tout y est. Nez très parfumé et charmeur, d'une certaine richesse, aux arômes de fruits noirs et de violette, subtilement épicés, à la bouche ronde, fraîche, d'une certaine plénitude, aux tanins fins et tissés serrés, mais avec retenue, au corps modéré et presque enveloppant. J'ai l'impression de me répéter... **Cépage :** merlot. **Alc./**13,5 % www.tudernum.it

☛ *Servir dans les six années suivant le millésime, à 17 °C et oxygéné en carafe 15 minutes*

Pâtes aux tomates séchées ou filet de porc au café noir (voir Filets de bœuf au café noir) (\*).

## Château de Nages 2009

COSTIÈRES-DE-NÎMES, R. GRASSIER, FRANCE *(DISP. FIN 2010)*

| 14,90 $ | SAQ C (427617) | ★★☆ $$ | Modéré+ |

Ce nouveau millésime, qui prendra la place du 2008 au courant de l'automne 2010, se montre tout aussi réussi et engageant que par le passé. Belle finesse aromatique, jouant dans la sphère de l'olive noire, du poivre blanc et du cassis. Ragoûtante texture en bouche, non sans fraîcheur ni sans grain de tanins extrafins. Corps presque rond, saveurs expressives et festives. Voilà un beau programme! **Cépages :** 70 % grenache, 30 % syrah. **Alc./**14 % **www.chateaudenages.com**

☛ *Servir dans les trois années suivant le millésime, à 17 °C*

Tartinades d'olives noires, pâtes aux olives noires (\*), poulet braisé aux olives noires et aux tomates séchées ou boudin noir grillé aux oignons et aux lardons.

## Perle de Roseline 2008

✓ TOP 20 BAS PRIX

CÔTES-DE-PROVENCE, ROSELINE, FRANCE

| **14,90 $** | SAQ C (11251761) | ★★☆?☆ $$ | Modéré+ |
| --- | --- | --- | --- |

■ **NOUVEAUTÉ!** Très beau et raffiné provençal rouge, exprimant les parfums de la syrah, aux notes d'olive noire et de poivre, à la bouche quasi veloutée, au charme immédiat, aux tanins fondus, à l'acidité discrète et au corps vaporeux. Une vraie petite... perle! Il est élaboré sous la houlette de l'équipe du Château Sainte-Roseline, qui avec cette cuvée agit à titre de négociant, et ce, avec brio. **Cépages :** syrah, cabernet sauvignon, carignan. **Alc./**13 % www.sainte-roseline.com

☛ *Servir dans les cinq années suivant le millésime, à 17 °C*

Sushis pour amateurs de vin rouge (à la pommade d'olives noires, poivre et riz sauvage soufflé au café) (voir chapitre *Recettes*) ou **feuilles de vigne farcies_Mc² (riz sauvage soufflé, bacon de sanglier, sirop de riz brun/café) (\*\*).**

## Barbera Fontanafredda 2008

BARBERA D'ALBA, FONTANAFREDDA, ITALIE

| **14,95 $** | SAQ S (038174) | ★★☆?☆ $$ | Modéré |
| --- | --- | --- | --- |

Il y a longtemps que cette barbera ne s'était montrée aussi expressive, fraîche, détaillée, prenante, texturée et persistante. Elle méritait amplement son coup de cœur dans la précédente édition, tout comme votre attention cette année! Les tanins sont extrafins, la texture soyeuse, le fruité exubérant, pour le style, et l'ensemble fort savoureux. Assurément une référence chez les crus italiens offerts au répertoire des produits courants de la SAQ. Elle confirme ainsi le renouveau qualitatif de cette maison ancestrale, qui s'est donné les moyens de revenir au sommet depuis quelques millésimes. **Cépage :** barbera. **Alc./**13,5 % www.fontanafredda.it

☛ *Servir dans les cinq années suivant le millésime, à 16 °C*

Veau marengo (de longue cuisson) et pâtes aux œufs, salade d'endives braisées et cerises (avec noix et fromage parmesan émietté), salade de foies de volaille et de cerises noires ou pâtes en sauce méditerranéenne aux aubergines et à l'ail (avec poivrons, olives noires, câpres, tomates, origan).

## Campo Ceni 2008

TOSCANA, BARONE RICASOLI, ITALIE

| **14,95 $** | SAQ C (10286161) | ★★★ $$ | Corsé |
| --- | --- | --- | --- |

Coup de cœur de la précédente édition, cette nouveauté de l'automne 2009 était toujours à considérer. Cette maison s'est littéralement transformée depuis l'arrivée aux commandes, en 1990, du *barone* Francesco Ricasoli – le 32ᵉ depuis la création de ce domaine au XIIᵉ siècle –, qui a magnifié cette maison historique, riche de 1 200 hectares de vignes. Pour preuve, cette cuvée d'entrée de gamme, se montrant intensément colorée, richement aromatique, étonnamment concentrée, aux saveurs pulpeuses, aux tanins présents, sans trop, et au corps soutenu. Vraiment belle et à un prix plus que compétitif. **Cépages :** sangiovese (dominant), merlot. **Alc./**13,5 % www.ricasoli.it

☛ *Servir dans les six années suivant le millésime, à 17 °C*

Salade de bœuf grillé à l'orientale, sandwich aux légumes grillés et tapenade de tomates séchées, pâtes aux saucisses italiennes, saumon grillé et coulis de sauce tomate de longue cuisson, fettucine all'amatriciana « à ma façon » (\*), osso buco ou carré de porc aux tomates séchées.

## Santa Cristina 2008
TOSCANA, MARCHESI ANTINORI, ITALIE

| 14,95 $ | SAQ C (076521) | ★★?☆ $ | Modéré |
|---|---|---|---|

Ce sangiovese toscan se montre tout aussi engageant qu'à l'automne 2009, s'exprimant par un profil confit et dodu dans ce millésime, donc plus charmeur et enjôleur que jamais, aux notes complexes de violette, de cerise, de sous-bois et de rose séchée. De l'éclat, des courbes sensuelles, sans être très riche, du grain et du plaisir à boire intelligent sans se poser de questions. **Cépages :** sangiovese (dominant), merlot. **Alc./**13 % www.antinori.it

☛ *Servir dans les trois années suivant le millésime, à 16 °C*

Bruschetta aux tomates séchées, sandwich chaud aux saucisses italiennes, pizza aux olives noires et aux tomates séchées, lasagne au four ou cuisses de poulet aux olives noires et aux tomates confites.

## Tempranillo El Albar 2008
VINO DE LA TIERRA DE CASTILLA Y LEÓN, FRANÇOIS LURTON, ESPAGNE

| 14,95 $ | SAQ S* (10359261) | ★★★ $$ | Corsé |
|---|---|---|---|

Un tempranillo 2008 plus expressif et plus explosif que le précédent 2007, qui se montrait déjà plus qu'intéressant pour le prix demandé. Coloré, richement aromatique, débordant de fruits noirs, d'épices et de notes boisées, à la bouche pleine, généreuse, solaire et tannique, aux tanins presque mûrs et enveloppés, mais avec de la prise et de la mâche, à l'acidité discrète et aux saveurs percutantes. À boire et à manger pour un prix d'ami! **Alc./**14 % www.jflurton.com

☛ *Servir dans les cinq années suivant le millésime, à 17 °C*

Grillades variées et épicées, braisé de bœuf à l'anis étoilé, **feuilles de vigne farcies_Mc² (riz sauvage soufflé, bacon de sanglier, sirop de riz brun/café) (\*\*)** ou hamburgers d'agneau aux poivrons rouges confits et au curcuma.

## Merlot Christian Moueix 2005   ✓ TOP 100 CHARTIER
BORDEAUX, ETS JEAN-PIERRE MOUEIX, FRANCE

| 15,10 $ | SAQ C (369405) | ★★★ $$ | Modéré+ |
|---|---|---|---|

Coup de cœur des deux dernières éditions de *La Sélection*, avec ce même millésime 2005, qui sera encore disponible jusqu'au printemps 2011, dans le même millésime. Tant mieux pour nous, car c'est assurément le plus réussi des merlots de Moueix depuis le millésime 2000. Tout y était encore en août 2010. Du fruit, du détail, de la complexité, du raffinement, ainsi que des notes expressives de fruits noirs, de café et de graphite. De l'ampleur, des tanins toujours aussi tendres, mais avec du grain, de l'éclat et des courbes presque sensuelles. Plus que jamais une référence pour se sustenter d'un bordeaux à prix doux à tous les jours. **Cépage :** merlot. **Alc./**13 % www.moueix.com

☛ *Servir dans les sept années suivant le millésime, à 17 °C*

**Feuilles de vigne farcies_Mc² (riz sauvage soufflé, bacon de sanglier, sirop de riz brun/café) (\*\*)**, filet de porc au café noir (voir Filets de bœuf au café noir) (\*), filet de saumon grillé sauce au vin rouge (voir Filet de saumon au pinot noir) (\*), foie de veau à la vénitienne et polenta crémeuse au parmigiano (\*) ou **pétoncles poêlés, couscous de noix du Brésil à l'orange sanguine, lait de coco au gingembre (\*\*)**.

## Clos de la Briderie 2008

TOURAINE-MESLAND, CLOS DE LA BRIDERIE, FRANCE

| **15,20 $** | SAQ S* (977025) | ★★☆?☆ $$ | Modéré | BIO |
|---|---|---|---|---|

Difficile de dénicher un cru plus pur, plus vitalisant, plus minéral et plus rafraîchissant dans cette gamme de prix. Cette cuvée réussit l'exploit à nouveau en 2008 en proposant un vin sans esbroufe ni maquillage technologique, digeste et revitalisant au possible, non sans expressivité ni intelligence dans le propos, tout comme dans le plaisir de boire jusqu'à plus soif qu'il offre. Plus que jamais un grand classique de son appellation, provenant de vieilles vignes cultivées selon les principes de la biodynamie. **Cépages:** breton (cabernet franc), cot (malbec), gamay. **Alc./**12,5 %

☛ *Servir dans les cinq années suivant le millésime, à 16 °C*

Filet de saumon au pinot noir (*), filets de porc à la cannelle et aux canneberges, pâtes à la sauce tomate au prosciutto et à la sauge, pot-au-feu de l'Express (*), risotto à la tomate et au basilic avec aubergines grillées ou salade de bœuf grillé à l'orientale.

## La Vendimia 2009                    ✓ TOP 100 CHARTIER

RIOJA, BODEGAS PALACIOS REMONDO, ESPAGNE

| **15,20 $** | SAQ S* (10360317) | ★★★ $$ | Modéré+ |
|---|---|---|---|

Cet invitant et débordant de fruit nouveau Vendimia ne devrait pas interrompre le succès de cette cuvée qui connaît un succès unique au Québec. C'est que la Belle Province est devenue le plus important marché en Amérique du Nord pour cette cuvée étoilée, composée de grenache et de tempranillo, vinifiée avec passion et doigté par l'étoile espagnole qu'est Álvaro Palacios. La Vendimia a plus que jamais tout pour plaire, ce qui la positionne dans le « Top Ten » du « Top 100 Chartier » anniversaire. Nez toujours aussi engageant, exhalant de très aromatiques et élégantes notes de fraise, de poivre et de girofle. Bouche gourmande comme par le passé, d'une fraîcheur digeste, aux tanins fins et dodus, au corps modéré mais pulpeux, et aux saveurs éclatantes et longues, spécialement pour son prix plus que doux. Sans compter que la finale se montre plus crémeuse que jamais! Comme je vous l'écris depuis quelques éditions déjà, ce rouge est l'un des meilleurs rapports qualité-prix d'Espagne, tous vins confondus. À table, en prenant en compte les données communiquées dans mon livre *Papilles et Molécules*, osez cuisiner une recette où dominera soit l'un de ces ingrédients complémentaires au poivre (genièvre, olive noire, algue nori, thym, agneau, orange, safran), soit l'un des aliments de même famille aromatique que le girofle (asperges rôties à l'huile, basilic thaï, bœuf grillé, café, cinq-épices, fraise, romarin, vanille). **Cépages:** garnacha, tempranillo. **Alc./**14 %

☛ *Servir dans les quatre années suivant le millésime, à 16 °C*

Salade de bœuf grillé fortement et de betteraves rouges poêlées et aromatisées au clou de girofle, brochettes d'agneau au thym, daube d'agneau au vin et à l'orange, risotto au jus de betterave parfumé au girofle, sauté de porc vietnamien au cinq-épices, fromage à croûte fleurie aux clous de girofle (macérés quelques jours au centre du fromage) ou **filet de boeuf de la Ferme Eumatimi, sauce *mole* mexicaine à la noix de coco et au cinq-épices (**).**

## Torus 2008

MADIRAN, VIGNOBLES BRUMONT, FRANCE *(DISP. FIN 2010)*

| 15,30 $ | SAQ C (466656) | ★★☆?☆ $$ | Modéré |
|---------|----------------|----------|--------|

Ce nouveau millésime, dégusté en primeur en août 2010, d'un échantillon du domaine, et qui prendra la relève du 2007 (aussi commenté), se montre à la fois plus racé et plus gourmand que par le passé. Le meilleur des deux mondes. Le nez, minéral et ramassé, précède une bouche plus bavarde, plus enrobée et même étonnamment détendue pour l'appellation. Je vous le dis, cette cuvée n'a jamais été aussi attrayante, même si elle a presque toujours tenu le haut du pavé. Certes moins dense que le 2007, mais ô combien plus charmeur! À vous de choisir, à moins de prendre les deux! **Cépages :** 50 % tannat, 25 % cabernet franc, 25 % cabernet sauvignon. **Alc./**13,5 % **www.brumont.fr**

☛ *Servir dans les cinq années suivant le millésime, à 17 °C*

Hachis Parmentier de canard au quatre-épices ou poulet grillé sur une canette de bière frotté aux épices barbecue et copeaux d'hickory, accompagné de purée_Mc$^2$ pour amateur de vin au céleri-rave et clou de girofle (**).

## Ilico 2007

MONTEPULCIANO D'ABRUZZO, AZIENDA AGRICOLA DINO ILLUMINATI, ITALIE

| 15,35 $ | SAQ S (10858123) | ★★★ $$ | Corsé |
|---------|------------------|--------|-------|

■ **NOUVEAUTÉ!** Ce montpulciano étonne par sa pureté et sa définition, spécialement pour le prix demandé. Il faut dire qu'il émane d'une excellente maison. Couleur soutenue. Nez passablement riche et profond, avec une certaine retenue juvénile, qu'un bon gros coup de carafe permet de dégourdir. Bouche presque dense, serrée, élégante, racée et persistante, aux tanins fins et au corps assez plein, mais aussi digeste. Du bel ouvrage. **Cépage :** montepulciano. **Alc./**13,5 % **www.illuminativini.it**

☛ *Servir dans les sept années suivant le millésime, à 17 °C et oxygéné en carafe 5 minutes*

Filets de bœuf au café noir (*) ou carré d'agneau et jus de cuisson réduit.

## Château Tour Boisée « Marielle & Frédérique » 2009

MINERVOIS, DOMAINE LA TOUR BOISÉE, FRANCE

| 15,40 $ | SAQ S* (896381) | ★★☆?☆ $$ | Modéré+ |
|---------|-----------------|----------|---------|

Comment résister à cette cuvée qui, dans ce nouveau millésime, poursuit la ligne qualitative instaurée au fil des précédentes années où le rapport qualité-prix était toujours au rendez-vous. Jean-Louis Poudou présente un rouge à la fois gourmand, tout en fraîcheur et d'un élan qui le propulse et lui procure une digestibilité bienvenue. Fruits rouges et cacao ajoutent au plaisir, surtout après un court passage en carafe. Je n'oublierai jamais le commentaire cinglant de ce personnage imposant et haut en couleur, lors d'une rencontre à Montréal en 2006 : « *Pendant que les Français tuaient le bébé, les Australiens le faisaient naître!* » Comme le dit si bien cet homme de terroir, très impliqué dans la reconnaissance de l'appellation : « *Le cépage n'a pas d'importance, c'est le raisin qui importe!* » Ce qui explique la précision et la fraîcheur de ses différentes cuvées, nées dans la vigne avant tout, où, tel un puériculteur, il passe la plus grande partie de son temps à la bichonner et à tenter d'y saisir l'esprit qui émane de chaque parcelle. **Cépages :** 35 % cinsault, 25 %

grenache, 15 % syrah, 15 % carignan (vieilles vignes), 10 % mourvèdre. **Alc./**13,8 % www.domainelatourboisee.com

☛ *Servir dans les cinq années suivant le millésime, à 16 °C et oxygéné en carafe 5 minutes*

Lasagne aux saucisses italiennes épicées, hamburgers de veau à l'italienne (avec oignons rouges, poivrons rouges rôtis et paprika), *wraps* au poulet et au pesto de tomates séchées ou foie de veau accompagné d'un confit de betteraves et d'oignons rouges (avec une pointe de vinaigre balsamique).

## Domaine de La Charmoise 2009    ✓ TOP 100 CHARTIER
TOURAINE, HENRY MARIONNET, FRANCE

| 15,45 $ | SAQ S* (329532) | ★★★ $$ | Modéré |
| --- | --- | --- | --- |

Assurément mon rouge festif des quinze éditions de *La Sélection*! Quelle définition et quel rendu dans l'expression. Bon an mal an, la famille Marionnet réussit un vin enchanteur, d'une fraîcheur exemplaire et d'une digestibilité à boire jusqu'à plus soif. Ce à quoi répond ce vibrant 2009. Comme toujours, il s'exprime par des tonalités de raisin frais, de cerise et de giroflée. Difficile de rendre plus intelligible que ça le ballon de rouge quotidien. **Cépage :** gamay. **Alc./**12 % www.henry-marionnet.com

☛ *Servir dans les trois années suivant le millésime, à 15 °C*

Salade d'endives braisées et cerises (avec amandes et fromage de chèvre émietté), salade de betteraves rouges parfumées au quatre-épices, focaccia à l'origan, salade de pâtes à la méditerranéenne (tomates cerises, olives noires, feta, aneth), poulet rôti au cinq-épices ou pizza au poulet et pesto poivré de tomates séchées.

## Vitiano 2008    ✓ TOP 100 CHARTIER
ROSSO UMBRIA, FALESCO MONTEFIASCONE, ITALIE

| 15,45 $ | SAQ C (466029) | ★★★ $$ | Corsé |
| --- | --- | --- | --- |

Coup de cœur dans de multiples millésimes, soulignés dans la presque totalité des *Sélection Chartier*, sauf pour le millésime 2006, Vitiano représente plus que jamais une remarquable aubaine. La couleur est sombre. Le nez est à la fois très aromatique, complexe et riche, spécialement pour son rang, exhalant des tonalités de fruits noirs, de poivre, de torréfaction et de chêne. La bouche se montre, comme toujours, passablement dense et enveloppante, compacte et généreuse, sans trop, non sans relief et coffre, ce qui est rarissime chez les rouges offerts sous la barre des quinze dollars. Il émane du domaine familial de Riccardo Cotarella, célèbre œnologue italien, qui prodigue aussi ses judicieux conseils à plus d'une centaine de domaines prestigieux du nord au sud de l'Italie. Ceci expliquant cela. **Cépages :** 34 % sangiovese, 33 % cabernet sauvignon, 33 % merlot. **Alc./**13,5 % www.falesco.it

☛ *Servir dans les cinq années suivant le millésime, à 17 °C et oxygéné en carafe 5 minutes*

**Asperges vertes rôties, enrobées de chocolat noir (infusé au thé fumé Zheng Shan Xiao Zhong, fleur de sel au café) (\*\*)**, hamburgers d'agneau aux poivrons rouges confits et au *pimentón*, carré d'agneau au poivre vert ou filets de bœuf grillés et sauté de poivrons rouges au curcuma.

## Capocaccia 2006

ALGHERO, SELLA & MOSCA, ITALIE

| 15,55 $ | SAQ C (11254268) | ★★☆?☆ $$ | Modéré+ |
|---|---|---|---|

■ **NOUVEAUTÉ!** Un nouveau millésime, dégusté en primeur en août 2010, de ce récent rouge, signé par l'excellente maison sarde Sella & Mosca, se montrant engageant et débordant de fraîcheur. Fruits à l'eau-de-vie et herbes médicinales donnent le ton avec panache au nez, tandis que la bouche suit avec texture, ampleur et tonus, spécialement pour le prix. Les tanins sont presque gras, mais avec du grain, l'acidité discrète et le corps voluptueux. Un bel ajout au répertoire de la SAQ, apportant originalité. La troisième étoile y était presque. **Cépages :** 50 % cannonau, 50 % cabernet sauvignon. **Alc./**13 % www.sellaemosca.com

☛ *Servir dans les six années suivant le millésime, à 17 °C*

Carré de porc aux tomates séchées, fettucine all'amatriciana « à ma façon » (*) ou panini au poulet et aux poivrons rouges grillés.

## Jorio 2008

MONTEPULCIANO D'ABRUZZO, UMANI RONCHI, ITALIE *(DISP. AUTOMNE 2010)*

| 15,55 $ | SAQ S* (862078) | ★★★ $$ | Modéré+ |
|---|---|---|---|

Couleur soutenue, effluves assez profonds, aux notes de cerise noire, de fumée et de réglisse, à la bouche pleine, ample et sensuelle, débordant de saveurs de fruits noirs et de torréfaction. Une bouche pulpeuse, ronde et caressante, aux saveurs extraverties, à la manière des vins du Nouveau Monde. Du sérieux qui sait se dégourdir le nœud de cravate à l'heure de la pizza! Si vous aimez cette dernière relevée, où s'entremêlent les saucisses italiennes épicées, les olives noires séchées au soleil, la sauce tomate de longue cuisson et les tomates séchées à l'huile épicée, il vous faut un rouge plus soutenu, sans être puissant ni ferme. À ce jeu, il faut opter pour un montepulciano de bonne famille, comme c'est le cas pour le Jorio du clan Umani Ronchi. **Cépage :** montepulciano. **Alc./**14 % www.umanironchi.it

☛ *Servir dans les cinq années suivant le millésime, à 17 °C*

Pizza relevée (saucisses italiennes épicées, olives noires séchées au soleil, sauce tomate de longue cuisson et/ou tomates séchées à l'huile épicée), fettucine all'amatriciana « à ma façon » (*), hamburgers d'agneau aux poivrons rouges confits et au paprika ou dindon rôti et risotto au jus de betterave parfumé au girofle.

## Château Lamarche 2007

BORDEAUX-SUPÉRIEUR, ÉRIC JULIEN, FRANCE

| 15,65 $ | SAQ S (10862991) | ★★★ $$ | Modéré+ |
|---|---|---|---|

Coup de cœur de l'édition 2010 dans son précédent millésime, cet excellent domaine, qui élabore aussi le délicieux canon-fronsac Château Lamarche Canon, récidive avec brio à nouveau. Le nez est toujours aussi expressif, d'une certaine richesse pour son rang, laissant échapper des notes complexes de fumée, d'épices et de fruits. La bouche, aux tanins réglissés, se montre très fraîche et élancée, pour ne pas dire longiligne, mais non sans texture ni velouté. Saveurs très longues et harmonies d'ensemble font de ce « bordeaux-sup » de caractère une véritable aubaine. **Cépages :** 70 % merlot, 30 % cabernet sauvignon. **Alc./**13 %

☛ *Servir dans les sept années suivant le millésime, à 17 °C et oxygéné en carafe 5 minutes*

Côtelettes de porc aux poivrons rouges confits épicés, foie de veau en sauce à l'estragon ou brochettes de bœuf au café noir (voir Filets de bœuf au café noir) (*).

## Château Mourgues du Grès « Les Galets Rouges » 2008

✓ TOP 100 CHARTIER

COSTIÈRES-DE-NÎMES, FRANÇOIS COLLARD, FRANCE

| 15,65 $ | SAQ S* (10259753) ★★★ $$ | Modéré+ |
|---|---|---|

À nouveau une éclatante réussite pour cette cuvée nîmoise. Vous vous sustenterez d'un rouge aromatique à souhait, passablement riche et raffiné, aux parfums de poivre noir, de fruits noirs et de café, à la bouche ample, veloutée et prenante, tout en étant fraîche et digeste, aux tanins mûrs à point et aux saveurs d'une bonne allonge pour son rang. Du sérieux à prix plus que doux, toujours au rendez-vous depuis plusieurs millésimes. Amusez-vous à table avec les principaux aliments complémentaires au poivre, qui est l'une de ses pistes aromatiques harmoniques, tels que le gingembre, le genièvre, les graines de fenouil, l'orange, le basilic, le thym, le thé noir, les algues nori, les champignons ou l'olive noire. **Cépages :** 70 % syrah, 30 % grenache, carignan, mourvèdre. **Alc./**14,5 % **www.mourguesdugres.fr**

☛ *Servir dans les cinq années suivant le millésime, à 17 °C*

Sauté de bœuf au gingembre, sandwich au rôti de bœuf parfumé au thym frais, thon rouge mi-cuit frotté au concassé de baies de genièvre ou tartinades d'olives noires (graines de fenouil et zestes d'orange).

## L'If « Merlot/Carignan » 2008

VIN DE PAYS DU TORGAN, LES PRODUCTEURS DU MONT TAUCH, FRANCE

| 15,70 $ | SAQ C (10271293) ★★☆ $$ | Modéré |
|---|---|---|

Comme à son habitude, bon an mal an, ce cru languedocien se montre plus qu'avantageux pour son prix. En 2008, il s'exprime à nouveau par un nez tout à fait enchanteur et raffiné, exhalant des notes de fraise, de cassis et de fleurs, à la bouche souple, coulante et soyeuse, aux tanins fondus et arrondis, à l'acidité discrète et aux saveurs qui ont de l'éclat pour son rang. Assurément un ixième beau millésime vinifié à ce jour par cette excellente cave coopérative. **Cépages :** 50 % merlot, 50 % carignan. **Alc./**13 % **www.mont-tauch.com**

☛ *Servir dans les quatre années suivant le millésime, à 16 °C*

Terrine de campagne au poivre, pizza à l'américaine, côtelettes de porc aux poivrons rouges confits épicés, poulet aux olives noires et aux tomates ou veau marengo.

## Perrin Réserve 2007

CÔTES-DU-RHÔNE, PERRIN & FILS, FRANCE

| 15,70 $ | SAQ C (363457) ★★☆?☆ $$ | Modéré |
|---|---|---|

Une réserve au beau fruité, exhalant des arômes de thym et d'olive, ainsi que légèrement poivrés, avec fraîcheur, à la bouche à la fois fraîche et ample, d'une texture quasi veloutée, mais sans être vraiment épaisse, aux tanins fins et presque soyeux. Alcool discrètement intégré, saveurs nettes et précises, finale de bonne persistance. Vin de corps et d'amplitude modérés, presque frais, ayant besoin d'un bon coup de carafe et d'une température de service plus élevée (19 degrés), si on désire qu'il donne toute son ampleur. Parfait pour des mets fins, pas très gras, mais parfumés. **Cépages :** 60 % grenache, 20 % syrah, 20 % mourvèdre. **Alc./**13,5 % **www.perrin-et-fils.com**

☞ *Servir dans les cinq années suivant le millésime, à 18-19 °C*

Médaillons de porc à la pommade d'olives noires, carré de porc aux tomates confites et aux herbes de Provence ou cuisses de poulet grillées au pesto de tomates séchées parfumé au thym.

## Nero d'Avola Morgante 2008

SICILIA, MORGANTE, ITALIE

| 15,75 $ | SAQ S* (10542946)  ★★★ $$ | Corsé |
|---|---|---|

Un nouveau millésime tout aussi bouillonnant que les précédents, au nez à la fois mûr, très frais, fruité et boisé, jouant dans la sphère de la violette, du cèdre, du romarin, du girofle et de la muscade, à la bouche généreuse, pleine, aux tanins enveloppés par une gangue veloutée, mais au grain juvénile, aux saveurs éclatantes, laissant deviner des notes confiturées et épicées. Il y a à boire et à manger pour un prix vraiment bas. **Cépage :** nero d'avola. **Alc./**13,5 % **www.morgantevini.it**

☞ *Servir dans les cinq années suivant le millésime, à 17 °C*

Carré d'agneau marocain et provençal façon Pinqrd (avec feuilles de menthe, poivre de Cayenne, piment doux, paprika, cumin, romarin frais, thym, ail et moutarde de Dijon), gigot d'agneau à l'ail et au romarin ou **purée_Mc$^2$ pour amateur de vin au céleri-rave et clou de girofle (\*\*)**.

## Cannonau Riserva 2006

CANNONAU DI SARDEGNA, SELLA & MOSCA, ITALIE

| 15,80 $ | SAQ C (425488)  ★★☆?☆ $$ | Corsé |
|---|---|---|

Poursuivant sur sa lancée, entamée avec le précédent millésime 2005, cette cuvée de Sella & Mosca, à base de grenache noir, qui porte le synonyme de cannonau en Sardegna, se montre tout à fait convaincant pour son rang. Nez expressif, exhalant de riches effluves de prune, de fraises compotées, de café, d'épices douces et de cuir neuf. Bouche presque ample, d'une certaine intensité, dans un ensemble toujours aussi tannique et frais, presque digeste pour le style. Original et plus que satisfaisant, d'autant plus qu'il a aussi profité, comme de multiples crus sélectionnés dans cette édition, de la faiblesse de l'euro en 2010 pour ainsi voir son prix réduire de plus ou moins deux dollars. **Cépages :** 90 % cannonau (grenache noir), 5 % carignano (carignan), 5 % muristello. **Alc./**13,5 % **www.sellaemosca.com**

☞ *Servir dans les huit années suivant le millésime, à 18 °C*

Pâtes aux champignons portabellos sautés et fond de veau, filets de bœuf au café noir (\*), cuisses de lapin braisées longuement et baignées d'une réduction parfumée à l'estragon ou polenta crémeuse aux olives noires et au parmigiano reggiano.

## Cabernet Franc Piave « Villa Sandi » 2006

PIAVE, VILLA SANDI, ITALIE

| 15,85 $ | SAQ S* (11072915)  ★★☆?☆ $$ | Modéré+ |
|---|---|---|

Avec une baisse de deux dollars sur le prix demandé à l'automne 2009, cette belle nouveauté, de l'Italie septentrionale, fera plus que jamais le bonheur des amateurs de rouges français de Chinon et de Bourgueil. Le nez, toujours aussi fin, se montre passablement engageant et détaillé, laissant échapper des notes classiques de poivron rouge, de poivre blanc, de mine de crayon et de fraise. La bouche suit avec le même profil aromatique, ainsi qu'avec des tanins tissés serrés, mais avec élégance et fraîcheur, et même plus détendus que l'année dernière. Ses saveurs sont longilignes et sa texture quasi soyeuse. Du plaisir. **Cépage :** cabernet franc. **Alc./**12,5 % **www.fonterutoli.it**

☛ *Servir dans les six années suivant le millésime, à 16 °C*

Brochettes de foie de veau et de poivrons rouges accompagnées d'asperges vertes rôties au four à l'huile d'olive et au thym.

## Capitel Nicalo « Appassimento » Tedeschi 2008
VALPOLICELLA CLASSICO SUPERIORE, F.LLI TEDESCHI, ITALIE

| **15,95 $** | SAQ C (11028156) | ★★☆ $$ | Modéré |
|---|---|---|---|

■ NOUVEAUTÉ! Comme à son habitude, cette grande maison vénitienne présente un « valpo » au sommet de sa catégorie. Il a tout pour plaire à l'amateur de vins rouges de cette vallée, tout comme pour réussir la rencontre avec un plat de viande bouillie. Un nez aromatique et charmeur, marqué par la cerise, la prune et le café, ainsi qu'une bouche aux tanins fins, au corps texturé et aux saveurs longues et digestes. Servez-le légèrement rafraîchi, même sur des grillades de saucisses, l'été sera encore plus beau! **Rappelez-vous qu'il faut absolument de la souplesse et du fruit pour que l'accord résonne en harmonie avec un pot-au-feu. C'est que la viande rouge bouillie devient filandreuse, perdant son sang et ses fibres, ce qui empêche l'accord avec des rouges aux tanins virils, qui se voient durcir devant la chair de cette viande rouge devenue blanche et parfumée.** **Cépages :** corvina, rondinella, molinara. **Alc./**13 % **www.tedeschiwines.com**

☛ *Servir dans les quatre années suivant le millésime, à 16 °C*

Pot-au-feu, bœuf aux légumes, salade de foies de volaille et de cerises noires, escalopes de veau alla parmigiano, blanquette de veau, steak tartare ou fettucine aux légumes grillés et au parmigiano.

## San Lorenzo 2007
ROSSO CONERO, UMANI RONCHI, ITALIE

| **15,95 $** | SAQ S* (397174) | ★★★ $$ | Modéré+ |
|---|---|---|---|

Coup de cœur à plusieurs reprises dans les éditions précédentes de ce guide, ce montepulciano, du vignoble de San Lorenzo, situé dans les Marches, où la famille Bianchi Bernetti possède plus de 200 hectares de vignes, se montre toujours au rendez-vous. Comme dans ce nouveau millésime, où il résulte en un rouge aromatique, au fruité à la fois riche, pur et mûr, à la bouche presque dense, mais avec un velouté à l'arrière-scène, aux tanins qui ont de la prise, sans être durs, aux saveurs toujours aussi longues et prenantes, laissant des traces de fruits noirs, d'épices douces et de violette. Notez que depuis 2006, 30 % du San Lorenzo est élevé en barriques âgées, les 70 % restants séjournant, comme par le passé, dans des cuves de chêne d'une capacité variant de 4 000 à 5 000 litres. **Cépage :** montepulciano. **Alc./**13 % **www.umanironchi.it**

☛ *Servir dans les sept années suivant le millésime, à 17 °C et oxygéné en carafe 15 minutes*

Osso buco au fenouil et gremolata ou veau marengo (de longue cuisson).

## Duas Quintas 2007 ✓ TOP 100 CHARTIER

DOURO, ADRIANO RAMOS PINTO, PORTUGAL

| 16,15 $ | SAQ C (10237458) | ★★★ $$ | Modéré+ |
| --- | --- | --- | --- |

Référence portugaise en matière de rouges, tout comme de portos, cette maison parvient depuis plusieurs années déjà à mettre en marché un Duas Quintas toujours réussi avec brio. Nez aromatique, ayant tout de même besoin d'un bon coup de carafe pour se détailler. Bouche presque détendue, mais avec ampleur, texture et fraîcheur au possible pour un vin de ce prix. Longue finale, au relent anisé. Il faut savoir que cette grande propriété, aussi reconnue pour ses excellents portos, appartient à la maison de champagne française Roederer. Ceci explique cela. **Cépages :** touriga francesa, tinta roriz, touriga nacional. **Alc./**14 % www.ramospinto.pt

☛ *Servir dans les six années suivant le millésime, à 17 °C et oxygéné fortement en carafe 15 minutes*

Filets de bœuf au café noir (*) ou osso buco au fenouil et gremolata.

## La Cuvée dell'Abate 2008 ✓ TOP 100 CHARTIER

MONTEPULCIANO D'ABRUZZO, CANTINA ZACCAGNINI, ITALIE

| 16,15 $ | SAQ S* (908954) | ★★★ $$ | Corsé |
| --- | --- | --- | --- |

Salué dans plus d'un millésime dans *La Sélection*, ce domaine phare des Abruzzes récidive pour une ixième fois avec un rouge à prix doux qui étonne par son expressivité aromatique, son éclat, sa tenue, sa richesse, sa fraîcheur et son plaisir à boire jusqu'à plus soif. Tout y est. Forte coloration. Nez débordant de fruits (bleuet, cassis, framboise). Bouche juteuse, à la fois éclatante et prenante, au boisé présent, mais pas dominant, et aux saveurs très longues. Rares sont les crus sous la barre des vingt dollars à démontrer autant d'aplomb, de panache et de régularité. **Cépage :** montepulciano. **Alc./**12,5 % **www.zaccagnini.it**

☛ *Servir dans les cinq années suivant le millésime, à 17 °C et oxygéné en carafe 5 minutes*

Filets de bœuf au café noir (*), carré d'agneau et jus de cuisson réduit ou **feuilles de vigne farcies_Mc² (riz sauvage soufflé, bacon de sanglier, sirop de riz brun/café) (**).

## Bronzinelle 2008 ✓ TOP 100 CHARTIER

COTEAUX-DU-LANGUEDOC, CHÂTEAU SAINT-MARTIN DE LA GARRIGUE, FRANCE

| 16,35 $ | SAQ S* (10268588) | ★★★ $$ | Modéré+ |
| --- | --- | --- | --- |

Dire que cette cuvée du Château Saint-Martin de la Garrigue est une habituée de *La Sélection Chartier* est un euphémisme tant ce languedocien s'est mérité d'y apparaître dans de multiples millésimes. J'irai même jusqu'à dire qu'il a été la locomotive de la renaissance des vins du Languedoc sur le marché québécois, avec la cuvée La Bergerie de l'Hortus (aussi commentée), du domaine éponyme. Chaque millésime de Bronzinelle s'exprime haut et fort avec un vin qui a du nez. Difficile d'être plus syrah que ça. Olive noire, poivre et fruits noirs se manifestent toujours avec éclat et élégance. Ampleur, fraîcheur et épaisseur veloutée signent une bouche à la fois substantielle et digeste. Les tanins sont toujours aussi fins et mûrs. Les saveurs plus pulpeuses que jamais, sans trop, laissant des traces de fruits noirs, de violette, de poivre et d'olive noire. Réservez-lui des recettes dominées par les aliments complémentaires à ses arômes de violette et de poivre, comme le sont la framboise, le nori et les carottes – pour ce qui est des ingrédients complémentaires à la violette –, ainsi que le thym, l'agneau, le safran, le gingembre et le café – quant aux aliments partageant la même structure moléculaire que le poivre. **Cépages :** 25 % syrah, 25 % grenache, 25 % carignan (vieilles vignes), 25 % mourvèdre (vieilles vignes). **Alc./**13,5 % www.stmartingarrigue.com

☛ *Servir dans les six années suivant le millésime, à 17 °C*

Brochettes d'agneau au café noir (voir Filets de bœuf au café noir) (\*), pâtes aux olives noires (\*), tajine d'agneau au safran, filet de bœuf enveloppé d'algues nori et accompagné d'un braisé de carottes au jus de bœuf ou fromage à croûte fleurie grillé dans une feuille de brick parfumée au thym.

## La Segreta 2009
SICILIA, PLANETA, ITALIE

| 16,55 $ | SAQ S\* (898296) | ★★☆?☆ $$ | Modéré+ |
|---|---|---|---|

Un nouveau millésime franchement plus éclatant et gourmand que le 2008. Bonne coloration. Nez fin et poivré. Bouche juteuse et très fraîche, au corps modéré, aux tanins tissés serrés, avec finesse, à l'acidité juste dosée et aux saveurs longues et rafraîchissantes, malgré la presque générosité solaire de cette cuvée plus qu'abordable. **Cépages :** nero d'avola, merlot, syrah, cabernet franc. **Alc./**13 % **www.planeta.it**

☛ *Servir dans les quatre années suivant le millésime, à 16 °C et oxygéné en carafe 5 minutes*

Focaccia à la sauce tomate de longue cuisson aux olives noires et thym séché, fettucine all'amatriciana « à ma façon » (\*), risotto aux tomates séchées et aux olives noires ou foie de veau en sauce à l'estragon.

## Sasyr « Sangiovese & Syrah » 2007
TOSCANA, ROCCA DELLE MACÌE, ITALIE

| 16,55 $ | SAQ C (11072907) | ★★☆?☆ $$ | Modéré+ |
|---|---|---|---|

Coup de cœur de la précédente édition, avec son premier millésime introduit au Québec, le 2006, Sasyr récidive avec un tout aussi bon nouveau millésime. Donc, encore une fois un engageant assemblage toscan, réussi avec brio par l'équipe dynamique de cette maison toscane mondialement connue, qui élabore, entre autres, le recherché Roccato. Il se montre plus qu'aromatique, débordant de fruits, presque pulpeux et sensuel, sans boisé dominant, aux tanins enrobés et veloutés, à l'acidité discrète et aux saveurs plus que longues pour son rang – d'autant plus qu'il est offert à deux dollars de moins que l'année dernière (!)–, égrainant des notes de cerise noire et d'épices douces. **Cépages :** 60 % sangiovese, 40 % syrah. **Alc./**13,5 % **www.roccadellemacie.com**

☛ *Servir dans les six années suivant le millésime, à 17 °C*

Hamburgers aux tomates séchées et cheddar extra-fort, fettucine all'amatriciana « à ma façon » (\*), tartinades d'olives noires (graines de fenouil et zestes d'orange) ou thon rouge mi-cuit au poivre et purée de pommes de terre aux olives noires.

## Vignes de Nicole 2009

VIN DE PAYS D'OC, LES DOMAINES PAUL MAS, FRANCE *(DISP. AUTOMNE 2010)*

| 16,65 $ | SAQ S* (10273416) ★★☆?☆ $$ | Corsé |
|---|---|---|

Signalée dans multiples millésimes au fil des quinze ans de *La Sélection*, cette maison persiste et signe avec un 2009 fort réussi. Vous y dénicherez plus que jamais une Nicole extravertie (!), exprimant des notes aromatiques d'une bonne intensité, aux tonalités de cassis, de mûre, de poivre et de violette, on ne peut plus marquées par la présence de la syrah dans l'assemblage. La bouche suit avec autant d'aplomb que dans les précédents millésimes, démontrant une certaine densité pour son rang, aux tanins présents mais mûrs, à l'acidité fraîche et à la texture presque enveloppante, même s'il requiert une bonne grosse année de bouteille pour gagner en volupté. Longue finale, tout aussi fruitée et épicée que le nez, avec en prime des tonalités mentholées et vanillées. Du pur plaisir à prix doux. **Cépages :** 50 % syrah, 50 % cabernet sauvignon. **Alc./**13,5 % **www.paulmas.com**

☛ *Servir dans les cinq années suivant le millésime, à 17 °C et oxygéné en carafe 15 minutes*

Sushis pour amateurs de vin rouge (à la pommade d'olives noires, poivre et riz sauvage soufflé au café) (voir chapitre *Recettes*), gigot d'agneau aux herbes accompagné d'une purée de patates douces aux olives noires, filets de bœuf marinés au parfum d'anis étoilé ou filets de bœuf grillés et sauté de poivrons rouges au curcuma.

## Château Rouquette sur Mer « Cuvée Amarante » 2007  ✓ TOP 100 CHARTIER

COTEAUX-DU-LANGUEDOC LA CLAPE, JACQUES BOSCARY, FRANCE

| 16,75 $ | SAQ S* (713263) ★★★?☆ $$ | Modéré+ | BIO |
|---|---|---|---|

Coup de cœur des précédente *Sélection Chartier*, ce cru languedocien, qui était déjà une aubaine à vingt dollars, devient, à ce prix abaissé de plus de trois dollars, l'une des meilleures affaires du Midi! Aussi engageant et harmonieux que dans les récents millésimes, il peut aisément être acheté bon an mal an les yeux fermés. D'une grande subtilité aromatique, non sans richesse, le nez, sans aucun boisé apparent, laisse exprimer la syrah qui domine littéralement l'assemblage par sa présence quasi exubérante, sans trop. La bouche est passablement charnue, presque dodue, aux tanins mûrs, réglissés et enveloppés, avec du grain, aux saveurs aromatiques, rappelant les fruits noirs et le poivre, et à l'acidité toujours aussi justement dosée, sans être dominante. Une leçon d'harmonie qui évoluera en beauté. Le vignoble de ce château, un amphithéâtre face à la mer, plein sud, est situé dans un site d'exception, à l'extrémité sud-est du massif de La Clape, et la vigne y est cultivée sur des sols argilo-calcaires et de terres rouges, recouverts de calcaire concassé. Ceci explique cela. **Cépages :** mourvèdre, syrah. **Alc./**13,5 % **www.chateaurouquette.com**

☛ *Servir dans les huit années suivant le millésime, à 17 °C et oxygéné en carafe 15 minutes*

**Feuilles de vigne farcies_Mc$^2$ (riz sauvage soufflé, bacon de sanglier, sirop de riz brun/café) (\*\*)**, filets de bœuf marinés au parfum d'anis étoilé, carré d'agneau rôti à la pommade d'olives noires (olives noires dénoyautées et huile d'olive passées au robot) ou **tagliatelles à la réglisse noire, queues de langoustines rôties, tomates séchées et petits pois (\*\*)**.

## La Madura Classic 2006

✓ TOP 100 CHARTIER

SAINT-CHINIAN, DOMAINE LA MADURA, NADIA ET CYRIL BOURGNE, FRANCE

| 16,85 $ | SAQ S* (10682615) ★★★ $$ | Modéré+ |
|---|---|---|

Un nouveau millésime au raffinement aromatique d'une haute définition comme jamais pour ce cru, devenu une référence de La Sélection au fil des quinze éditions. Épices douces, violette et fruits rouges se donnent la réplique au nez, avec un relent subtil de poivron, dans un ensemble d'une précision et d'une élégance singulières, comme toujours. La bouche suit avec des tanins soyeux au possible, une acidité discrète, mais juste fraîche, une texture presque veloutée, un corps ample, mais aussi aérien, et des saveurs longues et d'une fraîcheur toujours aussi unique à La Madura. Toute une réussite. **Cépages :** carignan, grenache, mourvèdre, syrah. **Alc./**13,5 % www.lamadura.com

☞ *Servir dans les sept années suivant le millésime, à 17 °C*

Sushis pour amateurs de vin rouge (à la pommade d'olives noires, riz sauvage soufflé, café et poivre) (voir chapitre Recette), hamburgers d'agneau aux poivrons rouges confits et au paprika, bœuf braisé au jus de carotte, ou côtes de veau et purée de pois à la menthe (*).

## Capezzana « Barco Reale di Carmignano » 2008

BARCO REALE DI CARMIGNANO, TENUTA DI CAPEZZANA, ITALIE *(DISP. OCT./NOV. 2010)*

| 16,95 $ | SAQ S (729434) ★★★ $$ | Modéré+ |
|---|---|---|

Vendu trois dollars de plus pendant des années, ce cru vedette est l'une des aubaines à ne pas laisser filer en matière de rouge toscan offert sous la barre des vingt dollars. Il faut dire que la famille Bonacossi est au sommet de son art, spécialement dans les derniers millésimes, gérés avec maestria par Beatrice. Vous vous délecterez d'un sangiovese tout en fruit, aussi relevé de tonalité de garrigue et de poivre, à la bouche à la fois ample et ramassée, pleine et fraîche, au corps modéré, aux tanins fins et arrondis et aux saveurs qui ont de l'éclat et de la persistance. **Cépages :** sangiovese, cabernet. **Alc./**13,5 % www.capezzana.it

☞ *Servir dans les six années suivant le millésime, à 17 °C*

**Feuilles de vigne farcies_Mc² (riz sauvage soufflé, bacon de sanglier, sirop de riz brun/café) (**), hamburgers aux tomates séchées et cheddar extra-fort, fettucine all'amatriciana « à ma façon » (*) ou osso buco.

## Poggio alla Badiola 2008

TOSCANA, MAZZEI IN FONTERUTOLI, ITALIE

| 16,95 $ | SAQ C (897553) ★★☆?☆ $$ | Modéré+ |
|---|---|---|

Ce nouveau Badiola se montre, comme à son habitude depuis de nombreux millésimes, toujours aussi convaincant pour son prix. Il faut dire que millésime après millésime, Mazzei présente une série de rouges des plus irrésistibles, chacun dans sa gamme à prix variés. Il suffit de se laisser prendre au jeu par ce Badiola, qui ne badine pas (!), au nez enchanteur, d'une certaine richesse pour son rang, et à la bouche quasi juteuse, ronde et gourmande, tout en possédant un beau grain de tanins et des saveurs persistantes de framboise, de prune et de poivre. Mériterait de figurer dans le « Top 100 CHARTIER » anniversaire tant la troisième étoile y était presque. **Cépage :** sangiovese. **Alc./**12,5 % www.fonterutoli.it

☞ *Servir dans les cinq années suivant le millésime, à 17 °C*

Pizza aux olives noires, hamburgers d'agneau aux poivrons rouges confits et au curcuma, sauté de bœuf au gingembre, daube d'agneau au vin et à l'orange, thon rouge frotté aux baies de genièvre et pommade d'olives noires ou sauté de veau aux tomates séchées servi sur des nouilles aux œufs.

## Santa Cristina « Chianti Superiore » 2008

CHIANTI « SUPERIORE », MARCHESI ANTINORI, ITALIE *(DISP. OCT./NOV. 2010)*

| 16,95 $ | SAQ C (11315411) | ★★★ $$ | Modéré+ |
|---|---|---|---|

■ NOUVEAUTÉ! Le grand frère du Santa Cristina (aussi commenté) vient ajouter de la profondeur au répertoire général italien de la SAQ. Dégusté en primeur, en août 2010, d'un échantillon reçu du domaine, il se montrait enchanteur, passablement riche, pour son rang, engageant et extraverti. Les tanins ont le grain juste pour lui procurer une certaine fermeté bienvenue, et le fruité déborde juste assez pour vous chatouiller les papilles pendant de longues secondes. Plaisir garanti. **Cépages :** 95 % sangiovese, 5 % merlot. **Alc./**13 % www.antinori.it

☛ *Servir dans les cinq années suivant le millésime, à 17 °C*

Lapin à la toscane (*), osso buco, carré de porc aux tomates séchées ou fettucine all'amatriciana « à ma façon » (*).

## Vale da Raposa Reserva 2007

DOURO, QUINTA DO VALE DA RAPOSA, DOMINGOS ALVES DE SOUSA, PORTUGAL

| 17,05 $ | SAQ S* (11073758) | ★★★ $$ | Modéré+ |
|---|---|---|---|

Comme tous les vins signés Alves de Sousa, cette cuvée réserve est à nouveau l'un des *best buy* du Portugal chez les crus offerts sous la barre des vingt-cinq dollars. Un excellent vin du Douro, provenant de vieilles vignes de plus de trente-cinq ans, cultivées sur des coteaux schisteux passablement pentus. Aromatique à souhait, avec des tonalités florales et fruitées, ainsi que boisées, sans excès. À la fois juteux et frais, ample et coulant, plein et raffiné. Que demander de plus? Violette, cerise noire, café et chêne neuf ajoutent au plaisir immédiat. **Cépages :** 30 % tinta roriz, 15 % tinto cão, 15 % touriga nacional, 40 % cépages autochtones. **Alc./**14,5 % www.alvesdesousa.com

☛ *Servir dans les six années suivant le millésime, à 17 °C*

Brochettes de poulet teriyaki, pâtes aux champignons portabellos sautés et fond de veau ou **pétoncles poêlés, couscous de noix du Brésil à l'orange sanguine, lait de coco au gingembre (\*\*)**.

## Brentino Maculan 2008

BREGANZE ROSSO, FAUSTO MACULAN, ITALIE *(DISP. AUTOMNE 2010)*

| 17,10 $ | SAQ S (10705021) | ★★★ $$ | Modéré+ |
|---|---|---|---|

Tout comme dans le millésime 2007 (aussi commenté), difficile de croire que ce rouge est offert en dessous de vingt dollars! Un 2008 tout aussi gorgé de fruits, mais en mode plus élégant et raffiné, et plus frais que le 2007, aux tanins extrafins, au corps longiligne et aux saveurs rappelant la fraise, la pivoine et le poivron. Aucun boisé à l'horizon. **Cépages :** 55 % merlot, 45 % cabernet sauvignon. **Alc./**13,5 % www.maculan.net

☛ *Servir dans les cinq années suivant le millésime, à 18 °C et oxygéné en carafe 5 minutes*

Côtelettes de porc aux poivrons rouges confits épicés, filet de saumon grillé sauce au vin rouge (voir Filet de saumon au pinot noir) (*), *wraps* au bifteck et aux champignons ou veau marengo (de longue cuisson).

## Les Garrigues
## « Terroir de la Méjanelle » 2007
✓ TOP 100 CHARTIER

COTEAUX-DU-LANGUEDOC, DOMAINE CLAVEL, FRANCE

| 17,15 $ | SAQ S* (874941) | ★★★?☆ $$ | Corsé | BIO |
|---|---|---|---|---|

Un autre cru européen qui profite de la faiblesse de l'euro sur le dollar canadien, voyant ainsi son prix tomber de plus de deux dollars depuis l'automne 2009. Poivre, olive noire et violette se donnent toujours la réplique dans ce rouge d'une bonne profondeur aromatique, au corps toujours aussi plein, mais superbement stylisé, aux tanins extrafins, à l'acidité discrète et aux saveurs très longues, laissant échapper une tonalité de cuir. Vient compléter une série de trois millésimes réussis coup sur coup (voir commentaires des 2006 et 2005 dans *La Sélection 2009* et *2008*), confirmant son statut de référence languedocienne chez les crus offerts sous la barre des vingt-cinq dollars. Un beau « Top 100 Chartier »! **Cépages :** 52 % syrah, 26 % mourvèdre, 22 % grenache. **Alc./**14 % www.vins-clavel.fr

☛ *Servir dans les huit années suivant le millésime, à 17 °C et oxygéné fortement en carafe 15 minutes*

Tajine d'agneau au safran ou filet de bœuf enveloppé d'algues nori et accompagné d'un braisé de carottes au jus de bœuf.

## Penta Pago del Vicario 2005

VINO DE LA TIERRA DE CASTILLA, PAGO DEL VICARIO, ESPAGNE

| 17,20 $ | SAQ S (11155500) | ★★★ $$ | Corsé |
|---|---|---|---|

Retour d'un nouvel arrivage, du même millésime, de cette belle nouveauté soulignée dans l'édition 2010 de ce guide. Un juteux et sauvage rouge espagnol, marqué par les arômes de la garrigue (thym et romarin séchés), à la bouche pleine et presque joufflue, aux tanins présents, sans excès, au corps généreux et aux saveurs longues. Fraise, poivre et cassis s'ajoutent en fin de bouche. **Une nouveauté de caractère, à se mettre sous la dent avec des plats rehaussés par les aliments complémentaires au romarin et au poivre, comme le sont, entre autres, le thym, le clou de girofle, la vanille, la fraise, l'olive noire, l'ajowan, le laurier, la cardamome, le safran, les algues nori et le genièvre. Cépage :** tempranillo. **Alc./**14,5 % www.pagodelvicario.com

☛ *Servir dans les huit années suivant le millésime, à 17 °C et oxygéné fortement en carafe 15 minutes*

Tajine d'agneau au safran, brochettes d'agneau à l'ajowan, rognons de veau aux baies de genévrier ou thon rouge frotté aux baies de genièvre et pommade d'olives noires (avec poudre d'algues nori torréfiées et graisse de jambon fondue au safran).

## Expression 2007
✓ TOP 100 CHARTIER

CHINON, A. & P. LORIEUX, FRANCE *(RETOUR NOV. 2010)*

| 17,40 $ | SAQ S (873257) | ★★★ $$ | Modéré+ |
|---|---|---|---|

Coup de cœur à quelques reprises dans les éditions de *La Sélection*, les frangins Lorieux récidivent avec ce nouveau millésime au charme immédiat et à la fraîcheur digeste au possible. Il en résulte un 2007 plus raffiné que jamais, exhalant des tonalités de violette, de champignon de Paris et de craie, à la bouche d'une texture soyeuse, mais avec un grain de tanins fins et engageants, au corps longiligne, mais aux saveurs expressives et longues, laissant des traces de framboise et de violette. Un second arrivage de ce délectable et expressif cabernet franc loirien est attendu en novembre 2010. **Cépage :** cabernet franc. **Alc./**12,5 % **www.lorieux.fr**

☛ *Servir dans les sept années suivant le millésime, à 16 °C*

Brochettes de poulet et de poivrons rouges accompagnées d'asperges vertes rôties au four à l'huile d'olive, **figues confites au thé Pu-Erh, chantilly de fromage Saint Nectaire (\*\*)** ou pétoncles poêlés enrubannés d'algues nori et réduction de jus de veau et framboises.

## Montecillo Crianza 2007
RIOJA, MONTECILLO, ESPAGNE

| 17,45 $ | SAQ C (144493) | ★★☆?☆ $$ | Modéré+ |
|---|---|---|---|

Un crianza toujours aussi richement aromatique, pour son rang, aux effluves de café, de prune, de girofle et de vanille, à la bouche pleine et enveloppante, aux tanins mûrs, presque gras, mais avec un grain viril de jeunesse. Un rioja certes classique, mais avec une patine et une texture modernes, à l'image du précédent millésime. **Cépage :** tempranillo. **Alc./**13,5 % **www.bodegasmontecillo.com**

☛ *Servir dans les six années suivant le millésime, à 17 °C et oxygéné rapidement en carafe 5 minutes*

Salade de betteraves rouges parfumées au quatre-épices (poivre, muscade, gingembre en poudre et clou de girofle), chili de Cincinnati ou steak de saumon au café noir et au cinq-épices chinois (\*).

## Syrah Baglio di Pianetto 2007 ✓ TOP 100 CHARTIER
SICILIA, BAGLIO DI PIANETTO, ITALIE

| 17,45 $ | SAQ S (10960734) | ★★★?☆ $$ | Corsé |
|---|---|---|---|

Cette syrah, d'un domaine de référence, se montre expressive au possible et d'une fraîcheur rarissime sous le climat caniculaire de la Sicile. Quel nez! Du fruit à profusion (grenadine, cerise au marasquin et fraise), de la fraîcheur, non dénuée de générosité solaire, de l'ampleur, des tanins fins mais bien présents, et du plaisir à boire. Il faut savoir que cette véritable aubaine sicilienne est élaborée avec les conseils de Fausta Maculan, célèbre viticulteur de Vénétie. **Cépage :** syrah. **Alc./**14 % **www.bagliodipianetto.com**

☛ *Servir dans les six années suivant le millésime, à 17 °C*

**Bœuf grillé et réduction de Soyable_Mc$^2$ (\*\*)**, fromage parmigiano reggiano et **gelée_Mc$^2$ (au café) (\*\*)** ou **bœuf de la Ferme Eumatimi frotté à la cannelle avant cuisson, compote d'oignons brunis au four et parfumée à la pâte d'anchois salés (\*\*).**

## Bouscassé 2007
MADIRAN, ALAIN BRUMONT, FRANCE *(DISP. FIN 2010)*

| 17,55 $ | SAQ C (856575) | ★★★ $$ | Modéré+ |
|---|---|---|---|

Ce nouveau millésime, qui prendra la relève du 2006, se montre dans le même registre que ce dernier. C'est-à-dire débordant de fruits, texturé et enveloppant comme jamais pour ce cru. Le style s'est beaucoup détendu au fil des derniers millésimes à Bouscassé, et c'est nous qui en profitons, spécialement ceux qui ne recherchent pas nécessairement des vins à attendre quelques années. La matière est belle, les tanins polis avec doigté, l'acidité discrète mais juste, la texture presque veloutée, sans trop, et les saveurs pures et définies. Bravo. **Cépages :** 50 % tannat, 26 % cabernet sauvignon, 24 % cabernet franc. **Alc./**13,5 % **www.brumont.fr**

☛ *Servir dans les sept années suivant le millésime, à 17 °C et oxygéné en carafe 30 minutes*

Longe de porc fumée sauce au boudin noir et au vin rouge.

## Les Sorcières du Clos des Fées 2008

✓ TOP 100 CHARTIER

CÔTES-DU-ROUSSILLON, HERVÉ BIZEUL & ASSOCIÉS, FRANCE

| 17,60 $ | SAQ **S** (11016016) ★★★ $$ | Modéré+ |
|---|---|---|

Cette cuvée de base d'Hervé Bizeul, ex-sommelier devenu l'une des figures de proue de cette appellation, se montre dans ce millésime pratiquement comme une copie conforme de la version 2007 (aussi commentée). Vous y retrouverez un rouge d'un charme immédiat, au fruité éclatant et très frais, aux tanins fins, à l'acidité fraîche, juste dosée, et aux saveurs longues. Du plaisir à boire jusqu'à plus soif, mais de façon intelligible. **Cépages :** 35 % grenache, 35 % carignan (vieilles vignes de 40 à 80 ans), 30 % syrah (jeunes vignes). **Alc./**14 % **www.closdesfees.com**

☛ *Servir dans les six années suivant le millésime, à 16 °C et oxygéné fortement en carafe 15 minutes*

Tartinades d'olives noires, bœuf braisé au jus de carotte, carré de porc aux tomates confites et aux herbes de Provence ou lasagne aux saucisses italiennes épicées.

## Ramione « Merlot-Nero d'Avola » 2005

SICILIA, BAGLIO DI PIANETTO, ITALIE

| 17,75 $ | SAQ **S*** (10675693) ★★★?☆ $$ | Corsé+ |
|---|---|---|

Coup de cœur de la précédente *Sélection*, ce cru était à nouveau disponible en juillet 2010. Avec son superbe nez, passablement riche, de violette, de framboise et de gomme à mâcher à la saveur de bleuet, ce 2005, tout aussi profond, racé, dense et plein que ne l'étaient les 2004 et 2003 (commentés dans *La Sélection 2009*), se positionne plus que jamais comme un incontournable chez les crus siciliens. Il faut savoir que cette bombe sicilienne est élaborée avec les conseils de Fausta Maculan, célèbre viticulteur de Vénétie (voir commentaires des vins de ce producteur). Amusez-vous en cuisine avec des plats de viande où la carotte cuite intervient, car cette dernière possède une structure aromatique jumelle de celle de la violette, de la framboise, deux clés aromatiques dénichées dans les saveurs de ce rouge, tout comme des algues nori. **Cépages :** 50 % nero d'avola, 50 % merlot. **Alc./**15 % **www.bagliodipianetto.com**

☛ *Servir dans les huit années suivant le millésime, à 17 °C et oxygéné fortement en carafe 5 minutes*

Filet de bœuf enveloppé d'algues nori et accompagné d'un braisé de carottes au jus de bœuf, bœuf braisé au jus de carotte ou osso buco accompagné de carottes rouges (cuites en fin de cuisson à même l'osso buco).

## Caparzo Rosso di Montalcino 2008

ROSSO DI MONTALCINO, TENUTA CAPARZO, ITALIE

| 17,85 $ | SAQ **S** (713354) | ★★★ $$ | Modéré+ |

Avec une baisse de plus de quatre dollars sur le prix demandé l'année dernière, due à la débâcle de l'euro, ce cru de Caparzo devient une véritable affaire dans ce nouveau millésime, que j'ai dégusté en primeur en juillet 2010, et qui était attendu aux portes de l'automne. Un sangiovese engageant au nez, au boisé dosé et aux saveurs pures et expressives, à la bouche tout aussi invitante, élancée, droite, ramassée et longiligne, comme à son habitude, mais avec une largeur plus marquée et des saveurs longues, rappelant le café, les fruits rouges et les épices douces. Donc un *rosso* on ne peut plus classique des vins de Montalcino, et ce, à un prix plus doux que jamais. **Cépage :** sangiovese. **Alc./**13 % **www.caparzo.com**

☞ *Servir dans les huit années suivant le millésime, à 17 °C et oxygéné en carafe 15 minutes*

Lapin à la toscane (*), carré de porc aux tomates séchées ou fettucine all'amatriciana « à ma façon » (*).

## Les Mauguerets-La Contrie 2007   ✓ TOP 100 CHARTIER

SAINT-NICOLAS-DE-BOURGUEIL, PASCAL & ALAIN LORIEUX, FRANCE *(DISP. OCT. 2010)*

| 17,90 $ | SAQ **S** (872580) | ★★★ $$ | Modéré+ |

Plus que jamais, cette cuvée, soulignée dans plusieurs millésimes au fil des quinze ans de *La Sélection Chartier*, se montre engageante au possible et abordable comme on les aime – le prix a été abaissé de trois dollars depuis l'automne 2009. Un rouge raffiné et stylisé, sans esbroufe, aux parfums subtils, mais avec panache, s'exprimant par des tonalités de framboise, de violette et de poivron, avec une pointe de champignon de Paris, aux tanins très fins et soyeux, qui ont du grain et une certaine prise juvénile, mais en douceur et volupté, à l'acidité juste dosée, au corps toujours aussi plein pour le style, mais presque vaporeux, tout en demeurant digeste, et aux saveurs d'une grande allonge. Façonné et élevé en cuve inox, donc pointe de bois à l'horizon. Au moment de mettre sous presse, 200 caisses étaient attendues en octobre 2010. **Cépage :** cabernet franc. **Alc./**12,3 % **www.vinslorieux.com**

☞ *Servir dans les huit années suivant le millésime, à 17 °C*

Pétoncles poêlés enrubannés d'algues nori et réduction de jus de veau et framboises, poitrines de poulet farcies au chèvre et aux poivrons rouges, saumon grillé au beurre de pesto de tomates séchées ou pâtes d'algues nori mouillées farcies à la purée de framboises fraîches.

## Sedàra 2008

SICILIA, TENUTA DONNAFUGATA, ITALIE

| 17,90 $ | SAQ **S*** (10276457) | ★★☆?☆ $$ | Modéré+ |

Tout comme l'avait été le 2006 et le 2007 (commentés dans *La Sélection 2009* et *2010*), ce nouveau millésime se montre plus complexe et plus nourri que dans les précédentes vendanges, tout en conservant son charme et son velouté qui ont fait son succès jusqu'ici. Les tanins ont du grain, tout en étant mûrs et presque enveloppés, les saveurs d'une belle maturité, sans trop, laissent deviner des notes de fruits noirs, d'épices douces et de cacao, avec une pointe d'olive, l'acidité est juste, et l'ensemble harmonieux et expressif. Un coup de cœur s'imposait presque. Il faut savoir que tous les crus de cette excellente maison sicilienne, qu'ils soient blancs secs, rouges ou liquoreux, sont devenus, au fil des quinze ans de *La Sélection Chartier*, des références chez les vins de Sicile. Je l'aurais bien placé dans le « TOP 100 CHARTIER » anniversaire, mais il aurait fallu en faire un « TOP 101 »! **Cépage :** nero d'avola. **Alc./**13,5 % www.donnafugata.it

☛ *Servir dans les cinq années suivant le millésime, à 17 °C*

Gigot d'agneau à l'ail et au romarin, filets de bœuf au café noir (\*), osso buco ou cassoulet et cuisses de canard confites.

## Corona de Aragón Reserva 2002
CARIÑENA, GRANDES VINOS Y VIÑEDOS, ESPAGNE

| 18,05 $ | SAQ S\* (10462778) ★★★ $$ | Corsé |
|---|---|---|

Retour à la SAQ, au début de l'été 2010, de ce cru 2002 déjà signalé en primeur dans l'édition 2008 de ce guide. *La Sélection 2007* est aussi commentée dans cette édition 2008. Depuis juillet 2007, lors de ma première dégustation de ce vin, il est étonnamment demeuré tout aussi coloré, richement aromatique, au fruité presque pulpeux, au boisé présent mais modéré, aux courbes par contre moins larges, aux tanins plus serrés, lui procurant un profil plus carré, sans trop. Un bon gros coup de carafe de 90 minutes lui délie les jambes et lui permet de se montrer sous un jour plus gourmand. Ce qui le place à la hauteur de sa réputation de vedette espagnole. **Cépages :** 40 % garnacha, 30 % tempranillo, 20 % carignan, 10 % cabernet sauvignon. **Alc./**13 % www.grandesvinos.com

☛ *Servir dans les dix années suivant le millésime, à 17 °C et oxygéné en carafe 90 minutes*

Pizza aux olives noires et aux tomates séchées, filet de porc grillé et pommade d'olives noires (olives noires dénoyautées et huile d'olive passées au robot) ou rosbif de côtes farci au chorizo et au fromage, *T-bone* grillé (aux épices à steak) ou ragoût de bœuf épicé à l'indienne.

## Monte Ducay Gran Reserva 2002
CARIÑENA, BODEGAS SAN VALERO, ESPAGNE

| 18,10 $ | SAQ S\* (10472888) ★★★?☆ $$ | Corsé |
|---|---|---|

Si vous appréciez les crus hispaniques au boisé torréfié et au corps gourmand, vous serez conquis par ce nouveau millésime. Il abonde dans le sens du précédent 2000, qui, lui, était plus ramassé et plus compact que ne l'était le1998. Donc, à nouveau un Gran Reserva gorgé de fruit, torréfié et épicé à souhait, aux tanins présents mais enveloppés d'une gangue veloutée, au corps ample et charnu, à l'acidité juste dosée, sans trop, et aux saveurs longues et expressives. Je vous rappelle que ce cru provient des mêmes *bodegas* qui élaborent les réputés et plus qu'abordables rouges Castillo de Monseran. **Cépages :** tempranillo, cabernet sauvignon, garnacha. **Alc./**13 % www.sanvalero.com

☛ *Servir dans les treize années suivant le millésime, à 17 °C et oxygéné en carafe 15 minutes*

Steak de saumon au café noir et aux cinq-épices chinois (\*), **asperges vertes rôties, enrobées de chocolat noir (infusé au thé fumé Zheng Shan Xiao Zhong, fleur de sel au café) (\*\*)** ou **magret de canard rôti, graines de sésame et cinq-épices, navets confits au clou de girofle (\*\*)**.

## Notarpanaro 2004

SALENTO, AZIENDA AGRICOLA COSIMO TAURINO, ITALIE

| **18,20 $** | SAQ S* (709451) | ★★★?☆ $$ | Corsé+ |
|---|---|---|---|

Contrairement au très essaimé merlot, certains anciens cépages autochtones sont demeurés très attachés à leur terroir d'origine, comme c'est le cas du negroamaro qui domine l'assemblage de ce singulier Notarpanaro, complété par 15 % de malvasia nero, autre historique cépage. Vous y dénicherez un vin rouge au profil on ne peut plus « ancestral », à mille lieues des vins technologiques et aseptisés qui peuplent souvent le paysage vinicole contemporain. Un vin de bouche, à la texture plus ramassée et compacte que ne l'était celle du précédent 2003, mais demeurant tout aussi expressive, jouant dans la sphère aromatique de la prune, de la réglisse, du goudron, du girofle et du poivre. Du coffre et de l'étoffe, pour un abordable cru qui gagnera en velouté d'ici 2011, ce qui en fait pratiquement un coup de cœur... **Cépages :** 85 % negroamaro, 15 % malvasia nera. **Alc./**14,5 % **www.taurinovini.it**

☛ *Servir dans les dix années suivant le millésime, à 17 °C oxygéné en carafe 30 minutes*

Risotto aux tomates séchées et aux olives noires, braisé de bœuf au vin et à l'orange (avec un très léger soupçon de balsamique, ajouté uniquement pour son parfum) ou fettucine all'amatriciana « à ma façon » (*).

## Château de Roquefort « Les Mûres » 2006

✓ TOP 100 CHARTIER

CÔTES-DE-PROVENCE, RAYMOND DE VILLENEUVE, FRANCE

| **18,90 $** | SAQ S (868687) | ★★★☆ $$ | Modéré+ | BIO |
|---|---|---|---|---|

Une ixième réussite pour ce domaine de pointe, qui élabore depuis plusieurs millésimes l'un des meilleurs rapports qualité-prix tous vins français confondus. D'un nez très aromatique, charmant et agréable, s'étant grandement ouvert depuis l'automne 2009, aux tonalités complexes de framboise, de mûre, de violette, d'olive noire et de poivre blanc. D'une bouche aux tanins fins, tissés serrés, plus détendus qu'il y a quelques mois, à l'acidité fraîche, à la texture ample et aux saveurs longues et subtilement poivrées. Vin élégant et savoureux, tout en fraîcheur, d'un équilibre plus qu'heureux et d'une vibrante présence de bouche. **Servez-le à table avec les aliments complémentaires à la violette et à la mûre (qui partagent tous deux le même composé volatil dominant), comme la carotte cuite, la framboise et les algues nori, ainsi qu'avec les ingrédients de même famille moléculaire que l'olive noire et le poivre, comme le sont le basilic, le thym, le genièvre, le safran, le thé noir, le café et le gingembre.** **Cépages :** grenache, carignan, syrah, cabernet et cinsault. **Alc./**13 %

☛ *Servir dans les dix années suivant le millésime, à 17 °C et oxygéné en carafe 15 minutes*

Sauté de bœuf au gingembre, sandwich au rôti de bœuf parfumé au thym frais, bœuf braisé au jus de carotte, filets de bœuf surmontés de raviolis de pâtes d'algues nori farcies à la purée de framboise ou steak de thon rouge grillé et frotté au concassé de baies de genièvre.

## Il Ducale 2006

TOSCANA, RUFFINO, ITALIE

| 18,90 $ | SAQ S (11133204) ★★★ $$ | Modéré+ |

Une nouvelle cuvée, sous le sceau Ducale, qui s'est ajoutée l'automne dernier à cette gamme très représentée au Québec et signée par l'ancestrale maison Ruffino. Il en résulte un assemblage coloré, aromatique, passablement riche, exhalant des arômes de fruits noirs et de torréfaction, à la bouche presque pleine, joufflue et pulpeuse, mais non dénuée de fraîcheur et de grain. Des saveurs longues et expressives viennent complexifier l'ensemble, laissant des traces de cuir neuf, de café et de prune. Un bel ajout. **Cépages :** 60 % sangiovese, 20 % syrah, 20 % merlot. **Alc./**13,5 % www.ruffino.com

☛ *Servir dans les six années suivant le millésime, à 17 °C et oxygéné en carafe 5 minutes*

Rôti de bœuf déglacé au café noir, filet de bœuf et champignons portabellos ou fettucine all'amatriciana « à ma façon » (*).

## La Montesa 2007

✓ TOP 100 CHARTIER

RIOJA, BODEGAS PALACIOS REMONDO, ESPAGNE

| 19,05 $ | SAQ S* (10556993) ★★★☆?☆ $$ | Corsé |

Très, très grand millésime que 2007 en Rioja, qui est l'un des plus réussis depuis longtemps, ayant donné de petits raisins concentrés, mais avec de la fraîcheur due au climat harmonieux de l'été. Quant à cette cuvée, quel nez! Racé, profond, pur, intense, épicé/eucalyptus. Un vin coloré et violacé, d'une grande palette aromatique, après un long séjour en carafe, jouant aussi dans la sphère du poivre long, du thym et de la garrigue, mais avec retenue et élégance. La matière est à la fois ramassée et crémeuse, dense et fraîche. Déjà très grand. Il restait cinq mois de barriques à effectuer lors du premier échantillon que j'ai dégusté, à Barcelone, à la fin décembre 2008, et déjà le vin était complet et pratiquement identique au premier arrivage débarqué en juin 2010. Ayant en plus été coup de cœur de ce guide dans quelques millésimes, il mérite donc amplement sa place parmi le haut du « Top 100 » anniversaire. **Cépages :** 45 % grenache, 40 % tempranillo, 15 % graciano et mazuelo. **Alc./**14 %

☛ *Servir dans les dix années suivant le millésime, à 17 °C et oxygéné en carafe 30 minutes*

Thon rouge mi-cuit au poivre et risotto au jus de betterave parfumé aux clous de girofle, **balloune de mozarella_Mc$^2$ (à l'air de clou de girofle, éclats de viande de grison et piment d'Espelette) (\*\*)** ou flanc de porc « façon bacon » fumé au bois de pommier, mélasse, sauce soya, rhum et clou de girofle (\*\*).

## Mas des Chimères 2008

COTEAUX-DU-LANGUEDOC, G. DARDÉ, FRANCE *(DISP. NOV. 2010)*

| 19,10 $ | SAQ S (863159) ★★★?☆ $$ | Corsé |

Ce paysan vigneron réussit, bon an mal an, à laisser le terroir s'exprimer au mieux. Il faut dire que son domaine est situé sur la commune d'Octon, en bordure du lac du Sagalou, où les terroirs sont d'origine basaltique, du moins pour les cépages servant à l'élaboration de cette belle et complexe cuvée. Il en résulte un nouveau millésime au nez toujours aussi subtilement détaillé, où s'entremêlent des effluves d'olive noire, de poivre et de fruits noirs, sans aucun boisé à l'horizon, à la bouche à la fois riche et tannique, mais aussi presque enveloppante et généreuse, non sans fraîcheur et sans persistance. Du sérieux, qui gagnera en définition et en texture avec le temps, demeurant actuellement un brin ramassé. **Cépages :** 45 % syrah, 37 % grenache, 9 % carignan, 9 % mourvèdre. **Alc./**14,5 % **http ://masdeschimeres.com**

☛ *Servir dans les dix années suivant le millésime, à 17 °C et oxygéné en carafe 30 minutes*

Sushis pour amateurs de vin rouge (à la pommade d'olives noires, poivre et riz sauvage soufflé au café) (voir chapitre *Recettes*), pâtes aux olives noires (\*) ou carré d'agneau rôti à la pommade d'olives noires (olives noires dénoyautées et huile d'olive passées au robot).

## Perrin Nature 2009
CÔTES-DU-RHÔNE, PERRIN & FILS, FRANCE

| **19,10 $** | SAQ S\* (918821) | ★★☆?☆ $$ | Modéré+ | BIO |
|---|---|---|---|---|

Un nouveau millésime une fois de plus réussi par cette famille qui se passe de présentation au Québec tant ses vins sont des références dans chacune des catégories. Vous y dénicherez un rouge aromatique, fin et détaillé, aux parfums jouant dans l'univers du poivre et de la mûre, à la bouche à la fois engageante et presque pleine, mais aussi très fraîche et digeste, aux tanins serrés, sans être fermes, au corps modéré et aux saveurs longues. **Cépages :** grenache noir, syrah. **Alc./**14 % **www.perrin-et-fils.com**

☛ *Servir dans les six années suivant le millésime, à 16 °C et oxygéné en carafe 15 minutes*

Bœuf braisé au jus de carotte ou steak de thon rouge enveloppé d'algues nori et accompagné d'une purée de framboises chaude.

## Pittacum 2006       ✓ TOP 100 CHARTIER
BIERZO, BODEGAS PITTACUM, ESPAGNE *(RETOUR OCT./NOV. 2010)*

| **19,25 $** | SAQ S (10860881) | ★★★?☆ $$ | Corsé+ |
|---|---|---|---|

Deuxième millésime à nous parvenir de ce cru du Bierzo. Il en résulte un mencia, né de vignes de 50 à 80 ans d'âge, au nez toujours aussi généreux et mûr pour l'appellation, plus ouvert et percutant que ne l'était le 2005, exhalant des notes de girofle et de fruits noirs, avec une aura boisée, presque dans l'esprit et le profil Nouveau Monde, mais avec une retenue bien européenne. La bouche suit avec le même profil solaire, se montrant pleine et tonique, ramassée et compacte, dense comme jamais. Le boisé est juste dosé, même si présent, et les saveurs expressives et volumineuses à souhait. On est loin du profil habituellement plus poli et plus élégant des meilleurs crus de Bierzo, mais c'est une très belle pointure, plutôt riche et profonde pour son prix. Un excellent achat à moins de vingt dollars. **Cépage :** mencia. **Alc./**14,5 % **www.pittacum.com**

☛ *Servir dans les sept années suivant le millésime, à 17 °C et oxygéné en carafe 15 minutes*

**Feuilles de vigne farcies_Mc² (riz sauvage soufflé, bacon de sanglier, sirop de riz brun/café) (\*\*)** ou **bœuf grillé et réduction de Soyable_Mc² (\*\*)** et **purée_Mc² pour amateur de vin au céleri-rave et clou de girofle (\*\*).**

## Domaine d'Aupilhac 2007    ✓ TOP 100 CHARTIER

COTEAUX-DU-LANGUEDOC MONTPEYROUX, DOMAINE SYLVAIN FADAT, FRANCE

| **19,30 $** | SAQ S* (856070) | ★★★☆ $$ | | Corsé | BIO |

Avoir le bonheur de pouvoir acquérir un tel cru, tout au long de l'année, étant disponible chez les produits de spécialité en achat continu, c'est vraiment un phénomène que seul un marché comme celui de la SAQ peut offrir. À nous d'en profiter! Cette cuvée de Sylvain Fadat demeure depuis une dizaine d'années dans le peloton de tête des meilleurs rouges languedociens offerts au Québec sous la barre des trente dollars. Elle se montre, aux premiers abords, certes retenue au nez, mais, après un bon gros coup de carafe, vous dénicherez un vin à la fois ramassé et d'une certaine tendreté, plein et très frais, expressif, mais sans trop. Olive noire, cacao et fruits noirs donnent le ton à cet ensemble quasi longiligne, qui gagne en largeur au cours de son évolution en bouteille. **Cépages :** 30 % mourvèdre, 28 % carignan, 25 % syrah, 12 % grenache et 5 % cinsault. **Alc./**13,5 % www.aupilhac.com

☛ *Servir dans les dix années suivant le millésime, à 17 °C et oxygéné en carafe 30 minutes*

Brochettes d'agneau au café noir (voir Filets de bœuf au café noir) (*) ou filets de bœuf surmontés de raviolis de pâtes d'algues nori farcies à la purée de framboise.

## Shymer 2007

SICILIA, BAGLIO DI PIANETTO, ITALIE

| **19,35 $** | SAQ S (10859804) | ★★★ $$ | | Corsé |

Après un texturé et vanillé 2004, et un 2006 torréfié et généreux à souhait, Baglio di Pianetto revient avec un Shymer 2007 des plus engageants, sur la même ligne aromatique que le 2006, et dans la même veine de texture pleine, pulpeuse et enveloppante, malgré les tanins imposants, mais mûrs. Les conseils prodigués par Fausto Maculan, célèbre vigneron de Vénétie, apportent beaucoup à cette propriété qui semble avoir plus que jamais le vent dans les voiles. **Cépages :** syrah, merlot. **Alc./**14 % www.bagliodipianetto.com

☛ *Servir dans les sept années suivant le millésime, à 17 °C*

Brochettes de bœuf à la pommade de menthe fraîche, poivre concassé et vinaigre balsamique, bœuf braisé au jus de carotte ou côtelettes d'agneau grillées sauce teriyaki à l'orange.

## Château Lamartine    ✓ TOP 100 CHARTIER
## Cuvée Particulière 2007

CAHORS, GAYRAUD ET FILS, FRANCE

| **19,65 $** | SAQ S* (862904) | ★★★?☆ $$ | | Corsé+ |

Coup de cœur de plusieurs éditions de *La Sélection*, ce cahors mérite plus que jamais d'être classé parmi la liste du « TOP 100 CHARTIER », tant la qualité est au rendez-vous millésime après millésime. D'autant plus qu'il est assurément l'une des plus engageantes références chez les cahors modernes. Il se montre richement coloré, intensément aromatique, au fruité mûr, sans trop, et d'une bonne concentration pour son rang, exhalant des tonalités de fruits noirs, de violette, d'épices douces et de chêne neuf, à la bouche qui étonne pour sa densité de matière, aux tanins qui ont de la prise, mais avec une certaine gangue veloutée et un corps presque détendu, aux saveurs qui ont de la longueur et de la précision, sans être dominées par le boisé. Déjà agréable, pour ceux qui apprécient les vins qui ont de la mâche, et gagnera en épaisseur veloutée à compter de 2013. **Cépages :** 90 % auxerrois (malbec), 10 % tannat. **Alc./**13 % www.cahorslamartine.com

☛ *Servir dans les dix années suivant le millésime, à 17 °C et oxygéné en carafe 30 minutes*

Bœuf braisé à la Stroganov, carré d'agneau et jus au café expresso (*) ou magret de canard grillé parfumé de baies roses.

## Primitivo Torcicoda 2008       ✓ TOP 100 CHARTIER

SALENTO, TORMARESCA, ITALIE *(DISP. SEPT. ET RETOUR NOV. 2010)*

| **19,80 $** | SAQ **S** (10542073) | ★★★ **$$** | Corsé |
|---|---|---|---|

Ce primitivo, toujours aussi richement aromatique et engageant au possible, est tout simplement surprenant pour son prix, comme l'étaient les précédents 2006 et 2007, salués dans ce guide. Une place dans les cent meilleurs franchement méritée. À vous de juger : bouche plus que jamais juteuse et pulpeuse, aux tanins enveloppés, avec un grain légèrement plus fermes que l'an dernier, et une trame plus ramassée et plus fraîche, aux saveurs passablement longues et explosives, jouant dans l'univers aromatique du cassis, de la cannelle et du poivre. **Une petite bombe de plaisirs à servir avec les ingrédients de liaisons harmoniques du poivre, donc de même famille moléculaire, comme le sont l'olive noire, le thym, le basilic, le genièvre, le gingembre, le café, le thé, les champignons, le romarin, la tomate séchée et les plats et aliments riches en saveurs umami (acides aminés).** **Cépage :** primitivo. **Alc./**14 % www.tormaresca.it

☛ *Servir dans les six années suivant le millésime, à 17 °C et oxygéné fortement en carafe 15 minutes*

Pâtes au fond de veau et champignons portabellas, gigot d'agneau aux herbes séchées, **morceau de flanc de porc poché, vinaigrette de boudin à la noix de coco,** *crumble* de **boudin noir (\*\*)** ou **pétoncles rôtis fortement, shiitakes poêlés, copeaux de parmigiano reggiano et écume de bouillon de kombu (\*\*).**

## Atteca Old Vines 2007

CALATAYUD, BODEGAS ATTECA, ESPAGNE

| **19,85 $** | SAQ **S** (10856873) | ★★★?☆ **$$** | Corsé |
|---|---|---|---|

Coup de cœur de *La Sélection* dans ses deux derniers millésimes, ce cru hispanique se montre tout aussi engageant, mais avec une fraîcheur et une finesse plus marquées. L'équilibre en bouche est plus européen que Nouveau Monde, même s'il demeure pulpeux et plein. Bleuet, violette et mûre signent une longue fin de bouche aux tanins polis et mûrs. Une nouveauté remarquée depuis deux millésimes, signée par le puissant Jorge Ordoñez, l'homme qui a mis l'Espagne sur la mappe aux États-Unis, propriétaire, entre autres, des fameux crus de Jumilla des *bodegas* Il Nido de l'Alto Moncayo, de l'appellation Campo de Borja (aussi commenté). Il s'est ici associé à la réputée famille Gil, aussi reconnue pour ses excellents vins de la zone de Jumilla. Il faut dire que ce rouge provient de vieilles vignes de garnacha, plantées à la fin du XIXe siècle, sur des coteaux graveleux et siliceux situés à plus de 915 mètres d'altitude, assurant ainsi une fraîcheur nocturne aux raisins. **Cépage :** garnacha (vieilles vignes). **Alc./**14,5 %

☛ *Servir dans les six années suivant le millésime, à 17 °C et oxygéné en carafe 5 minutes*

Morceau de flanc de porc poché, vinaigrette de boudin à la noix de coco, *crumble* de boudin noir (\*\*) ou pétoncles rôtis fortement, shiitakes poêlés, copeaux de parmigiano reggiano et écume de bouillon de kombu (\*\*).

## Gran Coronas Reserva 2006

PENEDÈS, MIGUEL TORRES, ESPAGNE

| 19,95 $ | SAQ C (036483) | ★★★ $$ | | Corsé |
|---------|----------------|---------|--|-------|

Succès planétaire depuis que Miguel Torres a eu l'intuition de planter du cabernet, à la fin des années soixante, ce nouveau millésime se montre toujours aussi passablement concentré et profond, pour son rang, laissant aller des tonalités de fruits noirs, de réglisse et de café, à la bouche d'une bonne densité, aux tanins ramassés, sans être fermes, au corps plein, sans être multidimensionnel, et aux saveurs plus que persistantes, laissant des traces boisées et torréfiés. Un catalan sérieux, moderne et bordelais d'approche, vinifié avec doigté, comme toujours avec les vins de cette grande maison historique qui sait ne pas s'asseoir sur ses acquis. **Cépages :** 85 % cabernet sauvignon, 15 % tempranillo. **Alc./**13,5 % www.torreswines.com

☛ *Servir dans les dix années suivant le millésime, à 17 °C et oxygéné en carafe 15 minutes*

Filets de bœuf marinés au parfum d'anis étoilé ou filets de bœuf au café noir (\*).

## Les Fiefs d'Aupenac Rouge 2007   ✓ TOP 100 CHARTIER

SAINT-CHINIAN « ROQUEBRUN », CAVE DE ROQUEBRUN, FRANCE

| 19,95 $ | SAQ C (10559166) | ★★★ $$ | | Corsé |
|---------|------------------|---------|--|-------|

Olive noire, poivre, lavande et fruits noirs mûrs explosent littéralement du verre tant la matière est expressive. La bonne nouvelle est que la bouche est certes pleine et riche, mais sans lourdeur ni dureté. Un vin ample et généreux, d'une certaine fraîcheur, aux tanins presque enrobés et gras, aux saveurs longues et précises, sans boisé ou surmaturité inutiles. Équilibre et plaisir à boire à prix doux, pour amateurs de syrah française, et ce, depuis plusieurs millésimes, ce qui lui vaut une place de choix dans la liste des coups de cœur anniversaires. **Cépages :** 60 % syrah, 20 % grenache, 20 % mourvèdre. **Alc./**13,5 % www.cave-roquebrun.fr

☛ *Servir dans les six années suivant le millésime, à 17 °C*

Tranches d'épaule d'agneau grillées sauce au poivre, côtelettes d'agneau marinées au porto et au romarin ou pâtes aux olives noires (\*).

## Les Jamelles GSM Sélection Spéciale 2009

VIN DE PAYS D'OC, LES JAMELLES, FRANCE

| 19,95 $ | SAQ C (11184861) | ★★☆?☆ $$ | | Modéré+ |
|---------|------------------|-----------|--|---------|

Un assemblage grenache, syrah et mourvèdre (GSM) réussi avec brio, fortement coloré, richement aromatique pour son rang, passablement complexe, aux riches effluves de violette, de cassis, de poivre et de thym, à la bouche certes tannique, aux tanins tissés serrés, mais à la texture d'une généreuse ampleur, dont l'acidité discrète laisse place au volume et au gras, regorgeant de saveurs de confiture de fruits noirs et d'épices douces, dont le girofle, ainsi que de torréfaction. Raisin récolté à la main, issu en partie de très vieilles vignes du Roussillon, de vignobles situés près de Perpignan et de Maury, élevé en fûts de chêne pendant neuf mois, avec une macération carbonique partielle pour la syrah. **Cépages :** 60 % grenache, 30 % syrah, 10 % mourvèdre. **Alc./**13,5 % www.les-jamelles.com

☛ *Servir dans les cinq années suivant le millésime, à 17 °C*

Tartinades d'olives noires, brochettes d'agneau au thym, brochettes de bœuf au café noir (voir Filets de bœuf au café noir) (*) ou hamburgers d'agneau à la pommade d'olives noires.

## Capitel San Rocco « Ripasso Superiore » 2008

VALPOLICELLA, AGRICOLA F.LLI TEDESCHI, ITALIE *(DISP. AUTOMNE 2010)*

| 20 $ | SAQ S* (972216) | ★★★ $$ | Modéré+ |
|---|---|---|---|

Ce réputé *ripasso* se montre meilleur que jamais dans ce millésime, s'exprimant haut et fort par de puissants effluves de romarin, de poivre et de confiture de fraises. La bouche suit avec autant d'engagement, marquée par des tanins qui ont du grain, des saveurs juteuses, une acidité fraîche et du plaisir à boire. **Cépages :** 30 % corvina, 30 % corvinone, 30 % rondinella, 10 % molinara, rossignola, oseleta, negrara, dindarella et sangiovese. **Alc./**14 % **www.tedeschiwines.com**

☛ *Servir dans les dix années suivant le millésime, à 17 °C*

Bifteck au poivre et à l'ail, chili de Cincinnati, foie de veau et confit de betteraves et d'oignons rouges au vinaigre balsamique ou pizza sicilienne aux saucisses épicées et aux olives noires.

## Cortes de Cima 2008

VINHO REGIONAL ALENTEJANO, CORTES DE CIMA, PORTUGAL

| 20,15 $ | SAQ S* (10944380) | ★★★?☆ $$ | Corsé |
|---|---|---|---|

Avec une réduction de deux dollars cinquante sur le prix demandé en début d'année 2010, ce nouveau millésime de ce cru portugais devient plus que jamais une référence. Il se montre toujours aussi pulpeux, avec son profil un brin australien, mais aussi très pur et compact, dégageant des notes de fruits noirs, d'épices, de chocolat et de torréfaction. Superbe harmonie d'ensemble, tanins gras, corps plein, fruité précis, d'une grande allonge, au boisé présent, sans dominé, résultant en un cru au style presque rhodanien. Que dire de plus? Du beau jus, comme toujours. **Cépages :** 56 % syrah, 20 % aragonez (tempranillo), 11 % cabernet sauvignon, 8 % petit verdot, 5 % touriga nacional. **Alc./**14 % **www.cortesdecima.pt**

☛ *Servir dans les sept années suivant le millésime, à 17 °C et oxygéné en carafe 15 minutes*

Brochettes de bœuf à la pommade de menthe fraîche, poivre concassé et vinaigre balsamique, **carré de porc glacé aux fraises, poivre du Sichuan, galanga et miel (**) ou côtelettes d'agneau grillées sauce teriyaki à l'orange.

## Vieux Château Champs de Mars 2006     ✓ TOP 100 CHARTIER

CÔTES-DE-CASTILLON, RÉGIS ET SÉBASTIEN MORO, FRANCE

| 20,30 $ | SAQ S* (10264860) | ★★★?☆ $$ | Modéré+ |
|---|---|---|---|

Un 2006 incroyablement pulpeux et expressif au nez. La bouche est tout aussi planante et prenante, texturée et enveloppante, non dénuée de grain et d'élan, aux saveurs intenses de bleuet, de prune, de cerise noire, de café et de violette. Mérite amplement de faire partie de la très sélective liste du « Top 100 Chartier » anniversaire de cette quinzième édition de *La Sélection*, tout comme le vin de l'abordable Château Puy-Landry (aussi commenté), de la même famille. **Cépages :** 80 % merlot, 10 % cabernet sauvignon, 10 % cabernet franc. **Alc./**13 %

☛ *Servir dans les huit années suivant le millésime, à 17 °C et oxygéné en carafe 30 minutes*

Brochettes de bœuf et de foie de veau aux poivrons rouges confits.

## Notre Terre 2007

CÔTES-DU-ROUSSILLON-VILLAGES, DOMAINE DU MAS AMIEL, FRANCE

| **20,45 $** | SAQ **S** (10779804) | ★★★☆ **$$** | Corsé |
|---|---|---|---|

Après un profond, compact et ramassé 2005, commenté dans *La Sélection 2009* et *2010*, ce domaine de pointe récidive avec une réussite encore plus éclatante en 2007. Dégusté en primeur, en juillet 2010, d'un échantillon du domaine, ce rouge se révélait fort coloré, richement aromatique, profond, pur et défini, sans esbroufe, à la bouche à la fois dense, pleine, joufflue, généreuse, gourmande et même fraîche! Tanins ronds et gras. Saveurs complexes et d'une grande allonge, jouant dans la sphère des fruits rouges, du café et de la violette. Le boisé est admirablement intégré au cœur du vin, donc d'une grande discrétion. Résultant à nouveau en l'une des belles références du renouveau du Roussillon. **Pour surprendre vos amis de dégustation, cuisinez un plat à base d'ananas et de chocolat noir, qui sont tous deux dans le même profil aromatique que ce vin – tel que décrit dans le tome I de** *Papilles et Molécules.* **Ils seront sur le c...!** **Cépages :** grenache, carignan, syrah. **Alc./**14,5 % www.masamiel.fr

☛ *Servir dans les dix années suivant le millésime, à 17 °C et oxygéné en carafe 15 minutes*

**Carré de porc glacé aux fraises, poivre du Sichuan, galanga et miel (\*\*), pétoncles rôtis fortement, shiitakes poêlés, copeaux de parmigiano reggiano et écume de bouillon de kombu (\*\*)** ou **ananas caramélisé (cassonade, sauce soya, saké et réglisse noire, copeaux de chocolat noir) (\*\*).**

## Barranc dels Closos 2007

PRIORAT, MAS IGNEUS, ESPAGNE

| **20,95 $** | SAQ **S** (10857999) | ★★★?☆ **$$** | Corsé+ |
|---|---|---|---|

Un accord grenache/carinena qui résonne fort, comme à son habitude : percutant, plein et dense, aux saveurs juteuses et au boisé présent, vous serez à nouveau conquis par ce priorat, offert par surcroît à un prix dérisoire comparativement à la grande majorité des vins de cette appellation. Fruits noirs, café, réglisse et chêne neuf participent au plaisir aromatique. Disons que l'on a affaire à un vin au profil plus australien qu'espagnol, mais il n'en demeure pas moins un excellent rapport qualité-prix pour quiconque aime s'en mettre plein les papilles! N'oubliez pas de faire la paire avec l'excellent blanc (aussi commenté) du même domaine. **Cépages :** 75 % grenache, 25 % cariñena. **Alc./**15 % www.masigneus.com

☛ *Servir dans les huit années suivant le millésime, à 18 °C et oxygéné en carafe 30 minutes*

Braisé de bœuf à l'anis étoilé, gigot d'agneau à l'ail et au romarin ou **thon rouge frotté aux baies de genièvre, olives noires, quelques petits pois, algues nori torréfiées, dés de graisse de jambon fondue, huile de pépins de raisin aux pistils de safran (\*\*).**

## Château Treytins 2006

✓ TOP 100 CHARTIER

LALANDE-DE-POMEROL, VIGNOBLES LÉON NONY, FRANCE

| 20,95 $ | SAQ S* (892406) | ★★★?☆ $$ | Corsé |
|---|---|---|---|

Treytins fait partie des vins qui ont été d'une régularité sans faille au fil des quinze ans de *La Sélection*, et ce nouveau millésime confirme une fois de plus son statut d'aubaine bordelaise. Il se montre à la fois détendu et d'une certaine densité, texturé et très frais, richement relevé d'un fruité juste mûr, ainsi que de tonalités de poivron, de mine de crayon, de violette et de torréfaction. Au prix demandé, cet incontournable lalande-de-pomerol demeure donc plus que jamais l'un des bons achats de la région chez les vins sous la barre des trente dollars. **Cépages :** 49 % cabernet franc, 12 % merlot, 12 % cabernet sauvignon. **Alc./**13 % www.chateautreytins.fr

☛ *Servir dans les dix années suivant le millésime, à 17 °C et oxygéné en carafe 15 minutes*

Filets de bœuf au café noir (*) ou côtes de veau et pâte concentrée de poivrons verts à la menthe (voir chapitre *Recettes*).

## La Gloire de mon Père 2007

CÔTES-DE-BERGERAC, CHÂTEAU TOUR DES GENDRES, FRANCE

| 21 $ | SAQ S (10268887) | ★★★?☆ $$ | Corsé |
|---|---|---|---|

Un autre millésime réussi avec brio. Comme toujours, pour cette cuvée, tout exprime le merlot, même s'il est assemblé aux deux cabernets et au malbec. Nez riche et profond, élégant et frais, tout en démontrant un fruité mûr à point. Bouche dense et texturée, aux tanins enveloppés mais qui ont du grain, aux saveurs qui ont de l'éclat, laissant des traces de fruits noirs, de violette, de cacao, de réglisse et de café. En résumé, de la richesse tout en étant digeste, ce qui est la signature du domaine. **Cépages :** 50 % merlot, 25 % cabernet sauvignon, 15 % malbec, 10 % cabernet franc. **Alc./**12,5 % www.chateautourdesgendres.com

☛ *Servir dans les huit années suivant le millésime, à 17 °C et oxygéné en carafe 45 minutes*

**Purée_Mc$^2$** pour amateur de vin au céleri-rave et clou de girofle (**), flanc de porc « façon bacon » fumé au bois de pommier, mélasse, sauce soya, rhum et clou de girofle (**) ou **filet de boeuf de la Ferme Eumatimi, sauce *mole* mexicaine à la noix de coco et au cinq-épices** (**).

## Rasteau Prestige « Ortas » 2006

CÔTES-DU-RHÔNE-VILLAGES, CAVE DE RASTEAU, FRANCE

| 21 $ | SAQ S (952705) | ★★★?☆ $$ | Corsé+ |
|---|---|---|---|

Une autre réussite que ce nouveau millésime de cette cuvée prestige, issue de vieilles vignes, de Rasteau, se signalant par une étonnante épaisseur veloutée pour le cru, très aromatique, aux riches et puissants effluves (poivre, girofle, cassis et thym), aux tanins réglissés et fermes, mais d'une belle maturité, presque gras, à l'acidité discrète, à la texture ample, aux saveurs plus que persistantes. **À servir avec les ingrédients de liaisons harmoniques du poivre, donc de même famille moléculaire, comme le sont l'olive noire, le thym, le basilic, le genièvre, le gingembre, le café, le thé, les champignons, le romarin et la tomate séchée.** **Cépages :** grenache, syrah, mourvèdre. **Alc./**14,5 % www.rasteau.com

☛ *Servir dans les huit années suivant le millésime, à 17 °C et oxygéné en carafe 15 minutes*

Canapés de pommade d'olives noires au poivre, pâtes sauce au fond de veau et aux champignons portabellas ou gigot d'agneau aux herbes séchées.

## Château Laffitte-Teston « Vieilles Vignes » 2007

MADIRAN, JEAN-MARC LAFFITTE, FRANCE

| 21,05 $ | SAQ S* (747816) | ★★★?☆ $$ | Corsé+ |
|---|---|---|---|

Comme toujours, ce tannat 100 %, provenant de très vieilles vignes de plus ou moins 70 ans d'âge, se montre ultracoloré, richement aromatique, complexe et détaillé, à la fois dense et raffiné, plein et texturé, aux tanins presque gras, mais qui ont de la prise, aux saveurs explosives de fruits noirs, d'épices douces, de café, de cacao et de girofle. Difficile de dénicher des madirans aussi harmonieux et charmeur, tout en étant bâti pour une longue évolution en bouteilles. Aurait pratiquement pu figurer dans le « TOP 100 CHARTIER » anniversaire. **Cépage :** tannat. **Alc./**13,8 % **www.chateau-laffitte-teston.com**

☛ *Servir dans les dix années suivant le millésime, à 17 °C et oxygéné en carafe 30 minutes.*

Tranches d'épaule d'agneau grillées au poivre noir et sauté de poivrons verts et rouges au paprika ou **filet de bœuf de la Ferme Eumatimi, sauce** *mole* **mexicaine à la noix de coco et au cinq-épices (\*\*).**

## Can Blau 2008

MONTSANT, CELLERS CAN BLAU, ESPAGNE *(DISP. AUTOMNE 2010)*

| 21,20 $ | SAQ S (11034644) | ★★★ $$ | Corsé |
|---|---|---|---|

Amateurs de crus du Priorat, découvrez, à prix assez doux, ce réussi nouveau millésime du **Can Blau**, qui provient de l'appellation qui ceinture celle de Priorat. Contrairement au profil très Nouveau Monde des 2006 et 2007, il se montre sous un jour plus retenu, plus fin et plus européen. Le fruité est pur, la bouche est à la fois pleine et fraîche, ample et presque ramassée, aux tanins mûrs et fins, et au corps étonnamment détendu pour le style de cette propriété. **Cépages :** 40 % mazuelo, 40 % syrah, 20 % garnacha. **Alc./**14 %

☛ *Servir dans les sept années suivant le millésime, à 17 °C et oxygéné en carafe 30 minutes.*

Carré d'agneau en croûte de menthe fraîche ou **bœuf grillé et réduction de Soyable_Mc² (\*\*).**

## Les Jalets 2007

CROZES-HERMITAGE, PAUL JABOULET AÎNÉ, FRANCE *(DISP. SEPT./OCT. 2010)*

| 21,30 $ | SAQ S (383588) | ★★☆?☆ $$ | Modéré+ |
|---|---|---|---|

Dégusté en primeur, d'un échantillon provenant directement du domaine, ce nouveau millésime se montre plus expressif et plus gourmand en bouche que le décevant 2006. Aromatique, poivré et floral à souhait, comme tout bon crozes se doit d'être, à la fois frais et généreux en bouche, sans excès, d'une certaine ampleur et tannique, aux tanins fins, qui ont du grain, et aux saveurs longues et presque éclatantes. Un cru longiligne et digeste. **Cépage :** syrah. **Alc./**12,5 % **www.jaboulet.com**

☛ *Servir dans les six années suivant le millésime, à 17 °C et oxygéné en carafe 15 minutes*

Tartinades d'olives noires ou pâtes aux olives noires (\*).

## Muga Reserva 2006 ✓ TOP 100 CHARTIER
RIOJA, BODEGAS MUGA, ESPAGNE

| 21,50 $ | SAQ S* (855007) | ★★★?☆ $$ | Corsé |
|---|---|---|---|

Cet espagnol moderne et inspirant est devenu au fil des éditions de *La Sélection* l'un des *bench mark* de son appellation. Avec ce nouveau millésime, il signe plus que jamais son rang avec un rouge gorgé de fruits et de torréfaction, d'une belle richesse, sans excès, au boisé certes présent mais juste dosé, pour le style, à la bouche charnue, texturée et gourmande, marquée par des tanins mûrs à point et enveloppés avec brio. Une longue finale aux accents de mûre, de cerise noire, de café, de girofle, de cacao et de fumée ajoute à l'aubaine qu'il représente. **Cépages :** 70 % tempranillo, 20 % garnacha et 10 % graciano. **Alc./**14 % www.bodegasmuga.com

☛ *Servir dans les dix années suivant le millésime, à 17 °C*

**Feuilles de vigne farcies_Mc² (riz sauvage soufflé, bacon de sanglier, sirop de riz brun/café) (\*\*)**, hamburgers d'agneau aux poivrons rouges confits et au curcuma, **purée_Mc² pour amateur de vin au céleri-rave et clou de girofle (\*\*)**, risotto au jus de betterave parfumé au girofle ou tajine de ragoût d'agneau au cinq-épices et aux oignons cipollini caramélisés.

## Tres Picos 2008
CAMPO DE BORJA, BODEGAS BORSAO, ESPAGNE

| 21,50 $ | SAQ S* (10362380) | ★★★?☆ $$ | Corsé |
|---|---|---|---|

Composé de vieilles vignes de garnacha, ce rouge est une autre référence signée Borsao à ne pas manquer. Il se montre débordant de parfums, d'une étonnante richesse, au style très mûr rappelant celui des grenaches australiens, exhalant des notes de fruits noirs, de vanille, de fumée et de cuir. Comme à son habitude, une trame tannique passablement ferme et bien ciselée, mais avec maturité et velouté, lui procure l'élan voulu pour le ramener les deux pieds dans le terroir de Campo de Borja, zone d'appellation non loin de Barcelone, résultant en une gourmandise à la fois solaire et terrienne. **Cépage :** garnacha (grenache). **Alc./**14,5 % **www.bodegasborsao.com**

☛ *Servir dans les six années suivant le millésime, à 17 °C et oxygéné en carafe 15 minutes*

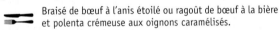 Braisé de bœuf à l'anis étoilé ou ragoût de bœuf à la bière et polenta crémeuse aux oignons caramélisés.

## Château Lousteauneuf 2006
MÉDOC, VIGNOBLES SEGOND & FILS, FRANCE

| 21,80 $ | SAQ S* (913368) | ★★★?☆ $$ | Corsé |
|---|---|---|---|

Après un éclatant 2003, un plus classique et plus vertical 2004 et un 2005 a maturité de fruit parfaite. Chacun de ses vins est marqué par la personnalité intrinsèque de chaque millésime, tout en sachant tirer le meilleur de l'année. Comme toujours, vous y dénicherez un rouge d'une maturité de fruit idéale dans le millésime, sans excès, une fraîcheur lui procurant de la droiture et de la garde, un fruité précis et expressif, une ampleur toujours aussi passablement nourrie, sans être inutilement dense. Un vin à la fois plein et compact, qui saura se détendre avec le temps, même si déjà engageant, riche de saveurs de mûre, de tabac et de réglisse. **Cépages :** 48 % cabernet sauvignon, 36 % merlot, 10 % cabernet franc, 6 % petit verdot. **Alc./**13 % www.chateau-lousteauneuf.com

☛ *Servir dans les douze années suivant le millésime, à 17 °C et oxygéné en carafe 30 minutes*

Bœuf braisé au jus de carotte ou filets de bœuf marinés aux parfums de mûres et de réglisse (voir Osso buco de cerf aux parfums de mûres et de réglisse) (*).

## Château Lousteauneuf 2007
✓ TOP 100 CHARTIER

MÉDOC, VIGNOBLES SEGOND & FILS, FRANCE *(DISP. AUTOMNE 2010)*

| 21,80 $ | SAQ S* (913368) | ★★★☆ $$ | Corsé |
|---------|-----------------|---------|-------|

Ce 2007, dégusté en primeur en août 2010, et qui prendra la relève du très bon 2006 (aussi commenté), se montre tout à fait réussi pour le millésime. Je dirais même l'un des meilleurs de l'appellation en 2007! Bruno Segond démontre à nouveau qu'il mérite bien sa place dans le « Top 100 Chartier ». Tout y est : de la couleur, du fruit, de l'expressivité, de la richesse, un boisé juste, de la mâche, de la texture, des tanins mûrs et bien travaillés par un élevage judicieux et des saveurs très longues, rappelant les fruits noirs, le café, le graphite et la suie. Du sérieux, qui vous réconciliera avec 2007. **Cépages :** 48 % cabernet sauvignon, 36 % merlot, 10 % cabernet franc, 6 % petit verdot. **Alc./**13 % www.chateau-lousteauneuf.com

☛ *Servir dans les huit années suivant le millésime, à 17 °C*

Cailles sautées à la poêle et riz sauvage aux champignons (*), filet de porc au café noir (voir Filets de bœuf au café noir) (*), **feuilles de vigne farcies_Mc² (riz sauvage soufflé, bacon de sanglier, sirop de riz brun/café) (**) ou pétoncles poêlés, couscous de noix du Brésil à l'orange sanguine, lait de coco au gingembre (**).**

## Merlot Vistorta 2006
✓ TOP 100 CHARTIER

FRIULI, BRANDINO BRANDOLINI D'ADDA, ITALIE

| 21,95 $ | SAQ S (10272763) | ★★★☆ $$$ | Modéré+ |
|---------|------------------|----------|---------|

Après des millésimes 2004 et 2005 superbement réussis, et commentés en primeur dans *La Sélection Chartier 2008*, Vistorta revient avec un 2006 tout aussi enchanteur que ces derniers – et avec une réduction de plus de six dollars sur le prix demandé à l'automne 2009! Le nez, très ouvert, exhale des notes de pivoine, de violette, de cerise noire et de framboise, ayant évolué sur des notes subtiles de café, de noisette et de cacao. La bouche se montre tout aussi sensuelle qu'à l'été 2009, toujours aussi marquée par un velouté unique et des tanins tout aussi enrobés. Du plaisir à boire, tout en se sustentant d'une matière noblement extraite et vinifiée avec doigté, méritant maintenant les trois étoiles et demie auxquelles il était voué. **Cépages :** 93 % merlot, 5 % cabernet franc, 2 % syrah. **Alc./**13 % www.vistorta.it

☛ *Servir dans les huit années suivant le millésime, à 17 °C*

**Feuilles de vigne farcies_Mc² (riz sauvage soufflé, bacon de sanglier, sirop de riz brun/café) (**) ou pétoncles poêlés, couscous de noix du Brésil à l'orange sanguine, lait de coco au gingembre (**).**

## Hecht & Bannier 2007
✓ TOP 100 CHARTIER

SAINT-CHINIAN, GREGORY HETCH & FRANÇOIS BANNIER, FRANCE

| 22,10 $ | SAQ S (10507323) | ★★★?☆ $$ | Corsé |
|---------|------------------|----------|-------|

Gregory Hecht et François Bannier bouleversent les idées reçues en matière de négoce depuis qu'ils ont créé cette petite maison languedocienne. Ce 2007 confirme leur talent et leur flair pour dénicher les plus belles cuvées, assemblées ici de grenache et de mourvèdre, sur une base importante de syrah. Du fruit à profusion, avec une dominante florale et épicée signée par la syrah, rappelant le lys et le poivre. La bouche suit avec une certaine densité, une maturité phénolique parfaite, s'exprimant par des tanins à la fois gras et granuleux, au corps plein et aux saveurs d'une grande allonge. Du sérieux, à prix doux, qui évoluera en beauté. **Cépages :** syrah (majoritaire), grenache, mourvèdre. **Alc./**13 % **www.hbselection.com**

☞ *Servir dans les neuf années suivant le millésime, à 17 °C et oxygéné en carafe 45 minutes*

Brochettes d'agneau à l'ajowan, brochettes d'agneau grillées et parfumées de baies roses, carré d'agneau farci aux olives noires et au romarin, sauce au porto LBV ou **thon rouge frotté aux baies de genièvre, olives noires, quelques petits pois, algues nori torréfiées, dés de graisse de jambon fondue, huile de pépins de raisin aux pistils de safran (\*\*)**.

## Château d'Aydie 2007

MADIRAN, VIGNOBLES LAPLACE, FRANCE

| 22,50 $ | SAQ S* (10268553) ★★★☆ $$ | Corsé+ |
|---|---|---|

Un nouveau millésime pour ce cru qui se montre, comme à son habitude, toujours aussi coloré et violacé, concentré et complexe, pur et frais, dense et compact, plein et poli avec doigté, aux tanins fermes et marqués par une prise serrée, intensément savoureux et persistant, au boisé intégré comme toujours au cœur du vin. Fruits noirs, épices douces et réglisse s'y entremêlent avec éclat. Sera à son meilleur à compter de 2012. Difficile d'être plus avantageux. **Cépage :** tannat. **Alc./**13,5 % **www.famillelaplace.com**

☞ *Servir dans les dix années suivant le millésime, à 17 °C et oxygéné en carafe 90 minutes*

Carré d'agneau et jus de cuisson réduit et **purée_Mc² pour amateur de vin au céleri-rave et clou de girofle (\*\*)** ou filets de bœuf au café noir (\*) et purée de navets à l'anis étoilé (voir chapitre *Recettes*).

## Toar 2005

ROSSO DEL VERONESE, MASI, ITALIE

| 23,10 $ | SAQ S (10749736) ★★★?☆ $$ | Modéré+ |
|---|---|---|

Cette création moderne de la grande maison Masi, qui repose sur des cépages traditionnels de la Valpolicella, dont l'antique oseleta, ressuscité pour la cause, est rapidement devenue un classique du répertoire de la SAQ. Un rouge coloré, au nez riche de promesses, sans esbroufe, à la bouche très fraîche, gorgée de fruits rouges, aux tanins étonnamment souples et raffinés, mais avec du grain, au corps plein, sans être puissant, et aux saveurs longues et détaillées. **Cépages :** corvina, rondinella, oseleta. **Alc./**13 % **www.masi.it**

☞ *Servir dans les dix années suivant le millésime, à 17 °C et oxygéné en carafe 15 minutes*

Filets d'agneau et jus de poivron rouge ou **asperges vertes rôties, enrobées de chocolat noir (infusé au thé fumé Zheng Shan Xiao Zhong, fleur de sel au café) (\*\*)**.

## Poggio alla Guardia 2008

MAREMMA TOSCANA, ROCCA DI FRASSINELLO, ITALIE *(DISP. SEPT./OCT. 2010)*

| 23,25 $ | SAQ S (10843491) | ★★★?☆ $$ | Corsé |
|---|---|---|---|

Un nouveau millésime de ce coup de cœur de la précédente édition. Il se montre cette fois-ci un nez tout aussi aromatique, d'une certaine puissance, exhalant des notes complexe de cassis, de cèdre et de poivre, au boisé certes présent, sans être aussi dominant que le 2006. En bouche, il se montre cette fois plus compact et dense, tout en étant presque aussi sphérique, aux tanins qui ont plus de prise, sans être durs, à l'acidité juste fraîche et aux saveurs d'une bonne allonge. Profil Nouveau Monde toujours au rendez-vous, mais sans excès solaire. **Amusez-vous à table avec les aliments complémentaires au poivre, ainsi l'accord n'en résonnera que plus fortement. Cépages :** 45 % merlot, 40 % cabernet sauvignon, 15 % sangioveto. **Alc./**14 % **www.castellare.it**

☛ *Servir dans les dix années suivant le millésime, à 17 °C et oxygéné en carafe 5 minutes*

**Thon rouge frotté aux baies de genièvre, olives noires, quelques petits pois, algues nori torréfiées, dés de graisse de jambon fondue, huile de pépins de raisin aux pistils de safran (\*\*).**

## Poderi Colla 2006

NEBBIOLO D'ALBA, PODERI COLLA, ITALIE

| 23,55 $ | SAQ S (10860346) | ★★★ $$ | Modéré+ |
|---|---|---|---|

Un nebbiolo piémontais qui, lorsque dégusté et commenté l'année dernière, démontrait un profil plutôt longiligne, très frais et avec une certaine prise tannique, mais qui, depuis juillet 2010, date de sa mise en marché, dévoilait des tanins plus fins, avec une invitante et caressante souplesse. **Cépage :** nebbiolo. **Alc./**13,5 % **www.podericolla.it**

☛ *Servir dans les huit années suivant le millésime, à 17 °C et oxygéné fortement en carafe 15 minutes*

Joues de veau braisées aux tomates confites ou osso buco à la gremolata.

## Pèppoli 2007

CHIANTI CLASSICO, MARCHESI ANTINORI, ITALIE

| 23,60 $ | SAQ S* (10270928) | ★★★ $$ | Corsé |
|---|---|---|---|

Cette désormais très prisée cuvée toscane, de la grande maison Antinori, se montre aussi engageante que dans les derniers millésimes, et, chose intéressante, tout aussi enveloppante que l'est la cuvée Villa Antinori (aussi commentée), mais avec un coffre légèrement plus substantiel. Nez festif et complet. Bouche débordante de fruits et pleine, aux tanins fins et présents, à l'acidité fraîche et aux saveurs longues et expressives, laissant apparaître, comme toujours, des notes de torréfaction, de fruits rouges et de graphite. **Cépages :** 90 % sangiovese, 10 % merlot et syrah. **Alc./**13 % **www.antinori.it**

☛ *Servir dans les sept années suivant le millésime, à 17 °C et oxygéné en carafe 15 minutes*

Carré de porc aux tomates séchées et romarin ou filet de porc au café noir (voir Filets de bœuf au café noir) (\*).

## La Fage 2007

CAHORS, COSSE MAISONNEUVE, FRANCE *(DISP. SEPT./OCT. 2010)*

| 23,65 $ | SAQ **S** (10783491) | ★★★☆ **$$** | Corsé |
|---|---|---|---|

Un nouveau millésime réussi, dégusté en primeur en juillet 2010 et qui était attendu au moment de mettre sous presse. Vous y dénicherez un cahors moderne et tout en raffinement et en retenue, au nez élégant et très frais, ayant besoin d'un bon gros coup de carafe pour se dégourdir, à la bouche marquée par des tanins ultrafins, un corps longiligne et stylisé pour l'appellation, aux saveurs longues et saisissantes de bleuet, de mûre, de jus de raisin et de violette. Rares sont les cahors aussi raffinés. Du travail d'orfèvre. **Cépage :** malbec. **Alc./**13,5 %

☛ *Servir dans les dix années suivant le millésime, à 17 °C et oxygéné fortement en carafe 30 minutes*

 Filets de bœuf marinés au parfum d'anis étoilé ou osso buco au fenouil et gremolata.

## Falcone Riserva 2005

CASTEL DEL MONTE, AZIENDA VINICOLE RIVERA, ITALIE

| 23,70 $ | SAQ **S** (10675466) | ★★★ **$$** | Corsé |
|---|---|---|---|

Un original et puissant rouge du Midi de la péninsule italienne, plus précisément des Pouilles, fortement épicé et réglissé, aux tanins musclés, donc bien présents tout en étant enveloppés d'une gangue presque moelleuse. Plein, volumineux et très long, laissant des notes évanescentes de havane, de cuir et d'épices orientales, avec une finale tricotée très serrée, presque rustique, ce qui participe au charme et à la singularité de ce cru. **Cépages :** nero di troia, negroamaro, montepulciano. **Alc./**13,5 %

☛ *Servir dans les huit années suivant le millésime, à 17 °C et oxygéné en carafe 15 minutes*

Braisé de bœuf à l'anis étoilé, **morceau de flanc de porc poché, vinaigrette de boudin à la noix de coco,** *crumble* **de boudin noir (\*\*) ou flanc de porc « façon bacon » fumé au bois de pommier, mélasse, sauce soya, rhum et clou de girofle (\*\*).**

## Château d'Ardennes 2001

GRAVES, F. ET S. DUBREY, FRANCE *(DISP. SEPT./OCT. 2010)*

| 23,90 $ | SAQ **S** (869933) | ★★★☆ **$$** | Modéré+ |
|---|---|---|---|

Un 2001 d'un charme fou, pour ne pas dire coup de cœur, exhalant de subtils et raffinés parfums de truffe, de sous-bois, de violette et de prune, avec un arrière-plan de poivron, à la bouche presque suave, caressante et texturée à souhait, spécialement pour un Graves. Longue finale torréfiée, aux tanins veloutés et fondus, à l'acidité discrète et au corps ample, signe ce vin à boire dès maintenant à table. **Cépages :** 45 % merlot, 42 % cabernet sauvignon, 10 % cabernet franc, 3 % petit verdot. **Alc./**13,5 %

☛ *Servir dans les dix années suivant le millésime, à 17 °C*

Risotto au jus de betterave parfumé au girofle, **figues confites au thé Pu-Erh, chantilly de fromage Saint Nectaire (\*\*) ou asperges vertes rôties, enrobées de chocolat noir (infusé au thé fumé Zheng Shan Xiao Zhong, fleur de sel au café) (\*\*).**

## Villa Antinori 2006

TOSCANA, MARCHESI ANTINORI, ITALIE

| 23,95 $ | SAQ C (10251348) | ★★★?☆ $$ | Modéré+ |
|---------|------------------|----------|---------|

L'année 2008 signait le sceau du 60e anniversaire de production de cette cuvée toscane qui connaît un succès planétaire. L'introduction du millésime 2005 (commenté dans le Répertoire additionnel), à la fin de 2008, ne pouvait mieux tomber pour signaler la chose avec éclat! Celui-ci poursuit sur cette note anniversaire, positionnant ce cru plus que jamais comme l'une des références mondiales en matière de chiantis modernes. Ce qui lui vaut de figurer dans le nouveau « Top 100 Chartier ». Couleur soutenue. Nez aromatique, fin et charmeur, presque riche et expressif à souhait, exhalant des notes de prune et de café. Bouche quasi veloutée, d'un charme fou, aux tanins extra-enveloppés et aux saveurs longues et gourmandes. **Cépages :** sangiovese (dominant), cabernet sauvignon, merlot, syrah. **Alc./**13,5 % **www.antinori.it**

☛ *Servir dans les sept années suivant le millésime, à 17 °C*

Fettucine all'amatriciana « à ma façon » (*), filets de bœuf au café noir (*) ou hamburgers aux champignons portabellos poêlés.

## Nero d'Avola Feudi del Pisciotto 2007

SICILIA, FEUDI DEL PISCIOTTO, ITALIE *(DISP. OCT. 2010)*

| 24,55 $ | SAQ S (11293881) | ★★★?☆ $$ | Corsé+ |
|---------|------------------|----------|--------|

■ NOUVEAUTÉ! Un nero d'avola ultra-moderne et élevé luxueusement en barriques neuves, ce qui lui donne des allures de grands bordeaux. Coloré, richement aromatique, à la fois fruité et boisé, aux notes florales et torréfiées subtiles, à la bouche dense, ramassée et fraîche, d'une grande richesse, sans excès, aux tanins fermes mais bien travaillés par l'élevage sous bois, aux saveurs longues. Du bel ouvrage, rehaussant plus que jamais la qualité des vins de ce cépage sicilien qui a le vent dans les voiles. **Cépage :** nero d'avola. **Alc./**14 % **www.castellare.it**

☛ *Servir dans les huit années suivant le millésime, à 17 °C et oxygéné fortement en carafe 15 minutes*

Bœuf braisé au jus de carotte ou osso buco accompagné de carottes rouges (cuites en fin de cuisson à même l'osso buco).

## La Massa 2008

TOSCANA, GIAMPAOLO MOTTA, FATTORIA LA MASSA, ITALIE

| 24,75 $ | SAQ S* (10517759) | ★★★?☆ $$ | Corsé |
|---------|-------------------|----------|-------|

Assurément l'une des aubaines toscanes à ranger les yeux fermés dans le « TOP 100 CHARTIER » anniversaire tant ce cru a été d'une régularité sans faille depuis plusieurs millésimes. Comme tous les vins signés Motta d'ailleurs. Contrairement au 2003 (commenté dans *La Sélection 2007*), où le merlot dominait l'assemblage, ce nouveau millésime suit le chemin établi avec les 2006 et 2005 (commenté dans *La Sélection 2009* et *2008*) en étant plus que jamais toscan, faisant la part belle au sangiovese. Ce qui lui procure un profil plus élancé que jamais, sans avoir rien perdu de sa gourmandise d'avant, spécialement cette année. Le plaisir s'exprime par un fruité mûr et aromatique, spécialement après un passage en carafe, par des tanins à la fois enveloppés et avec du grain, par un corps plein, sans être puissant, et par des saveurs d'une grande allonge, aux relents de fruits noirs, de violette et de garrigue, non voilées par un boisé qui serait ici inutilement mis à l'avant-scène. Giampaolo Motta poursuit plus que jamais sa quête de la qualité suprême, même avec ce cru qui est, en fait, le deuxième vin de cette remarquable *fattoria* toscane, contiguë au célèbre Castello di Rampolla et installée dans la Conca d'Oro, le meilleur secteur de la zone du Chianti Classico. **Cépages :** 60 % sangiovese, 30 % merlot, 10 % cabernet sauvignon. **Alc./**14 %

☛ *Servir dans les dix années suivant le millésime, à 17 °C et oxygéné en carafe 30 minutes*

Magret de canard rôti à la nigelle, osso buco au fenouil et gremolata ou lapin à la toscane (*).

## Camins del Priorat 2008

PRIORAT, BODEGA ÀLVARO PALACIOS, ESPAGNE *(DISP. SEPT./OCT. 2010)*

| 24,95 $ | SAQ S (11180351) | ★★★?☆ $$ | Corsé |
|---|---|---|---|

Deuxième millésime à nous parvenir de ce nouveau priorat, commenté en primeur encore une fois, après vous avoir présenté le 2007 aussi en primeur dans l'édition 2010 de ce guide. Dégusté en juillet 2010, d'un échantillon reçu du domaine. L'idée de ce talentueux et mondialement reconnu viticulteur est de proposer un priorat de haute tenue à un prix égal à son remarquable Pétalos, l'un de ses rouges du Bierzo (salués depuis quelques millésimes dans ce guide). Ce à quoi répond ce Camins del Priorat (Les sentiers du Priorat), d'une grande fraîcheur aromatique, au nez passablement riche et complexe, actuellement un brin retenu, ce qu'un gros coup de carafe libère, jouant dans la sphère du poivre, de la grenadine et de la violette, à la bouche engageante, à l'image des autres crus d'Alvaro, mais avec une fraîcheur qui prend les devants de la scène, ainsi qu'une trame tannique plus serrée que dans le 2007. Les tanins sont tout de même presque gras et très fins. L'acidité juste dosée, tout en étant discrète. Le boisé présent, mais sans dominer. Les saveurs gourmandes et très longues. Du sérieux, à prix plus que doux pour l'appellation. **Cépages :** 50 % samsó, 40 % garnacha, 10 % cabernet sauvignon et syrah. **Alc./**14,5 %

☛ *Servir dans les sept années suivant le millésime, à 17 °C et oxygéné fortement en carafe 15 minutes*

Brochettes d'agneau au thym, risotto au jus de betterave parfumé aux clous de girofle, sauté de porc vietnamien au cinq-épices ou **pétoncles poêlés, couscous de noix du Brésil à l'orange sanguine, lait de coco au gingembre (\*\*).**

## Château de Cruzeau 2005

PESSAC-LÉOGNAN, ANDRÉ LURTON, FRANCE

| 24,95 $ | SAQ C (113381) | ★★★ $$$ | Modéré+ |
|---|---|---|---|

André Lurton présente un Cruzeau de style européen, comme toujours, parfumé et passablement riche en bouche, au nez élégant, marqué par des notes de graphite, de cassis et de framboise, à la bouche aux tanins fermes mais fins, à la texture presque dense et aux saveurs torréfiées d'une bonne allonge. Équilibre de saveurs et d'expression de jeunesse sont au rendez-vous de ce cru à redécouvrir absolument. Classicisme et constance vont de pair ici. **Cépages :** 55 % cabernet sauvignon, 43 % merlot, 2 % cabernet franc. **Alc./**13 % www.andrelurton.com

☛ *Servir dans les dix années suivant le millésime, à 17 °C*

Brochettes de bœuf et de foie de veau aux poivrons ou filets de bœuf au café noir (*).

## Tinto Pesquera 2006  ✓ TOP 100 CHARTIER

RIBERA DEL DUERO, BODEGAS ALEJANDRO FERNÁNDEZ, ESPAGNE

| 25,15 $ | SAQ S* (10273109) ★★★☆?☆ $$ | Corsé+ |
| --- | --- | --- |

Rares, de nos jours, sont les vins de ce niveau offerts à un prix aussi doux. Cette icône hispanique est l'un des plus beaux succès en matière de vin de qualité que le Québec ait vécu au cours des quinze années de *La Sélection*, positionnant notre marché aux premiers rangs des ventes de cette entreprise familiale. Le prix aurait facilement pu être doublé, ce qui n'a pas été le cas. Comme tous les vins signés Alejandro Fernández, septuagénaire d'une force et d'une vivacité d'esprit uniques, le Pesquera est élevé dans un savant assemblage de barriques de chêne de diverses origines, surtout américaines, d'Europe de l'Est et de France, dont une faible proportion de fûts neufs. « *La qualité de la récolte* » comme philosophie et le travail minutieux dans la vigne, depuis 1972 – particulièrement avec l'achat, en 1982, de vignes qui entraient jusque-là dans la composition des grandissimes rouges de Vega Sicilia –, résultent en un vin d'une plénitude et d'une profondeur unique, au boisé certes présent, mais qui participe au profil aromatique ainsi qu'aux saveurs complexes (fruits noirs, café, fumée, girofle, cuir) et d'une fraîcheur exceptionnelle pour ce coin de pays plutôt torride. Un excellent vin, à la fois dense et enveloppant, plein et velouté, aux tanins mûrs, qui évoluera admirablement, comme les précédents millésimes de ce cru. **Cépage :** tempranillo. **Alc./**13,5 % **www.grupopesquera.com**

☛ *Servir dans les quinze années suivant le millésime, à 17 °C et oxygéné en carafe 1 heure*

Carré d'agneau et jus au café expresso (\*), **magret de canard rôti, graines de sésame et cinq-épices, navets confits au clou de girofle (\*\*), purée_Mc² pour amateur de vin au céleri-rave et clou de girofle (\*\*), feuilles de vigne farcies_Mc² (riz sauvage soufflé, bacon de sanglier, sirop de riz brun/café) (\*\*).**

## Château Garraud 2006  ✓ TOP 100 CHARTIER

LALANDE-DE-POMEROL, VIGNOBLES LÉON NONY, FRANCE

| 25,20 $ | SAQ S* (978072) ★★★?☆ $$$ | Corsé |
| --- | --- | --- |

Une autre référence saluée dans plusieurs éditions de *La Sélection Chartier*, confirmant la régularité de ce cru. Beau temps mauvais temps, Garraud est au rendez-vous avec un rouge à la fois charmeur, complet et invitant au possible. Vous serez conquis par ses effluves raffinés et expressifs, jouant dans la sphère aromatique de la violette, de la framboise, de la craie et de la truffe. Sa bouche pulpeuse et enveloppante, aux tanins ronds mais avec du grain, aux saveurs longues et au corps harmonieux, vous confirmera le pourquoi de sa sélection dans le « Top 100 » anniversaire. Comme si ce n'était pas assez, son prix a été abaissé de plus de 3,50 $ depuis octobre 2009! **Réservez-lui des plats dominés par les aliments complémentaires à la violette et à la framboise – ses saveurs qui nous dirigent sur sa piste harmonique –, comme le sont la carotte, les algues nori, la mûre, le safran, le thé et le riz sauvage. Cépages :** 75 % merlot, 19 % cabernet franc, 6 % cabernet sauvignon. **Alc./**13 % **www.vin.fr**

☛ *Servir dans les dix années suivant le millésime, à 17 °C et oxygéné en carafe 15 minutes*

Cailles sautées à la poêle et riz sauvage aux champignons (\*) ou filet d'agneau enveloppé d'algues nori accompagné d'un braisé de carottes au jus d'agneau.

## Isole e Olena 2007

✓ TOP 100 CHARTIER

TOSCANA, ISOLE E OLENA, ITALIE

| 25,30 $ | SAQ S (515296) | ★★★☆ $$ | Corsé |
|---|---|---|---|

Coup de cœur de quelques éditions de *La Sélection*, cette ixième réussite signée Paolo De Marchi, viticulteur intuitif, attentionné et singulier, mérite plus que jamais d'être achetée, bon an mal an, les yeux fermés – d'autant plus que son prix a été abaissé de trois dollars cinquante depuis l'automne 2009. Vous dénicherez, comme à son habitude, un chianti ultraraffiné, fortement coloré, sans excès, richement aromatique, élégant et détaillé, s'exprimant par des notes de framboise, de violette et de prune, aux tanins soyeux, extrafins, à l'acidité juste dosée, au corps presque vaporeux et aux saveurs d'une grande allonge, sans aucune note boisée inutile. **Prune, framboise et violette signent le profil aromatique sur lequel vous devez vous appuyer pour mettre en valeur ce cru à table. Les aliments complémentaires à la prune (girofle, anis étoilé, cannelle, lavande, poivre, thé, basilic, eau de rose, canneberge, cassis, vieux fromage gruyère et scotch) et à la violette (carotte, algue nori, framboise, mûre) sont à prescrire. Cépage :** sangiovese. **Alc./**14 % www.isoleolena.it

☛ *Servir dans les sept années suivant le millésime, à 17 °C et oxygéné en carafe 15 minutes*

Hachis Parmentier de canard au quatre-épices, pâtes aux tomates séchées et au basilic, foie de veau sauce au poivre vert et à la cannelle, filet de bœuf enveloppé d'algues nori et accompagné d'un braisé de carottes au jus de bœuf, canard rôti badigeonné au scotch *single malt* ou fromages Gruyère Réserve (très vieux) accompagné d'une confiture de prunes au clou de girofle.

## Altano Reserva 2007

DOURO, SYMINGTON FAMILY ESTATES, PORTUGAL

| 25,95 $ | SAQ S (10370814) | ★★★☆ $$$ | Corsé+ |
|---|---|---|---|

Grand millésime pour le cépage touriga nacional, qui entre dans presque la moitié de l'assemblage, cette réserve 2007 positionne à nouveau ce cru comme l'une des belles références en rouge provenant du Douro. Il fait suite avec brio aux excellents 2003 et 2001, tous deux salués dans les précédentes éditions de ce guide. Vous y dénicherez un rouge coloré richement aromatique et racé, exhalant des tonalités de rose séchée, de poivre, de girofle, de cassis et d'épices douces, à la bouche à la fois dense et enveloppante, tannique et veloutée, le tout supporté par une fraîcheur unique sous ce climat torride. L'élevage, en partie en barriques de chêne américain, joue son rôle avec justesse, sans dominer la matière, laissant place aux saveurs intenses, terminant sur une note de cannelle. Du bel ouvrage. **Cépages :** 55 % touriga franca, 45 % touriga nacional. **Alc./**13 % www.symington.com

☛ *Servir dans les huit années suivant le millésime, à 17 °C et oxygéné en carafe 45 minutes*

Carré d'agneau au poivre vert et à la cannelle, **purée_Mc²
pour amateur de vin au céleri-rave et clou de girofle
(**), bœuf de la Ferme Eumatimi frotté à la cannelle avant cuisson, compote d'oignons brunis au four et parfumée à la pâte d'anchois salés (**) ou magret de canard rôti, graines de sésame et cinq-épices, navets confits au clou de girofle (**).**

## Les Meysonniers 2007

CROZES-HERMITAGE, M. CHAPOUTIER, FRANCE

| | | | |
|---|---|---|---|
| 25,95 $ | SAQ S* (10259876) ★★★?☆ $$ | Modéré+ | BIO |

L'un des crus les plus connus à être élaborés sous la houlette de la grande maison Chapoutier, Les Meysonniers se montre à nouveau, pour un deuxième millésime consécutif, d'une étonnante élégance. Le travail de la biodynamie sur les vignes s'exprime plus que jamais haut et fort, laissant parler le terroir et le fruit, sans avoir à extraire le moût de façon intensive, comme c'est trop souvent le cas de nos jours avec les syrahs, résultant en des vins au nez violent. Ici, même rendez-vous qu'en 2006 : fraîcheur, pureté, haute définition et plaisir à boire, pour un vin d'une grande digestibilité, aux tanins raffinés, même si tissés serrés, aux saveurs qui ont de l'éclat, sans surmaturité inutile, laissant entrevoir des notes de poivre, d'olive et de violette. Bravo! **Cépage :** syrah. **Alc./**13 % www.chapoutier.com

☛ *Servir dans les huit années suivant le millésime, à 17 °C et oxygéné en carafe 15 minutes*

Sushis pour amateurs de vin rouge (à la pommade d'olives noires, riz sauvage soufflé, café et poivre) (voir chapitre *Recettes*), brochettes d'agneau grillées et parfumées de baies roses ou **tagliatelles à la réglisse noire, queues de langoustines rôties, tomates séchées et petits pois (\*\*)**.

## Cúmaro Riserva 2006

CONERO, UMANI RONCHI, ITALIE

✓ TOP 100 CHARTIER

| | | |
|---|---|---|
| 26,75 $ | SAQ S (710632) ★★★☆?☆ $$ | Corsé+ |

Comme je vous l'écris depuis plusieurs années, tout amateur de grands vins toscans se doit de découvrir le Cúmaro, un cru des Marches de l'excellente maison familiale Umani Ronchi. Il provient d'une rigoureuse sélection du vignoble San Lorenzo, élevé en barriques françaises. Il se montre meilleur que jamais dans ce nouveau millésime. Vous y découvrirez un rouge très coloré, au nez toujours aussi riche et profondément fruité, exhalant des notes de bleuet, de cassis et de violette, au boisé certes présent, mais intégré au cœur du vin, à la bouche à la fois explosive, fraîche, dense et compacte, aux tanins tissés serrés, sans dureté, laissant deviner d'intenses saveurs de fruits noirs, de prune et de café. Compétitionne aisément avec des crus toscans vendus beaucoup plus cher que ce dernier qui est de la province des Marches. **Cépage :** montepulciano. **Alc./**14 % www.umanironchi.it

☛ *Servir dans les dix années suivant le millésime, à 17 °C et oxygéné fortement en carafe 15 minutes*

Magret de canard rôti à la nigelle ou fromage parmigiano reggiano (très vieux).

## Valentino Feudi del Pisciotto 2008

SICILIA, FEUDI DEL PISCIOTTO, ITALIE *(DISP. DÉC. 2010)*

| | | |
|---|---|---|
| 27,15 $ | SAQ S (11341716) ★★★?☆ $$ | Puissant |

■ **NOUVEAUTÉ!** Une autre nouveauté provenant de l'excellent domaine Feudi del Pisciotto, dont le Nero d'Avola 2007 est aussi commenté en primeur comme cette dernière. Ce merlot, dont l'étiquette a été désignée par le designer Valentino, comme les autres étiquettes de cette maison, afin d'amasser des fonds pour restaurer les artefacts du village, se montre ultra-coloré, intensément aromatique, très mûr et boisé, plein et détendu, texturé et généreux, à la façon californienne. Un rouge chaleureux et confituré, pour amateur de cru du Nouveau Monde plus que d'Italie. **Cépage :** merlot. **Alc./**14 % www.castellare.it

☛ *Servir dans les huit années suivant le millésime, à 17 °C*

🍴 Hamburgers d'agneau aux poivrons rouges confits et au paprika ou osso buco accompagné de carottes rouges (cuites en fin de cuisson à même l'osso buco).

## Fontodi 2006

✓ TOP 100 CHARTIER

CHIANTI CLASSICO, AZIENDA AGRICOLA FONTODI, ITALIE

| 28,05 $ | SAQ **S** (879841) | ★★★☆ $$$ | Corsé |
|---------|--------------------|----------|-------|

Belle réussite que ce 2006 signé avec retenue et classicisme par l'équipe de la grande maison Fontodi. Un rouge aromatique, fin et raffiné, au boisé racé et au fruité juste et précis, jouant dans la sphère de la prune et de la cerise noire, ainsi que du café moka et des épices douces, à la bouche contemporaine, à la fois pleine et ramassée, ample et presque tendue, pour ne pas dire vibrante et on ne peut plus classiquement chianti de l'ère moderne, avec une aura bourguignonne... Ceux qui succombent aux crus toscans seront au comble, spécialement pour le prix plutôt doux. Enfin, **comme la cannelle, l'anis étoilé, le poivre, le basilic, le thé et le clou de girofle sont à ranger parmi les aliments complémentaires à la prune, sa signature aromatique, sélectionnez des recettes où ces aliments dominent. Cépage :** sangiovese. **Alc./**14 % www.fontodi.com

☛ *Servir dans les dix années suivant le millésime, à 17 °C et oxygéné en carafe 15 minutes*

🍴 Hachis Parmentier de canard au quatre-épices, pâtes aux tomates séchées et au basilic, foie de veau sauce au poivre vert et à la cannelle ou côtes levées à la cannelle et au curry de vin rouge.

## Grándárellá « Appássimento » Masi 2005

ROSSO DEL VERONESE, MASI, ITALIE

| 28,30 $ | SAQ **S** (10431306) | ★★★?☆ $$ | Corsé+ |
|---------|----------------------|----------|--------|

Couleur toujours aussi foncée et violacée. Nez fermé, mais sur les fruits rouges, et semble passablement riche et mûr. Bouche à la fois vive et dense, pleine et longiligne, aux saveurs élancées et au corps longiligne, sans un réel volume comme par le passé. Mais sa fraîcheur, sa race et sa fermeté lui vont très bien et le propulseront dans le futur. Il s'en dégage une fraîcheur rarissime pour ce type de vin élaboré à partir de la même méthode de séchage des raisins, après vendange, sur une période de cinquante jours, comme pour l'amarone. D'ailleurs, son nom vient de ce procédé (grains = grano; palette de séchage = arella). Il diffère cependant de l'amarone par, entre autres, son encépagement, qui ici fait place à deux cépages qui ne sont pas utilisés chez les *amaroni*. Donc, osez mettre quelques flacons en cave pour les retrouver à partir de 2013. **Cépages :** 75 % refosco, 25 % carmenère. **Alc./**14,5 % www.masi.it

☛ *Servir dans les quinze années suivant le millésime, à 17 °C et oxygéné en carafe 30 minutes*

🍴 Fromage parmigiano reggiano 24 mois d'affinage ou **morceau de flanc de porc poché, vinaigrette de boudin à la noix de coco,** *crumble* **de boudin noir (\*\*).**

## Marchese Antinori Riserva 2005 ✓ TOP 100 CHARTIER
CHIANTI CLASSICO, MARCHESI ANTINORI, ITALIE

| **29,15 $** | SAQ **S** (278671) | ★★★☆ $$$ | **Corsé** |
|---|---|---|---|

Coup de cœur de l'édition précédente, ce cru, qui devait être disponible en début d'année, nous est parvenu uniquement à compter de juillet 2010, et ce, avec une baisse de presque quatre dollars. Grâce aux largesses de dame Nature, ce 2005 s'exprime toujours haut et fort et déroule un tapis de velours en bouche. Prune, cerise noire et café donnent le ton au nez. Les tanins sont mûrs à point, enveloppés et un brin réglissés. La matière est ample et dodue, et les saveurs longues et juteuses. Du beau jus qui fera un malheur. **Cépage :** sangiovese. **Alc./**13,5 % **www.antinori.it**

☛ *Servir dans les douze années suivant le millésime, à 17 °C et oxygéné en carafe 30 minutes*

Carré d'agneau et jus au café expresso (*).

## Villa di Capezzana 2006
CARMIGNANO, CONTINI BONACOSSI, TENUTE DI CAPEZZANA, ITALIE

| **29,20 $** | SAQ **S*** (977827) | ★★★☆?☆ $$$ | **Corsé** |
|---|---|---|---|

Un grand toscan, offert à un prix défiant toute concurrence, élaboré avec maestria, comme tous les crus de cette maison, dirigée avec brio par Beatrice Bonacossi. Du fruit à profusion, avec race et élégance, un boisé juste et précis, de la riche, de la densité, du moelleux, même si les jeunes tanins sont bien présents, et des saveurs d'une grande allonge, laissant des traces de fruits noirs, de réglisse, de tabac et de violette. **Cépages :** 80 % sangiovese, 20 % cabernet sauvignon. **Alc./**13,5 % **www.capezzana.it**

☛ *Servir dans les dix années suivant le millésime, à 17 °C et oxygéné en carafe 30 minutes*

 Magret de canard rôti et **purée_Mc² pour amateur de vin au céleri-rave et clou de girofle (**) ou **balloune de mozarella_Mc² (à l'air de clou de girofle, éclats de viande de grison et piment d'Espelette) (**).

## Coudoulet de Beaucastel 2007 ✓ TOP 100 CHARTIER
CÔTES-DU-RHÔNE, VIGNOBLES PIERRE PERRIN, FRANCE

| **29,45 $** | SAQ **S*** (973222) | ★★★?☆ $$$ | **Corsé** | BIO |
|---|---|---|---|---|

Grand classique des quinze dernières années devenu un modèle de régularité, bon an mal an. Vérifiez par vous-même, en prenant soin de lui offrir une bonne oxygénation en carafe pour qu'il puisse exprimer sa forte personnalité habituelle qu'il acquiert après trois ou quatre ans de bouteille. Vous y trouverez un vin à la bouche à la fois dense et texturée, aux tanins presque tendres, mais avec un grain serré, aux saveurs amples et persistantes, laissant apparaître des tonalités de fruits rouges compotés, de poivre et de cacao, sur une finale plus serrée, aux tanins démontrant une fermeté juvénile normale. **Comme le basilic, le thym, le cacao, le safran, le café et le gingembre sont des aliments complémentaires au poivre, l'une des pistes aromatiques de ce vin, n'hésitez pas à le marier à des plats dominés par ces ingrédients de liaisons harmoniques.** Fautil le rappeler, ce vin est élaboré avec doigté par la famille Perrin, propriétaire du remarquable Château de Beaucastel, dont le vignoble, qui possède une grande similitude morphologique avec celui du Coudoulet, est situé juste à l'est de ce dernier, en dehors des limites de l'appellation Châteauneuf-du-Pape. **Cépages :** 30 % mourvèdre, 30 % grenache, 20 % syrah, 20 % cinsault. **Alc./**14,5 % **www.perrin-et-fils.com**

☛ *Servir dans les huit années suivant le millésime, à 17 °C et oxygéné fortement en carafe 30 minutes*

Steak de saumon au café noir et au cinq-épices chinois (*), tajine d'agneau au safran ou **magret de canard rôti, graines de sésame et cinq-épices, navets confits au clou de girofle (**).**

## La Caduta 2007

ROSSO DI MONTALCINO, TENUTA CAPARZO, ITALIE

| 29,55 $ | SAQ **S** (857987) | ★★★☆ $$$ | Corsé |
|---|---|---|---|

Assurément l'une des cuvées vedettes de l'appellation Rosso di Montalcino, ce nouveau millésime de La Caduta se montre aromatique à souhait, richement fruité et boisé, plein, texturé, presque juteux, aux tanins présents et réglissés. Un vin moderne, dont les inconditionnels raffolent. Bonne nouvelle pour ces derniers : cette maison a effectué récemment de gros travaux dans les vignes et en cave afin de hausser d'un cran la qualité. De beaux millésimes à venir pour chacune de leurs cuvées. **Cépage :** sangiovese. **Alc./**14 % **www.caparzo.com**

☛ *Servir dans les huit années suivant le millésime, à 17 °C et oxygéné en carafe 15 minutes*

Braisé de bœuf à l'anis étoilé, **feuilles de vigne farcies_Mc$^2$ (riz sauvage soufflé, bacon de sanglier, sirop de riz brun/café) (**) ou magret de canard rôti, graines de sésame et cinq-épices, navets confits au clou de girofle (**).**

## Fontanafredda Barolo 2005

BAROLO, FONTANAFREDDA, ITALIE

| 30,75 $ | SAQ **C** (020214) | ★★★☆ $$$ | Corsé |
|---|---|---|---|

Après un 2003 fort réussi (commenté dans *La Sélection 2008*), grâce au vent de renouveau qui souffle sur cette légendaire maison piémontaise de Serralunga d'Alba depuis 1999, ce nouveau millésime abonde dans le même sens qualitatif. Le nez est profond, sans être puissant. La bouche est à la fois très fraîche et mûre, pleine et compacte, ramassée et dense, sans aucune dureté ni rigidité de jeunesse. Donc, un cru déjà harmonieux, au caractère plus moderne que par les millésimes passés. Comme je vous le dis depuis le millésime 2000, une relecture de leurs vins s'impose plus que jamais. Un travail de fond a été effectué : nouveau vinificateur, reconnaissance du potentiel de chaque terroir, travail plus pointu dans les vignes et collaboration plus étroite avec leurs fournisseurs de raisins (les viticulteurs), chez qui cette maison achète une forte proportion de sa production. Les résultats payent. **Cépage :** nebbiolo. **Alc./**13,5 % **www.fontanafredda.it**

☛ *Servir dans les dix années suivant le millésime, à 17 °C et oxygéné en carafe 45 minutes*

Filet de bœuf aux champignons et au vin rouge ou fromage parmigiano reggiano (plus de 24 mois d'affinage).

## Le Sughere di Frassinello 2006

MAREMMA TOSCANA, ROCCA DI FRASSINELLO, ITALIE

| 32,75 $ | SAQ **S** (10969739) | ★★★☆ $$$ | Corsé+ |
|---|---|---|---|

■ NOUVEAUTÉ! Du même domaine que le généreux et enveloppant **Poggio alla Guardia 2008**, cette cuvée haut de gamme, qui est à ranger parmi les plus belles réussites de Toscane en 2006 – millésime toscan de toute beauté, soit dit en passant –, se montre plus concentrée, plus profonde et plus complète que ce dernier. Nous avons ici un vin très « travaillé », c'est-à-dire actuellement marqué par son élevage, qui lui procure un profil balsamique, mais sans excès, mieux maîtrisé que dans le cas de son frangin. La matière est noblement extraite, les tanins tissés très serrés, les saveurs pulpeuses et presque confites. Du beau jus, à la fois complet et complexe, non sans minéralité sous-jacente, qui devrait s'améliorer dans le temps. Il faut savoir qu'il provient d'un nouveau domaine de la célèbre maison toscane Castellare di Castellina. Ceci explique cela... **Cépages :** 60 % sangioveto, 20 % merlot, 20 % cabernet sauvignon. **Alc./**14,5 % www.castellare.it

☛ *Servir dans les dix années suivant le millésime, à 17 °C et oxygéné en carafe 30 minutes*

Carré d'agneau et jus au café expresso (*) ou tajine de ragoût d'agneau au cinq-épices et aux oignons cipollini caramélisés.

## Château de La Dauphine 2001    ✓ TOP 100 CHARTIER
FRONSAC, DOMAINES JEAN HALLEY, FRANCE

| 35 $ | SAQ **S** (10517741) | ★★★☆ $$$ | Corsé |
|---|---|---|---|

Il ne fallait pas manquer, en août 2010, l'ixième retour de ce 2001, coup de cœur de *La Sélection 2008* et *2009*. Un 2001 d'un charme fou, doté d'un velouté de texture à la pomerol, aux tanins enveloppés dans une gangue moelleuse et aux saveurs expansives laissant deviner des notes de cerise noire, de prune, de café et de sous-bois. Ancienne propriété des Établissements Jean-Pierre Moueix, La Dauphine est depuis 2000 la propriété de Jean Halley. Ce nouveau propriétaire libournais élabore aussi l'excellent Château La Croix Canon 2001 (aussi commenté). **Cépages :** 90 % merlot, 10 % cabernet franc. **Alc./**13 % www.chateau-dauphine.com

☛ *Servir dans les douze années suivant le millésime, à 17 °C et oxygéné en carafe 15 minutes*

**Figues confites au thé Pu-Erh, chantilly de fromage Saint Nectaire (**), cailles sautées à la poêle et riz sauvage aux champignons (*) ou **tagliatelles à la réglisse noire, queues de langoustines rôties, tomates séchées et petits pois** (**).

## Château La Sergue 2006
LALANDE-DE-POMEROL, PASCAL CHATONNET, FRANCE *(DISP. FIN 2010/DÉBUT 2011)*

| 35 $ | SAQ **S** (11150400) | ★★★☆?☆ $$$ | Corsé+ |
|---|---|---|---|

Au moment de mettre sous presse, ce cru, dégusté en primeur en août 2010, d'un échantillon du domaine, n'était pas encore sous commande par la SAQ. Espérons qu'il le sera... car il en résulte un 2006 d'une race étonnante, profond, dense et ramassé, au nez d'une haute définition, sans boisé, au fruité pur et retenu. Une grande pointure, à la fois longiligne et svelte, mais avec une matière passablement riche et concentrée, qui devrait prendre beaucoup d'expansion et de texture au fil des prochaines années. Violette, cassis et café signent une grande allonge en fin de bouche. Les tanins sont d'un superbe grain. Beau travail. Une réussite, comme l'était le précédent 2005 (aussi commenté), dont la quatrième étoile lui est aussi assurée à compter de 2014-15, et qui ira très loin dans le temps. **Cépages :** 90 % merlot (vignes de 40 ans d'âge en moyenne), 10 % cabernet sauvignon. **Alc./**14,5 % www.vignobleschatonnet.com

☛ *Servir dans les dix-huit années suivant le millésime, à 17 °C et oxygéné en carafe 90 minutes*

🍴 **Feuilles de vigne farcies_Mc²** (riz sauvage soufflé, bacon de sanglier, sirop de riz brun/café) (**) ou **pétoncles poêlés, couscous de noix du Brésil à l'orange sanguine, lait de coco au gingembre** (**).

## Les Terrasses 2007
✓ TOP 100 CHARTIER

PRIORAT, ÀLVARO PALACIOS, ESPAGNE *(DISP. OCT./NOV. 2010)*

| 35,25 $ | SAQ **S** (10931562) | ★★★☆?☆ $$$ | Corsé+ |
|---|---|---|---|

Modèle de régularité, millésime après millésime, depuis la création de cette cuvée, Álvaro Palacios a réussi à toucher au plus grand nombre d'amateurs en offrant une cuvée haute définition à prix demeurant sage. Il n'atteint pas la grandeur de ses majestueux Finca Dofi et Ermita (aussi commentés), mais, à ce prix, il ombrage la compétition... Il ne vous faudra donc pas laisser filer ce nouveau millésime, dégusté en primeur à deux reprises, au domaine ainsi qu'à mon bureau, en août 2010, d'un échantillon provenant d'Espagne. Depuis quatre ans, mes dégustations, sur place, de tous les crus du Priorat des autres domaines confirment à nouveau que nous sommes en présence du meilleur rapport qualité-prix de son appellation. Il faut dire que Palacios a effectué une sélection très rigoureuse pour ne choisir que les meilleurs raisins, provenant de 110 parcelles différentes, étant donné les nombreuses plantations récentes qui se sont ajoutées à ses sources pour ce cru. L'assemblage à aussi évolué au fil des ans, étant maintenant dominé par le samsó, un cépage autochtone qui a été remis au goût du jour. Le résultat confirme ce travail. Nez racé et profond, sans esbroufe, ni surmaturité, ni boisé inutile. Bouche certes riche et débordante de saveurs, mais sans aucune lourdeur ni puissance, plutôt fraîche et minérale. Un modèle d'harmonie. Pleine, ample, texturée, aux tanins mûrs et enveloppés, mais avec une certaine prise de jeunesse, aux longues saveurs de violette, de fruits rouges et de girofle. Le boisé n'a jamais été aussi admirablement intégré au cœur de la matière. D'une race inexistante chez les vins de Priorat offerts à ce prix. **Cépages :** 60 % samsó, 30 % garnacha, 10 % cabernet sauvignon. **Alc./**14,5 %

☛ *Servir dans les douze années suivant le millésime, à 17 °C et oxygéné fortement en carafe 30 minutes*

🍴 **Purée_Mc²** pour amateur de vin au céleri-rave et clou de girofle (**), morceau de flanc de porc poché, vinaigrette de boudin à la noix de coco, *crumble* de boudin noir (**) ou **bœuf de la Ferme Eumatimi** frotté à la cannelle avant cuisson, compote d'oignons brunis au four et parfumée à la pâte d'anchois salés (**).

## Château de la Gardine 2007
✓ TOP 100 CHARTIER

CHÂTEAUNEUF-DU-PAPE, CHÂTEAU DE LA GARDINE, FRANCE

| 35,50 $ | SAQ **C** (022889) | ★★★☆?☆ $$$ | Corsé+ |
|---|---|---|---|

Osez les châteauneufs 2007, car le millésime a offert son lot de grandes pointures, dont cette cuvée qui se montre meilleure que jamais. Tout y est. Forte coloration, nez pur et précis, d'une juste richesse et profondeur, s'exprimant, après oxygénation en carafe, par de beaux effluves de torréfaction et de fruits noirs, à la bouche dense et ramassée, non sans plénitude et texture, aux tanins réglissés et tricotés serrés, mais aussi mûrs à point, et, comme toujours pour cette cuvée, avec race et droiture et élan. Évoluera en beauté et pourrait même atteindre quatre étoiles... **Cépages :** 70 % grenache, 10 % syrah, 15 % mourvèdre, 5 % muscardin. **Alc./**14 % **www.gardine.com**

☛ *Servir dans les dix années suivant le millésime, à 17 °C et oxygéné en carafe 30 minutes*

🍴 Hamburgers d'agneau à la pommade d'olives noires au poivre, brochettes de bœuf au café noir (voir Filets de bœuf au café noir) (\*), daube d'agneau au vin et à l'orange ou **filet de bœuf de la Ferme Eumatimi, sauce *mole* mexicaine à la noix de coco et au cinq-épices (\*\*)**.

## Pelago 2006　　　　　　　　　　✓ TOP 100 CHARTIER

MARCHE ROSSO, UMANI RONCHI, ITALIE *(RETOUR AUTOMNE 2010)*

| 40,25 $ | SAQ **S** (735977) | ★★★★?☆ $$$$ | Corsé+ |
|---|---|---|---|

Bonne nouvelle, un second arrivage de ce 2006 était attendu au moment d'aller sous presse, ce qui permettra aux aficionados de grands rouges italiens d'en profiter à nouveau. Ils y découvriront un vin presque noir, richement aromatique et profondément concentré, au boisé noble, sans être dominant, plutôt raffiné, à la bouche dense, ramassée et solidement appuyée par des tanins mûrs mais bien présents, à la manière des grandes pointures de Bordeaux. Saveurs expansives (bleuet, violette, fumée, cacao, girofle, épices douces) et matière racée. Assurément le plus grand vin rouge moderne de cette région de l'Italie, jadis mis au point et élaboré sous la houlette du défunt Giacomo Tachis, grand œnologue qui a mis au monde, entre autres, les grands Sassicaia et Solaia. Il faut dire que toute la gamme Umani Ronchi mérite amplement votre attention, grâce à une évolution qualitative unique au fil des quinze ans de *La Sélection*. **Cépages :** 50 % cabernet sauvignon, 40 % montepulciano, 10 % merlot. **Alc./**14 % www.umanironchi.it

☛ *Servir dans les quinze années suivant le millésime, à 17 °C et oxygéné en carafe 45 minutes*

🍴 **Filet de boeuf de la Ferme Eumatimi, sauce *mole* mexicaine à la noix de coco et au cinq-épices (\*\*)** ou magret de canard rôti, graines de sésame et cinq-épices, navets confits au clou de girofle (\*\*).

## Badia A Passignano Riserva 2006

CHIANTI CLASSICO, MARCHESI ANTINORI, ITALIE *(DISP. SEPT. ET RETOUR NOV. 2010)*

| 41,50 $ | SAQ **S\*** (403980) | ★★★☆?☆ $$$$ | Corsé |
|---|---|---|---|

Au moment de mettre sous presse, deux commandes de cette réussite étaient attendues, soit une première en septembre, puis une seconde en novembre. Ce vin se montre très aromatique, au nez à la fois élégant, racé, distingué et profond, aux tonalités complexes de cèdre, de cuir, de menthe et de boîte à cigares, à la bouche certes tannique, mais aux tanins fins, gras et enrobés, à l'acidité discrète et juste dosée, à la texture ample et ronde, aux courbes sensuelles et aux saveurs d'une grande allonge (fruits noirs, violette, torréfaction, cacao et truffe). Sérieux plus que jamais. **Cépage :** sangiovese. **Alc./**13,5 % www.antinori.it

☛ *Servir dans les dix années suivant le millésime, à 17 °C*

🍴 **Magret de canard rôti, graines de sésame et cinq-épices, navets confits au clou de girofle (\*\*)**, purée_Mc² pour amateur de vin au céleri-rave et clou de girofle (\*\*) ou osso buco de jarret de veau à la vanille de Tahiti sauce liée au chocolat noir.

## Alto Moncayo « Garnacha » 2007

CAMPO DE BORJA, BODEGAS ALTO MONCAYO, ESPAGNE

| 43,25 $ | SAQ S (10860944) | ★★★☆?☆ $$$$ | Puissant |
|---|---|---|---|

Avec une baisse de prix de plus de dix dollars sur le précédent millésime, commenté dans *La Sélection 2010*, ce cru devient une référence en matière de rouges espagnols modernes. Après un 2005 (commenté en primeur dans *La Sélection 2009*) profondément fruité et concentré, ce 2007, signé par le puissant Jorge Ordoñez, propriétaire, entre autres, des fameux crus de Jumilla des *bodegas* Il Nido, se montre sous le même profil superlatif que l'était le 2006. À nouveau, il vous en mettra plein les papilles, comme seule la *garnacha* espagnole en connaît le secret, dévoilant des notes boisées puissantes, jouant dans l'univers torréfié et balsamique, ainsi qu'un fruité abondant, pour ne pas dire débordant et prenant, tout comme des tanins à la fois bien présents et gras. Du sérieux, pour les amateurs de crus «façon Nouveau Monde». **Cépage :** garnacha. **Alc./**16 %

☛ *Servir dans les douze années suivant le millésime, à 17 °C et oxygéné en carafe 30 minutes*

**Morceau de flanc de porc poché, vinaigrette de boudin à la noix de coco,** *crumble* **de boudin noir (\*\*).**

## Mas La Plana 2001

PENEDÈS, MIGUEL TORRES, ESPAGNE

| 44 $ | SAQ S (11117925) | ★★★★ $$$$ | Corsé |
|---|---|---|---|

Un 2001 en mode toujours aussi expressif, très bordelais d'approche, tout en exprimant les notes torréfiées classiques des rouges espagnols. Donc, un rouge coloré, aux reflets grenat, au nez aromatique, dévoilant des notes passablement riches de violette, de graphite, de tabac, de prune et de café, à la bouche ramassée mais sans fermeté, aux tanins fins et mûrs, bien travaillés par un élevage soigné, à l'acidité fraîche et aux saveurs longues et précises, laissant des traces de noisette et de prune. Beau cabernet, offert à prix doux pour son rang, se montrant encore plus complexe et détaillé que lors des deux dernières dégustations, effectuées en 2009 et 2008. **Cépage :** cabernet sauvignon. **Alc./**14 % **www.torreswines.com**

☛ *Servir dans les quinze années suivant le millésime, à 17 °C et oxygéné en carafe 15 minutes*

**Filets de bœuf au café noir (\*)** ou fromage à croûte fleurie aux clous de girofle (macérés quelques jours au centre du fromage).

## Rocca di Frassinello 2006

MAREMMA TOSCANA, ROCCA DI FRASSINELLO, ITALIE *(DISP. DÉC. 2010/JANV. 2011)*

| 45,75 $ | SAQ S (11370488) | ★★★☆?☆ $$$$ | Corsé+ |
|---|---|---|---|

■ NOUVEAUTÉ! Le grand vin du domaine, sélectionné par Christian Le Sommer, œnologue des Domaines Baron de Rothschild-Lafite, qui a réalisé ce projet en partenariat avec Alessandro Cellai, de Castellare di Rocca. Il en résulte un puissant toscan, au nez exubérant mais racé, développant des tonalités complexes de cassis, d'épices, de vanille et de havane, passablement boisé, à la bouche à la fois volumineuse, généreuse, presque chaude, pleine, dense, tannique et prenante, dotée d'une bonne prise tannique, mais aux tanins mûrs et travaillés avec soin par un luxueux élevage en barriques neuves. Profil bordelais certes, mais avec une aura aromatique bien toscane contemporaine. Ira loin. **Cépages :** 60 % sangiovese + cabernet, merlot, petit verdot. **Alc./**13,5 % **www.castellare.it**

☞ *Servir dans les quinze années suivant le millésime, à 17 °C et oxygéné en carafe 60 minutes*

Filets de bœuf Angus sauce au cabernet sauvignon ou magret de canard rôti parfumé de baies roses.

## Mas La Plana 2003 ✓ TOP 100 CHARTIER
PENEDÈS, MIGUEL TORRES, ESPAGNE

| 46,75 $ | SAQ S (10796410) | ★★★★?☆ $$$$ | Corsé+ |
|---|---|---|---|

Grande référence espagnole des quinze dernières années, ayant marquée d'un coup de cœur à plusieurs reprises *La Sélection*, revoici un ixième arrivage de cette cuvée signature, dans l'excellent 2003. Notez que ce cru est aussi disponible en format magnum (88,75 $; 490938), parfait pour la postérité. Ce cabernet sauvignon catalan historique s'exprime en 2003 avec éclat. Assurément l'un des millésimes les plus réussis des dernières années. Le nez, qui a besoin d'un bon coup de carafe pour se révéler, est à la fois racé, fin et concentré, exhalant des notes de fruits noirs et de chêne, au boisé intégré. La bouche est dense, fraîche et ramassée, d'un fruité pur et saisissant, d'une race évidente et d'une fraîcheur exemplaire dans ce millésime caniculaire qui a sévi sur l'Europe en 2003. Les tanins sont mûrs à point, tout en possédant un formidable grain. L'acidité naturelle tend le vin vers le futur, et les saveurs, alternant entre le cassis, la mûre, la violette et le chêne neuf, perdurent longuement dans une fin de bouche gommée et explosive. Fera figure de référence pour ce cru au cours des vingt prochaines années. **Cépage :** cabernet sauvignon. **Alc./**14 % www.torreswines.com

☞ *Servir dans les vingt années suivant le millésime, à 17 °C et oxygéné en carafe 45 minutes*

**Magret de canard rôti, graines de sésame et cinq-épices, navets confits au clou de girofle (\*\*), filet de bœuf de la Ferme Eumatimi, sauce** *mole* **mexicaine à la noix de coco et au cinq-épices (\*\*) ou asperges vertes rôties, enrobées de chocolat noir (infusé au thé fumé Zheng Shan Xiao Zhong, fleur de sel au café) (\*\*).**

## Gratallops Vi de vila 2007
PRIORAT-GRATALLOPS, ÀLVARO PALACIOS, ESPAGNE *(DISP. FIN OCT. 2010)*

| 50,25 $ | SAQ S (11337936) | ★★★★ $$$$ | Corsé+ |
|---|---|---|---|

Deuxième nouveau priorat d'Alvaro, avec le Camins (aussi commenté en primeur), après quatre années de durs travaux auprès des membres du comité des appellations d'origine, le Vi de vila Gratallops devient la première dénomination d'origine municipale de l'Espagne, donc ayant le droit de faire figurer le nom de la municipalité sur l'étiquette. Il faut savoir que Gratallops est le cœur ancestral du Priorat. Jusqu'ici, les raisins de cette cuvée, à base de vieilles vignes de 30 à 70 ans, du village de Gratallops, entraient dans la cuvée Les Terrasses. Son prix, à mi-chemin entre celui des Terrasses et celui du Finca Dofí, en fait une excellente affaire. Il en résulte un assemblage de six parcelles, au sol d'ardoises cuivrées et verdâtres. Dégusté à quelques reprises depuis la mise en barriques en 2008, le vin est intensément coloré, richement aromatique, au profil à la fois très garrigue et très épicé, se montrant à la fois très mûr et très frais en bouche, aux tanins enveloppés mais bien présents, avec de la prise, à l'acidité fraîche et aux saveurs expressives, pour ne pas dire éclatantes (!) et très longues (poivre du Sichuan et bouton de rose séchée). Assurément une nouvelle vedette. La finale est d'un crémeux unique, comme seul Palacios en connaît le secret. À table, en prenant en compte les données communiquées dans mon livre *Papilles et Molécules*, osez cuisiner une recette où dominera l'un de ces ingrédients complémentaires au poivre (genièvre, olive noire, algue nori, thym, agneau, orange, safran). **Cépages :** 50 % garnacha, 35 % samsó, 15 % cabernet sauvignon et syrah. **Alc./**14,5 %

☛ *Servir dans les quatorze années suivant le millésime, à 17 °C et oxygéné fortement en carafe 45 minutes*

 Daube d'agneau au vin et à l'orange ou filet d'agneau en feuilleté farci à la pâte d'olives noires et jus au thym.

## Château La Louvière rouge 2006
PESSAC-LÉOGNAN, ANDRÉ LURTON, FRANCE

| 53,75 $ | SAQ **S** (133835) | ★★★★ $$$$ | | Corsé |
|---|---|---|---|---|

Dégusté à quelques reprises entre 2009 et 2010, ce cru se montre d'une régularité sans faille. Robe rouge opaque au pourtour violacé. Nez expressif, ultraraffiné et complexe. Bouche aux tanins tissés serrés, qui ont du grain, à l'acidité à l'arrière-scène, laissant place à une texture ample et pleine, tout en étant compacte, ainsi qu'aux saveurs de cassis et de mûre, de moins en moins dominées par le boisé légèrement torréfié. D'une longue finale, marquée par des tanins nobles et, surtout, moins fermes qu'en 2009. **Cépages :** 55 % cabernet sauvignon, 43 % merlot, 2 % cabernet franc. **Alc./**13 % **www.andrelurton.com**

☛ *Servir dans les douze années suivant le millésime, à 17 °C et oxygéné en carafe 60 minutes*

 Filet de bœuf enveloppé d'algues nori et accompagné d'un braisé de carottes au jus de bœuf.

## Les Barcillants 2007
CORNAS, LES VINS DE VIENNE, FRANCE

| 55 $ | SAQ **S** (708438) | ★★★☆?☆ $$$$ | | Corsé |
|---|---|---|---|---|

Au moment de mettre sous presse, cette cuvée top niveau était toujours disponible. Vous y dénicherez un cornas 2007, provenant d'un domaine de pointe, qui n'a plus besoin de présentation, du moins pour les *rhône rangers aficionados*, d'une étonnante élégance aromatique. Finesse et race, retenue et profondeur, fraîcheur et richesse se côtoient dans ce parfum d'une haute définition (poivre rose, olive, violette, cassis). En bouche, il se montre tout aussi élégant, pour l'appellation, compact et tissé serré, mais sans aucune dureté. Pureté de fruit et fraîcheur exemplaire ajoutent à la singularité de ce vin dans la fournaise de crus puissants qu'engendre habituellement le cirque de Cornas. Le coup de cœur n'était pas loin... tout comme la quatrième étoile à venir. **Cépage :** syrah. **Alc./**13 % **www.vinsdevienne.com**

☛ *Servir dans les douze années suivant le millésime, à 18 °C et oxygéné en carafe 45 minutes*

Magret de canard grillé parfumé de baies roses accompagné d'une purée de patates douces aux olives noires et au romarin frais.

## Fontodi Riserva « Vigna del Sorbo » 2006
CHIANTI CLASSICO, TENUTA FONTODI, ITALIE *(DISP. SEPT./OCT. 2010)*

| 56,25 $ | SAQ **S** (742072) | ★★★★ $$$ | Corsé | BIO |
|---|---|---|---|---|

De la célèbre *tenuta* du village de Panzano, situé au cœur de la zone classico du Chianti, cette cuvée prestige, vinifiée avec doigté par la famille Manetti, se montre meilleure que jamais dans ce nouveau millésime. Un rouge d'une grande complexité aromatique et d'une rare définition, exhalant des tonalités de fruits noirs, de sous-bois et de café, avec une arrière-scène minérale. Comme toujours pour ce cru, de la race et de la distinction. La bouche est à la fois ramassée et large, compacte et nourrie, d'une fraîcheur unique et d'une grande allonge. **Cépages :** 90 % sangiovese, 10 % cabernet sauvignon. **Alc./**14,5 % **www.fontodi.com**

☛ *Servir dans les quatorze années suivant le millésime, à 17 °C et oxygéné en carafe 45 minutes*

 Carré d'agneau et jus au café expresso (*).

## Luce 2006
TOSCANA, LUCE DELLA VITE, ITALIE *(RETOUR JANV. 2011)*

| 97,75 $ | SAQ S (10222766) | ★★★★ $$$$$ | Puissant |
|---|---|---|---|

Après un grand 2005, qui, selon moi, représentait le meilleur millésime des dernières années pour ce cru (voir commentaire dans *La Sélection 2010*), ce 2006 abonde dans le même sens, sans toutefois se montrer aussi harmonieux. Vous vous sustenterez d'un rouge pulpeux, généreux, presque capiteux, au nez explosif et immédiat, dégageant d'évidents effluves de clou de girofle, de poivre long, de vanille et de fruits noirs en confiture. La bouche est puissante, sphérique et opulente, façon zinfandel signé Turley, ce qui est un compliment! Une longue finale enrobante, aux relents de cacao, de noisette et de café, signe ce 2006 superlatif et solaire à fond. **Cépages :** 55 % merlot, 45 % sangiovese. **Alc./**15 % **www.lucewines.com**

☛ *Servir dans les treize années suivant le millésime, à 17 °C*

 **Filet de boeuf de la Ferme Eumatimi, sauce *mole* mexicaine à la noix de coco et au cinq-épices (\*\*).**

## Château Pontet-Canet 2001
PAUILLAC, CHÂTEAU PONTET-CANET, FRANCE *(RETOUR OCT. 2010)*

| 105,25 $ | SAQ S (10924531) | ★★★★ $$$$ | Corsé |
|---|---|---|---|

Belle évolution pour ce cru depuis un an. Nez engageant, presque sensuel et d'une bonne richesse, détaillé et raffiné, jouant dans l'univers aromatique du graphite, de la boîte à cigares, de la violette, du café et de la prune, sans aucun boisé dominant, et ayant développé de puissantes tonalités fumées et épicées depuis juin 2009. Bouche presque juteuse, mais avec une certaine retenue et dotée d'un grain on ne peut plus médocain, ainsi que d'une subtile minéralité. Se montrait légèrement plus dense et profond, comparativement à l'année dernière, donc plus convaincant que jamais. La quatrième étoile y est bel et bien maintenant méritée, comme annoncé dans l'édition 2010 de ce guide. Dégusté, puis bu pour une seconde fois, question de vérifier l'épreuve du temps, en accord avec un épais et pénétrant potage aux champignons sauvages, dans lequel j'avais ajouté une touche de café noir, ces derniers mettaient plus que jamais en évidence et avec éclat les notes torréfiées et fumées du vin, tout en assouplissant son grain de tanins – je vous rappelle que le café est un remarquable assouplisseur de tanins. Il s'exprime haut et fort aussi avec notre recette de magret aux épices et notre purée_Mc$^2$ parfumée au clou de girofle, l'épice de la barrique, aussi assouplisseur de tanins. **Alc./**13 % **www.pontet-canet.com**

☛ *Servir dans les seize années suivant le millésime, à 17 °C*

**Magret de canard rôti, graines de sésame et cinq-épices (sans les navets confits au clou de girofle) (\*\*)** accompagné d'une **purée_Mc$^2$ pour amateur de vin au céleri-rave et clou de girofle (\*\*).**

# RÉPERTOIRE ADDITIONNEL

Les vins des **Répertoires additionnels**, qui font l'objet d'une description plus concise, mais presque tous offerts avec un choix de mets, sont ou seront généralement disponibles dans les mois suivant la parution de cette quinzième édition. De multiples futurs arrivages y sont aussi commentés cette année. En revanche, certains de ces vins peuvent ne plus être disponibles au moment où vous lirez ces lignes, ce qui explique le commentaire moins détaillé pour certains crus.

Soyez tout de même vigilants, car la majorité de ces vins fera l'objet d'un nouvel arrivage au cours de l'automne 2010 et des premiers mois de 2011, et ce, dans le même millésime proposé dans ce guide. Autre fait important cette année, plusieurs vins des *Répertoires additionnels* sont de futurs arrivages, commentés ici en primeur, avec leur date de mise en marché. Le retour ou l'arrivée de ces vins, comme de tous les vins commentés dans *La Sélection Chartier 2011*, vous sera annoncé par le biais du service de **Mises à jour Internet de** *La Sélection Chartier 2011*, via le site Internet **www.francoischartier.ca**.

## Negroamaro Mezzo Mondo 2008
SALENTO, MONDO DEL VINO, ITALIE
**9,95 $**        SAQ C (11254452)    ★☆?☆ $                Modéré+
■ NOUVEAUTÉ! Un original rouge du Midi de la péninsule italienne, plus précisément des Pouilles, passablement épicé et fruité, aux tanins qui ont du tonus, à l'acidité fraîche et aux saveurs éclatantes et mentholées. **Alc./**13,5 % ■ *Brochettes de bœuf sauce au fromage bleu (\*)*.

## Chatons du Cèdre 2007
CAHORS, LE CÈDRE DIFFUSION, FRANCE
**12,25 $**        SAQ C (560722)    ★★☆ $$                Modéré+
■ *Brochettes souvlakis.* (Voir commentaire détaillé dans *La Sélection Chartier 2010*)

## Contea di Bordino 2007
MONTEPULCIANO D'ABRUZZO, CANTINA MADONNA DEI MIRACOLI, ITALIE
**13,20 $**        SAQ S\* (10446874)    ★★☆ $$                Modéré+
Toujours aussi richement aromatique, mûr et pulpeux cet enveloppant et généreux montepulciano. Fruits noirs et épices douces participent à le positionner parmi les bons rapports qualité-rix italiens. **Alc./**13,5 % **www.vinicasalbordino.com** ■ *Côtelettes de porc aux poivrons rouges confits épicés*.

## Clos Bagatelle « Cuvée Tradition » 2009
SAINT-CHINIAN, HENRY SIMON, FRANCE
**13,45 $**        SAQ C (446153)    ★★☆ $                Modéré
Les différents crus de cette propriété ont été soulignés à de nombreuses reprises au fil des quinze éditions de La Sélection, qualité oblige. Ce que cette cuvée d'entrée de gamme confirme à nouveau, avec le charme, l'élégance et la complexité aromatique qu'on lui connaît, sans oublier la finesse de grain des tanins et l'ampleur de la texture veloutée. **Alc./**13 % **www.closbagatelle.com** ■ *Sushis pour amateurs de vin rouge (à la pommade d'olives noires, poivre et riz sauvage soufflé au café) (voir aussi chapitre* Recettes).

## La Truffière « De Conti » 2005
BERGERAC, FAMILLE DE CONTI, FRANCE
**13,50 $**        SAQ C (10846000)    ★★☆?☆ $                Modéré+    BIO
De style bordelais, cette aubaine a reçu un coup de cœur dans les deux précédentes éditions de ce guide. Toujours aussi aromatique, ce vin, à la fois fin et riche, ayant évolué vers des tonalités de fruits plus compotés (framboise et prune), tout en conservant sa bouche presque pulpeuse, ample et expressive à souhait, aux tanins encore plus tendres, mais avec

un grain assoupli, comparativement à l'année dernière. Du sérieux, à prix plus qu'honnête. **Alc./**13 % **www.chateautourdesgendres.com** ◼ *Brochettes de poulet aux champignons portabellos.*

## Clos St-Alphonse 2007
VALLÉE DE LA BEKAA, CHÂTEAU KSARA, LIBAN *(DISP. OCT./NOV. 2010)*
**13,70 $**    SAQ C (11315171)    ★☆?☆ ☆            Léger+
◼ **NOUVEAUTÉ!** Pour son entrée au répertoire des produits courants de la SAQ, j'aurais préféré que le Liban puisse y faire son apparition avec un vin légèrement plus substantiel et, surtout, plus complexe, comme elle en connaît le secret. Quoi qu'il en soit, ce rouge se montre simple et coulant, léger et agréable, un brin épicé, au fruité pur, mais sans être engageant. Donnons-lui la chance et suivons-le à son arrivée en octobre. **Cépages :** syrah, cabernet sauvignon. **Alc./**13 % **www.ksara.com.lb**

## Pio Cesare « Dolcetto » 2008
DOLCETTO D'ALBA, PIO CESARE, ITALIE
**13,80 $** 375 ml    SAQ S* (129890)    ★★★ $$            Modéré+
D'un nez élégant, aromatique et très frais, déployant des effluves de cerise et de sous-bois. D'une bouche aux tanins serrés, un brin fermes mais sans dureté, à l'acidité fraîche, à la texture presque souple et aux saveurs persistantes de cerise et de réglisse. **Alc./**13 % **www.piocesare.it** ◼ *Ailes de poulet.*

## Ludovicus 2008
TERRA ALTA, CELLER PIÑOL, ESPAGNE *(RETOUR NOV. 2010)*
**13,85 $**    SAQ S (11096909)    ★★★ $$            Corsé
Un nouveau millésime toujours aussi généreusement aromatique que le 2007, d'une bonne plénitude en bouche, aux tanins mûrs, mais avec du grain, de l'expressivité et du tonus. **Cépages :** 35 % garnacha, 30 % tempranillo, 25 % syrah, 10 % cabernet sauvignon. **Alc./**14 % **www.cellerpinol.es** ◼ *Côtes levées à la cannelle et au curry de vin rouge.*

## Château de Gaudou « Tradition » 2007
CAHORS, DUROU & FILS, FRANCE
**13,90 $**    SAQ S* (919324)    ★★★ $$            Modéré+
Coup de cœur de la dernière édition de *La Sélection*, ce 2007 se montre tout à fait enchanteur et enveloppant, d'une souplesse engageante pour l'appellation. **Alc./**13 % **www.chateaudegaudou.com** ◼ *Foie de veau sauce au poivre vert et à la cannelle.*

## La Ciboise 2009
LUBERON, M. CHAPOUTIER, FRANCE *(DISP. JANV. 2011)*
**13,95 $**    SAQ C (11374382)    ★★☆?☆ $            Modéré+    BIO
◼ **NOUVEAUTÉ!** Cet assemblage grenache et syrah, de la nouvelle appellation d'origine Luberon, se montre plutôt engageant, au fruité mûr et débordant, sans trop, à la bouche généreuse, dodue et tonique, aux tanins mûrs, presque enveloppés, mais avec du grain, aux saveurs longues et précises, rappelant les fruits noirs, le poivre et la violette. Mériterait un coup de cœur et deviendra assurément un must lors de son arrivée, prévue au début de l'année 2011. **Alc./**14,5 % **www.chapoutier.com** ◼ *Sushis pour amateurs de vin rouge (à la pommade d'olives noires, poivre et riz sauvage soufflé au café) (voir chapitre Recettes).*

## Pont Neuf 2009
VIN DE PAYS DU GARD, DOMAINE DE TAVERNEL, FRANCE
**13,95 $**    SAQ S* (896233)    ★★?☆ $$            Modéré+    BIO
Comme c'était le cas avec le 2007 (commenté dans *La Sélection 2009*), pour apprécier à sa juste valeur ce nouveau millésime, il vous faudra le passer fortement en carafe afin de libérer et de clarifier ses arômes. Après quoi vous y découvrirez un rouge d'une étonnante richesse et profondeur pour son rang. Fruits noirs et olive noire donnent le ton. Les tanins sont là, sans être dominants. Le corps est presque plein et les saveurs longues. Du beau jus, sans esbroufe. **Alc./**13,5 % **www.domaine-tavernel.com** ◼ *Bœuf braisé au jus de carotte.*

### Parallèle « 45 » 2007
CÔTES-DU-RHÔNE, PAUL JABOULET AÎNÉ, FRANCE
**14 $**          SAQ C (332304)   ★★☆ $$               Modéré+
Cette cuvée d'entrée de gamme, offerte à prix doux, se distingue en 2007 par un caractère à la fois expressif, croquant, savoureux, spécialement après une courte oxygénation en carafe. Vous vous sustenterez d'un rouge aromatique, agréable et charmant, aux effluves passablement riches, s'exprimant par des notes de violette, de mûre, de clou de girofle, d'olive noire et de réglisse, à la bouche aux tanins fins, coulants et déliés, à l'acidité fraîche et aux saveurs longues, plus poivrées et torréfiées qu'au nez. **Alc./**14 % **www.jaboulet.com** ■ *Bœuf braisé au jus de carotte.*

### Blés Crianza 2006
VALENCIA, DOMINO DE ARANLEÓN, ESPAGNE
**14,05 $**          SAQ C (10856427)   ★★★ $$               Modéré+   BIO
Coup de cœur de *La Sélection 2010*. ■ *Salade de betteraves rouges parfumées au quatre-épices.*

### Sauló Espelt 2008
EMPORDÀ, ESPELT VITICULTORS, ESPAGNE
**14,20 $**          SAQ S (10856241)   ★★☆?☆ $$               Modéré+
Pour sortir des sentiers battus, tout en se sustentant d'un généreux rouge, au fruit solaire, et ce, à peu de frais, ne manquez pas cette belle référence de la côte catalane. Expressif à souhait, passablement riche et mûr, plein et enveloppant, avec fraîcheur et grain. Voilà une aubaine à se mettre sous la dent. J'aime! **Alc./**14 % **www.espeltviticultors.com** ■ *Pâtes aux chipolatas.*

### Nero d'Avola Adesso 2008
SICILIA, GERARDO CESARI, ITALIE
**14,40 $**          SAQ S (10675749)   ★★☆?☆ $$               Modéré+
Un abordable sicilien, d'une certaine concentration, non dénué de fraîcheur, aux tanins arrondis, mais avec du grain, aux saveurs expressives et passablement mûres, jouant dans la sphère de l'anis, de la cerise et des épices douces. **Alc./**13,5 % **www.cesari-spa.it** ■ *Osso buco au fenouil et gremolata.*

### Canet Valette « Antonyme » 2009
SAINT-CHINIAN, VALETTE, FRANCE
**14,90 $**          SAQ S (1013317)   ★★★ $$               Modéré
Une invitante originalité, toujours aussi débordante de fruits rouges et de fleurs, aux tanins plus que fins, à l'acidité digeste et au corps aérien. Un autre vin dans la mouvance des crus au degré d'alcool « humain », qui gagne en popularité depuis quelques années en France. Tout un exploit, quand on sait que ce vin contient 50 % de mourvèdre, cépage offrant des vins habituellement plus costauds. **Alc./**12,5 % **www.canetvalette.com** ■ *Sauté de porc au brocoli et poivrons rouges sur pâtes aux œufs.*

### Domaine Labranche Laffont 2007
MADIRAN, CHRISTINE DUPUY, FRANCE
**14,95 $**          SAQ S* (919100)   ★☆?☆ $$               Corsé
Coup de cœur de *La Sélection* à plusieurs reprises, ce madiran se montre moins convaincant en 2007. Du moins, pas aussi harmonieux et inspiré que par les millésimes passés, avec une certaine rugosité des tanins, même si le fruité est bel et bien expressif. À suivre... **Alc./**13,5 % ■ *Filets de bœuf au café noir (*).*

### Lou Maset 2008
COTEAUX-DU-LANGUEDOC MONTPEYROUX, DOMAINE SYLVAIN FADAT, FRANCE
**14,95 $**          SAQ S (11096116)   ★★★ $$               Modéré   BIO
À nouveau un vin de plaisir et de soif par excellence pour cette plus qu'abordable cuvée vinifiée avec brio par l'un des viticulteurs les plus attentionnés du Languedoc. Du fruit à profusion, mais en mode fraîcheur, sans boisé ni poudre de perlimpinpin. Bouche fraîche et aérienne, longiligne et digeste, dotée d'une certaine prise tannique, même si les tanins sont plutôt fins. Un rouge au corps modéré et aux saveurs longues

et subtiles, laissant des traces de fruits rouges et de garrigue. Elle vient compléter le duo avec la déjà très inspirante et inspirée cuvée classique Domaine d'Aupilhac, signalée dans ce guide depuis plusieurs millésimes. **Alc./**13 % www.aupilhac.com ■ *Boudin noir aux oignons et aux lardons.*

### Domaine La Montagnette 2009
CÔTES-DU-ROUSSILLON-VILLAGES, LES VIGNERONS D'ESTÉZARGUES, FRANCE
**15,15 $**         SAQ S (11095949)   ★★★ $$         Modéré+
■ **NOUVEAUTÉ!** De la couleur, du fruit (cassis, framboise), de la fraîcheur, de l'ampleur, des tanins fins et de la texture, pour moins de quinze dollars. Je vous aurai avertis! **Alc./**14,5 % www.vins-estezargues.com
■ *Hamburgers de veau à la pommade d'olives noires.*

### La Vendimia 2008
RIOJA, BODEGAS PALACIOS REMONDO, ESPAGNE
**15,20 $**     SAQ S* (10360317)   ★★★ $$         Modéré+
Coup de cœur de *La Sélection 2010*, tout comme les précédents millésimes de ce vin l'ont été à tour de rôle, cette cuvée étoilée se montre en 2008, comme toujours, invitante et débordante de fruit. Nez engageant au possible, exhalant de très aromatiques et élégantes tonalités épicées (poivre, girofle) et fruitées (bleuet, fraise). Bouche plus gourmande que jamais, même festive (!), d'une fraîcheur unique, aux tanins fins et enrobés, presque dodus, au corps modéré mais pulpeux, et aux saveurs longues et fraîches. **Alc./**14 % ■ *Filet de bœuf grillé accompagné de risotto au jus de betterave parfumé au girofle.*

### Château Grinou Réserve 2007
BERGERAC, CATHERINE ET GUY CUISSET, FRANCE
**15,30 $**     SAQ S* (896654)   ★★☆ $$         Modéré+
■ *Saumon grillé beurré de pesto de tomates séchées.* (Voir commentaire détaillé dans *La Sélection Chartier 2010*)

### Château Grinou Réserve 2008
                                              ✓ TOP 100 CHARTIER
BERGERAC, CATHERINE ET GUY CUISSET, FRANCE *(DISP. AUTOMNE 2010)*
**15,30 $**     SAQ S* (896654)   ★★☆?☆ $$       Modéré+
Après avoir élaboré une suite de merlots de charme et de générosité jusqu'en 2005, puis deux millésimes moins expressifs et moins nourris en 2006 et 2007, Grinou revient avec un 2008 plus complet que jamais, aromatique et mûr à souhait, d'une belle sensualité, aux courbes texturées et aux saveurs qui ont de l'éclat, rappelant la cerise noire, le café et le goudron, spécialement pour le prix demandé. Nouvelle étiquette aussi au rendez-vous. **Alc./**13 % www.chateau-grinou.com ■ *Sauté de porc aux poivrons rouges confits épicés.*

### Torus 2007
MADIRAN, VIGNOBLES BRUMONT, FRANCE
**15,30 $**     SAQ C (466656)   ★★☆?☆ $$        Modéré+
À ranger parmi les bons achats chez les vins rouges français offerts sous la barre des vingt dollars, en produits courants. Tout y est. Couleur soutenue. Nez aromatique, passablement riche et détaillé, sans esbroufe ni boisé inutile. Bouche pleine, d'une bonne densité pour le rang, tanins mûrs et enveloppés pour l'appellation, fraîcheur digeste et saveurs longues, laissant des traces de fruits noirs. **Alc./**13 % www.brumont.fr
■ *Brochettes de bœuf et de foie de veau aux poivrons ou filets de bœuf au café noir (\*).*

### Georges Dubœuf 2009
BEAUJOLAIS-VILLAGES, LES VINS GEORGES DUBŒUF, FRANCE
**15,35 $**     SAQ C (122077)   ★★☆ $$         Léger+
Un gamay 2009 au nez très aromatique, agréable et charmeur, aux effluves expressifs de violette, de cassis et de fraise, à la bouche aux tanins coulants, à l'acidité fraîche, à la texture soyeuse et aux saveurs assez longues, rappelant les épices douces et la framboise. Les inconditionnels de cette cuvée seront ravis. **Alc./**12,5 % www.duboeuf.com
■ *Tartare de bœuf, tartare de thon ou veau marengo.*

### Le Monache Rosso 2009
MONFERRATO, MICHELE CHIARLO, ITALIE

**15,35 $**          SAQ S* (10390583)   ★★☆?☆ $$          Modéré

Comme à son habitude, ce nouveau millésime de cet abordable cru pié-montais se montre éclatant et engageant au possible, tout en demeu-rant un vin de plaisir immédiat, sur les fruits et les fleurs rouges, aux tanins fins et soyeux, aux longues et fines saveurs de poivron et de pivoine. **Alc./**13 % www.chiarlo.it ■ Wraps *au poulet et au chorizo.*

### Domaine Ferrer Ribière « Tradition » 2007
CÔTES-DU-ROUSSILLON, D. FERRER ET B. RIBIÈRE, FRANCE *(RETOUR SEPT./OCT. 2010)*

**15,60 $**          SAQ S (11096271)   ★★☆ $$          Modéré+

Retour de ce cru, signalé dans l'édition 2010, qui commence à se dégour-dir, étant l'année dernière sur sa retenue juvénile, sans toutefois se mon-trer très engageant. La bouche est aussi compacte et ramassée, de richesse modérée, aux tanins très fins, mais qui ont du grain, à l'acidité discrète, mais aux saveurs plus expressives, rappelant la garrigue et les fruits rouges. À deux dollars de moins, faiblesse de l'euro oblige, il devient un agréable achat. **Alc./**13,5 % ■ *Hamburgers d'agneau à la pom-made d'olives noires et au thym.*

### Pyrène « Coteaux-du-Quercy » 2007
COTEAUX-DU-QUERCY, LIONEL OSMIN, FRANCE

**15,60 $**          SAQ S (11154558)   ★★★ $$          Modéré+   BIO

Un rouge aromatique, à la fois fin et mûr, aux effluves de poivre, de poi-vron et de fruits noirs, à la bouche presque gourmande et joufflue, mais retenue par une trame tannique serrée et fraîche. Un vin stylisé, aux lignes épurées et au corps harmonieux. **Cépages :** malbec, cabernet franc, merlot. **Alc./**12,5 % ■ *Filets de bœuf grillés et sauté de poivrons rouges au curcuma.*

### Pyrène « Marcillac » 2007
MARCILLAC, LIONEL OSMIN, FRANCE

**15,60 $**          SAQ S (11154523)   ★★★ $$          Modéré+   BIO

Coup de cœur à la précédente édition, cette cuvée de Marcillac se montre animale et détendue en bouche. Le nez intrigue par ses effluves de vieux cuir, de craie, de champignon de Paris et de fruits rouges. La bouche suit avec sa texture enveloppante et ses tanins assouplis. Du beau jus, singulier et à prix plus qu'abordable, parfait pour sortir des sentiers battus. **Cépage :** mansois. **Alc./**12,5 % ■ *Veau marengo (de longue cuisson) sur pâtes aux œufs à l'huile de truffes.*

### Syrah Tsantali 2007
VIN DE PAYS ISMARIKOS, EVANGELOS TSANTALIS, GRÈCE

**16,25 $**          SAQ S (10249125)   ★★☆ $$          Modéré+

Cette syrah s'exprime par un nez passablement concentré, aux notes de fruits noirs, ainsi que boisées, à la bouche débordante de saveurs, d'une bonne plénitude, sans trop, aux courbes rondes, tout en étant compact et bien ramassée, se terminant sur des saveurs d'une bonne longueur. **Alc./**13,5 % www.greekwinemakers.com ■ *Pâtes aux saucisses italiennes épicées ou médaillons de porc à la pommade d'olives noires.*

### Domaine du Ministre 2006
SAINT-CHINIAN, FRANÇOIS LURTON, FRANCE

**16,35 $**          SAQ S* (913178)   ★★★ $$          Modéré+

Millésime après millésime, ce cru languedocien se montre toujours aussi charmeur, avec un raffinement aromatique qui étonne pour son rang, ainsi qu'une bouche à la fois pleine et ferme, ample et texturée, aux tanins serrés, mais aux grains fins. Du bel ouvrage, comme toujours pour cette maison. **Alc./**13 % www.francoislurton.com ■ *Carré de porc aux tomates séchées.*

### La Segreta 2008
SICILIA, PLANETA, ITALIE

**16,55 $**          SAQ S* (898296)   ★☆?☆ $$          Modéré+

(Voir commentaire détaillé dans *La Sélection Chartier 2010*)

### Château Pey Latour 2008
BORDEAUX, DOURTHE FRÈRES, FRANCE
**16,70 $**     SAQ C (10524529)   ★★ **$$**        **Modéré**
Un bordeaux 2008 simple et coulant, agréable, sans être très expressif ni riche, très frais et subtilement épicé (cannelle, girofle) et fruité (cassis, framboise). **Alc./**13 % www.dourthe.com ■ *Brochettes de bœuf teriyaki et asperges vertes rôties au four à l'huile d'olive.*

### Château Rouquette sur Mer « Cuvée Amarante » 2005
COTEAUX-DU-LANGUEDOC LA CLAPE, JACQUES BOSCARY, FRANCE
**16,75 $**     SAQ S* (713263)   ★★★?☆ **$$**        **Modéré+**   BIO
Coup de cœur de *La Sélection Chartier 2009* et *2010*. ■ *Pavé de bar du Chili en croûte de cèpes et réduction de porto (*).*

### Odé d'Aydie 2006
MADIRAN, CHÂTEAU D'AYDIE, VIGNOBLES LAPLACE, FRANCE
**16,75 $**     SAQ S (10675298)   ★★★ **$$**        **Corsé**
Comme toujours pour ce cru, il se montre presque noir, au nez retenu, mais profondément fruité, à la bouche compacte et tout aussi débordante de fruit, généreuse, charnue et pleine, non sans fraîcheur, aux tanins d'une étonnante tendreté pour l'appellation. **Alc./**13,5 % ■ *Filets de bœuf au café noir (*).*

### Causse Marines « Peyrouzelles » 2009
                   ✓ TOP 100 CHARTIER
GAILLAC, DOMAINE CAUSSE MARINES, FRANCE *(RETOUR OCT./NOV. 2010)*
**16,80 $**     SAQ S (709931)   ★★★?☆ **$$**        **Modéré+**   BIO
Difficile d'être plus enjôleur, raffiné et épuré de tout artifice que ce nouveau millésime de la cuvée Peyrouzelles, signée avec maestria par l'inspiré et inspirant Patrice Lescaret. Nez plus explosif et mûr que jamais (framboise, prune, pivoine), grande digestibilité, saveurs fraîches et persistantes, avec une arrière-scène subtilement épicée, aux tanins plus fins et mûrs que jamais, au corps étonnamment nourri pour le cru et, vraiment, du plaisir à boire jusqu'à plus soif! Je me suis retenu pour ne pas lui décerner trois étoiles et demie... **Cépages :** syrah, braucol, duras, alicante, jurançon noir, prunelard. **Alc./**14 % www.causse-marines.com ■ *Fricassée de veau aux tomates séchées ou foie de veau et confit de betteraves et d'oignons rouges.*

### Capezzana « Barco Reale di Carmignano » 2007
BARCO REALE DI CARMIGNANO, TENUTA DI CAPEZZANA, ITALIE
**16,95 $**     SAQ S (729434)   ★★★ **$$**        **Modéré+**
Un sangiovese parfumé et passablement riche, un brin évolué, aux effluves de framboise, de prune, de cacao et de réglisse, à la bouche presque ronde, avec une certaine prise tannique et de la fraîcheur. Tout à fait réussi **Alc./**13,5 % www.capezzana.it ■ *Hamburgers aux tomates séchées et cheddar extra-fort.*

### Les Cranilles 2008
CÔTES-DU-RHÔNE, LES VINS DE VIENNE, FRANCE *(RETOUR OCT. ET DÉC. 2010)*
**16,95 $**     SAQ S (722991)   ★★★ **$$**        **Modéré+**
Comme à son habitude, cet assemblage de syrah et de grenache est une vraie petite bombe de plaisir. Nez exubérant et passablement riche, exhalant des tonalités fruits rouges, de poivre et de torréfaction. Bouche à la fois gourmande et fraîche, gorgée de saveurs festives à se mettre sous la dent pendant que le fruité s'exhibe avec éclat. **Alc./**14,5 % www.vinsdevienne.com ■ *Hamburgers d'agneau à la pommade d'olives noires.*

### Château Cailleteau Bergeron 2007
PREMIÈRES-CÔTES-DE-BLAYE, DARTIER ET FILS, FRANCE
**17,05 $**     SAQ S* (919373)   ★★★ **$$**        **Modéré+**
■ *Rôti de bœuf et jus au café expresso (voir Carré d'agneau et jus au café expresso) (*).* (Voir commentaire détaillé dans *La Sélection Chartier 2010*)

### Château Cailleteau Bergeron 2008
PREMIÈRES-CÔTES-DE-BLAYE, DARTIER ET FILS, FRANCE
**17,05 $**     SAQ S* (919373)   ★★☆?☆ **$$**        **Modéré+**
Un nouveau millésime toujours aussi réussi pour cette cuvée, devenue au fil des ans une référence chez les bordeaux à petits prix. Un vin aromatique, passablement riche et enchanteur, aux tonalités torréfiées, à la bouche

d'une bonne ampleur, mais avec fraîcheur et grains de tanins fermes, sans trop, qui lui procurent un profil plus élancé que par le passé. **Alc./**12,5 % **www.cailleteau-bergeron.com** ■ *Hamburgers aux poivrons rouges confits et au paprika.*

### Brentino Maculan 2007
BREGANZE ROSSO, FAUSTO MACULAN, ITALIE
**17,10 $**     SAQ S (10705021)   ★★★ $$                  Corsé
Difficile de croire que ce rouge est offert en dessous de vingt dollars, tant il a des allures de grand vin vénitien à plus de quarante dollars! Un rouge gorgé de fruits noirs, au boisé subtil, aux tanins qui ont de la grippe, même si presque voluptueux, au corps plein et aux saveurs très longues. Maculan *ride again* avec une cuvée *top* niveau, comme lui seul en connaît le secret. **Alc./**12,5 % **www.maculan.net** ■ *Brochettes de poulet aux champignons portabellos.*

### Château Peyros « Vieilles Vignes » 2005     ✓ TOP 100 CHARTIER
MADIRAN, CHÂTEAU PEYROS, FRANCE
**17,15 $**     SAQ S* (488742)   ★★★ $$                  Corsé
Coup de cœur à quelques reprises, ce madiran récidive avec un nouveau millésime plus en fruit que jamais, à la fois dense et détendu, plein et sphérique pour l'appellation, aux saveurs expressives et fraîches, laissant deviner des notes de violette, de prune et de graphite. **Alc./**13,5 % **www.vignobles-lesgourgues.com** ■ *Filets de bœuf et lanières de poivrons verts et rouges légèrement confits.*

### Château Coupe Roses « Les Plots » 2008
MINERVOIS, FRANÇOISE FRISSANT-LE CALVEZ ET PASCAL FRISSANT, FRANCE
**17,20 $**     SAQ S* (914275)   ★★☆?☆ $$                  Corsé
Un généreux 2008, de l'un des domaines phare de l'appellation, qui se montre sous un jour solaire, plein, dense et très garrigue. Difficile d'être plus Midi de la France que ce millésime de Coupe Roses, dont la cuvée Les Plots s'est taillé une belle réputation au Québec au fil des quinze ans de *La Sélection*. Un peu carré actuellement (dernière dégustation en juin 2010), ce cru gagnera assurément en texture à compter de l'automne 2011. **Cépages :** 60 % syrah, 25 % grenache, 15 % carignan. **Alc./**13,5 % **www.coupe-roses.com** ■ *Carré d'agneau farci de pommade d'olives noires.*

### Recorba Crianza 2006
RIBERA DEL DUERO, REAL SITIO DE VENTOSILLA, ESPAGNE *(DISP. SEPT./OCT. 2010)*
**17,25 $**     SAQ S (10463826)   ★★☆?☆ $$                  Corsé
Les amateurs de rouge australien devraient apprécier cet espagnol au style très moderne, fortement coloré, richement aromatique, au fruité mûr, confit, et boisé, sans trop, et à la bouche généreuse et enveloppante, débordante de saveurs, aux tanins qui ont du grain, mais presque enveloppés d'une gangue moelleuse. La troisième étoile y est presque. **Alc./**14,5 % **www.pradorey.com** ■ *Rognons de veau au fromage bleu.*

### Tempranillo Gladium Crianza 2006
LA MANCHA, BODEGAS CAMPOS REALES, ESPAGNE
**17,45 $**     SAQ S (11155462)   ★★☆?☆ $$                  Corsé
■ NOUVEAUTÉ! Un espagnol classique, au profil très rioja, fortement coloré, richement aromatique, d'une bonne complexité, aux notes de cerise, de cassis, de vieux cuir, de cacao et de café, à la bouche aux tanins tissés très serrés, très fermes, à l'acidité fraîche, mais se montrant très généreux, avec de la texture et de la prestance, terminant sur une allonge torréfiée plus que correcte. **Alc./**14,6 % **www.bodegascamposreales.com** ■ *Purée_Mc$^2$ pour amateur de vin au céleri-rave et clou de girofle (\*\*).*

### Vallformosa Reserva 2004
PENEDÈS, MASIA VALLFORMOSA, ESPAGNE
**17,50 $**     SAQ S* (10254207)   ★★★ $$                  Corsé
Un catalan au nez très aromatique et assez puissant, aux notes enivrantes de cuir, de mûre, de cerise et de tabac blond, à la bouche d'une texture ample et veloutée, quasi sensuelle, qui remplit les papilles richement torréfiées. Boisé certes, mais généreusement savoureux pour le style. **Alc./**13 % **www.masiavalformosa.com** ■ *Salade d'asperges vertes rôties à l'émulsion de « Mister Maillard » (voir chapitre Recettes).*

### Bouscassé 2006 ✓ TOP 100 CHARTIER
MADIRAN, ALAIN BRUMONT, FRANCE
**17,55 $** SAQ S* (856575) ★★★ $$ Modéré+

Un 2006 certes retenu au nez, mais étonnamment détendu en bouche, au fruité engageant, tout en étant compact, aux tanins serrés mais mûrs, et plus détendu qu'au printemps 2009, au boisé présent mais juste dosé, et à l'acidité fraîche. Prune, fumée et tabac donnent maintenant le ton à ce Bouscassé prêt à boire. **Alc./**13,5 % www.brumont.fr ■ *Longe de porc fumée sauce au boudin noir et au vin rouge.*

### Château du Grand Caumont « Impatience » 2007
CORBIÈRES, FAMILLE RIGAL, FRANCE
**17,55 $** SAQ S* (978189) ★★☆?☆ $$ Modéré+

Cette cuvée se montre plus que jamais réussie et engageante au possible. Le nez est très expressif et passablement riche, exhalant de riches effluves de fruits compotés, de vanille et de cacao, façon Nouveau Monde. La bouche est ronde et dodue, comme toujours pour ce cru, non sans fraîcheur, aux tanins fins et aux saveurs longues et presque gourmandes. Vin bien nourri, mais de plaisir immédiat. **Alc./**13,5 % www.grandcaumont.com ■ *Brochettes de bœuf à la pommade de menthe fraîche, poivre concassé et vinaigre balsamique.*

### Château de Sérame 2007
CORBIÈRES, VINS ET VIGNOBLES DOURTHE, FRANCE
**17,70 $** SAQ S* (10507121) ★★★?☆ $$ Corsé

Dominé par la syrah, ce nouveau millésime se montre très expressif, passablement riche et mûr, à la fois dense et généreux, d'une fermeté juvénile, qui devrait se détendre dès l'hiver 2011. Une réussite pour le prix. **Alc./**13 % www.chateaudeserame.com ■ *Carré d'agneau et jus au café expresso (*).*

### Agiorgitiko by Gaia 2008
NEMEA, GAIA WINES, GRÈCE *(DISP. OCT./NOV. 2010)*
**17,75 $** SAQ S (11097426) ★★★ $$ Corsé

■ NOUVEAUTÉ! Du noble cépage agiorgitiko, signé ici par l'un des grands domaines de la Grèce, ce nouveau rouge, dégusté en primeur en juillet 2010, fera le bonheur des amateurs de vin au profil Nouveau Monde, mais en mal de terroir et d'originalité... De l'éclat, des épices, de la torréfaction, de l'ampleur, de la texture, du moelleux et du coffre, à un prix plus qu'acceptable. Le boisé est certes présent, mais pas dominant. Le vin parfait pour notre recette de feuilles de vigne pour amateur de vin rouge (voir livre *Les Recettes de Papilles et Molécules*). **Alc./**14 % www.gaia-wines.gr ■ *Feuilles de vigne farcies_Mc² (riz sauvage soufflé, bacon de sanglier, sirop de riz brun/café) (**).*

### Château Pesquié Prestige 2008
CÔTES DU VENTOUX, CHÂTEAU PESQUIÉ, FRANCE
**17,80 $** SAQ S* (743922) ★★☆?☆ $$ Modéré+

Comme depuis de multiples millésimes, ce ventoux est à ranger parmi les meilleurs de son appellation. Un rouge coloré, au nez à la fois mûr et passablement concentré, frais et défini, au boisé juste, à la bouche pleine, avec de la prise, fraîche et presque enveloppée. Du plaisir. **Alc./**13,5 % www.chateaupesquie.com ■ *Poulet aux olives noires et aux tomates séchées.*

### Les Mauguerets-La Contrie 2006
SAINT-NICOLAS-DE-BOURGUEIL, PASCAL & ALAIN LORIEUX, FRANCE
**17,90 $** SAQ S (872580) ★★★ $$ Modéré+

Cette cuvée se montre engageante et raffinée, aux effluves d'une bonne intensité (fraise, poivron vert, rose séchée), aux tanins presque coulants mais avec du grain, à l'acidité fraîche mais discrète, au corps d'une bonne présence, presque dense pour le style, et aux saveurs longues et précises. **Alc./**12,7 % www.vinslorieux.com ■ *Poitrines de poulet farcies au chèvre et aux poivrons rouges.*

### Scabi 2008
SANGIOVESE DI ROMAGNA « SUPERIORE », SAN VALENTINO, ITALIE
**17,90 $**        SAQ S (11019831)  ★★★ $$        Corsé
■ NOUVEAUTÉ! Très beau sangiovese, passablement mûr, mais étonnamment frais, ramassé, texturé, nourri et allongé, laissant traîner des saveurs de fruits noirs et d'épices douces. **Alc./**14 % ■ *Pâté chinois (voir recette On a rendu le pâté chinois) (**).*

### Gran Sangre de Toro Reserva 2005
CATALUNYA, MIGUEL TORRES, ESPAGNE
**17,95 $**        SAQ C (928184)  ★★☆ $$        Modéré+
Comme à son habitude, ce cru se montre dans ce millésime plus festif que jamais, ample, dodu et presque juteux, mais avec une certaine prise tannique et une fraîcheur qui le rendent digeste au possible pour le style, même s'il se montre généreux. Fruité confit et épicé, au boisé juste et aromatique à souhait, tanins ronds et saveurs longues. Que demander de plus! **Alc./**14 % www.torreswines.com ■ *Feuilles de vigne farcies_Mc² (riz sauvage soufflé, bacon de sanglier, sirop de riz brun/café) (**) ou pâté chinois (voir recette On a rendu le pâté chinois) (**).*

### Mas Haut-Buis « Les Carlines » 2008        ✓ TOP 100 CHARTIER
COTEAUX-DU-LANGUEDOC, OLIVIER JEANTET, FRANCE *(DISP. OCT./NOV. 2010)*
**18,20 $**        SAQ S (10507278)  ★★★ $$        Corsé
À nouveau un languedocien classique pour cette cuvée 2008, dégustée en primeur en juillet 2010. Un cru toujours aussi profond, dense, ramassé et tonique, mais aussi plus enveloppé et texturé que jamais dans ce millésime. Fruits rouges, prune, camphre et sauge s'entremêlent avec éclat. Parfait pour saisir la vraie nature rebelle de cette appellation trop souvent camouflée par un maquillage moderne. **Cépages :** 60 % cinsault, 40 % grenache, syrah et carignan. **Alc./**13,5 % www.mashautbuis.com ■ *Gigot d'agneau au romarin.*

### Graciano Ijalba 2005
RIOJA, VIÑA IJALBA, ESPAGNE
**18,25 $**        SAQ S (10360261)  ★★★ $$        Corsé        BIO
■ *Salade de betteraves rouges parfumées au quatre-épices.* (Voir commentaire détaillé dans *La Sélection Chartier 2010*)

### Graciano Ijalba 2007
RIOJA, VIÑA IJALBA, ESPAGNE
**18,25 $**        SAQ S* (10360261)  ★★★ $$        Corsé        BIO
Jamais trois sans quatre... Coup de cœur des trois précédentes éditions, avec ses 2003, 2004 et 2005, ce cru, à base du singulier et autochtone cépage graciano, *rides again* avec un nouveau millésime qui séduit plus que jamais. Vous y dénicherez un rouge au nez passablement riche, pur et défini, marqué par de subtiles tonalités épicées et boisées (muscade, coriandre, café, girofle), à la bouche presque dense, mais parfaitement détendue et enveloppante, aux tanins tissés serrés avec retenue et doigté, au corps texturé, presque velouté, mais avec fraîcheur et élan. Comme à son habitude, il offre à nouveau le meilleur des deux mondes, une certaine richesse solaire du Nouveau Monde et le grain serré du vieux continent. **Alc./**12,5 % www.ijalba.com ■ *Feuilles de vigne farcies_Mc² (riz sauvage soufflé, bacon de sanglier, sirop de riz brun/café) (**).*

### Bergerie de l'Hortus 2008
COTEAUX-DU-LANGUEDOC PIC SAINT-LOUP, JEAN ORLIAC, FRANCE
**18,40 $**        SAQ C (427518)  ★★☆?☆ $$        Modéré
Coup de cœur à multiples reprises au fil des quinze éditions de ce guide, cette cuvée demeure avec ce 2008 un incontournable du répertoire général de la SAQ. Un rouge toujours aussi engageant, complexe, plein, frais et minéral, aux tanins extrafins et aux saveurs longues (violette, fruits noirs, olive noire et anis). **Alc./**12,5 % www.vignobles-orliac.com ■ *Sushis pour amateurs de vin rouge (à la pommade d'olives noires, poivre et riz sauvage soufflé au café) (voir aussi chapitre* Recettes).

### Cabernet Fazio 2005
SICILIA, CASA VINICOLA FAZIO WINES, ITALIE
**18,50 $**      SAQ **S** (741561)      ★★★ **$**$      **Corsé**
Si vous appréciez les cabernets australiens, richement aromatiques, pleins, enveloppants et juteux, vous serez en terrain connu avec ce 2005 sicilien qui est presque une copie conforme des « cabs » australs. Ces tanins sont plus gras que jamais. Fruits noirs, girofle et cacao participent au cocktail. **Alc./**14,5 % www.faziowines.it ■ *Purée_Mc² pour amateur de vin au céleri-rave et clou de girofle (\*\*)*.

### Château l'Hospitalet « La Réserve » 2007
COTEAUX-DU-LANGUEDOC LA CLAPE, GÉRARD BERTRAND, FRANCE
**18,85 $**      SAQ **S** (10920732)      ★★★ **$**$      **Modéré+**
Dans la lignée qualitative du Château Rouquette sur Mer (aussi commenté), mais en plus velouté, texturé et souple. Non dénué de fraîcheur et d'expressivité, ce cru de La Clape fera le bonheur des amateurs de garnacha espagnole, avec laquelle il partage un certain profil. **Alc./**14 % www.gerard-bertrand.com ■ *Feuilles de vigne farcies_Mc² (riz sauvage soufflé, bacon de sanglier, sirop de riz brun/café) (\*\*)*.

### Quinta de la Rosa 2008
DOURO, QUINTA DE LA ROSA VINHOS, PORTUGAL
**18,90 $**      SAQ **S** (928473)      ★★★ **$**$      **Corsé**
Cette *quinta* de référence récidive avec un nouveau millésime tout aussi plus substantiel et dense que le précédent, tout en conservant cette élégante signature qui le singularise des autres capiteux crus du Douro. Belle retenue au nez, et avec une certaine richesse et une juste maturité. Bouche avec de la prise, à l'acidité juste dosée, aux saveurs qui ont de l'éclat, se détaillant en tonalités de mûre, de poivre et de girofle, avec une arrière-scène de garrigue. **Alc./**14 % www.quintadelarosa.com ■ *Gigot d'agneau aux herbes séchées (thym, romarin et origan)*.

### Domaine Bernard Baudry 2007
CHINON, DOMAINE BERNARD BAUDRY, FRANCE
**19 $**      SAQ **S** (10257571)      ★★★ **$**$      **Modéré+**      **BIO**
Passé sous la barre des vingt dollars, ce chinon devient plus que jamais l'une des valeurs sûres de l'appellation chez les crus d'entrée de gamme de cabernet franc. Toujours d'un aussi grand classicisme, offrant parfums, raffinement, richesse modérée, élan, finesse des tanins et satiné de texture. Framboise, violette et craie ajoutent au plaisir immédiat, même s'il peut tenir aisément quelques années. **Alc./**12,5 % ■ *Hamburgers d'agneau aux poivrons rouges confits et au curcuma*.

### Château Paul Mas « Clos des Mûres » 2008
COTEAUX-DU-LANGUEDOC, DOMAINE DU MAS AMIEL, FRANCE
**19,60 $**      SAQ **S**\* (913186)      ★★☆☆ **$**$      **Corsé**
Comme toujours, cette syrah se montre généreusement aromatique (violette, cassis, cacao, thym, olive noir, torréfaction), à la fois dense et serrée, fraîche et mûre à point, aux saveurs expressives d'une bonne allonge. Harmonie et plaisir à prix plus que correct. **Alc./**14 % www.paulmas.com ■ *Sushis pour amateurs de vin rouge (à la pommade d'olives noires, poivre et riz sauvage soufflé au café) (voir aussi chapitre* Recettes*)*.

### Juan Gil 2008
JUMILLA, BODEGAS JUAN GIL, ESPAGNE
**19,65 $**      SAQ **S** (10758325)      ★★★?☆ **$**$      **Corsé+**
Toujours aussi percutant, aux parfums pénétrants de romarin, d'eucalyptus et de poivre, à la bouche capiteuse, sphérique et prenante. Les amateurs de crus du Nouveau Monde apprécieront cet espagnol fauve au possible, qui a un air de zinfandel californien. **Alc./**15 % www.juangil.es ■ *Ragoût de bœuf épicé à l'indienne*.

### Hunyady 2006
KÉTHELY, HUNYADY, HONGRIE
**19,80 $**      SAQ **S** (10791379)      ★★★ **$**$      **Modéré+**
■ *Hachis Parmentier de canard.* (Voir commentaire détaillé dans *La Sélection Chartier 2009 et 2010*)

### Hunyady 2007
KÉTHELY, HUNYADY, HONGRIE
**19,80 $**     SAQ S (10791379)   ★★☆?☆ $$     Modéré
Plus invitant et plus festif que jamais, ce rouge hongrois à base du cépage kékfrankos. Du fruit à profusion (cerise et framboise) et des épices (cannelle, muscade, poivre), le tout dans une bouche à la fois souple et rafraîchissante, expressive et digeste. **Alc./**12,5 % **www.hunyady.hu** ■ *Pâté chinois classique.*

### Monile « Ripasso » 2008
VALPOLICELLA SUPERIORE, SALVALAI, ITALIE
**19,80 $**     SAQ S (10704010)   ★★★?☆ $$     Corsé
■ **NOUVEAUTÉ!** Un *ripasso* qui étonne par sa concentration et sa haute définition, spécialement pour son prix. Couleur bleutée. Nez intensément aromatique, sur les fruits rouges, presque confits, sans trop. Bouche dense, pleine, texturée, aux tanins serrés, mais enveloppés dans une gangue veloutée, acidité juste fraîche et persistance aromatique de bouche longue et expressive. **Alc./**13,5 % ■ *Foie de veau et confit de betteraves et d'oignons rouges au vinaigre balsamique.*

### Granaxa 2007
MINERVOIS, CHÂTEAU COUPE ROSES, FRANCE
**19,90 $**     SAQ S* (862326)   ★★★☆ $$     Corsé     BIO
Coup de cœur de l'édition 2010. ■ *Brochettes d'agneau au thym.*

### Granaxa 2008
✓ TOP 100 CHARTIER
MINERVOIS, CHÂTEAU COUPE ROSES, FRANCE
**19,90 $**     SAQ S* (862326)   ★★★?☆ $$     Modéré+     BIO
Coup de cœur à plusieurs reprises, dont dans l'édition 2010, comme à son habitude, ce cru languedocien est à nouveau à ranger parmi les meilleurs de sa catégorie. Son nez est stylisé et subtil, déployant des tonalités enjôleuses de cerise, de muscade et de girofle. Sa bouche, aux tanins plus fins que jamais, se montre d'une fraîcheur digeste et d'une texture soyeuse, égrainant de longues saveurs de garrigue et de musc. Grande harmonie d'ensemble et plaisir à boire évident. **Alc./**14 % **www.coupe-roses.com** ■ *Poulet grillé sur une canette de bière frotté aux épices barbecue et copeaux d'hickory.*

### Ostatu « Crianza » 2004
RIOJA, BODEGAS OSTATU, ESPAGNE
**19,90 $**     SAQ S (10491747)   ★★★☆ $$     Corsé
Grâce aux conseils d'Hubert de Boüard, du Château Angélus, voici la cuvée de base de ce domaine de la Rioja. Un cru aromatique, au boisé modéré, au fruité concentré pour son rang, étonnamment fin et épuré, à la bouche à la fois dense, compacte et enveloppante, aux tanins actuellement présents mais noblement extraits. **Alc./**14 % **www.ostatu.com** ■ *Côtelettes et tranches d'épaule d'agneau grillées au poivre noir.*

### Barbera Fiulot 2007
BARBERA D'ASTI, PRUNOTTO, ITALIE
**19,95 $**     SAQ S (10862608)   ★★★ $$     Modéré+
Coup de cœur de l'édition 2010. ■ *Brochettes de poulet et lardons ou poulet cacciatore.*

### Barbera Fiulot 2009
BARBERA D'ASTI, PRUNOTTO, ITALIE *(DISP. DÉC. 2010)*
**19,95 $**     SAQ S (10862608)   ★★☆?☆ $$     Modéré+
À nouveau une barbera italienne comme je les aime, toute en fruits et en fleurs, festive, fraîche, soyeuse, texturée et persistante, aux saveurs élégantes et subtiles, rappelant la fraise, la framboise et la violette, aux tanins ultrafins et à l'acidité rafraîchissante. Sapide, digeste et intelligible. **Alc./**13,5 % **www.prunotto.it** ■ *Raviolis_Mc² « pour amateur de vin rouge »* (algue nori mouillée, pommade d'olives noires et poivre) *(voir recette dans chapitre* Recettes).

### Prima 2008
TORO, BODEGAS Y VINEDOS MAURODOS, ESPAGNE *(DISP. MARS 2011)*
**19,95 $**    SAQ **S** (code non disponible) ★★★?☆ **$$**    Corsé

■ **NOUVEAUTÉ!** Typiquement tempranillo de Toro, mais à prix plus que doux, c'est-à-dire au fruité mûr et passablement riche, au boisé racé et déjà au cœur de la matière, aux tanins enveloppés, mais tissés assez serrés, avec du grain, à l'acidité juste fraîche et digeste, et aux saveurs percutantes (fruits noirs, prune, café). Étonne par tant de race et de densité pour un cru de jeunes vignes et de climat aussi ensoleillé. Élaboré par Mariano Garcia, de la grande *bodega* San Román, autrefois aux commandes du prestigieux Vega Sicilia. D'ailleurs, le grand vin du domaine, le San Román, sera aussi disponible. **Alc./**14 % **www.bodegasanroman.com**
■ *Balloune de mozarella_Mc² (à l'air de clou de girofle, éclats de viande de grison et piment d'Espelette)* **(\*\*)** *ou carré d'agneau et jus au café expresso (\*).*

### Capitel San Rocco « Ripasso Superiore » 2007
VALPOLICELLA, AGRICOLA F.LLI TEDESCHI, ITALIE
**20 $**    SAQ **S**\* (972216)    ★★★ **$$**    Modéré+
À l'image du 2008 (aussi commenté), qui le remplacera au cours de l'automne 2010, ce 2007, dégusté en primeur en août 2010, se montre engageant, tonique, serré, long et savoureux, égrainant de longues saveurs confites et épicées. **Alc./**14 % **www.tedeschiwines.com** ■ *Foie de veau et confit de betteraves et d'oignons rouges au vinaigre balsamique.*

### Pio Cesare « Barbera » 2008
BARBERA D'ALBA, PIO CESARE, ITALIE *(DISP. AUTOMNE 2010)*
**20 $**    SAQ **S** (968990)    ★★★ **$$**    Modéré
Dans ce millésime, où plus de 50 % du vin provient des propriétés maison, grâce à de récents achats à Barolo et Barbaresco – où ils ont planté de la barbera au lieu du nebbiolo! –, cette barbera se montre plus classique, plus minérale et plus élégante, contrairement en 2007 où elle avait acquis un profil quasi Nouveau Monde. Le nez très aromatique est d'un raffinement unique, tout comme les tanins ultrafins et les saveurs qui ont de l'éclat (fraise, muscade, vanille). **Alc./**13,5 % **www.piocesare.it** ■ *Poitrines de volaille à la crème d'estragon (\*).*

### Château Lamargue « Cuvée Aegidiane » 2005
COSTIÈRES-DE-NÎMES, DOMAINE DE LAMARQUE, FRANCE
**20,10 $**    SAQ **S**\* (10678923) ★★★☆ **$$**    Corsé
Chaque nouvel arrivage de cette vedette des vignobles de Nîmes fait l'objet d'une vente à la vitesse grand V. Ce nouveau millésime est toujours aussi engageant que par le passé, passablement riche et profond, aux tonalités d'épices et de fruits noirs, on ne peut plus syrah, au boisé modéré, à la bouche de bonne ampleur et bien texturée, aux tanins mûrs, au grain velouté, et aux saveurs d'une grande allonge. **Alc./**14,5 % **www.chateaudelamarque.com** ■ *Braisé de bœuf à l'anis étoilé.*

### Château de Gaudou « Renaissance » 2007
CAHORS, DUROU & FILS, FRANCE
**20,15 $**    SAQ **S** (10272093)   ★★★☆ **$$**    Corsé+
Nez concentré, profond et boisé. Bouche à la fois dense et pleine, tannique et enveloppante, au grain de tanins certes serré, mais d'une maturité parfaite et poli par un luxueux élevage en barriques. Fruits noirs, noix de coco, girofle et vanille signent le cocktail de saveurs de ce très jeune et engageant cahors, réussi avec brio, qui se transformera amplement au cours des prochaines années. **Alc./**13 % **www.chateaudegaudou.com**
■ *Côtelettes d'agneau sauce au porto LBV et bâtonnets de polenta grillée à l'anis.*

### Volver 2007
LA MANCHA, JORGE ORDOÑEZ, ESPAGNE *(DISP. MARS 2011)*
**20,25 $**    SAQ **S** (11387327)   ★★★?☆ **$$**    Corsé+
■ **NOUVEAUTÉ!** Une nouveauté, qui sera introduite via le magazine SAQ *Cellier*, spécial Espagne, en mars 2011. Ce cru de tempranillo est signé par le puissant Jorge Ordoñez, l'homme derrière les fameux crus des *bodegas* Il Nido. Il en résulte un rouge hyper aromatique et musclé,

étonnamment concentré pour son rang, mais non sans fraîcheur ni distinction. Fruits noirs, prune et cuir participent au charme brut. **Alc./**14,5 % **www.jorge-ordonez.es** ■ *Côtes levées à la cannelle et au curry de vin rouge.*

### Atalaya 2007
ALMANSA, JORGE ORDOÑEZ, ESPAGNE *(DISP. MARS 2011)*
**20,35 $**      SAQ S (11387335)   ★★★?☆ **$$**          Corsé+
■ **NOUVEAUTÉ!** Une ixième réussite pour cet homme dont les crus espagnols ont tous une signature moderne, pour ne pas dire Nouveau Monde. Un rouge qui a du coffre, à base de garnacha et de monastrell, à la fois ferme et généreux, plein et ramassé, aux saveurs longues et inspirantes, laissant des traces de cerise noire, de réglisse et de cacao, avec un arrière-plan minéral. **Alc./**14 % ■ *Filet de bœuf de la Ferme Eumatimi, sauce* mole *mexicaine à la noix de coco et au cinq-épices (\*\*).*

### Santa Duc Les Blovac 2007
CÔTES-DU-RHÔNE VILLAGES RASTEAU, YVES GRAS, FRANCE
**20,40 $**      SAQ S (709329)     ★★★?☆ **$$**          Corsé
Millésime plus que réussi pour cette cuvée à prix doux pour le niveau offert. Un rouge richement cacaoté, plein, d'un bon volume, mais avec du grain et de la fraîcheur, même si à 16 % d'alcool, aux saveurs amples et prenantes, aux tanins mûrs et enveloppés, mais avec du grain. Vraiment engageant et harmonieux. **Alc./**16 % **www.santaduc.fr** ■ *Sushis pour amateurs de vin rouge (à la pommade d'olives noires, poivre et riz sauvage soufflé au café) (voir chapitre* Recettes*).*

### Pétalos 2008                                       ✓ TOP 100 CHARTIER
BIERZO, DESCENDIENTES DE J. PALACIOS, ESPAGNE
**20,50 $**      SAQ S\* (10551471) ★★★☆ **$$**          Corsé      BIO
Coup de cœur de *La Sélection 2010*, tout comme les précédents millésimes de ce vin l'ont été à tour de rôle dans les précédentes éditions de ce guide, ce Pétalos 2008 se montre meilleur que jamais. Richement aromatique, mais avec une retenue européenne, lui donnant un profil subtil et distingué, avec profondeur, à la bouche d'une harmonie jusqu'ici jamais atteinte pour cette cuvée, aux tanins d'une maturité parfaite, quasi gras, mais avec un grain noble, un brin serré, une acidité fraîche mais discrète, un corps voluptueux, sans être lourd ni opulent, des saveurs complexes et longues, sans être inutilement pulpeuses ni boisées. **Cépage :** mencia. **Alc./**14 % ■ *Pétoncles poêlés enrubannés d'algues nori et réduction de jus de veau aux framboises.*

### Syrah La Dernière Vigne 2008
VIN DE PAYS DES COLLINES RHODANIENNES, PIERRE GAILLARD, FRANCE
**20,70 $**      SAQ S (10678325)   ★★★ **$$**          Modéré+
Coup de cœur dans les millésimes 2005 et 2006, Pierre Gaillard, dont les vins sont devenus des incontournables du marché québécois, réussit une fois de plus à surprendre ses amateurs avec un vin de pays d'une fraîcheur exemplaire. Vous vous sustenterez de sa couleur, de son nez enchanteur, fin et détaillé, ne manquant pas d'éclat, sur le fruit, mais aussi sur le poivre et la violette, de sa bouche presque soyeuse, épurée, aux tanins extrafins, d'une bonne grippe, aux saveurs longues et saisissantes. Tellement nourrissant et digeste qu'il en devient presque machiavélique! **Alc./**12 % **www.domainespierregaillard.com** ■ *Filet de porc grillé et pommade d'olives noires (olives noires dénoyautées et huile d'olive passées au robot).*

### Montecillo Reserva 2005
RIOJA, BODEGAS OSBORNE, ESPAGNE
**20,85 $**      SAQ S\* (928440)    ★★★ **$$**          Corsé
Ce nouveau millésime se montre toujours aussi aromatique, passablement riche et complexe, comme les précédents l'ont été pour cette cuvée Reserva. Un rouge gorgé de saveurs, presque plein et enveloppant, au boisé typiquement espagnol, rappelant la fumée, le café et les épices douces, et au fruité mûr, sans trop. Il provient de vieilles vignes de tempranillo, de 35 ans et plus. **Alc./**13,5 % **www.osborne.es** ■ *Carré d'agneau à la croûte de menthe fraîche et au parfum balsamique.*

### Dupéré Barrera « Côtes-du-Rhône Villages » 2007

CÔTES-DU-RHÔNE-VILLAGES, DUPÉRÉ BARRERA, FRANCE

**20,90 $**       SAQ S (10783088)   ★★★?☆ **$$**       **Corsé**

■ *Salade de foies de volaille et de cerises noires.* (Voir commentaire détaillé dans *La Sélection Chartier 2010*)

### Dupéré Barrera « Côtes-du-Rhône Villages » 2008

CÔTES-DU-RHÔNE-VILLAGES, DUPÉRÉ BARRERA, FRANCE

**20,90 $**       SAQ S (10783088)   ★★★?☆ **$$**       **Corsé**

Un rhône « villages » plus aromatique que le précédent 2007, d'une aussi bonne amplitude en bouche, passablement expressif, aux tanins enveloppés, mais avec plus de grain, à l'acidité fraîche et aux saveurs généreuses, rappelant les fruits rouges, les fleurs et la torréfaction. **Faites-vous plaisir à table avec les ingrédients complémentaires à la framboise et la violette, toutes deux de même famille moléculaire, comme le sont, entre autres, les algues nori, le thé, la carotte cuite, la tomate et la cerise. Alc./**14,5 % **www.duperebarrera.com**
■ *Salade de foies de volaille et de cerises noires ou osso buco accompagné de carottes rouges (cuites en fin de cuisson à même l'osso buco).*

### Celeste 2006

RIBERA DEL DUERO, MIGUEL TORRES, ESPAGNE

**20,95 $**       SAQ S* (10461679)   ★★?☆ **$$**       **Modéré+**

(Voir commentaire détaillé dans *La Sélection Chartier 2010*)

### Celeste 2007

RIBERA DEL DUERO, MIGUEL TORRES, ESPAGNE

**20,95 $**       SAQ S* (10461679)   ★★?☆ **$$**       **Modéré+**

À l'image du 2006, ce 2007 se montre moins réussi que dans les précédents millésimes. Il manque de chair et d'expressivité. Dommage, car cette maison ne nous a pas habitués à ce genre de baisse de régime... **Alc./**13,5 % **www.torreswines.com**

### Rasteau 2008

CÔTES-DU-RHÔNE-VILLAGES, M. CHAPOUTIER, FRANCE

**20,95 $**       SAQ S* (11095893)   ★★?★ **$$**       **Modéré**     BIO

■ NOUVEAUTÉ! Ce nouveau Rasteau, élaboré sous la houlette de la grande maison Chapoutier, se montre actuellement plutôt discret au nez et longiligne en bouche, manquant un brin d'expressivité pour son rang. Il n'en demeure pas moins raffiné et pur, sans esbroufe. Donc, à suivre. **Alc./**14 % **www.chapoutier.com**

### Rasteau Prestige « Ortas » 2005

CÔTES-DU-RHÔNE-VILLAGES, CAVE DE RASTEAU, FRANCE

**21 $**       SAQ S (952705)   ★★★?☆ **$$**       **Corsé+**

■ *Gigot d'agneau aux herbes séchées.* (Voir commentaire détaillé dans *La Sélection Chartier 2010*)

### Les Pierrelles 2007

CROZES-HERMITAGE, DOMAINE BELLE, FRANCE

**21,15 $**       SAQ S (863795)   ★★★ **$$**       **Modéré+**

Fumé, épicé et floral, comme à son habitude, ce crozes démontre une texture à la fois ample et ferme, avec un grain de tanin serré, mais fin, un corps texturé, sans trop, presque élancé, et des saveurs très longues, rappelant l'olive, la violette et la mûre. Sera passablement velouté à compter de 2012. Provenant d'un terroir composé de galets et d'argile ferrugineuse, cette cuvée de syrah, élaborée avec de vieilles vignes de 30 ans d'âge, a été élevée en fûts de chêne âgés d'un à cinq ans, pendant quatorze mois. **Alc./**13 % ■ *Pâtes aux olives noires (\*).*

### Moreccio 2007

BOLGHERI, FATTORIA CASA DI TERRA, ITALIE

**21,25 $**       SAQ S (10830649)   ★★★☆ **$$**       **Corsé+**

Coup de cœur de l'édition 2010 de ce guide. ■ *Filets de bœuf surmontés de raviolis de pâtes d'algues nori farcies à la purée de framboises.*

## Moreccio 2008
BOLGHERI, FATTORIA CASA DI TERRA, ITALIE
21,25 $      SAQ S (10830649)   ★★★☆ $$      Corsé+
Quatrième millésime réussi consécutif (voir les trois précédentes *Sélection*) pour cette nouvelle référence toscane. Vous trouverez dans ce nouveau millésime un cru passablement nourri et extrait, au nez toujours aussi puissant et détaillé, à la bouche presque dense, pleine et charnue, aux tanins fermes, mais mûrs et presque gras, au boisé présent et aux saveurs qui ont de l'éclat et de l'allonge, rappelant les fleurs, la torréfaction et les fruits noirs. **Alc./**13,5 % **www.fattoriacasaditerra.com**
■ *Carré d'agneau au poivre vert et à la cannelle.*

## Dominio del Bendito 2008
TORO, ANTHONY TERRYN, ESPAGNE
21,40 $      SAQ S (11155251)   ★★☆ $$      Corsé+
■ NOUVEAUTÉ! Difficile d'être plus moderne et plus Nouveau Monde que ce tempranillo espagnol, gorgé de fruits très mûrs, presque confits, boisé avec aplomb, généreux, pour ne pas dire capiteux. **Alc./**15 %

## Sagramosa « Ripasso » 2008
VALPOLICELLA SUPERIORE, PASQUA VIGNETI, ITALIE
21,55 $      SAQ S (602342)   ★★☆ $$      Modéré+
Un ripasso de richesse modérée, plutôt discret au nez, à la bouche aux tanins étonnamment coulants, d'une acidité discrète, d'une texture ample, ronde et veloutée, au corps presque fluide et aux saveurs de longueur moyenne, laissant des traces de violette, de prune et d'épices douces. **Alc./**13,5 % **www.pasqua.it**

## Chateau Croix de Rambeau 2006
LUSSAC SAINT-ÉMILION, JEAN LOUIS TROCARD, FRANCE
21,85 $      SAQ S (975649)   ★★★?☆ $$      Modéré+
Un très beau cru du Libournais, dominé par le merlot (90 %), aux effluves assez profonds, s'exprimant par des notes de violette et de framboise, ainsi que par une d'une touche de truffe, à la bouche au grain de tanins très fin, mais avec fermeté, à la texture d'une bonne épaisseur et aux saveurs longues, laissant des traces de pivoine et d'épice douce. **Alc./**13,5 % **www.trocard.com** ■ *Côte de veau rôtie et jus au café expresso (voir Carré d'agneau et jus au café expresso) (\*).*

## Trentangeli Tormaresca 2008
CASTEL DEL MONTE, TORMARESCA, ITALIE *(DISP. MARS 2011)*
21,90 $      SAQ S (11355843)   ★☆?☆ $$      Modéré
■ NOUVEAUTÉ! Dégusté en primeur en août 2010, ce cru italien, signé par les Marchesi Antinori, plutôt discret et fluide, contrairement aux rouges superlatifs de ce domaine de pointe. À revoir à l'arrivée. **Alc./**13,5 % **www.tormaresca.it**

## Castello di Volpaia 2007
CHIANTI CLASSICO, CASTELLO DI VOLPAIA, ITALIE [D](RETOUR SEPT./OCT. 2010)
21,95 $      SAQ S (10858262)   ★★☆ $$      Modéré
Un 2007 tout en souplesse et en élégance, plutôt discret et peu détaillé. Le charme opère, mais sans nourrir le dégustateur comme cette maison l'a habitué... **Alc./**13 % **www.volpaia.com** ■ *Carré d'agneau en croûte de menthe fraîche.*

## Les Vins de Vienne « Crozes-Hermitage » 2008
CROZES-HERMITAGE, LES VINS DE VIENNE, FRANCE *(DISP. SEPT./OCT. 2010)*
21,95 $      SAQ S (10678229)   ★★★?☆ $$      Modéré+
Toujours aussi classiquement « crozes », ce cru au nez marqué par des notes intenses d'olive noire et de fumée, à la bouche au corps longiligne et svelte, ainsi qu'aux saveurs longues, qui ont de l'éclat et de la précision. Comme dans les précédents millésimes, ce rouge rhodanien a un pourcentage d'alcool plutôt décent (12,5 %), ce qui le rend digeste et invitant au possible. **Alc./**12,5 % **www.vinsdevienne.com** ■ *Sushis pour amateur de vin rouge (à la pommade d'olives noires, poivre et riz sauvage soufflé au café) (voir chapitre Recettes).*

### Dolcetto Visadì 2008

LANGHE, DOMENICO CLERICO, ITALIE

**22,40 $**     SAQ S (10861120)   ★★★?☆ $$       Modéré+

Une ixième réussite du producteur émérite qu'est Clerico. Vous vous sustenterez d'un dolcetto assez riche et éclatant, au corps presque plein et d'une densité qui étonne pour ce cépage, aux tanins toujours aussi fins, avec du grain, à l'acidité plus fraîche qu'en 2007, aux saveurs expressives et persistantes, laissant des traces de cerise noire et de violette. Gagnera en définition et en texture d'ici 2013, mais un bon gros coup de carafe dès maintenant lui délie le corps. **Alc./**14 % **www.vigneregali.com** ■ *Salade d'endives braisées et cerises (avec noix et fromage parmesan émietté).*

### Château de Sérame 2007

MINERVOIS, VINS ET VIGNOBLES DOURTHE, FRANCE

**22,85 $**     SAQ S* (10516924) ★★★ $$       Corsé

Belle matière, au nez riche et profondément fruité, non dénué de fraîcheur, exhalant des notes d'olive noire, de violette, de cassis et de chêne neuf, à la bouche à la fois gourmande et très fraîche, pleine et raffinée, aux tanins mûrs, mais avec du grain, à l'acidité juste dosée, qui laisse place à un velouté de texture. **Cépages :** 60 % mourvèdre, 25 % grenache, 15 % carignan. **Alc./**13 % **www.dourthe.com** ■ *Tranches d'épaule d'agneau et pommade d'olives noires.*

### Château Saint-Martin de la Garrigue 2008

COTEAUX-DU-LANGUEDOC, CHÂTEAU SAINT-MARTIN DE LA GARRIGUE, FRANCE *(DISP. OCT./NOV. 2010)*

**22,85 $**     SAQ S (10268828)   ★★★?☆ $$       Corsé

Dominé par de très vieilles vignes de mourvèdre, cet assemblage, dégusté en primeur en juillet 2010, se montre toujours aussi coloré, fauve et concentré, volumineux et dense, aux tanins réglissés et fermes, mais mûrs, et aux saveurs d'une grande allonge. Et le prix est plus que doux. **Alc./**13,5 % **www.stmartingarrigue.com** ■ *Braisé de bœuf à l'anis étoilé.*

### Les Bois Chevaux 2008

GIVRY 1ER CRU, DIDIER ERKER, FRANCE

**22,85 $**     SAQ S (880492)     ★★★?☆ $$       Modéré+

Un pinot bourguignon, vinifié avec brio par un savoyard d'origine, se montrant aromatique, fin et épuré, d'une certaine richesse, à la texture presque veloutée, mais avec fraîcheur grâce à la juste tension opérée par une acidité naturellement fraîche qui propulse dans le temps ses saveurs de fruits rouges, d'épices et de fleurs. Sera encore plus texturé à compter de 2012. **Alc./**13 % **www.domaine-erker.com** ■ *Pot-au-feu de l'Express (*).*

### Château Pesquié « Quintessence » 2008

CÔTES DU VENTOUX, CHÂTEAU PESQUIÉ, FRANCE

**22,90 $**     SAQ S (969303)     ★★★?☆ $$       Corsé+

Comme à son habitude, cette cuvée se montre généreuse, très mûre, au boisé ambitieux, sans être excessif, exhalant des notes de confiture de fruits noirs, de torréfaction et de bacon fumé. Il y a à boire et à manger, sans tomber dans la caricature et non sans fraîcheur. Bien joué. **Alc./**14,5 % **www.chateaupesquie.com** ■ *Filet de bœuf de la Ferme Eumatimi, sauce mole mexicaine à la noix de coco et au cinq-épices (**).*

### Amarcord d'un Ross Riserva 2007

SANGIOVESE DI ROMAGNA, AZIENDA AGRICOLA TRERE, ITALIE

**23 $**     SAQ S (10780485)   ★★★?☆ $$       Corsé+

À nouveau un excellent assemblage sangiovese et cabernet pour ce cru, au nez riche et passablement mûr, au fruité concentré, d'une bouche à la fois dense, pleine et compacte, aux tanins mûrs et presque enveloppés par une chair aussi imposante qu'en 2003, aux longues et puissantes saveurs d'anis étoilé, de torréfaction et de fruits noirs. Gagnera en volupté et en complexité d'ici 2009-2010. **Alc./**14 % **www.trere.com** ■ *Filet de bœuf aux champignons et au vin rouge.*

### Pinot Noir Signature 2007
BOURGOGNE, MAISON CHAMPY, FRANCE
23,05 $          SAQ S (10516625)  ★★★ $$                    Modéré

Beau pinot noir, expressif et stylisé comme il se doit, à placer parmi les belles réussites de son appellation en 2007. Très aromatique, fin et complexe, aux notes engageantes de pivoine, de framboise et de noyaux de cerise. Tannique, au grain fin, dense, sans être riche, ainsi que frais et persistant, à la longue finale kirschée à souhait. **Cépage :** pinot noir. **Alc./**13 % www.champy.com ■ *Filets de porc à la cannelle et aux canneberges.*

### Foradori 2006
TEROLDEGO ROTALIANO, AZIENDA AGRICOLA FORADORI, ITALIE
23,10 $          SAQ S (712695)      ★★★☆ $$          Corsé      BIO

Un nouveau millésime – ayant hérité d'une partie des raisins servant habituellement au Granato, le grand seigneur du domaine –, dans le même ton que le remarquable 2003, donc d'une haute définition, aux tanins veloutés et au corps plein, mais avec une prise plus serrée et une densité plus compacte. Du sérieux, comme toujours avec les crus d'Elisabetta Foradori, qui mériterait d'être classé dans la liste du « TOP 100 CHARTIER », mais les quantités étant limitées, je préfère ne pas frustrer personne. Donc, soyez avertis et ne laissez pas filer le 2007, attendu en octobre 2010, et avec un second arrivage en début 2011. **Alc./**13 % www.elisabettaforadori.com

### Les Christins 2007
VACQUEYRAS, PERRIN & FILS, FRANCE
23,15 $          SAQ S* (872937)     ★★☆?☆ $$          Corsé

Un 2007 à nouveau sur une réserve de jeunesse (re-dégusté en juillet 2010), mais se montrant passablement compact et généreux en bouche, sans lourdeur, plutôt frais. À suivre. **Alc./**14,5 % www.perrin-et-fils.com ■ *Ragoût de bœuf au vin rouge et polenta crémeuse au parmesan et champignons sautés.*

### Les Vignes de Bila-Haut 2009
CÔTES-DU-ROUSSILLON-VILLAGES LATOUR DE FRANCE, M. CHAPOUTIER, FRANCE
23,45 $          SAQ S (10895186)   ★★★ $$          Modéré+

Très beau Roussillon-villages, ramassé, élégant, pur, en haute définition, sans boisé ni surmaturité, aux tanins ultrafins, bien ciselés, au fruité frais, rappelant les fruits rouges et les fleurs, un brin iodé. Digeste. **Alc./**14,5 % www.chapoutier.com ■ *Tagliatelles à la réglisse noire, queues de langoustines rôties, tomates séchées et petits pois (\*\*).*

### Emilio Moro 2007
RIBERA DEL DUERO, BODEGAS EMILIO MORO, ESPAGNE *(DISP. AVRIL 2011)*
23,95 $          SAQ S (10510021)   ★★★?☆ $$$          Corsé+

Emilio Moro, à ranger parmi l'élite des grands vignerons d'Europe (voir commentaire de son remarquable Malleolus dans cette édition, tout comme dans *La Sélection 2007*), présente un 2007, né d'un très grand millésime, résultant, comme toujours, en un vin à la fois profond et raffiné, très riche et élégant, aux tanins serrés et mûrs, presque enveloppés, aux saveurs pulpeuses et très aromatiques, laissant deviner des notes de cerise à l'eau-de-vie, de fraises compotées, d'épices douces et de girofle, au boisé présent mais harmonieux. Très sérieux et à prix d'ami. **Alc./**14 % www.emiliomoro.com ■ *Feuilles de vigne farcies_Mc² (riz sauvage soufflé, bacon de sanglier, sirop de riz brun/café) (\*\*) ou magret de canard rôti à la nigelle.*

### Oltre 2006
LANGHE, PIO CESARE, ITALIE
23,95 $          SAQ S (11353047)   ★★★☆ $$          Corsé

■ NOUVEAUTÉ! Le premier vin né d'un assemblage de cépage piémontais à avoir été élaboré par cette historique maison qui avait jusqu'ici toujours présenté des vins à cépage unique. Seulement 650 caisses ont été élaborées de ce cru, dont 400 ont pris le chemin de la SAQ. Il faut savoir que le nebbiolo et la barbera proviennent ici des appellations Barolo et Barbaresco. Il en résulte un rouge coloré, ultra-aromatique, passablement riche, au charme invitant, déployant des tonalités de prune, de

cerise noire et de vanille, à la bouche ample, généreuse et texturée, aux tanins mûrs et enveloppés d'une gangue veloutée. **Cépages :** 70 % nebbiolo, 25 % barbera, 5 % cabernet et merlot. **Alc./**14 % www.piocesare.it
■ *Fromage Gruyère Réserve très vieux accompagné de Confipote_Mc2 « pour amateur de vin rouge » : prunes noires au thé Lapsang Souchong et anis étoilé (voir chapitre Recettes).*

### Santagostino 2008
SICILIA, CASA VINICOLA FIRRIATO, ITALIE
**23,95 $**         SAQ **S** (10327605)    ★★★ **$$**              Corsé
Élaborée par l'une des bonnes maisons de l'Île, cette cuvée 2008 se montre plus charmeuse et plus élégante que par les millésimes passés. Elle s'exprime par des notes passablement riches de mûre, de violette et d'épices orientales, au boisé présent, ainsi que par une bouche plus enveloppante et plus coulante, aux tanins mûrs et gras, et aux saveurs longues, épicées et réglissées. **Cépages :** 50 % nero d'avola, 50 % syrah. www.firriato.it ■ *Côtelettes d'agneau sauce au porto LBV et purée de navet à l'anis étoilé (voir recette de cette purée dans chapitre Recettes).*

### Syrah Cortes de Cima 2005
VINHO REGIONAL ALENTEJANO, CORTES DE CIMA, PORTUGAL *(DISP. AUTOMNE 2010)*
**24,05 $**         SAQ **S** (10960697)    ★★★☆ **$$**              Corsé
Une syrah portugaise ultra-moderne, à la fois concentrée et fraîche, boisée et mûre, pleine et ramassée, intense et persistante, au fruité qui a de l'éclat, sans esbroufe, aux tanins tissés serrés, sans fermeté. Du coffre, mais aussi du plaisir à boire grâce à une fraîcheur naturelle et à une précision aromatique unique. Du travail d'orfèvre, qui fera fureur à son arrivée au Québec. **Alc./**14 % www.cortesdecima.pt ■ *Filets de bœuf marinés au parfum d'anis étoilé.*

### Château Greysac 2006
MÉDOC, CHÂTEAU GREYSAC, FRANCE
**24,10 $**         SAQ **S** (896274)    ★★☆ **$$$**              Modéré
Un 2006 très invitant, au nez marqué par des effluves de richesse modérée, s'exprimant par des notes de prunes, de café et de graphite, à la bouche plutôt souple, et même coulante, ce qui étonne pour ce cru et pour le millésime – la majorité des 2006 sont actuellement plutôt rigides. Cette fluidité de bouche déçoit. **Alc./**13 % www.greysac.com

### Brancaia « Tre » 2005
TOSCANA, PODERE LA BRANCAIA, ITALIE
**24,20 $**         SAQ **S** (10503963)    ★★★☆ **$$**              Corsé
Coup de cœur de l'édition 2010. ■ *Magret de canard grillé parfumé de baies roses.*

### Les Puillets 2008
MERCUREY 1ᴱᴿ CRU, CHÂTEAU PHILIPPE-LE-HARDI, FRANCE
**24,30 $**         SAQ **S** (869800)    ★★★?☆ **$$**              Modéré+
Très beau pinot bourguignon, enchanteur, d'une bonne structure, au nez ouvert, dégageant des tonalités de pivoine et de cerise, au grain de tanins fin, texturé et soyeux, mais avec une certaine mâche et regorgeant de saveurs soutenues de framboise, de cannelle et de poivre du Sichuan. **Alc./**13 % www.chateau-de-santenay.com ■ *Risotto à la tomate et au basilic avec aubergines grillées.*

### Valdifalco 2006
MORELLINO DI SCANSANO, LOACKER TENUTE, ITALIE
**24,70 $**         SAQ **S** (10223806)    ★★★?☆ **$$**              Corsé
Depuis quelques millésimes déjà, sans interruption, j'aime profondément cet élégant et complexe sangiovese toscan (complété par 13 % de cabernet et syrah), au nez très aromatique et fin, qui s'exprime par des notes de prune, de violette, de réglisse et de chêne, à la bouche aux tanins certes présents dans ce nouveau millésime, mais, comme toujours, aux grains fins, à l'acidité très fraîche et à la texture presque dense, d'une belle allonge aux relents de fruits noirs et de pivoine. **Alc./**14,5 % www.loacker.net ■ *Braisé de bœuf à l'anis étoilé.*

### Elisabetta Geppetti 2007

MORELLINO DI SCANSANO, FATTORIA LE PUPILLE, ITALIE

24,85 $     SAQ S (11097320)  ★★★?☆ $$    Modéré+

■ **NOUVEAUTÉ!** Un sangiovese toscan au charme expressif, d'une belle plénitude de fruit, passablement riche, aux tanins veloutés, presque gras, aux saveurs pures, précises et très longues, égrainant des notes de prune, de cerise noire et de violette. Enchanteur au possible comme seuls les toscans en connaissent le secret. **Alc./**13,5 % **www.fattorialepupille.it**
■ *Osso buco au fenouil et gremolata.*

### Castello di Pomino 2006

POMINO ROSSO, MARCHESI DE FRESCOBALDI, ITALIE

24,90 $     SAQ S* (729608)  ★★★?☆ $$    Modéré+

Un assemblage dominé par le pinot noir, au style plus bourguignon que jamais dans ce millésime, donc frais, longiligne, ramassé, débordant de tonalités de fruits rouges et de fleurs, aux tanins serrés, sans trop et à l'acidité très fraîche. Élégance et haute définition. **Alc./**13 % **www.frescobaldi.it** ■ *Cailles sautées à la poêle et riz sauvage aux champignons (\*).*

### Château de Chamirey 2008

✓ TOP 100 CHARTIER

MERCUREY, MARQUIS DE JOUENNES D'HERVILLE, FRANCE *(DISP. AUTOMNE 2010)*

25,45 $     SAQ S* (962589)  ★★★☆ $$$    Modéré+

Un excellent 2008, qui prendra la place du 2007 au courant de l'automne 2010, se montrant charmeur au possible, au nez raffiné et expressif, détaillant des tonalités de cannelle, de cerise et de pivoine, à la bouche à la fois juteuse, fraîche, coulante et élancée. Un vrai régal, qui confirme son statut de l'une des références de l'appellation, et ce, bon an mal an. **Alc./**13,1 % **www.chamirey.com** ■ *Pétoncles poêlés, couscous de noix du Brésil à l'orange sanguine, lait de coco au gingembre (\*\*).*

### Le Grand Pompée 2006

SAINT-JOSEPH, PAUL JABOULET AÎNÉ, FRANCE *(DISP. SEPT./OCT. 2010)*

25,65 $     SAQ S (185637)  ★★★ $$$    Modéré

Un autre 2006 signé Jaboulet qui me laisse sur ma faim, à l'image du crozes-hermitage Les Jalets. Pas que le vin ne soit pas bon, il est même très bon, mais sans atteindre un niveau élevé pour l'appellation et pour le prix demandé. C'est pur, c'est net et précis, et même plus expressif que l'année dernière, mais sans réelle présence ni substance. Donnons-lui la chance, peut-être gagnera-t-il en volume au cours des deux prochaines années? **Alc./**13 % **www.jaboulet.com**

### Emilio Moro 2006

RIBERA DEL DUERO, BODEGAS EMILIO MORO, ESPAGNE

26 $     SAQ S (10510021)  ★★★☆ $$$    Corsé

Ce coup de cœur de la précédente édition de ce guide a été distribué via le *Courrier vinicole* de la SAQ, opération *La Relève* (voir *Courrier vinicole* sur www.saq.com), à un prix plus doux que le précédent 2004. Il en résulte un tempranillo très aromatique, à la fois mûr et très frais, au boisé certes présent, mais sans être dominant, aux tanins gommés, au corps voluptueux et plein, mais avec digestibilité pour le style, à l'acidité discrète et aux saveurs d'une grande allonge, laissant des traces de prune, de cerise noire, de noix de coco, de café, de vanille et de girofle. **Alc./**14,5 % **www.emiliomoro.com** ■ *Carré d'agneau et jus au café expresso (\*).*

### Château Montus 2006

✓ TOP 100 CHARTIER

MADIRAN, ALAIN BRUMONT, FRANCE

26,05 $     SAQ S* (70548)  ★★★☆ $$    Corsé

Depuis le millésime 2004, Brumont a réuni ses deux cuvées Montus et Montus Prestige dans un seul et unique Montus « top niveau »! Le sol chaud de Montus, composé de graves, lui procure toujours une texture plus ample et plus veloutée que chez Bouscassé (aussi commenté), qui, lui, est marqué par la fermeté argileuse de son terroir. Il en résulte un Montus 2006 presque juteux, plein et enrobant, aux tanins mûrs, tissés serrés, en grande harmonie avec la fraîcheur naturelle du cru. Les tanins ne m'ont jamais paru aussi raffinés et les saveurs aussi complexes (framboise, prune, violette, épices, menthe et café). **Alc./**14,5% **www.brumont.fr** ■ *Figues confites au thé Pu-Erh, chantilly de fromage Saint Nectaire (\*\*).*

### Jean-Pierre Moueix 2006
POMEROL, ETS JEAN-PIERRE MOUEIX, FRANCE
**26,95 $** [C1a]   SAQ S* (739623)   ★★★?☆ $$$   Modéré+
Un 2006 plutôt discret au nez, mais élégant en bouche, aux tanins fins, un brin fermes, au corps d'ampleur modérée et aux saveurs assez longues, sans être éclatantes ni riches. Rien à voir avec le plus nourri et plus dense 2005 (commenté dans *La Sélection 2009*). **Alc./**13 % **www.moueix.com** ■ *Filets de bœuf grillés et sauté de poivrons rouges au curcuma.*

### Château de Lancyre « Grande Cuvée » 2005
COTEAUX-DU-LANGUEDOC PIC SAINT-LOUP, DURAND ET VALENTIN, FRANCE
**27 $**   SAQ S* (864942)   ★★★?☆ $$$   Corsé
Une syrah richement aromatique et étonnamment racée et distinguée, sans aucun boisé apparent, à la bouche étoffée, au coffre imposant, mais avec retenue, aux tanins tissés serrés, avec grâce, aux saveurs très longues, laissant des traces de café, de mûre et de violette. **Alc./**14 % **www.chateaudelancyre.com** ■ *Filets de bœuf grillés et sauté de poivrons rouges au curcuma.*

### Exaltos « Cepas Viejas » 2005
BIERZO, DOMINIO DE TARES, ESPAGNE
**27,60 $**   SAQ S* (10858203) ★★★ $$$   Corsé
■ *Hachis Parmentier de canard au quatre-épices.* (Voir commentaire détaillé dans *La Sélection Chartier 2010*)

### Exaltos « Cepas Viejas » 2006
BIERZO, DOMINIO DE TARES, ESPAGNE *(DISP. AUTOMNE 2010)*
**27,60 $**   SAQ S* (10858203) ★★★ $$$   Corsé
Ce cru, élaboré à partir de très vieilles vignes de mencia, de 60 ans d'âge, se montre toujours aussi charmeur, plein et engageant que dans les deux précédents millésimes (commentés dans *La Sélection 2010* et *2009*). Le boisé est moins dominant, même si présent, la matière toujours aussi noblement extraite, sans excès, mais avec densité et ampleur, les tanins mûrs à point et enrobés par un luxueux élevage en barriques, aux relents vanillés et giroflés. **Alc./**14 % **www.dominiodetares.com** ■ *Purée de panais au clou de girofle ou navets confits au clou de girofle (voir ces deux recettes dans chapitre* Recettes*).*

### Il Bruciato 2008
✓ TOP 100 CHARTIER
BOLGHERI, TENUTA GUADO AL TASSO, MARCHESI ANTINORI, ITALIE *(DISP. SEPT./OCT. 2010)*
**27,75 $**   SAQ S (11347018)   ★★★☆ $$$   Corsé
Un nouveau millésime, dégusté en primeur, se montrant plus riche, plus complet et plus concentré que jamais pour ce cru. Fruits noirs, prune, café et violette complexifient le bouquet. Les tanins ont une sacrée belle prise, mûrs à point, le corps est plein et les saveurs éclatantes. Les amateurs en raffoleront. **Alc./**13,5 % **www.antinori.it** ■ *Filets de porc aux prunes au thé noir fumé Lapsang Souchong et anis étoilé (voir chapitre* Recettes*).*

### Cuvée Louis Belle 2006
CROZES-HERMITAGE, BELLE PÈRE & FILS, FRANCE
**27,95 $**   SAQ S (917484)   ★★★?☆ $$   Corsé
Provenant de la partie argilo-calcaire de la zone d'appellation Crozes-Hermitage, cette cuvée est élaborée avec de très vieilles vignes de syrah, de plus de 50 ans d'âge, élevées en fûts de chêne pendant seize mois, dont 30 % de bois était neuf. Elle se montre actuellement un tantinet rigide et retenue, mais semble passablement nourrie et complexe, avec ses parfums de violette et de cuir, pour se réveiller dans trois à cinq ans et offrir la race et l'expression à laquelle elle est vouée. **Alc./**13 % ■ *Brochettes d'agneau à l'ajowan.*

## Philippe Gilbert « Menetou-Salon » 2007

MENETOU-SALON, DOMAINE PHILIPPE GILBERT, FRANCE

27,95 $      SAQ S (11154988)   ★★★ $$      Modéré

Beau pinot noir tendu et minéral, sans esbroufe, d'une fraîcheur digeste, d'une trame très serrée, mais au grain extrafin et à l'acidité plus qu'harmonieuse. Framboise et pivoine s'ajoutent subtilement. Le temps lui donnera assurément de l'expressivité et de la texture, ce qu'une année en bouteille lui a déjà offert comparativement à l'été 2009, d'où la troisième étoile. Donc à suivre. **Alc./**13 % **www.domainephilippegilbert.fr**
■ *Poulet chasseur.*

## Massicone 2006

FORLI, CASTELLUCCIO, ITALIE *(DISP. AUTOMNE 2010)*

28,40 $      SAQ S (11030854)   ★★★?☆ $$$      Corsé+

■ **NOUVEAUTÉ!** Un cru de l'Émilie-Romagne, élevé en barriques neuves de 225 litres, pour le cabernet, et de 350 litres pour le sangiovese, se montrant à la fois concentré et très frais, compact et élancé, au fruité pur et précis, sans esbroufe, à la bouche dense et ramassée, au grain serré et au boisé neuf ambitieux, sans être lourd. Mérite du temps pour se fondre et pour digérer le bois. **Cépages :** 50 % cabernet sauvignon, 50 % sangiovese. **Alc./**13 % ■ *Magret de canard rôti parfumé de baies roses.*

## Les Baronnes « Rouge » 2007

SANCERRE, DOMAINE HENRI BOURGEOIS, FRANCE *(DISP. AUTOMNE 2010)*

28,80 $      SAQ S (10267841)   ★★☆?☆ $$$      Léger+

Un élégant pinot noir de Sancerre, au corps aérien et fluide, à la texture soyeuse, aux tanins souples et fondus et aux saveurs subtiles (cannelle, rose séchée). **Alc./**13 % **www.henribourgeois.com**

## Château Haut-Chaigneau 2006

LALANDE-DE-POMEROL, ANDRÉ CHATONNET, FRANCE

29,20 $      SAQ S (866467)   ★★★?☆ $$$      Corsé

Un engageant 2006, dégusté et commentaire en primaire dans *La Sélection 2010*, puis goûté une seconde fois en août 2010, se montrant toujours aussi aromatique et passablement riche, même si sa certaine retenue juvénile demeure. Il est encore marqué en bouche par une bonne prise tannique, aux tanins fins, qui ont du grain, à l'acidité juste dosée, au corps dense et au fruité présent à souhait, mais ayant besoin d'un bon gros coup de carafe pour se libérer. Violette, prune, poivre et café donnent le ton plus que jamais au nez et perdurent longuement en fin de bouche. **Alc./**13,5 % **www.vignobleschatonnet.com** ■ *Burger de bœuf au foie gras et champignons.*

## Le Volte 2006

TOSCANA, TENUTA DELL'ORNELLAIA, ITALIE

29,75 $      SAQ S (10938684)   ★★★ $$$      Modéré+

■ *Filets de bœuf et coulis de poivrons verts (\*).* (Voir commentaire détaillé dans *La Sélection Chartier 2009*)

## Le Volte 2008

TOSCANA, TENUTA DELL'ORNELLAIA, ITALIE *(RETOUR SEPT./OCT. 2010)*

29,75 $      SAQ S (10938684)   ★★★?☆ $$$      Corsé

Un nouveau millésime étonnamment mûr pour ce cru, à la fois plein et ramassé, ample et d'une certaine densité, aux saveurs boisées, torréfiées ainsi que de fruits noirs. Style Nouveau Monde très engageant. Un second arrivage était attendu au moment de mettre sous presse. **Alc./**13,5 % **www.ornellaia.com** ■ *Feuilles de vigne farcies_Mc² (riz sauvage soufflé, bacon de sanglier, sirop de riz brun/café) (\*\*)* ou hamburgers aux tomates séchées et cheddar extra-fort.

## Casanova di Neri 2007

ROSSO DI MONTALCINO, CASANOVA DI NERI, ITALIE

29,80 $      SAQ S (10335226)   ★★★☆ $$$      Corsé

Ce sanviovese, de l'une des propriétés montantes de Montalcino, se montre toujours aussi intensément aromatique et fin, plein, dense et ramassé, aux tanins mûrs, qui ont du grain, à l'ensemble harmonieux, aux saveurs engageantes, richement fruitées et épicées, et au profil proche des plus grands de brunello de montalcino. **Alc./**14,5 % www.casanovadineri.it/en/vino/azienda_agricola.asp ■ *Carré d'agneau à la gremolata.*

### Belgvardo Bronzone 2007

MORELLINO DI SCANSANO, MARCHESI MAZZEI, ITALIE *(DISP. AUTOMNE 2010)*

29,90 $ SAQ S (10542090) ★★★☆☆ $$$ Corsé

Un sangiovese 2007, élaboré avec brio par l'équipe du fameux Castello di Fonterutoli, qui se montre richement aromatique, débordant de fruits rouges et noirs, presque confits, sans trop, au boisé juste dosé, à la bouche juteuse, aux tanins bien enveloppés, presque gras, au corps généreux et aux saveurs qui ont de l'allonge. Du plaisir et le l'éclat. **Alc./** 13,5 % www.belguardo.it ■ *Côtes de veau grillées et champignons portabellos.*

### Masseria Maìme 2007

SALENTO, TORMARESCA, ITALIE *(DISP. FÉVR. 2011)*

29,90 $ SAQ S (10675386) ★★★?☆ $$$ Corsé+

Retour attendu de ce negroamaro qui se montre toujours aussi réussi et avantageux dans ce nouveau millésime, dégusté en primeur en août 2010. Nez richement aromatique et boisé, aux pénétrantes notes fruitées, avec une pointe subtilement balsamique. Bouche toujours aussi ramassée et élancée, fait rarissime en cette région plutôt chaude que sont les Pouilles. De l'éclat, du grain, de la mâche et de la persistance. Il faut dire que les vins signés Tomaresca sont devenus des références. **Cépage :** negroamaro. **Alc./**14 % www.tormaresca.it ■ *Risotto au jus de betterave parfumé aux clous de girofle.*

### Argile Rouge 2004

MADIRAN, ALAIN BRUMONT, FRANCE

30 $ SAQ S (11179472) ★★★☆?☆ $$$ Corsé+

Nez à la fois profond et frais, intense et minéral, sans aucun boisé apparent et sans surextraction inutile. Bouche à la fois pulpeuse et dense, pleine et ample, aux tanins mûrs à souhait et enveloppés. Du fruit à profusion, aux notes de mûre et de bleuet, de l'expansion et un boisé intégré avec maestria. **Cépage :** tannat. **Alc./**14 % www.brumont.fr ■ *Jarret d'agneau confit et lentilles du Puy au jus d'agneau parfumé à l'anis étoilé.*

### Cuvée India « Dupéré Barrera » 2006

BANDOL, DUPÉRÉ BARRERA, FRANCE

30,25 $ SAQ S (10884575) ★★★☆ $$$ Corsé

Après un 2005 stylisé, plein et élancé, droit et texturé (commenté dans *La Sélection 2009*), le couple de négociants que forment la Québécoise Emmanuelle Dupéré et le Français Laurent Barrera propose un 2006 au nez engageant au possible. Quel beau bandol immédiat! Fait rarissime chez les crus de cette appellation, il se montre quasi velouté, pour le style, plein, généreux, texturé, expressif, marqué par des tanins mûrs et enveloppés dans une gangue moelleuse. Du fruit à profusion, ainsi que des tonalités de cacao, de réglisse et de cuir neuf signent ce beau coup de cœur de l'heure. **Cépage :** mourvèdre (vieilles vignes). **Alc./**14,5 % www.duperebarrera.com ■ *Braisé de bœuf à l'anis étoilé (façon Josée di Stasio).*

### Vieilles Vignes Nicolas Potel 2005

SANTENAY, NICOLAS POTEL, FRANCE

30,75 $ SAQ S (725564) ★★★☆ $$$ Corsé

Nez aromatique et riche, mais pris dans une gaine compacte, que seuls le temps ou la carafe peuvent en délier les cordons. Bouche ramassée et élancée, tissée dans une trame tannique serrée, aux tanins fins qui ont beaucoup de grain. **Alc./**13 % www.nicolas-potel.fr

### Vieilles Vignes Nicolas Potel 2007

SANTENAY, NICOLAS POTEL, FRANCE

30,75 $ SAQ S (725564) ★★★?☆ $$$ Corsé

Un santenay passablement ramassé et tissé très serré, comme toujours chez les vins de Potel, plus particulièrement pour cette cuvée vieilles vignes. Le nez se montre aussi très aromatique et d'une bonne richesse, ayant besoin tout de même d'un bon coup de carafe pour se révéler pleinement. **Alc./**13 % www.nicolas-potel.fr

### Château Capet-Guillier 2006
SAINT-ÉMILION GRAND CRU, CAPET-GUILLIER, FRANCE *(DISP. DÉC. 2010)*
31,25 $      SAQ S (11095148)   ★★★?☆ $$$            Modéré+
Un cru d'un grand charme aromatique évident, aux relents de violette et de prune, et d'une souplesse rarissime dans ce millésime. Du velours, une certaine présence, des tanins arrondis, une acidité discrète et des saveurs longues. À boire dès maintenant, avec plaisir. **Alc./**13,5 % ■ *Burger de bœuf au foie gras et champignons.*

### Conde de Valdemar Gran Reserva 2001
RIOJA, BODEGAS VALDEMAR, ESPAGNE
31,50 $      SAQ S (325084)    ★★★☆ $$$            Corsé
Nez à la fois complexe, boisé, détaillé et un brin évolué, laissant apparaître de puissantes notes épicées et torréfiées. Bouche au velouté imposant, tout en étant pleine et solidement appuyée par des tanins qui ont du grain et des saveurs d'une grande persistance. **Alc./**13,5 % **www.martinezbujanda.com** ■ *Magret de canard grillé parfumé de baies roses accompagné d'une purée de patates douces aux olives noires et au romarin frais.*

### Château Lamarche Canon « Candelaire » 2005
CANON-FRONSAC, ÉRIC JULIEN, FRANCE
32,75 $      SAQ S (912204)    ★★★☆ $$$            Corsé
Un merlot à la fois très floral et boisé, aromatique au possible, sans être puissant ni trop extraverti, à la bouche pulpeuse, charnue et presque charnelle, marquée par une belle trame tannique serrée, aux tanins mûrs à point, non sans fermeté juvénile, à l'acidité discrète et aux saveurs longues. **Alc./**13,5 % ■ *Ragoût d'agneau au quatre-épices.*

### Château Lamarche Canon « Candelaire » 2006
CANON-FRONSAC, ÉRIC JULIEN, FRANCE
32,75 $      SAQ S (912204)    ★★★?☆ $$$          Corsé+
Un canon-fronsac se montrant plus ferme et viril dans ce millésime, comparativement au précédent charnel et pulpeux 2005. Un vin tricoté serré mais avec grâce, élancé mais avec raffinement, aux saveurs intenses et persistantes. Devrait gagner en texture à compter de 2012. **Alc./**13 % **www.lamarchecanon.com**

### Bocca di Lupo 2006
CASTEL DEL MONTE, TORMARESCA, ITALIE *(DISP. FÉVR. 2011)*
33 $      SAQ S (10675394)   ★★★☆ $$$            Corsé+
Un sudiste, à base d'aglianico, toujours aussi richement aromatique et dense dans ce nouveau millésime, dégusté en primeur en août 2010. Un vin très mûr, pénétrant et complexe, à la fois très frais et méridional, richement épicé et boisé, aux tanins imposants, au grain très serré et travaillé par un luxueux élevage en barriques, au corps texturé, laissant de longues saveurs de fruits rouges mûrs, de violette et d'épices douces. Évoluera en beauté sur huit ans. **Alc./**13,5 % **www.tormaresca.it** ■ *Morceau de flanc de porc poché, vinaigrette de boudin à la noix de coco, crumble de boudin noir (**).*

### L'Arzelle 2007
SAINT-JOSEPH, LES VINS DE VIENNE, FRANCE
33 $      SAQ S (707265)    ★★★?☆ $$$$          Corsé
Coup de cœur de l'édition 2010. ■ *Carré d'agneau au poivre vert et à la cannelle.*

### Roggio del Filare 2005
ROSSO PICENO SUPERIORE, VELENOSI, ITALIE
33,50 $      SAQ S (10268326)   ★★★☆ $$$          Corsé
Très beau vin racé au fruité éclatant, surtout après un séjour de trente minutes en carafe. Le nez très aromatique et complexe, au parfum puissant de violette, de cerise, de mûre, de cuir, de cacao et de sous-bois. La bouche est tannique, fraîche, charnue, aux courbes rondes et larges, avec du coffre et de longues saveurs de confiture, de café et de cèdre. **Alc./**14 % **www.velenosivini.com** ■ *Carré de porc sauce chocolat épicée mole poblano.*

## Roggio del Filare 2006

ROSSO PICENO SUPERIORE, VELENOSI, ITALIE

**34 $**      SAQ **S** (11295351)   ★★★☆?☆ $$$      Corsé

Ce 2006, composé de montepulciano et de sangiovese, représente la plus grande réussite pour ce cru à ce jour. Quel éclat et quelle race! Très haute définition aromatique, sans aucun boisé apparent, aux tanins ultra- polis, au corps à la fois dense et raffiné, d'une fraîcheur exemplaire pour un vin aussi concentré, aux saveurs d'une grande allonge, laissant des traces de fruits noirs et de violette. Mériterait de figurer au Top 100. **Alc./**14 % **www.velenosivini.com** ■ *Magret de canard rôti à la nigelle et navets confits au clou de girofle, vinaigre de riz et miel (voir chapitre* Recettes).

## Poggio Bestiale 2005

ROSSO DELLA MAREMMA TOSCANA, FATTORIA DI MAGLIANO, ITALIE

**34,25 $**      SAQ **S** (10845091)   ★★★?☆ $$$      Corsé

Très beau cru toscan, actuellement sur sa réserve de jeunesse, au nez fermé et aux tanins ramassés et tissés serrés, sans fermeté. Le fruité est pur et très frais. À suivre. **Alc./**14 % **www.fattoriadimagliano.it**

## Poggio Bestiale 2007

ROSSO DELLA MAREMMA TOSCANA, FATTORIA DI MAGLIANO, ITALIE

**34,25 $**      SAQ **S** (10845091)   ★★★☆ $$$      Corsé+

## Le Grand Rouge de Revelette 2004

COTEAUX D'AIX-EN-PROVENCE, PETER FISCHER, FRANCE

**34,75 $**      SAQ **S** (10259745)   ★★★☆?☆ $$$      Corsé+      BIO

■ *Pot-au-feu d'agneau de cuisson saignante au thé et aux épices.* (Voir commentaire détaillé dans *La Sélection Chartier 2009*)

## Le Grand Rouge de Revelette 2007      ✓ TOP 100 CHARTIER

VIN DE PAYS DES BOUCHES DU RHÔNE, PETER FISCHER, FRANCE *(DISP. OCT./NOV. 2010)*

**34,75 $**      SAQ **S** (10259745)   ★★★☆?☆ $$$      Corsé+      BIO

Un 2007 au nez très mûr et richement aromatique, sans tomber dans la surmaturité, à la bouche charnue mais fraîche, tannique mais enveloppée, aux saveurs d'une grande allonge, jouant dans l'univers aromatique du cassis, du bleuet, de la violette, des épices douces et du café. Une plénitude « umami », parfaite pour donner écho aux plats composés d'ingrédients riches en saveurs « umami ». **Alc./**13,5 % **www.revelette.fr**
■ *Pièce de bœuf fortement poêlée et émulsion « Mister Maillard »* (voir chapitre Recettes).

## Lucente 2006

TOSCANA, LUCE DELLA VITE, ITALIE

**34,75 $**      SAQ **S** (860627)   ★★★☆?☆ $$$      Corsé

(Voir commentaire détaillé dans *La Sélection Chartier 2009*)

## Lucente 2007

TOSCANA, LUCE DELLA VITE, ITALIE *(RETOUR OCT./NOV. 2010)*

**34,75 $**      SAQ **S** (860627)   ★★★☆?☆ $$$      Corsé

Un nouveau Lucente au nez passablement riche, d'un grand charme et fort complexe, exprimant des notes de cerise noire, de prune, ainsi que de torréfaction, au boisé un brin chocolaté, à la bouche presque pulpeuse, aux tanins gras, mais non sans grain, à l'acidité discrète et aux corps presque velouté. Plus que jamais un excellent achat pour son prix. Un second arrivage est attendu en octobre 2010. **Alc./**14 % **www.lucewines.com** ■ *Purée_Mc² pour amateur de vin au céleri-rave et clou de girofle (**) ou feuilles de vigne farcies_Mc² (riz sauvage soufflé, bacon de sanglier, sirop de riz brun/café) (**).*

## Les Remparts de Ferrière 2006

MARGAUX, CHÂTEAU FERRIÈRE, FRANCE

**35,25 $**      SAQ **S** (10273782)   ★★★☆ $$$      Corsé

Ce deuxième vin du Château Ferrière est plus que jamais fidèle à ses habitudes en nous présentant une réussite en 2006. De l'éclat, de la complexité, du détail, de la maturité, de l'amplitude, de la chair et de la prestance. Café, cerise noire, sous-bois et mine de crayon en signent cette longue finale aromatique. Voilà un second cru top niveau qui mériterait un coup de cœur. **Alc./**13 % ■ *Filets de bœuf au café noir (*).*

### Les Terrasses 2005
PRIORAT, ÀLVARO PALACIOS, ESPAGNE

**35,25 $**     SAQ S (10931562)   ★★★☆?☆     Corsé

Coup de cœur de *La Sélection Chartier 2009*. ■ *Jarret d'agneau confit et lentilles du Puy au jus d'agneau parfumé à l'anis étoilé.*

### Les Terrasses 2006
PRIORAT, ÀLVARO PALACIOS, ESPAGNE

**35,25 $**     SAQ S (10931562)   ★★★☆?☆     Corsé

Coup de cœur de *La Sélection Chartier 2010*, voir commentaire détaillé dans le chapitre Le Blogue de Chartier « Spécial Hommage à Àlvaro Palacios ». ■ *Bœuf à l'anis étoilé de Josée di Stasio.*

### Les Terrasses 2008
PRIORAT, ÀLVARO PALACIOS, ESPAGNE *(DISP. 2011)*

**35,25 $**     SAQ S (10931562)   ★★★☆?☆ $$$     Corsé

Ce 2008, dégusté en primeur en août 2010, d'un échantillon du domaine, suivra le 2007 (aussi commenté). Il se montre plus fin et plus frais que ce dernier, exhalant des notes minéralisantes de zeste d'orange et de graphite, ainsi qu'au fruité engageant, rappelant les cerises au marasquin. La bouche est à la fois ample et rafraîchissante, pour l'appellation, pleine et soyeuse, longue et harmonieuse. À nouveau un modèle d'équilibre, comme le 2007, mais en plus élégant. **Alc./**14,5 % ■ *Morceau de flanc de porc poché, vinaigrette de boudin à la noix de coco, crumble de boudin noir (\*\*).*

### Martinet Bru 2006
PRIORAT, MAS MARTINET, ESPAGNE

**35,50 $**     SAQ S (11155454)   ★★★☆?☆ $$$     Corsé+     BIO

Coup de cœur de l'édition 2010 de ce guide, cette nouveauté se montre richement aromatique, laissant échapper de riches effluves de réglisse, de cacao, de prune, de bleuet et de mûre, sans aucun boisé apparent. En bouche, elle s'exprime par un fruité à la fois mûr et très frais, étonnamment élancé et droit, aux saveurs compactes et aux tanins très ramassés et réglissés. Cépages : 50 % garnacha, 15 % cariñena, 15 % syrah, 10 % cabernet sauvignon, 10 % merlot. **Alc./**14,5 % **www.masmartinet.com** ■ *Osso buco de cerf aux parfums de mûres et de réglisse (\*).*

### Brancaia 2005
CHIANTI CLASSICO, PODERE LA BRANCAIA, ITALIE

**37,50 $**     SAQ S (10431091)   ★★★☆ $$$     Corsé

De l'un des domaines les plus en vue actuellement en Toscane, ce chianti classico se montre d'un charme inouï, au corps voluptueux, texturé à fond, harmonieux au possible, aux tanins enveloppés dans une gangue moelleuse, aux saveurs d'une grande allonge, laissant deviner des notes de violette, de prune, de cerise noire, de poivre et de torréfaction. **Alc./**13,5 % **www.brancaia.com** ■ *Filet d'agneau enveloppé d'algues nori accompagné d'un braisé de carottes au jus d'agneau.*

### Santa Cecilia Planeta 2006
SICILIA, PLANETA, ITALIE

**38,50 $**     SAQ S (705947)   ★★★☆ $$$     Corsé+

Comme tous les rouges signés Planeta, vous y dénicherez un cru coloré, richement aromatique et très mûr, à la bouche généreuse, pleine et sphérique, au corps voluptueux et dense, aux saveurs d'une grande allonge. Même si bien présent, le boisé est remarquablement intégré au cœur du vin. À nouveau un modèle d'équilibre pour le noble cépage sicilien qu'est le nero d'avola. **Alc./**14 % **www.planeta.it** ■ *Filets de bœuf Angus aux champignons sauvages.*

### Villa de Corullón 2006
✓ TOP 100 CHARTIER

BIERZO, DESCENDIENTES DE J. PALACIOS, ESPAGNE *(DISP. FÉVR. 2011)*

**39 $**     SAQ S (10823140)   ★★★★ $$$$     Corsé

Les grands vins de ce domaine, fondé en 1998, sont actuellement reconnus par les critiques du monde entier et ont créé un impact majeur dans l'inconscient des autres vignerons du Bierzo. Cette cuvée, qui sera vendue à vingt dollars de moins que le précédent millésime (!) – décision du producteur afin de permettre au plus grand nombre de la découvrir –, est élaborée à partir de plus ou moins 50 parcelles, situées sur des coteaux pentus, argilo-calcaires. Dans le Bierzo, 2006 a été une année classique, mais avec chaleur et lumière, donc septentrionale. Il en résulte un cru coloré et violacé, au nez très fin et expressif, mais aussi complexe et éclatant (étant encore plus ouvert et plus détaillé qu'en décembre 2008, lors de ma première dégustation de ce millésime), marqué par une belle minéralité, mais aussi et surtout par des notes débordantes et mûres de fruits noirs, de prune, de réglisse, de girofle, de pivoine. Quel charme aromatique et quelle bouche! Pleine et sphérique, mais aussi très fraîche, aux tanins réglissés, qui ont du grain, tissés finement, longue, pure, savoureuse, riche, ample et presque dodue, ainsi que crémeuse et désaltérante. Finale un brin boisée, mais le bois sera mangé d'ici un an ou deux. Il a reçu un séjour de dix-huit mois de barriques, afin de lui faire perdre son «sucré» (pectine) pour qu'il reste lui-même. Gagnera en complexité et en amplitude dans le temps, même si déjà enchanteur comme jamais cette cuvée ne m'a paru dans les précédents millésimes. **Alc./**14,5 % ■ *Magret de canard rôti, graines de sésame et cinq-épices, navets confits au clou de girofle (\*\*).*

---

### Château Simard 2000
SAINT-ÉMILION, VIGNOBLES VAUTHIER-MAZIÈRE, FRANCE
**39,50 $**    SAQ S (11084043)   ★★☆?☆ $$$$    Modéré+
Un 2000 étonnamment évolué, mais offert à presque six dollars de moins que l'année dernière – ceci explique peut-être cela! Le nez se montre aussi évolutif et discret. La bouche, quant à elle, est plus engageante, sans être puissante ni profonde, les tanins sont un brin secs et les saveurs jouent dans des tonalités d'humus, de champignon de Paris, de réglisse et de havane. Ce vin devrait être bu rapidement, car je doute de son potentiel d'évolution. **Alc./**12 %

---

### Château Chantalouette 2005
POMEROL, LES HÉRITIERS A. DELAAGE, FRANCE *(DISP. NOV. 2010)*
**39,75 $**    SAQ S (10267964)   ★★★☆?☆ $$$    Corsé
Aussi disponible en magnum.
Difficile d'être plus truffé et plus pomerol que ça! L'archétype du profil mûr et enveloppant de l'appellation. Mériterait un coup de cœur. Plein, sphérique, presque gras, aux longues saveurs de truffe noire, de sous-bois, de café et de fruits rouges compotés. Vraiment beau et à prix assez doux pour son rang. **Alc./**13,5 % ■ *Jarret d'agneau confit parfumé à l'huile de truffes et poêlée de champignons sauvages.*

---

### Château Simard 1998
SAINT-ÉMILION, VIGNOBLES VAUTHIER-MAZIÈRE, FRANCE
**39,75 $**    SAQ S (11084035)   ★★★☆ $$$$    Modéré+
Tant qu'à débourser 45$, qui ne sont pas mérités, pour les millésimes 2000 et 2005 du même château (aussi commentés), il vaut mieux se rabattre sur ce 1998, qui se montre de même stature, mais à prix moins surévalué. Le profil, bien qu'aussi classique que les deux autres, n'en demeure pas moins complexe, détaillé et long, exhalant des notes de champignon, de sous-bois, de prune et de havane. La texture est presque souple et veloutée, mais les tanins légèrement asséchants viennent troubler cette perspective en fin de bouche. Qu'à cela ne tienne, il se conduit admirablement à table. Il faut savoir que ce domaine est dirigé depuis 2008 par Alain Vauthier, l'homme derrière le grandissime Château Ausone. Il a repris les rênes lors du décès de son oncle, à qui appartenait la propriété et où il prodiguait, paraît-il, quelques conseils. J'imagine (et j'espère) que les prochains millésimes, à compter de 2009, devraient changer de style et gagner en précision, en fruit et en densité. **Cépages :** 80 % merlot, 20 % cabernet franc. **Alc./**12 % ■ *Magret de canard fumé aux feuilles de thé Lapsang Souchong.*

---

### Clos des Fées « Vieilles Vignes » 2007
CÔTES-DU-ROUSSILLON-VILLAGES, HERVÉ BIZEUL & ASSOCIÉS, FRANCE
**39,75 $**    SAQ S (11177240)   ★★★☆ $$$    Corsé+
Après un 2005 (commenté dans *La Sélection 2008*), d'une grande race et à la bouche explosive, un 2006 (commenté dans *La Sélection 2009*) à la fois éclatant et suave, Hervé Bizeul récidive avec un 2007 plus ramassé

et compact, plein et profond, bâti pour une longue garde. La bouche, plus bavarde que le nez, éclate de tous ses fruits, tout en exprimant des tanins tissés très serrés, mais noblement extraits, une acidité droite, un corps dense et des saveurs d'une grande allonge, surtout marquées par des notes de fruits rouges et de fleurs. **Alc./**14,5 % **www.closdesfees.com**

### L'Arzelle 2008
SAINT-JOSEPH, LES VINS DE VIENNE, FRANCE *(DISP. SEPT./OCT. 2010)*
**39,75 $**        SAQ S (707265)    ★★★☆?☆ **$$$$**        Corsé
Coup de cœur de *La Sélection 2010* dans le précédent millésime, ce cru assure à nouveau son statut de l'un des meilleurs crus de Saint-Joseph. Belle maturité de fruit, sans trop, raffinement aromatique (poivre, olive noire, cassis), sans aucun boisé apparent, tanins extrafins, sans de la prise, coffre prenant, sans lourdeur, saveurs très longues et grande harmonie. Malheureusement, seulement 50 caisses étaient attendues. **Alc./**13 % **www.vinsdevienne.com** ◼ *Raviolis_Mc²* « *pour amateur de vin rouge* » *(algue nori mouillée, pommade d'olives noires et poivre) (voir chapitre* Recettes*).*

### Amabilin Cascina Adelaide Superior 2005
BARBERA D'ALBA, CASCINA ADELAIDE, ITALIE
**40,25 $**        SAQ S (10937868)    ★★★★ **$$$$**        Corsé+
Excellente barbera, dotée de la puissance juvénile du grand millésime 2005 et riche d'une chair prenante, aux saveurs jouissives. Un cru racé et élégant, qui déploie des notes de cassis, de violette, de bleuet, d'encens et de réglisse, à la bouche pleine et sensuelle, presque puissante, mais avec grâce, aux tanins présents, qui ont du grain, à l'acidité fraîche et juste dosée. Ira loin. **Alc./**14,5 % ◼ *Pétoncles en civet (\*).*

### Domaine La Barroche « Terroir » 2007
CHÂTEAUNEUF-DU-PAPE, CHRISTIAN ET JULIEN BARROT, FRANCE
**41 $**        SAQ SS (11224827)    ★★★★ **$$$$**        Corsé+
Un exubérant et pulpeux châteauneuf, au nez pénétrant et riche, à la fois torréfié, épicé, fruité et animal, à la bouche débordante et pleine, presque sphérique, mais formidablement bien ramassée en fin de bouche. Ira loin. **Alc./**15,9 % **www.domainelabarroche.com** ◼ *Lièvre ou lapin à l'aigre-doux (\*).*

### Caparzo 2004
BRUNELLO DI MONTALCINO, TENUTA CAPARZO, ITALIE
**41,25 $**        SAQ S (10270178)    ★★★★ **$$$$**        Corsé
Toujours aussi raffiné et distingué, déployant des notes de cerise noire, de cacao, de cuir, de cannelle et de violette, à la bouche aux tanins serrés, mais à la texture pleine et enveloppante, aux saveurs très longues, torréfiées et épicées. Excellent vin à boire, d'une remarquable élégance. **Alc./**13,5 % **www.caparzo.com** ◼ *Filets de caribou sauce aux bleuets et au chocolat noir.*

### Badia a Passignano Riserva 2005
CHIANTI CLASSICO, MARCHESI L. & P. ANTINORI, ITALIE
**41,50 $**        SAQ S (403980)    ★★★?☆ **$$$**        Corsé+
Ce 2005, dégusté en primeur, puis de nouveau en juin 2010, se montre plutôt carré et rigide, comme à l'été 2009, aux tanins très fermes. Le fruité est complexe et intense, donc il faudra une autre relecture, en 2012, réputation du cru oblige. **Alc./**13,5 % **www.antinori.it**

### Saint-Jacques 2006
MARSANNAY, DOMAINE FOUGERAY DE BEAUCLAIR, FRANCE
**41,75 $**        SAQ S (917302)    ★★★☆?☆ **$$$$**        Modéré+
Il a fallu plus de vingt ans à la famille Fougeray pour réussir à acheter, lot par lot, à plus d'une dizaine de viticulteurs, le 1,52 hectare de ce cru prestigieux, composé de vieilles vignes, situé dans un des coteaux pierreux les mieux exposés de l'appellation. Ce nouveau millésime explique à nouveau le pourquoi de cette longue quête : couleur soutenue; nez très engageant, au fruité mûr et au boisé modéré; bouche raffinée et stylisée, aux tanins qui ont du grain et au corps expressif, sans être large ni prenant. Fraîcheur naturelle, élan, longueur et plaisir à boire. **www.fougeraydebeauclair.fr** ◼ *Poulet rôti au sésame et au cinq-épices.*

## Clos Saint Michel 2007

CHÂTEAUNEUF-DU-PAPE, VIGNOBLES GUY MOUSSET & FILS, FRANCE

**42,25 $**      SAQ **S** (11192247)   ★★★☆?☆ **$$$**      Modéré+

Un 2007 d'un charme fou, ouvert à souhait, exhalant des arômes de bacon fumé, de café et de gibier, à la bouche pleine et sphérique, sans trop, enveloppante, aux tanins gras, mais avec un certain grain, à l'acidité discrète et aux saveurs très longues, cacaotées et très garrigues. Du sérieux, mais malheureusement offert à un prix tellement plus élevé que le 2006... La quatrième étoile y sera dans 2 ou 3 ans. **Alc./**14,5 % www.clos-saint-michel.com ■ *Gigot d'agneau au romarin et jus de cuisson réduit au vin rouge.*

## Montiano 2006

LAZIO, AZIENDA VINICOLA FALESCO, ITALIE *(DISP. FÉVR. 2011)*

**43 $**      SAQ **S** (728758)   ★★★?★ **$$$$**      Corsé

L'échantillon dégusté avait un liège un brin molasse, donc, malgré la richesse et la définition du vin, ce cru, signé par l'un des grands œnologues italiens, se montrait un brin réservé et moins large qu'à son habitude. À redéguster absolument à son arrivée, car la matière est belle. **Alc./**14 % www.falesco.it

## Anayón de Corona de Aragón 2004

CARIÑENA, GRANDES VINOS Y VIÑEDOS, ESPAGNE

**43,75 $**      SAQ **S** (11155534)   ★★★☆ **$$$$**      Corsé+

■ NOUVEAUTÉ! Voici une nouvelle cuvée haut de gamme passablement concentrée, riche et raffinée, pour le style, provenant d'une cave dont les différentes cuvées à bon prix connaissent un certain succès au Québec, et ce, depuis plusieurs millésimes. Profil espagnol, donc au boisé présent, mais sans excès, plutôt fin, raffiné et pur, avec des saveurs intenses, des tanins mûrs à point et bien travaillés par un élevage ambitieux. Malgré sa richesse solaire, ce cru se montre ramassé, dense et assez réussi. Son prix est par contre lui aussi assez élevé, pour la qualité qu'il offre. **Cépages :** cabernet sauvignon, tempranillo, merlot. **Alc./**14 % www.grandesvinos.com ■ *Carré d'agneau et jus au café expresso (\*).*

## Brunello « Barbi » 2004

BRUNELLO DI MONTALCINO, FATTORIA DEI BARBI, ITALIE

**44,75 $**      SAQ **S** (11213343)   ★★★?☆ **$$$$**      Corsé

Sans égaler le charmeur et voluptueux 2003, coup de cœur de *La Sélection 2009*, ce 2004 se montre tout aussi racé et distinctif. Le nez est raffiné, pur et sans esbroufe. La bouche suit avec richesse, éclat, droiture, fermeté juvénile et une certaine ampleur. Café, moka, prune et champignon de Paris donnent le ton à ce vin qui s'ouvrira à compter de 2012. **Alc./**14 % www.fattoriadeibarbi.it ■ *Côtes de veau grillées et champignons portabellos.*

## Brunello « Barbi » 2005                               ✓ TOP 100 CHARTIER

BRUNELLO DI MONTALCINO, FATTORIA DEI BARBI, ITALIE *(DISP. JANV. 2011)*

**44,75 $**      SAQ **S** (11213343)   ★★★☆?☆ **$$$$**      Corsé

Quel grand charmeur ce 2005, dégusté en primeur en août 2010, qui égale le tout aussi charmeur et voluptueux 2003, coup de cœur de *La Sélection 2009*, et surpasse le très bon 2004 (aussi commenté). Le nez est éclatant, expressif et riche, exhalant des notes de fruits rouges compotés et de café. La bouche suit avec chair, coffre et ampleur, aux tanins bien présents, mais mûrs et avec un grain fin. Plus que jamais l'un des meilleurs rapports qualité-prix en matière de brunello. **Alc./**14 % www.fattoriadeibarbi.it ■ *Filet de boeuf de la Ferme Eumatimi, sauce mole mexicaine à la noix de coco et au cinq-épices (\*\*).*

## Promis 2007

TOSCANA, CA'MARCANDA, GAJA, ITALIE

**45,75 $**      SAQ **S** (746941)   ★★★☆ **$$$$**      Corsé

Un nouveau millésime pour ce toscan, élaboré par Angelo Gaja, qui résulte en un rouge compact, au corps nourri, mais sans excès et non sans élégance, aux tanins qui ont de la prise, mais qui se montrent aussi très fins, aux saveurs très longues et qui ont de l'éclat. Fraîcheur et distinction pour un plus que réussi assemblage merlot, syrah et sangiovese. Notez que les cuvées Camarcanda 2005 et Magari 2006 sont plus complexes et substantielles que cette dernière. **Alc./**14 %

### Clos Marion 2007
FIXIN, DOMAINE FOUGERAY DE BEAUCLAIR, FRANCE
**46,75 $**       SAQ S (872952)    ★★★☆?☆ **$$$$**      Modéré+
Un pinot, provenant de vignes plantées en 1946, au fruité très aromatique et au corps à la fois enveloppé et nourri, comme toujours avec ce cru. Le nez est à la fois riche et très frais, s'exprimant par des pointes de cassis et de sous-bois. La bouche est certes presque ronde, mais aussi bien ancrée par une trame tannique serrée. Harmonie et singularité, pour un fixin *bench mark*. **Alc./**13 % www.fougeraydebeauclair.fr ■ *Côtes de veau grillées et champignons portabellos grillés.*

### Haute Pierre « Delas » 2007
CHÂTEAUNEUF-DU-PAPE, DELAS FRÈRES, FRANCE
**47,25 $**       SAQ S (10857067)   ★★★★ **$$$**      Corsé+
Un 2007 très coloré et chaleureux, confit et cacaoté, sans excès ni superflu, à la bouche certes généreuse, mais étonnamment fraîche et retenue pour un cru à 15 % d'alcool. Tanins extrafins, acidité juste, corps plein, et saveurs longues. Du bel ouvrage, qui sera plus expressif à compter de 2013. Le prix est cependant beaucoup plus élevé que le 2006, aussi commenté. **Alc./**15 % www.delas.com ■ *Côtes de cerf sauce aux griottes et au chocolat noir Valrhona Guanaja (\*).*

### Malleolus 2007                                   ✓ TOP 100 CHARTIER
RIBERA DEL DUERO, BODEGAS EMILIO MORO, ESPAGNE *(DISP. DÉC. 2010)*
**47,50 $**       SAQ S (10297629)   ★★★★ **$$$$**      Corsé
Ce 2007 se montre aussi éclatant que les sensationnels 2003 et 2001 – dans mes 10 révélations de l'année dans le millésime 2001 et 2003, et coups de cœur des précédentes *Sélection*. Donc, ce vigneron de grand talent récidive à nouveau avec un 2007, dégusté en primeur en août 2010, se montrant fortement coloré, puissamment aromatique, mûr, presque confit et torréfié, plein, profond, texturé et savoureux, au boisé présent, façon *ribera* moderne. Fruits rouges, noix de coco, figue, café et cacao donnent le ton avec éclat et précision, sans lourdeur. Ce cru d'Emilio Moro, de la Ribera del Duero, provient d'une parcelle argilo-calcaire et graveleuse qui donne de très petits rendements de tempranillo, et le tout a été élevé 18 mois en barriques neuves françaises. **Cépage :** tempranillo (vignes de 20 à 75 ans). **Alc./**14,5 % www.emiliomoro.com ■ *Morceau de flanc de porc poché, vinaigrette de boudin à la noix de coco, crumble de boudin noir (\*\*).*

### Château Meyney 2001
SAINT-ESTÈPHE, CORDIER, FRANCE
**48 $**       SAQ S (10367367)   ★★★☆ **$$$$**      Corsé
Un beau 2001, qui ravira les restaurateurs grâce à son fruité juvénile et à sa souplesse engageante. Le nez trahit un léger manque de maturité de la vendange, par des notes végétales, mais le charme aromatique permet d'oublier cette petite faute de dame Nature, tout comme la rondeur et la fraîcheur gustative. À boire. **Alc./**12,5 % ■ *Asperges vertes rôties au four à l'huile d'olive.*

### Domaine de Thalabert 2007
CROZES-HERMITAGE, PAUL JABOULET AÎNÉ, FRANCE *(DISP. AUTOMNE 2010)*
**48 $**       SAQ S (11166487)   ★★★☆ **$$$$**      Corsé
Un nouveau Thalabert d'une maturité modérée, au profil très frais, d'un boisé plus discret que dans le précédent millésime. Un vin d'un certain volume, mais tout en fraîcheur, presque élancé, à la trame certes serrée, mais avec élégance et raffinement, sans toutefois démontrer sa densité de matière habituelle. Un élégant et rafraîchissant Thalabert, qui n'est malheureusement pas au sommet des capacités de ce cru, et surtout vraiment trop cher avec ce prix qui a malheureusement monté en flèche depuis le dernier millésime. Pourtant dégusté un jour « fruits » du calendrier lunaire de biodynamie... **Cépage :** syrah. **Alc./**13 % www.jacksonestate.co.nz

## Château Montus Prestige 2001
MADIRAN, ALAIN BRUMONT, FRANCE
48,75 $          SAQ S (705475)     ★★★★ $$$$          Corsé+
(Voir commentaire détaillé dans *La Sélection Chartier 2008*)

## Château Simard 2005
SAINT-ÉMILION, VIGNOBLES VAUTHIER-MAZIÈRE, FRANCE
48,75 $          SAQ S (11084051)   ★★★?☆ $$$$         Corsé
Un 2005 toujours aussi étonnamment détendu. Le nez est d'une richesse modérée, sans réelle profondeur, exhalant des notes de prune et de tabac. La bouche suit avec une ampleur tout aussi modérée, mais tout en ayant du grain et une certaine prestance. La finale est plus serrée, presque sèche mais longue, égrainant des saveurs de café, de havane et de fraise compotée. **Alc./**13 %

## Clos Saint Jean 2005
CHÂTEAUNEUF-DU-PAPE, CLOS SAINT JEAN, FRANCE
49 $          SAQ S (10919088)   ★★★☆?☆ $$$$          Corsé
■ *Jarret d'agneau confit parfumé à l'huile de truffes.* (Voir commentaire détaillé dans *La Sélection Chartier 2010*)

## Clos Saint Jean 2006
CHÂTEAUNEUF-DU-PAPE, CLOS SAINT JEAN, FRANCE
49 $          SAQ S (10919088)   ★★★☆ $$$$          Modéré+
Élaboré par l'un des domaines les plus en vue actuellement à Châteauneuf, ce 2006 se montre plus retenu au nez que l'engageant 2005 (aussi commenté), mais tout aussi détendu en bouche, plein, généreux et expressif à souhait, laissant deviner des notes de café, de cerise à l'eau-de-vie et de cuir. À boire dès maintenant et jusqu'en 2015 plus ou moins. **Alc./**15,3 % ■ *Cerf sauce aux griottes et au chocolat noir (\*).*

## La Fleur de Boüard 2006
LALANDE-DE-POMEROL, HUBERT DE BOÜARD DE LAFOREST, FRANCE
49 $          SAQ S (10859708)   ★★★☆?☆ $$$$          Corsé
Un 2006 d'un charme évident, à l'image des précédents millésimes, finement torréfié, passablement riche et détaillé, au corps à la fois plein et raffiné, aux tanins ultrafins, mais au grain très serré, et aux saveurs très longues et expressives, laissant des traces de violette, de fraise, de poivron rouge et de café. **Alc./**13,5 % www.lafleurdebouard.com ■ *Asperges vertes rôties, enrobées de chocolat noir (infusé au thé fumé Zheng Shan Xiao Zhong, fleur de sel au café) (\*\*).*

## Masi « Recioto » 2006
RECIOTO DELLA VALPOLICELLA, MASI, ITALIE
49,25 $          SAQ S (868802)     ★★★☆?☆ $$$$          Corsé
**Cépages :** 70 % corvina, 20 % rondinella, 10 % molinara. **Alc./**14 % www.masi.it ■ *Fougasse parfumée au clou de girofle et fromage bleu fondant caramélisé (\*\*).* (Voir commentaire détaillé dans *La Sélection Chartier 2010*)

## Les Bressandes 2007
BEAUNE 1ER CRU, NICOLAS POTEL, FRANCE
49,50 $          SAQ S (725929)     ★★★☆?☆ $$$$          Corsé
Un 2007 réussi avec brio, à la fois prenant et raffiné, mûr et frais, aux tanins tissés serrés, avec une certaine prise, mais sans dureté, au corps ample et aux saveurs d'une belle allonge. Cerise à l'eau-de-vie, café et rose donnent le ton. Du sérieux, déjà très agréable à table. **Alc./**13 % www.nicolas-potel.fr ■ *Tagliatelles à la réglisse noire, queues de langoustines rôties, tomates séchées et petits pois (\*\*).*

## Gratallops Vi de vila 2008
PRIORAT-GRATALLOPS, ÀLVARO PALACIOS, ESPAGNE *(DISP. 2011)*
50,25 $          SAQ S (11337936)   ★★★☆?☆ $$$$          Corsé+
Tout comme Les Terrasses 2008, comparativement au 2007, ce Gratallops 2008 se montre plus détendu que le 2007 (aussi commenté en primeur). Quel charme, mais aussi quelle matière! On se trouve ici à mi-chemin entre la plénitude juvénile de la cuvée Les Terrasses et la densité profonde du Finca Dofí (aussi commenté). Fraîcheur aromatique, dans cet

îlot de chaleur qu'est le priorat, et éclat de bouche, tanins soyeux et longueur inouïe. Un nouveau cru qui tient ses promesses (voir commentaire détaillé du 2007). **Alc./**14,5 % ■ *Daube d'agneau au vin et à l'orange.*

### Clos Saint Jean 2007
CHÂTEAUNEUF-DU-PAPE, CLOS SAINT JEAN, FRANCE
50,50 $        SAQ **S** (11104041)   ★★★★ $$$$$        Corsé+
Un 2007 plus coloré que les précédents 2006 et 2005, au nez aussi plus riche, plus mûr et plus concentré, à la bouche plus dense, pleine et ramassée, aux tanins qui ont une bonne grippe, mais aussi bien enveloppés. Du fruit à profusion, des notes torréfiées et de la persistance, pour une grande pointure, supérieur au 2006. Ira très loin dans le temps. **Alc./**16,5 % ■ *Carré de porc glacé aux fraises, poivre du Sichuan, galanga et miel (\*\*).*

### Château Simard 1990
SAINT-ÉMILION, VIGNOBLES VAUTHIER-MAZIÈRE, FRANCE
50,75 $        SAQ **S** (11084019)   ★★★☆ $$$$        Modéré+
Retour de ce 1990 au nez très riche et complexe, laissant échapper des notes de fruits compotés, presque cuits, de sous-bois, de truffe et de boîte à cigares, à la bouche presque juteuse et fraîche, pleine et intense, avec une étonnante présence, comparativement aux 1998, 2000 et 2005 du même cru (commentés en détail dans l'édition 2010) qui, eux, manquent justement de présence. **Alc./**12 % ■ *Magret de canard sauce au thé Pu-erh et riz sauvage aux champignons sautés.*

### Pio Cesare « Barbaresco » 2006
BARBARESCO, PIO CESARE, ITALIE
51,25 $        SAQ **S** (905026)   ★★★☆?☆ $$$$        Corsé
D'un millésime qui a offert d'excellents crus, tant à Barbaresco qu'à Barolo, grâce à une maturité phénolique rappelant celle des grands 2004, ainsi qu'à une minéralité classique comme en 2005. Il en résulte un barbaresco plus raffiné et plus classique que jamais, aux tanins certes serrés, mais d'une maturité parfaite et d'un grain noble, au corps étonnamment expressif, et aux saveurs d'une grande allonge, laissant des traces de fraise et de rose. Quand on sait que 60 % de ce vin provient du grand seigneur qu'est le terroir Il Bricco, il devient une aubaine en son genre. **Alc./**14 % www.piocesare.it ■ *Magret de canard rôti à la nigelle.*

### Tenuta Belgvardo 2006
MAREMMA TOSCANA, MARCHESI MAZZEI, ITALIE
53,75 $        SAQ **S** (11192108)   ★★★?★ $$$$        Corsé+
Un 2006 passablement riche, mais actuellement retenu et ramassé, aux tanins très fermes, presque asséchants et au corps longiligne. Il lui faut deux ou trois années de cellier pour se dégourdir un brin. La matière est belle, noblement extraite et complexe, donc devrait gagner en volupté. **Alc./**14 % www.belguardo.it

### Montesodi Riserva 2006
CHIANTI RUFINA, MARCHESI DE FRESCOBALDI, ITALIE *(DISP. AUTOMNE 2010)*
54,25 $        SAQ **S** (204107)   ★★★☆?☆ $$$$        Corsé+
Toujours aussi plein et puissant, comme à son habitude, aux tanins mûrs et gras, mais avec un grain juvénile, qui s'arrondit au fil du temps, aux saveurs percutantes de fruits noirs et de torréfaction. Suit le 2005 avec aplomb. Du sérieux. **Alc./**14,5 % www.frescobaldi.it ■ *Carré d'agneau et jus au café expresso (\*).*

### Château du Cèdre « Le Cèdre » 2005
CAHORS, VERHEGHE & FILS, FRANCE
56 $        SAQ **S** (10268537)   ★★★★ $$$$$        Corsé+
Cuvée prestige, pur malbec, de ce renommé château, qui se montre à la fois concentrée et raffinée en 2005. Couleur sombre, nez profond et retenu, mais d'une grande richesse, sans boisé dominant, de bouche d'une fraîcheur unique, d'un éclat rarissime, sans avoir à être explosive ou confite. Donc, un cru racé, ramassé, dense et d'une très grande allonge, laissant des traces de mûre, de bleuet, de violette et de chêne neuf. **Alc./**14 % www.chateauducedre.com ■ *Osso buco de cerf aux parfums de mûres et de réglisse (\*).*

### Fontodi Riserva « Vigna del Sorbo » 2004
CHIANTI CLASSICO, TENUTA FONTODI, ITALIE
56,25 $     SAQ S (742072)     ★★★☆?☆ $$$$     Corsé     BIO
De la race et de la distinction. Une bouteille haute couture, tissée serrée, fraîche et ramassée, qui ira loin dans le temps et qui étonne pour le millésime. **Alc.**/14 % **www.fontodi.com**

### Barrua 2004
ISOLA DEI NURAGHI, AGRICOLA PUNICA, ITALIE
56,75 $     SAQ S (10961622)   ★★★☆?☆ $$$$     Corsé+
(Voir commentaire détaillé dans *La Sélection Chartier 2009*)

### Barrua 2005
ISOLA DEI NURAGHI, AGRICOLA PUNICA, ITALIE
56,75 $     SAQ S (10961622)   ★★★☆?☆ $$$$     Puissant
Salué dans l'aussi bon millésime 2004, cette nouveauté sarde de haut niveau offre à nouveau un vin richement aromatique, au fruité passablement concentré, mûr et profond, à la bouche plus dense, plus ferme et plus compacte que dans le précédent millésime. D'une belle tenue, aux tanins très serrés et réglissés, mais avec un certain velouté dû à la maturité parfaite de ces derniers, et aux saveurs percutantes. Une référence, à attendre deux à trois ans, pour saisir plus que jamais le grand potentiel des vins sardes. **Alc.**/14 % **www.vinicontini.it**

### Mormoreto 2006
TOSCANA, MARCHESI DE FRESCOBALDI, ITALIE
57 $     SAQ S (864512)     ★★★★ $$$$     Puissant
Comme à son habitude, ce nouveau millésime se montre superlatif, ultra-coloré, intensément aromatique, au fruité exubérant, au boisé expressif, au corps dense, aux tanins plus que solides et aux saveurs percutantes, laissant d'imposantes traces de bleuet, de cassis, de chêne neuf, de cuir et de café. Presque californien par son profil solaire, mais bel et bien italien par sa droiture. **Alc.**/14 % **www.frescobaldi.it** ■ *Carré d'agneau farci aux olives noires et au romarin, sauce au porto LBV.*

### Château L'Archange 2001
SAINT-ÉMILION, PASCAL CHATONNET, FRANCE
57,50 $     SAQ SS (11198809) ★★★★ $$$$     Corsé
■ *Magret de canard sauce au thé Pu-erh et riz sauvage aux champignons sautés.*

### Château L'Archange 2003
SAINT-ÉMILION, PASCAL CHATONNET, FRANCE *(DISP. FIN 2010/DÉBUT 2011)*
57,50 $     SAQ SS (11198809) ★★★★ $$$$     Corsé
Coloré, aromatique à souhait, à la fois riche et détaillé, d'une belle maturité, mais sans les excès typiques à ce millésime caniculaire. Prune, cerise noire, bleuet, réglisse et violette donnent le ton. Toucher de bouche sensuel, mais non dénué de grain et de race, aux longues et éclatantes saveurs et au boisé intégré au cœur de la matière avec succès. Souhaitons maintenant que la SAQ aura finalement passé sa commande pendant que *La Sélection* était à l'imprimerie en septembre 2010... **Alc.**/13,5 % **www.vignobleschatonnet.com**

### Marciliano 2006
ROSSO UMBRIA, AZIENDA VINICOLA FALESCO, ITALIE *(DISP. AUTOMNE 2010)*
57,75 $     SAQ S (11155614)   ★★★☆?☆ $$$$     Corsé+
■ NOUVEAUTÉ! Un cru moderne, fortement coloré, richement aromatique, au fruité très mûr et au boisé intégré, se montrant à la fois dense et plein, sphérique et texturé, aux tanins mûrs à point, à l'acidité discrète et aux saveurs explosives, sans trop, laissant deviner des notes de fruits noirs, de café et de cacao. Engageant au possible. **Alc.**/14 % **www.falesco.it** ■ *Filet de boeuf de la Ferme Eumatimi, sauce* mole *mexicaine à la noix de coco et au cinq-épices (**).*

### Château Montus Prestige 2000
MADIRAN, ALAIN BRUMONT, FRANCE
58 $     SAQ S (904961)     ★★★★ $$$$     Corsé+
(Voir commentaire détaillé dans *La Sélection Chartier 2009*)

### Avanthia 2007
VALDEORRAS, JORGE ORDOÑEZ, ESPAGNE
**59 $**  SAQ S (11213415)  ★★★☆?☆ $$  **Corsé**
Cette nouveauté de la précédente édition de ce guide a été distribuée
via le *Courrier vinicole* de la SAQ, opération *La Relève* (voir *Courrier vinicole* sur www.saq.com). Il en résulte un rouge, à base de mencia, au nez
racé, comme le sont presque toujours les vins de ce cépage autochtone
du Bierzo, d'une bonne profondeur, sans esbroufe ni boisé dominant, au
fruité pur et précis, aux tanins extrafins mais serrés, au corps large mais
frais, et aux saveurs qui ont de l'allonge, laissant des traces de girofle
et de fumée. Évoluera en beauté. **Alc./**14,5 % **www.jorge-ordonez.es**
■ *Magret de canard fumé aux feuilles de thé.*

### Le Serre Nuove dell'Ornellaia 2007
BOLGHERI, TENUTA DELL'ORNELLAIA, ITALIE
**59 $**  SAQ S (10223574)  ★★★☆?☆ $$$$  **Corsé**
Coup de cœur de *La Sélection 2010*. ■ *Filets de bœuf surmontés de raviolis
de pâtes d'algues nori farcies à la purée de framboise.*

### Le Serre Nuove dell'Ornellaia 2008
BOLGHERI, TENUTA DELL'ORNELLAIA, ITALIE *(DISP. FIN NOV. 2010)*
**59 $**  SAQ S (10223574)  ★★★☆?☆ $$$$  **Corsé**
À nouveau un Serre Nuove au nez profond, compact et passablement
riche, au boisé légèrement plus marqué qu'en 2007, à la bouche presque
dense et pleine, aux tanins à la fois enveloppés et qui ont du grain, à
l'acidité discrète, aux saveurs très longues et mûres, jouant dans l'univers
de la torréfaction, ainsi que des fruits noirs. Un retour au style « nou-
veau mondiste » du 2005, comparativement aux 2006 et 2007 qui
étaient, eux, dans une mouvance plus européenne. **Alc./**14,5 %
**www.ornellaia.com** ■ *Feuilles de vigne farcies_Mc² (riz sauvage soufflé,
bacon de sanglier, sirop de riz brun/café) (**).*

### Fratta 2005
ROSSO VENETO, MACULAN, ITALIE
**59,75 $**  SAQ S (880062)  ★★★★?☆ $$$$  **Corsé+**
Profondément coloré. Richement aromatique, racé et complexe, détaillant
des notes de cassis, de violette, d'encens, de cèdre et de vanille. Dense
et prenant en bouche, aux tanins d'une maturité parfaite, non sans grain,
à l'acidité juste fraîche, au corps pénétrant et aux saveurs éclatantes,
d'une grande allonge, laissant des traces de mûre et de café. Très borde-
lais d'approche, comme toujours pour ce cru, mais avec l'expression exa-
cerbée à la Fausto Maculan! **Cépages :** 66 % cabernet sauvignon, 34 %
merlot. **Alc./**15 % **www.maculan.net** ■ *Filet de boeuf de la Ferme
Eumatimi, sauce mole mexicaine à la noix de coco et au cinq-épices (**).*

### Les Pagodes de Cos 2001 *(DISP. OCT./NOV. 2010)*
SAINT-ESTÈPHE, CHÂTEAU COS D'ESTOURNEL, FRANCE
**59,95 $**  SAQ SS (11257792)  ★★★☆?☆ $$$$  **Corsé**
Deuxième vin du « super » second cru classé qu'est le Château Cos
d'Estournel, Les Pagodes en est une copie conforme, sans toutefois en
posséder la même profondeur et la même complexité. Donc, un rouge
pulpeux, enveloppant et texturé à souhait, aux saveurs pénétrantes et
balsamiques de cuir neuf, d'épices douces et de fruits compotés, avec
une arrière-scène torréfiée et minérale (graphite). Un régal quasi char-
nel, actuellement à son meilleur et franchement plus engageant que Cos
lui-même. **Alc./**13 % **www.cosdestournel.com** ■ *Pétoncles poêlés, cous-
cous de noix du Brésil à l'orange sanguine, lait de coco au gingembre (**).*

### Domaine La Barroche « Pure » 2006
CHÂTEAUNEUF-DU-PAPE, CHRISTIAN ET JULIEN BARROT, FRANCE
**60 $**  SAQ SS (10826041)  ★★★★?☆ $$$$$  **Corsé**
Chez les domaines nouvellement étoilés de Châteauneuf, ne laissez pas
filer les vins de La Barroche, actuellement au sommet de son art et de
l'appellation, avec Beaucastel. Son Pure 2006 est d'une précision et
d'une fraîcheur à couper le souffle et rarissime dans le Midi des Papes.
Un vin racé, ramassé, extrafin, distingué, au corps certes plein, mais
raffiné et presque soyeux. Tanins de grande classe, travaillés avec

doigté, aucun boisé apparent et saveurs longilignes, sans esbroufe. Beaucoup plus retenu et élégant que le 2004, aussi commenté en référence. Ici, que de vieilles vignes d'un minimum de 60 ans d'âge, dont certains plans de grenache de 100 ans. Difficile d'être plus sérieux. **Alc./**15 % www.domainelabarroche.com ■ *Homard au vin rouge, chocolat noir et pimentón.*

---

### Pio Cesare « Barolo » 2005
BAROLO, PIO CESARE, ITALIE
**61,50 $**       SAQ **S** (11187528)   ★★★★ $$$$       Corsé
Un barolo traditionnel, d'une couleur modérée, au nez très ouvert, distingué et détaillé, laissant échapper des notes de rose séchée et d'épices douces, à la bouche très tannique, avec de la grippe et de la fraîcheur, au corps plein, mais longiligne, aux saveurs persistantes, rappelant la noisette et le café. **Alc./**14,5 % www.piocesare.it

---

### Pio Cesare « Barolo » 2006
BAROLO, PIO CESARE, ITALIE *(DISP. AUTOMNE 2010)*
**61,50 $**       SAQ **S** (11187528)   ★★★★ $$$$       Corsé
Cet assemblage de six vignobles, dont plus de 60 % du village de Serralunga, plus particulièrement à 40 % du cru Ornato (aussi commenté), se montre plus aimable et plus engageant que le 2005 (aussi commenté). Le nez est certes fermé, mais non sans profondeur et définition. La bouche est à la fois éclatante, droite, intense et tricotée serrée, aux longues saveurs éthérées de rose séchée, de cacao et de bois, avec une touche balsamique. Un modèle. **Alc./**14,5 % www.piocesare.it
■ *Filet de boeuf de la Ferme Eumatimi, sauce* mole *mexicaine à la noix de coco et au cinq-épices (\*\*).*

---

### Dardi Le Rose « Bussia » 2003
BAROLO, PODERI COLLA, ITALIE
**61,75 $**       SAQ **S** (10816775)   ★★★☆?☆ $$$$       Corsé
■ *Canard rôti badigeonné au scotch single malt.* (Voir commentaire détaillé dans *La Sélection Chartier 2010*)

---

### Dardi Le Rose « Bussia » 2004
BAROLO, PODERI COLLA, ITALIE *(DISP. MARS 2011)*
**61,75 $**       SAQ **S** (10816775)   ★★★☆?☆ $$$$       Corsé
Actuellement disponible en format 1,5 litre (130,25 $; 10890887), la bouteille de 750 ml le sera seulement en mars 2011. Ce nouveau millésime s'exprime, comme d'habitude pour ce cru, par un nez classique et raffiné, aux riches notes de rose séchée, de fruits rouges et de goudron. La bouche suit avec texture et prise tannique, aux tanins étonnamment enveloppés pour un nebbiolo – mais pas pour cette cuvée, toujours aussi enveloppante. Du tonus et du relief, pour un vin qui se donne déjà, mais qui évoluera en beauté sur plus de dix ans. **Alc./**13,5 % www.podericolla.it ■ *Boeuf braisé au vin rouge et aux carottes.*

---

### Domaine La Barroche « Fiancée » 2007
CHÂTEAUNEUF-DU-PAPE, CHRISTIAN ET JULIEN BARROT, FRANCE *(DISP. SEPT./OCT. 2010)*
**62,25 $**       SAQ **SS** (10826025)   ★★★★?☆ $$$$       Corsé+
Une cuvée plus dense et plus aérienne que « Terroir » (aussi commentée), richement aromatique, d'une grande complexité (fruits noirs, épices, boîte à cigare), aux tanins présents mais enveloppés d'une gangue veloutée, et d'une allonge de grand vin. **Alc./**15,7 % www.domainelabarroche.com ■ *Filet de boeuf de la Ferme Eumatimi, sauce* mole *mexicaine à la noix de coco et au cinq-épices (\*\*).*

---

### Sotanum 2007
VIN DE PAYS DES COLLINES RHODANIENNES, LES VINS DE VIENNE, FRANCE
**62,25 $**       SAQ **S** (894113)   ★★★☆?☆ $$$$       Corsé
Référence des dix dernières années en matière de nouveaux crus « anciens » rhodaniens, ce nouveau millésime du Sotanum se montre tout aussi défini, minéralisant, ramassé, dense et complexe que dans les précédentes années. Du sur mesure pour les inconditionnels de la Côte-Rôtie. Le nez, profond, est d'une grande subtilité, sans esbroufe. Cassis, café, olive et lavande signent le profil. **Alc./**13 % ■ *Filets de boeuf marinés au parfum d'anis étoilé.*

### Arzuaga Reserva 2005
RIBERA DEL DUERO, BODEGAS ARZUAGA NAVARRO, ESPAGNE
62,50 $        SAQ S (902841)    ★★★☆ $$$$        Corsé+
Une réserve 2005 au boisé dominant, torréfié et malté, sans être trop lourd, laissant place au fruité passablement riche et concentré, sans excès. Plein, sphérique, généreux, presque capiteux, tout à fait dans le ton moderne, joufflu et boisé des crus de la Ribera del Duero. **Alc./**14,5 % www.arzuaganavarro.com ■ *Ragoût d'agneau au quatre-épices.*

### Finca Dofi 2007
PRIORAT, ÀLVARO PALACIOS, ESPAGNE
62,75 $        SAQ S (705764)    ★★★★☆ $$$$        Corsé+      BIO
Malheureusement, nous n'aurons pas le 2007 de ce cru à la SAQ... Nous passerons directement du 2006 au 2008 (aussi commenté). Tentez votre chance en Ontario (www.lcbo.com). Dommage, car, grâce à dame Nature, ce Finca 2007, dégusté à deux reprises, dont d'un échantillon tiré directement de la barrique, est l'une des références absolues du Priorat. Tout y est. Couleur profonde et violacée. Nez complexe et intense (pin, menthe, poivre, bleuet, zeste d'agrumes). Bouche pulpeuse et explosive, mais avec une remarquable retenue minérale, aux tanins tissés serrés, mais d'une grande maturité, au boisé intégré au cœur de la matière et à la très longue finale crémeuse. Confirme que 2007 est la plus grande année classique pour le grenache depuis vingt ans en Priorat et en Rioja Baja. Vous en serez averti. **Alc./**14,5 % ■ *Magret de canard rôti, graines de sésame et cinq-épices, navets confits au clou de girofle (\*\*).*

### Finca Dofi 2008
✓ TOP 100 CHARTIER
PRIORAT, ÀLVARO PALACIOS, ESPAGNE *(DISP. MARS 2011)*
62,75 $        SAQ S (705764)    ★★★★?☆ $$$$        Corsé      BIO
Dégusté après une série de grands vins italiens, dont le fabuleux Solaia 2007, ce 2008 de Finca Dofi passait haut la main dans ce registre, et ce, à presque quatre cents pour cent moins cher! Il faut dire que les 2008 de cette maison sont d'une fraîcheur, d'une minéralité et d'une digestibilité émouvantes. Les tanins, tissés très serrés, sont d'une finesse exquise. Le corps, longiligne, s'ouvre vers l'horizon en fin de bouche éclatante. Une autre grande pointure de Palacios. **Alc./**14,5 % ■ *Pot-au-feu froid d'agneau cuit rosé, cubes de bouillon à la sauge, condiment au curcuma, sel de romarin (\*\*).*

### Mille e Una Notte 2005
CONTESSA ENTELLINA, TENUTA DONNAFUGATA, ITALIE
63,50 $        SAQ S (10223460)    ★★★?☆ $$$$        Corsé+
■ *Filets de bœuf sauce balsamique et poêlée de champignons sauvages.* (Voir commentaire détaillé dans *La Sélection Chartier 2009*)

### Mille e Una Notte 2006
CONTESSA ENTELLINA, TENUTA DONNAFUGATA, ITALIE *(RETOUR NOV. 2010)*
63,50 $        SAQ S (10223460)    ★★★☆?☆ $$$$        Puissant
À nouveau une grande cuvée très colorée, au nez concentré et mûr, sans trop, à la bouche à la fois pleine, dense, intense, fraîche et persistante, aux tanins de vieilles vignes, qui ont du grain et de la fermeté juvénile. Saveurs pénétrantes de bleuet, de cassis, de violette et de bois neuf, avec une pointe balsamique. Ira loin avec cette finale plus ramassée. **Alc./**14 % www.donnafugata.it ■ *Magret de canard rôti, graines de sésame et cinq-épices, navets confits au clou de girofle (\*\*).*

### Pian delle Vigne 2004
BRUNELLO DI MONTALCINO, ANTINORI AGRICOLA, ITALIE
65 $        SAQ S (11097733)    ★★★★ $$$$        Corsé+
Un cru racé et d'une sève imposante, aux puissants et complexes effluves de violette, d'éther, de cassis, de cèdre, d'encens, de réglisse et de café. La bouche est dense et tannique, mais non sans texture ni sensualité. Ira loin. **Alc./**14 % www.antinori.it ■ *Carré d'agneau et jus au café expresso (\*).*

## Pian delle Vigne 2005

BRUNELLO DI MONTALCINO, ANTINORI AGRICOLA, ITALIE *(DISP. OCT./NOV. 2010)*

**65 $**     SAQ S (11097733)  ★★★★ **$$$$**          Corsé+

Un nouveau millésime dans la continuité du 2004, mais en plus complet et harmonieux au possible, à la fois plein et nourri, enveloppant et richement tannique, aux saveurs percutantes d'une grande allonge, laissant des traces de cerise noire, de framboise et d'épices douces. Les tanins sont plus soyeux, même s'ils sont dotés d'un grain serré. **Alc./**14 % **www.antinori.it** ■ *Carré d'agneau et jus au café expresso (\*).*

## Château Beychevelle 2006

SAINT-JULIEN, CHÂTEAU BEYCHEVELLE, FRANCE

**67 $**        SAQ SS (10850308) ★★★★ **$$$$**           Corsé

Avec moins de merlot qu'habituellement, ce 2006 se montre d'une texture veloutée et d'un gras engageant, aux tanins d'une excellente maturité et bien travaillés par un judicieux élevage, au boisé intégré au cœur de la matière. Fruits noirs et café signent le complexe aromatique. L'un des 2006 les plus ouverts et charmants dégustés jusqu'ici, la majorité étant actuellement plus rigide. **Alc./**13 % **www.beychevelle.com** ■ *Feuilles de vigne farcies_Mc² (riz sauvage soufflé, bacon de sanglier, sirop de riz brun/café) (\*\*).*

## Château Haut-Bailly 2003

PESSAC-LÉOGNAN, CHÂTEAU HAUT-BAILLY, FRANCE

**67 $**        SAQ S (10343701)  ★★★★?☆ **$$$$**      Corsé

Fort coloré. Nez classique, racé et distingué. Superbe fruit, pur, minéral et boisé plus que discret. Tanins fermes, bien ciselés, du corps, de la matière, de la race et de la sève. Ira loin et représente assurément l'une des réussites du millésime. **Alc./**13 % **www.chateau-haut-bailly.com** ■ *Magret de canard rôti à la nigelle.*

## Argentiera 2006

BOLGHERI SUPERIORE, TENUTA ARGENTIERA, ITALIE

**69,25 $**     SAQ SS (11301466) ★★★★ **$$$$**        Corsé+

L'une des cuvées haut de gamme de ce nouveau domaine étoilé toscan, dont les autres crus, Villa Donoratico, Poggio ai Ginepri et Giorgio Bartholomäus, sont aussi commentés dans ce guide. Il en résulte un rouge ultracoloré, au nez riche de promesses, étant donné la matière concentrée qui s'y trouve. Bouche pleine, généreuse, tannique, ferme, avec de la prise, au corps dense et aux saveurs très longues. **Alc./**14,5 % **www.argentiera.eu** ■ *Magret de canard rôti à la nigelle.*

## Vigna del Fiore 2004

BRUNELLO DI MONTALCINO, FATTORIA DEI BARBI, ITALIE

**70,25 $**     SAQ S (10217300) ★★★★ **$$$$**           Corsé

Ce cru 2004 de la grande *fattoria dei* Barbi se montrait fermé au nez en juin 2009, livre ses promesses. Nez profond, intense et racé, plus aromatique, exhalant des notes de fruits très mûrs, presque confits. Bouche certes ramassée, compacte et dense, sans dureté, mais encore plus harmonieuse et vineuse, aux saveurs percutantes et résineuses. Trame tannique de grande classe. Ira loin dans le temps. **Alc./**14 % **www.fattoriadeibarbi.it** ■ *Flanc de porc « façon bacon » fumé au bois de pommier, mélasse, sauce soya, rhum et clou de girofle (\*\*).*

## Vaio Armaron Classico Serego Alighieri 2003

AMARONE DELLA VALPOLICELLA, MASI, ITALIE

**70,75 $**        SAQ S (10896197)  ★★★☆?☆ **$$$$**      Corsé

Nez fermé, mais racé. Bouche d'un charme inouï, texturée, suave et d'une épaisseur veloutée typique des vins de ce cru, qui se montre toujours plus suave et élégant que les autres *amaroni* de Masi. Style pratiquement bourguignon, avec des tonalités de cerise à l'eau-de-vie, de cacao, de vanille et de confiture. **Alc./**15,5 % **www.masi.it** ■ *Côtes de cerf sauce aux griottes et au chocolat noir (\*).*

### Les Vaucrains 2007

NUITS-SAINT-GEORGES 1ER CRU, NICOLAS POTEL, FRANCE

**71,50 $**   SAQ S (11217379)   ★★★★ $$$$     Corsé

Un Vaucrains fidèle à la réputation du cru, soit hyper aromatique et richement détaillé (framboise, cassis, violette et réglisse), d'une belle maturité de fruit, plein, juteux, généreux et enveloppant, avec une trame tannique sous-jacente assez serrée, mais enveloppée par la générosité et l'expressivité des saveurs. Un domaine de pointe, à suivre plus que jamais. **Alc./**13 % www.nicolas-potel.fr ■ *Filets de bœuf surmontés de raviolis de pâtes d'algues nori farcies à la purée de framboise.*

### Dofana 2006

TOSCANA, FATTORIA CARPINETA FONTALPINO, ITALIE

**76,25 $**   SAQ S (11223605)   ★★★★ $$$$     Corsé+

Pour toucher au sublime à nouveau – le 2004 l'offrait majestueusement –, trempez vos lèvres dans cette cuvée composée de 50 % de petit verdot, au nez ultraraffiné et richement aromatique, étonnamment concentré, aux tonalités complexes de fruits noirs, de torréfaction, de cacao et d'anis étoilé, à la bouche tout aussi explosive, dense et enveloppante, aux tanins nobles, tissés très serrés, sans dureté, et même presque gras. Du grand art. **Alc./**14 % www.carpinetafontalpino.it ■ *Jarret d'agneau confit et son jus de cuisson parfumé à l'anis étoilé.*

### Finca Dofi 2004

PRIORAT, ÀLVARO PALACIOS, ESPAGNE

**76,75 $**   SAQ S (705764)   ★★★★☆ $$$$     Corsé+     BIO

Ce 2004, coup de cœur de l'édition 2009 de ce guide, né d'un très grand millésime pour l'appellation, est assurément la meilleure affaire chez les grandes pointures tant du Priorat que d'Espagne. Il exprime un fruité d'une grande concentration et d'une haute définition, et une texture d'une sensualité rarissime chez les aussi jeunes vins du Priorat. Les tanins ont du grain, le boisé est déjà intégré, la minéralité pointe à l'horizon et les saveurs sont percutantes (bleuet, framboise, prune, épices et rose). **Cépages :** 50 % grenache (très vieux) + cabernet sauvignon, syrah (faible pourcentage). **Alc./**14 % ■ *Osso buco de cerf aux parfums de mûres et de réglisse (\*).*

### Finca Dofi 2006

PRIORAT, ÀLVARO PALACIOS, ESPAGNE

**76,75 $**   SAQ S (705764)   ★★★★?☆ $$$$     Corsé+     BIO

Coup de cœur de *La Sélection 2010*. Provenant d'un sol d'ardoise rouge, situé en hauteur, sur la terrasse à l'arrière de la cave, il s'exprime par des vins au profil plus chaud et sensuel, quasi charnel. Donc, un priorat contemporain, au nez époustouflant, complexe et pénétrant (cacao, café, zeste d'agrumes, fleurs, balsamique), à la prise de bois parfaitement intégré, dense, tannique, nourri et harmonieux. Ira très loin, même si déjà très ouvert. Un grand 2006. **Alc./**14,5 %

### Les Chirats de Saint-Christophe 2007

HERMITAGE, LES VINS DE VIENNE, FRANCE

**79 $**   SAQ SS (719054)   ★★★★ $$$$     Corsé+

Un hermitage *bench mark* au nez aussi puissant et concentré qu'en août 2009, laissant apparaître des tonalités de concentré de café, de réglisse noire, d'olive noire et de fruits noirs. La bouche suit avec coffre, densité, profondeur et harmonie, aux tanins fermes, mais un brin plus arrondis. Nourri à souhait et multidimensionnel, mais sans excès ni surenchère. Le boisé est admirablement discret, les saveurs longues et la finale presque crémeuse, rappelant presque certains crus du Priorat espagnol. Tel que prévu l'an passé, il devrait se donner à son mieux à partir de l'hiver 2011, même s'il est déjà pas mal inspirant ! **Alc./**13,5 % www.vinsdevienne.com ■ *Carré d'agneau et jus au café expresso (\*).*

### San Martín 2006 Bierzo
BIERZO, DESCENDIENTES DE J. PALACIOS, ESPAGNE
**84,50 $**          SAQ **SS** (11100285) ★★★★ **$$$$**$          Corsé
Nez magnifique, noble et presque sensuel, subtilement épicé et marqué par des fleurs séchées (rose), mais s'étant un brin replié sur lui-même depuis l'année dernière (dernière dégustation fin août 2010), à la bouche expressive plus que charnue, droite, élancée et fraîche, aux tanins très fins, avec un grain plus serré qu'en novembre 2009, mais à la présence tout aussi expressive. À l'aération, le nez devient subtilement balsamique, avec des tonalités de prune, de cerise noire, d'olive noire et de clou de girofle, rappelant les grandes syrahs de la famille Chave en Hermitage. Attendre à partir de 2013 pour une plus grande harmonie d'ensemble. **Alc./**15,2 % ■ *Pétoncle fortement poêlé, flanc de sanglier braisé, feuilletage de cacao, poudre d'olives noires déshydratées, bouillon de canard au thé Lapsang Souchong (voir détails sur le site francoischartier.ca).*

### Guado al Tasso 2006                    ✓ TOP 100 CHARTIER
BOLGHERI SUPERIORE, TENUTA GUADO AL TASSO, MARCHESI ANTINORI, ITALIE
**86 $**          SAQ **S** (977256)     ★★★★?☆ **$$$$**$          Corsé
Ce nouveau millésime de Guado nous le montre sous un nouveau jour, plus raffiné et élégant que jamais, d'une grande vibration minérale, au corps certes dense et plein, mais aux tanins polis avec doigté. Cassis, bleuet et violette donnent le ton tant au nez qu'en bouche. Ira très loin. Assurément le terroir qui m'enchante le plus parmi toutes les nouvelles étoiles toscanes découvertes depuis la fin du vingtième siècle. **Alc./**14,5 % **www.antinori.it** ■ *Magret de canard rôti à la nigelle.*

### Ornato 2006
BAROLO, PIO CESARE, ITALIE
**86 $**          SAQ **S** (10271146)  ★★★★☆ **$$$$**$          Corsé
Tous les 2006 de Pio Cesare sont de remarquables réussites, ce à quoi répond cet Ornato 2006 avec aplomb. Nez richement aromatique et complexe, aux tonalités enivrantes d'épices orientales, de vanille, de fruits rouges et noirs et de havane. Bouche à l'attaque généreuse d'une grande ampleur, texturée à souhait pour l'appellation, aux tanins d'une grande maturité et parfaitement polis par un judicieux élevage. Il sera difficile de l'attendre, tellement il se donne, et ce, même si le potentiel d'évolution est très grand... **Alc./**14,5 % **www.piocesare.it** ■ *Osso buco de jarret de veau à la vanille de Tahiti sauce liée au chocolat noir.*

### Il Bricco 2005
BARBARESCO, PIO CESARE, ITALIE *(DISP. AUTOMNE 2010)*
**87 $**          SAQ **S** (11054231)  ★★★★?☆ **$$$$**$          Corsé+
Un remarquable Il Bricco, fortement coloré, richement aromatique, au volume imposant, mais aux tanins plus gras que dans la cuvée classique, texturé au possible pour le style et intensément savoureux, égrainant de longues saveurs de noisette, de prune et de torréfaction. Comme le cacao, l'orge rôtie, la sauce soya, la vanille et le café font partie des ingrédients portant la même signature moléculaire que la noisette, privilégiez-les dans vos recettes pour ce rouge. **Alc./**14,5 % **www.piocesare.it** ■ *Osso buco de jarret de veau à la vanille de Tahiti sauce liée au chocolat noir.*

### Il Bricco 2006                    ✓ TOP 100 CHARTIER
BARBARESCO, PIO CESARE, ITALIE *(DISP. AUTOMNE 2010)*
**87 $**          SAQ **S** (11054231)  ★★★★?☆ **$$$$**$          Corsé
Ce Bricco 2006 présente des tanins stylisés et racés, ainsi qu'une texture généreuse et enveloppante, au nez plus ouvert et plus engageant que ne l'était au même stade l'excellent 2005 (aussi commenté). Le fruité est concentré, mais sans surmaturité inutile. Et quelle longueur! Fruits noirs, fleurs et vanille signent cette grande réussite. **Alc./**14,5 % **www.piocesare.it** ■ *Parmigiano reggiano (plus de 24 mois d'affinage) accompagné d'une réduction de café noir (avec un doigt de balsamique).*

### Château de Beaucastel 2006
CHÂTEAUNEUF-DU-PAPE, VIGNOBLES PIERRE PERRIN, FRANCE
88,50 $        SAQ S (520189)    ★★★★?☆ $$$$$    Corsé+    BIO
Un 2006 au nez discret, d'un grand raffinement et d'une belle fraîcheur, requérant temps et oxygène pour se dévoiler et se complexifier. Bouche droite et ramassée, toute aussi fraîche, aux tanins stylisés et tricotés serrés, avec finesse et grain. Un vin racé, sans compromis ni surmaturité inutile, au boisé complètement intégré au cœur, finement cacaoté et qui ira très loin dans le temps. Un modèle de retenue et d'équilibre. **Alc./**14 % www.perrin-et-fils.com ■ *Côtes de cerf sauce aux griottes et au chocolat noir Valrhona Guanaja (\*).*

### Château Haut-Bailly 2006
PESSAC-LÉOGNAN, CHÂTEAU HAUT-BAILLY, FRANCE
96 $        SAQ S (10850295)   ★★★★?☆ $$$$    Corsé
Belle réussite, à la fois très « graves » et minérale, ainsi que très exubérant et enveloppant, non sans densité. Le grain serré côtoie la maturité des tanins presque gras et à la texture veloutée. Violette, fruits rouges et graphite signent une grande allonge. **Alc./**13 % www.chateau-haut-bailly.com ■ *Filet de bœuf enveloppé d'algues nori et accompagné d'un braisé de carottes au jus de bœuf.*

### Brunello Riserva « Barbi » 2003
BRUNELLO DI MONTALCINO, FATTORIA DEI BARBI, ITALIE
98,50 $        SAQ S (10215793)   ★★★★ ☆ $$$$$    Puissant
Un puissant et remarquablement réussi 2003. Grande concentration aromatique. Boisé intégré avec maestria. Plénitude en bouche, avec générosité, mais sans lourdeur. Un vin volumineux, explosif, aux tanins purs et enveloppés, au grain noble, et d'une grande allonge. Fruits noirs, vanille, café noir, balsamique et violette signent une réussite dans ce difficile millésime caniculaire. **Alc./**14 % www.fattoriadeibarbi.it ■ *Bœuf de la Ferme Eumatimi frotté à la cannelle avant cuisson, compote d'oignons brunis au four et parfumée à la pâte d'anchois salés (\*\*).*

### Brunello « Luce » 2003
BRUNELLO DI MONTALCINO, LUCE DELLA VITE, ITALIE
99 $        SAQ SS (10959688)  ★★★★?☆ $$$$$    Puissant
**Alc./**14,5 % www.lucewines.com ■ *Osso buco de jarret de veau à la vanille de Tahiti et au chocolat.* (Voir commentaire détaillé dans *La Sélection Chartier 2009*)

### Brunello « Luce » 2005
BRUNELLO DI MONTALCINO, LUCE DELLA VITE, ITALIE *(DISP. MARS 2011)*
99 $        SAQ S (10959688)   ★★★★?☆ $$$$$    Puissant
Dans la mouvance du Luce (aussi commenté), ce brunello 2005 se montre d'une très grande richesse aromatique, au boisé moderne, sans être dominant, plutôt façon bordelaise, exhalant de puissantes notes balsamiques et épicées, aux tanins solides et réglissés, mais pratiquement enveloppés par une chair pulpeuse et d'une assez grande épaisseur veloutée. Fruits noirs, violette, cacao et café à profusion. Bonne prise tannique en fin de bouche. Ira loin. Un pur sangiovese qui fera à nouveau le bonheur des amateurs de vins toscans modernes. **Alc./**14,5 % www.lucewines.com ■ *Osso buco de jarret de veau à la vanille de Tahiti et au chocolat.*

### Pian delle Vigne Riserva « Vignaferrovia » 2004
BRUNELLO DI MONTALCINO, ANTINORI AGRICOLA, ITALIE *(DISP. MARS 2011)*
99 $        SAQ S (code non disp.)                    ★★★★?☆
$$$$$        Corsé+
La nouvelle grande cuvée réserve du Pian delle Vigne 2004 et 2005 (aussi commentés), qui devait être mise en marché via le magazine SAQ *Cellier*, en mars 2011. La différence entre la cuvée régulière et cette dernière n'est pas très grande, mais le prix, lui, l'est. Un vin presque sphérique, aux tanins veloutés et travaillés par un luxueux élevage en barriques, se signalant par des saveurs chocolatées, épicées et vanillées. Sera plus complexe et détaillé à compter de 2013. **Alc./**14 % www.antinori.it ■ *Osso buco de jarret de veau à la vanille de Tahiti sauce liée au chocolat noir.*

### Tignanello 2004
TOSCANA, MARCHESE PIERO ANTINORI, ITALIE
99 $ SAQ S (10820900) ★★★★ $$$$$ Corsé+
(Voir commentaire détaillé dans *La Sélection Chartier 2008*)

### Tignanello 2005
TOSCANA, MARCHESE PIERO ANTINORI, ITALIE
99 $ SAQ S (10820900) ★★★★?☆ $$$$$ Corsé
Coup de cœur de *La Sélection 2010*. ■ Magret de canard rôti parfumé de baies roses.

### Tignanello 2007
TOSCANA, MARCHESE PIERO ANTINORI, ITALIE *(DISP. FIN NOV. 2010)*
99 $ SAQ S (10820900) ★★★☆?☆ $$$$$ Corsé
Un 2007 très fins et tout en velours, s'exprimant par des tonalités passablement riches de cerise au marasquin, de zeste d'orange et de café, à la bouche voluptueuse, mais avec de très beaux tanins tissés serrés et bien travaillés par un élevage certes imposant, mais qui sera digéré rapidement. Donc, sera à boire aussi rapidement. **Alc./**14 % **www.antinori.it**
■ *Carré d'agneau et jus au café expresso (*)*.

### Las Lamas 2006 Bierzo
BIERZO, DESCENDIENTES DE J. PALACIOS, ESPAGNE
108 $ SAQ SS (11100269) ★★★★☆ $$$$$ Corsé+
Mérite amplement quatre étoiles et demie par son style vineux et plus rond, rappelant à s'y méprendre celui du grand saint-émilion Château Cheval-Blanc. Nez unique, complètement différent des autres cuvées de ce domaine, ayant évolué, depuis l'an passé (dernière dégustation fin août 2010), sur des tonalités cacaotées et florales d'une grande pureté et d'une haute définition, bouche tout aussi pleine et généreuse, au velouté de texture de taffetas et aux tanins mûrs et enveloppés, avec un grain noblement extrait. Cerise noire, cacao, girofle, muscade et bouton de rose séchée, sans être vraiment boisé. Du velours, même si les tanins se montrent tout de même serrés à l'arrière-scène, mais plus détendus que lors de mon premier contact avec ce millésime, en décembre 2008. **Alc./**14,5 % ■ Magret de canard fumé aux feuilles de thé Lapsang Souchong.

### Moncerbal 2006 Bierzo
BIERZO, DESCENDIENTES DE J. PALACIOS, ESPAGNE
108 $ SAQ SS (11100277) ★★★★ $$$$$ Corsé+
Nez puissant, balsamique, sucré, presque cerise à l'eau-de-vie, mais aussi richement marqué par de nouvelles notes de violette, de viande fumée et de goudron, qui étaient absentes l'année dernière (dernière dégustation fin août 2010). Bouche tout aussi pleine, sphérique et généreuse qu'en 2009 et 2008, très fruitée, mûre, presque confite, mais boisé mieux intégré, subtilement épicé (clou de girofle). Juteux, plein et d'une jouissante épaisseur veloutée. **Alc./**14,5 % ■ *Magret de canard rôti, graines de sésame et cinq-épices, navets confits au clou de girofle (**).*

### Château Sociando-Mallet 1998
HAUT-MÉDOC, JEAN GAUTREAU, FRANCE
111,25 $ SAQ S (11233361) ★★★★ $$$$$ Corsé
Robe presque toujours aussi noire et violine. Nez dense et profondément fruité, d'une richesse imposante, au boisé encore présent, mais, comme toujours chez ce cru, d'une grande subtilité. On ne peut plus floral pour le cru. Bouche à l'éclat signé Sociando, volumineuse, large, mais aussi fraîche et ramassée, d'une harmonie d'ensemble unique. Superbes tanins réglissés, au grain noble, très serré, et finale d'une grande persistance, virile et saisissante. Servir d'ici 2020. **Alc./**12,5 % ■ *Sandwich de pain kabyle à la nigelle, canard confit et jus de viande réduit.*

### Château Sociando-Mallet 2000
HAUT-MÉDOC, JEAN GAUTREAU, FRANCE
119,50 $ SAQ S (11233379) ★★★★?☆ $$$$$ Corsé+
Millésime de légende s'il en est un, le 2000 de Sociando se montre d'une fraîcheur médocaine unique. La couleur est presque sombre et passablement violacée. Le nez, poivré et « poivronné » aux premiers abords,

évolue vers une richesse et une race évidente. Quelle profondeur! Le boisé, noblement intégré, dévoile toujours une petite note de torréfaction, qui commence à disparaître doucement. La bouche, quant à elle, se montre tout aussi fraîche que le nez, droite, élancée et distinguée, sans être ferme ni nerveuse, au corps longiligne et aux saveurs pures et précises, rappelant la violette, le cassis, la fraise des champs, l'encre de Chine et le graphite. La pureté aromatique de ce cru, tout comme la race de ses tanins et la distinction de sa noble matière, le positionne au sommet des réussites de 2000. Il se complexifiera grandement au fil des ans, d'ici 2025. **Alc./**12,5 % ◼ *Carré d'agneau et jus au café expresso (\*) accompagné d'asperges vertes rôties au four à l'huile d'olive et au poivre noir.*

### Dal Forno 2003
VALPOLICELLA SUPERIORE, DAL FORNO ROMANO, ITALIE
**137,25 $**    SAQ **SS** (11054127)  ★★★★?☆ $$$$$    Corsé+
◼ NOUVEAUTÉ! Un « valpo » signé par l'homme de l'appellation, pour ne pas dire le mythe de la Vénétie! Il en résulte un cru puissant, expressif au possible, marqué par un boisé unique, fumé, épicé et viandé, au fruité exponentiel, sans trop, aux tanins d'une maturité parfaite, enveloppés par une gangue d'un velouté rarissime dans ce coin de pays, terminant dans une très grande allonge. Du grand art. **Alc./**15 % ◼ *Côtes de cerf sauce griottes et chocolat noir (\*).*

### Château Montus Prestige 1990
MADIRAN, ALAIN BRUMONT, FRANCE
**144 $**    SAQ **SS** (11082321)  ★★★★ $$$$$    Corsé
Nez à la fois fruité et animal, sans trop, marqué par des notes complexes, riches et détaillés de fruits cuits, de havane, de truffe et de sous-bois. Bouche pleine, volumineuse, intense, moelleuse, texturée, aux tanins mûrs, avec du grain, terminant sur une grande allonge. **Alc./**13 % **www.brumont.fr** ◼ *Jarret d'agneau confit parfumé à l'huile de truffes.*

### Château Sociando-Mallet 1996
HAUT-MÉDOC, JEAN GAUTREAU, FRANCE
**149 $**    SAQ **S** (11233352)  ★★★★☆ $$$$$    Corsé+
Une couleur de vin très jeune, presque noire et richement violacée, un nez puissant, d'un fruité à la fois très frais et pulpeux, engageant au possible, pour ne pas dire percutant, d'une race de grand terroir, sans esbroufe, à la bouche tout aussi éclatante qu'il y a deux ans, saisissante, vibrante et intensément fruitée. Une prise de bois admirable, des tanins de cabernet d'un grain et d'une maturité rarissime, des saveurs d'une allonge de premier cru, laissant deviner des notes de violette, de cèdre, de fumée, de cassis, de prune et de tabac, terminant sur une trame élancée et ferme, qui le propulsera très loin dans le temps. Rappelle le 1986 dans sa jeunesse. Servir entre 2016 et 2036. **Alc./**12,5 % ◼ *Filet de bœuf enveloppé d'algues nori et accompagné d'un braisé de carottes au jus de bœuf.*

### Ornellaia 2004
BOLGHERI SUPERIORE, TENUTA DELL'ORNELLAIA, ITALIE
**149 $**    SAQ **S** (908061)   ★★★★☆ $$$$$    Corsé+
(Voir commentaire détaillé dans *La Sélection Chartier 2008*)

### Ornellaia 2005
BOLGHERI SUPERIORE, TENUTA DELL'ORNELLAIA, ITALIE
**159 $**    SAQ **S** (908061)   ★★★★?☆    Corsé
◼ *Magret de canard au vin rouge et baies de sureau (\*).* (Voir commentaire détaillé dans *La Sélection Chartier 2010*)

### Solaia 2004
TOSCANA, MARCHESE PIERO ANTINORI, ITALIE
**159 $**    SAQ **S** (10821064)  ★★★★?☆ $$$$$    Puissant
(Voir commentaire détaillé dans *La Sélection Chartier 2008*)

### Ornellaia 2007
BOLGHERI SUPERIORE, TENUTA DELL'ORNELLAIA, ITALIE
**169 $**    SAQ **S** (11239771)  ★★★★ $$$$$    Corsé
Un 2007, dégusté en primeur, à mon bureau, d'échantillons provenant du domaine, comme les autres crus de cette grande maison, se montrant

ultraraffiné, de richesse plus modérée que par les millésimes passés, mais gagnant en définition et en pureté. Pas d'esbroufe, que du fruit, de la fraîcheur, de l'élan et du coffre. Évoluera en beauté même s'il se montre déjà engageant. **Alc./**14,5 % ■ www.ornellaia.com ■ *Asperges vertes rôties, enrobées de chocolat noir (infusé au thé fumé Zheng Shan Xiao Zhong, fleur de sel au café) (\*\*).*

### Château Sociando-Mallet 1986
HAUT-MÉDOC, JEAN GAUTREAU, FRANCE
175 $ SAQ SS (11098402) ★★★★☆ $$$$$ Corsé

Il se montre toujours aussi étonnamment coloré, presque très foncé, mi-violacé, mi-orangé, comme il l'était il y a trois ans, lors de la précédente dégustation de ce cru. Nez retenu, minéral et profond, à la bouche compacte, ferme et tannique, plutôt virile. Après une heure d'oxygénation, le terroir s'exprime par la grâce de ce cru : un nez d'un fruité d'une jeunesse renversante et d'une minéralité toujours aussi saisissante, à la bouche pleine, dense et vivifiante, dont l'acidité fraîche tend le vin vers une longueur inouïe et vers un futur encore lointain. Mine de crayon, prune, fraise, grenadine, poivre et réglisse donnent le ton. Un vin qui est loin d'avoir tout dit, mais qui se donne pleinement depuis six ans, pour l'avoir dégusté à quelques reprises depuis sa mise en marché en 1989. **Alc./**12,4 % ■ *Magret de canard rôti, graines de sésame et cinq-épices, navets confits au clou de girofle (\*\*).*

### Malleolus de Sanchomartín 2007
RIBERA DEL DUERO, BODEGAS EMILIO MORO, ESPAGNE *(DISP. DÉC. 2010)*
181,50 $ SAQ S (11152245) ★★★★☆ $$$$$ Puissant

Un autre grand tempranillo, signé Emilio Moro, dégusté en primeur en août 2010. Un cru superlatif, concentré et dense, dans la lignée du précédent millésime (aussi commenté). Les tanins sont solidement extraits, le boisé est noblement intégré au cœur de cette puissante matière et les saveurs, d'une folle complexité, jouent dans la sphère de la réglisse, des fruits noirs, du cacao, de la fumée du café. **Alc./**14,5 % www.emiliomoro.com ■ *Burger de bœuf au foie gras et aux truffes.*

### Solaia 2007
TOSCANA, MARCHESE PIERO ANTINORI, ITALIE *(DISP. FIN NOV. 2010)*
229 $ SAQ S (10821064) ★★★★☆?☆ $$$$$ Corsé+

Un 2007, dégusté en août 2010, d'un échantillon du domaine, comme tous les autres vins commentés de la famille Antinori, à la robe noire, au nez éclatant, richissime et mûr à point, sans trop, prenant au possible, à la bouche à la fois ferme et enveloppante, pleine et dense, aux tanins d'une race unique, au grain noble et au corps sphérique, égrainant de très longues saveurs de fruits noirs, de café, de moka et de violette, avec une arrière-scène subtilement épicée. Quelle régularité pour ce grand cru! Encore plus harmonieux que le puissant et grandissime 2005... Chapeau bas! **Alc./**14 % www.antinori.it ■ *Filet de boeuf de la Ferme Eumatimi, sauce* mole *mexicaine à la noix de coco et au cinq-épices (\*\*).*

### Malleolus de Sanchomartín 2006
RIBERA DEL DUERO, BODEGAS EMILIO MORO, ESPAGNE
233,75 $ SAQ Courrier vinicole « en ligne » (11152245)
★★★★?☆ $$$$$ Corsé+
(Voir commentaire détaillé dans *La Sélection Chartier 2010*)

### Solaia 2005
TOSCANA, MARCHESE PIERO ANTINORI, ITALIE
239 $ SAQ S (10821064) ★★★★☆?☆ $$$$$ Puissant
■ *Carré d'agneau et jus au café expresso (\*).* (Voir commentaire détaillé dans *La Sélection Chartier 2010*)

### Château Angélus 2003
SAINT-ÉMILION GRAND CRU, HUBERT DE BOÜARD DE LAFOREST, FRANCE
282 $ SAQ S (10333731) ★★★★☆ $$$$ Corsé+

Nez intensément riche et noble, sans boisé dominant. Bouche à la fois pleine et compacte, large et ramassée, sphérique et texturée, au grain très serré, aux saveurs expansives, au boisé noblement intégré et d'une fraîcheur singulière dans ce millésime de feu – qui s'explique, en partie, par une proportion de cabernet franc plus élevée en 2003, étant donné sa maturité exceptionnelle (entre 14,3 % et 15,3 % d'alcool potentiel). Un vin de corps et d'esprit, avec une charge tannique qui le propulsera très loin dans le temps. **Alc./**13,5 % www.angelus.com ■ *Jarret d'agneau confit et poêlée de champignons sauvages.*

### Château Sociando-Mallet 1990
HAUT-MÉDOC, JEAN GAUTREAU, FRANCE
**295 $**        SAQ SS (11098357)  ★★★★☆?☆  $$$$$   Corsé
Bouteille mythique, ayant surclassé de nombreuses grandes pointures médocaines lors des dégustations du *Grand Jury Européen*, dont certains premiers crus classés du Médoc du même millésime. Dégustée, premièrement, à la fin septembre 2006, au cours d'un repas avec des amis qui avaient acheté cette bouteille en 1994, lors d'une visite au château, puis à nouveau en juillet 2010. Ce 1990 demeure d'une étonnante jeunesse. La couleur est très soutenue. Le nez est complexe et détaillé, s'ouvrant grandement à l'oxygénation, livrant des notes de fumée, de graphite, de tabac, d'épices, de cèdre et de framboise. La bouche est à la fois ample et compacte, pleine et serrée, mais plus détendue que les autres millésimes fin quatre-vingt, début quatre-vingt-dix. La trame tannique est réglissée à souhait, avec du grain et de la minéralité, tout en se montrant plus enveloppée qu'il y a quatre ans. Servir d'ici 2020, voir plus. **Alc./**12,5 % ■ *Filets de bœuf Angus sauce au cabernet sauvignon.*

### Masseto 2006
BOLGHERI, TENUTA DELL'ORNELLAIA, ITALIE
**299 $**        SAQ S (10816636)   ★★★★☆?☆  $$$$$   **Puissant**
Coup de cœur de l'édition 2010 de ce guide. ■ *Osso buco de cerf aux parfums de mûres et de réglisse (\*).*

### Château Angélus 2001
SAINT-ÉMILION GRAND CRU, HUBERT DE BOÜARD DE LAFOREST, FRANCE
**304,75 $**        SAQ S (10836864)   ★★★★?☆  $$$$$   Corsé
Dégusté à cinq reprises depuis sa mise en bouteille, où la dernière fois, en 2010, il se montrait d'une aussi folle complexité aromatique, spécialement après cinq heures de carafe, exhalant des notes de champignon, de graphite, de violette et de cèdre, aux tanins d'un grain velouté et d'une fraîcheur digeste au possible, tout en étant plein et mûr à point. Grande harmonie d'ensemble pour cette réussite de 2001, surpassée seulement par Latour et Lafite. **Alc./**13,5 % www.angelus.com ■ *Ragoût de bœuf Angus parfumé au cèdre et aux trompettes de la mort.*

### Masseto 2007
BOLGHERI, TENUTA DELL'ORNELLAIA, ITALIE *(DISP. FIN NOV. 2010)*
**397,75 $**        SAQ S (10816636)   ★★★★☆  $$$$$   **Puissant**
Dégusté en primeur, en août 2010, d'une bouteille provenant du domaine, ce Masseto 2007, dont le prix ne cesse d'augmenter à une vitesse grand V (...), se montre toujours aussi ultraconcentré, sans excès, au nez actuellement replié sur lui-même, à la bouche complète, d'une grande amplitude, aux tanins très mûrs et enveloppés, mais aussi très serrés, au corps dense et velouté, mais avec fraîcheur et race, ainsi qu'aux saveurs d'une très grande allonge. Bleuet, mûre, violette, cèdre, café et épices douces y apparaissent à tour de rôle, et ce, en haute définition. Assurément à la hauteur des grands terroirs de Pomerol, ce qui explique, entre autres, le prix. **Alc./**15 % www.ornellaia.com ■ *Pétoncles poêlés, couscous de noix du Brésil à l'orange sanguine, lait de coco au gingembre (\*\*).*

### L'Ermita 2006
PRIORAT, BODEGA ÀLVARO PALACIOS, ESPAGNE
**758,50 $**        SAQ SS (705715)   ★★★★☆?☆  $$$$$   Corsé     BIO
(Voir commentaire détaillé dans *La Sélection Chartier 2010*, chapitre Spécial « Hommage à Àlvaro Palacios »)

### L'Ermita 2007
PRIORAT, BODEGA ÀLVARO PALACIOS, ESPAGNE
**758,50 $**        SAQ **SS** (705715)    ★★★★★ **$$$$$**      Corsé      BIO
(Voir commentaire détaillé dans *La Sélection Chartier 2010*, chapitre Spécial « Hommage à Àlvaro Palacios)

### L'Ermita 2008
PRIORAT, BODEGA ÀLVARO PALACIOS, ESPAGNE *(DISP. AUTOMNE 2011)*
**758,50 $**        SAQ **SS** (705715)    ★★★★☆ **$$$$$**      Modéré+      BIO
D'un échantillon reçu du domaine, ce 2008 se montrait à la fin août 2010 d'un raffinement unique à ce cru, d'une retenue européenne, à la fois racé et stylisé, aux tanins d'une finesse exquise, comme jamais, d'une fraîcheur minéralisante, d'un corps modéré pour l'Ermita et aux saveurs pures, précises et de haute définition. Le vin a besoin de beaucoup d'oxygène en carafe (5 heures) pour libérer ses effluves de fraise, de grenadine, de zeste d'orange, de poudre de cacao et de pivoine. La finale est d'une fraîcheur revitalisante, propulsant le vin dans le temps et dans le futur. L'Ermita atteint en 2008 un niveau d'élégance hors du commun dans le Priorat. ■ *Tagliatelles à la réglisse noire, queues de langoustines rôties, tomates séchées et petits pois (**).*

# APÉRITIFS, PORTOS, ROSÉS ET VINS DE DESSERTS DE LA VIEILLE EUROPE

## Tio Pepe Fino
XÉRÈS, GONZALEZ BYASS, ESPAGNE

**9,50 $** 375 ml     SAQ **S** (743997)     ★★☆ **$**     Modéré

Comme à son habitude, le mondialement réputé fino Tio Pepe se montre charmeur, d'une fraîcheur invitante, exhalant des notes directes et simples de pomme verte et d'amande fraîche, se montrant en bouche à la fois croquant, vivifiant, désaltérant et expressif au possible. Vraiment du beau fino, certes commercial mais tout à fait agréable pour son prix et représentant la porte d'entrée idéale pour faire ses gammes aromatiques avec l'univers du xérès. **Cépage :** palomino. **Alc./**16 % www.gonzalezbyass.es

☛ *Servir dès sa mise en marché, à 10 °C*

Apéritif, tapas classiques (olives, anchois, noix salées), figues séchées enroulées de jambon ibérique, **fromage de chèvre cendré à l'huile d'olive et romarin (\*\*)** ou **chips de jambon serrano, pommade de nectar d'abricot, chapelure d'oreilles de crisse (\*\*).**

## Muscat de Limnos 2009
MUSCAT DE LIMNOS, LIMNOS WINES, GRÈCE

**10,80 $**     SAQ **S** (11036914)     ★★★ **$**     Modéré

Coup de cœur de la précédente édition, ce muscat grec se montre depuis trois millésimes comme LA référence à se mettre sous la dent en matière de vin doux de muscat, pour quiconque désire faire ses classes avec ce type de vin. Vous y découvrirez un étonnant muscat grec, d'une fraîcheur et d'une complexité aromatique rarissimes chez les vins de ce prix. On y dénote aisément des tonalités de zeste d'agrumes, d'abricot, de fleur d'oranger et d'eau de rose. La bouche suit avec une liqueur toujours aussi modérée, mais onctueuse, d'une fraîcheur invitante et d'une harmonie d'ensemble unique chez les vins doux naturels de muscat. Tout ce que je vous souhaite, c'est que la SAQ en fasse plus que jamais bonne provision… **Cépage :** muscat d'alexandrie. **Alc./**15 % www.kolonakigroup.com

☛ *Servir dans les trois années suivant le millésime, à 12 °C*

**Baklavas de bœuf en bonbons (miel de menthe à la lavande et eau de géranium, viande de grison) (\*\*)**, **figues fraîches confites « linalol » : cannelle et eau de rose, mousse de tangerine au babeurre, huile de thé à la bergamote (\*\*)**, melon cantaloup arrosé d'eau de fleur d'oranger ou bonbons d'abricots secs et pistaches parfumées à l'eau de fleur d'oranger et crème Chantilly à la badiane (\*).

## Moscatel Bacalhôa 2003
MOSCATEL DE SETÚBAL, BACALHÔA VINHOS, PORTUGAL

**11,30 $**     SAQ **S** (10809882)     ★★★☆ **$**     Modéré+

Assurément l'un des meilleurs rapports qualité-prix chez les vins de muscat provenant des quatre coins du monde. Ne le disons pas trop fort…, mais quelle aubaine! Belle robe jaune-orangé. Nez éclatant et charmeur, laissant deviner des effluves de zeste d'orange, de bois de santal et de fruits confits. Bouche à la fois pleine, débordante de saveurs, caressante, souple et patinée, déroulant de subtiles saveurs de havane, de chêne, de vanille, d'épices douces et d'abricot sec. Du muscat mûr et évolué à son meilleur et à un prix défiant toute concurrence. Mériterait amplement de figurer parmi le Top 10 des aubaines de l'année. Vous en serez averti… **Cépage :** moscatel. **Alc./**17,5 % www.bacalhoa.com

☛ *Servir dans les quinze années suivant le millésime, à 14 °C*

🍴 **Noix de macadamia sablées au sirop d'érable et curry (\*\*), ananas caramélisé (cassonade, sauce soya, saké et réglisse noire, copeaux de chocolat noir) (\*\*), tatin de pommes au curry, noix de macadamia salées au sirop d'érable, tranche de foie gras de canard poêlé (\*\*)**, palets de ganache de chocolat noir parfumée à l'érable ou gâteau Davidoff (\*).

## Domaine de Valcros « Hors d'âge »

BANYULS, CAVE DE L'ABBÉ ROUS, FRANCE

| 13,15 $ 500 ml | SAQ S (855056) | ★★☆?☆ $$ | Modéré |
|---|---|---|---|

Un banyuls à la couleur rouge orangé modéré, au nez chocolaté et fruité à souhait, sans être puissant, à la bouche expressive et vaporeuse pour le style, à l'alcool fondu, au corps modéré et aux saveurs longues de café, de cacao, de *cherry blossom* et de noisette. Ce vin me semble l'exemple parfait pour faire ses gammes, à faible prix, avec les vins doux naturels de France. **Cépages :** grenache noir, grenache blanc, grenache gris. **Alc./**16 % **www.banyuls.com/abbe_rous**

☛ *Servir dans les trois années de sa mise en marché, à 15 °C*

🍴 **Fougasse parfumée au clou de girofle et fromage bleu fondant caramélisé (\*\*)**, dattes chaudes dénoyautées et farcies à la fourme d'Ambert (au four, à 180 °C ou 350 °F, 5 minutes) ou fudge au chocolat noir et sauce au café.

## Moscatel Dona Dolça

VALENCIA, BCLB DE TURÍS, ESPAGNE

| 13,40 $ | SAQ S (11096618) | ★★★ $ | Modéré+ |
|---|---|---|---|

Coup de cœur de la précédente édition, vous y dénicherez plus que jamais du soleil en bouteille! Il y a longtemps qu'un muscat à ce prix ne m'avait autant charmé. Le nez est à la fois très aromatique, frais, pur, détaillé et festif comme pas un, exhalant des notes de melon, de muguet et de bonbon à la banane. La bouche, d'une belle liqueur, suit avec une fraîcheur et une ampleur qui étonnent, sans compter que l'alcool est intégré avec maestria. Du sérieux à prix plus que doux, et ce, même après trois ou quatre bouteilles sifflées au cours de la dernière année. **Cépage :** moscatel. **Alc./**15 %

☛ *Servir dès sa mise en marché, à 12 °C*

🍴 **Baklavas de bœuf en bonbons (miel de menthe à la lavande et eau de géranium, viande de grison) (\*\*)**, **pâte de fruits_Mc$^2$ (litchi/gingembre, sucre à la rose) (\*\*)**, minibrochettes de cantaloup et prosciutto, melon cantaloup arrosé d'eau de fleur d'oranger, jardinière de fruits à la crème pâtissière ou **panna cotta au fromage bleu, air de rose et craquelins de clou de girofle (\*\*).**

## Canasta Cream

XÉRÈS OLOROSO, WILLIAMS & HUMBERT, ESPAGNE

| 13,70 $ | SAQ C (416966) | ★★★ $ | Modéré+ |
|---|---|---|---|

Cet oloroso est l'une des belles portes d'entrée pour ceux et celles qui ne connaissent pas l'univers des xérès et qui veulent se sucrer la dent avec autre chose que le sempiternel porto. À l'heure du digestif, ou pour accompagner vos fromages, tout comme vos desserts, spécialement ceux à base de chocolat, de café ou de noix, découvrez cet onctueux xérès, certes d'approche commerciale, mais qui représente toute une aubaine à ce prix. Ses enivrantes saveurs de cumin, de café, de noix et de caramel, ainsi que sa texture suave et caressante, presque onctueuse, ne feront qu'un avec une multitude d'ingrédients complémentaires à ce style de produit. Comme je vous l'explique en détail dans le tome I du livre *Papilles et Molécules*, cuisinez des recettes où dominent, entre autres, le cacao, le café, la cannelle, le girofle, le curry, la datte, la figue séchée, les graines de fenugrec grillées, la noix de coco grillée, la sauce soya, le sirop d'érable, la vanille et les thés noirs fumés. **Cépages :** palomino, pedro ximénez. **Alc./**19,5 % www.williams-humbert.com

☛ *Servir dès sa mise en marché, à 14 °C*

Fromages (vieux cheddar ou très vieux gouda), dattes chaudes dénoyautées et farcies au roquefort, figues rôties à la cannelle et au miel, gâteau au café, gâteau à l'érable, tarte au sucre et aux noix, **mousseux au chocolat noir et thé Lapsang Souchong (\*\*)** ou **carré aux figues séchées, crème fumée et cassonade à la réglisse (\*\*).**

## Quinta do Infantado Ruby
PORTO RUBY, QUINTA DO INFANTADO, PORTUGAL

| 14 $ | SAQ C (612325) | ★★★ $$ | Modéré+ | BIO |
|---|---|---|---|---|

Ce désormais populaire et excellent rapport qualité-prix, qui aurait facilement pu se placer dans le « Top 100 Chartier », se montre toujours aussi coloré, au nez enjôleur et étonnamment riche pour son rang, exprimant des notes de bleuet, de cerise et de violette, à la bouche plus que jamais généreuse, ample et fraîche, sans aucune lourdeur, au sucré modéré et aux saveurs subtiles et persistantes, laissant des traces de chocolat noir, de violette et de fruits noirs. Il représente l'aubaine avec un grand A chez les portos offerts sous la barre des vingt dollars. **Alc./**19,5 % www.quintadoinfantado.pt

☛ *Servir dès sa mise en marché, à 16 °C*

Fromages : pecorino affumicato ou ibores (lait de brebis d'Espagne recouvert de *pimentón*, sorte de paprika fumé espagnol). Desserts : carré de fudge au chocolat noir et coulis de framboises, bleuets trempés dans le chocolat noir, clafoutis aux cerises ou réduction de porto ruby sur crème glacée à la vanille.

## Amontillado « Medium dry » Harveys
XÉRÈS, JOHN HARVEY AND SONS, ESPAGNE

| 14,20 $ | SAQ S (10811149) | ★★☆ $$ | Modéré |
|---|---|---|---|

Une très belle entrée en matière pour se faire la bouche et faire ses classes avec le type amontillado qui se réfère aux grands xérès du sud de l'Espagne. Vous y dénicherez un vin à la robe ambrée, au nez très aromatique, exhalant des notes d'amande grillée, de noisette et de cacao. En bouche, le vin est sec, même si on a l'impression d'avoir affaire à un vin légèrement sucré. Expressif, d'une belle minéralité et d'une certaine sécheresse en fin de bouche. **Cépage :** palomino. **Alc./**17,5 % www.johnharveyandsons.com

☛ *Servir dès sa mise en marché, à 14 °C*

Apéritif, tapas, **amandes apéritives à l'espagnole (*pimentón* fumé, miel et huile d'olive) (\*\*)** ou croûtons de pain grillés et sauté de champignons (rehaussés d'un concassé de noisettes).

## Capataz Fino Alvear

MONTILLA-MORILES, ALVEAR, ESPAGNE

| 14,60 $ 500 ml | SAQ S (884833) | ★★★ $$ | | Modéré |
|---|---|---|---|---|

Très sec, ce fino se montre toujours aussi expressif, d'une belle complexité aromatique, exhalant des notes de noix fraîche, de pomme et de figue séchée, ainsi qu'une bouche ample, aérienne, presque généreuse, mais d'une saisissante fraîcheur et d'une grande persistance. Généralement de Xérès, où il est à base de palomino, sachez que le *fino*, apéritif espagnol par excellence, est aussi élaboré dans la zone d'appellation de Montilla-Moriles, dans la région de Cordoba, et marqué ici par le cépage pedro ximénez. **Cépage :** pedro ximénez. **Alc./**15 % www.alvear.es

☛ *Servir dès sa mise en marché, à 12 °C*

Apéritif, **émulsion d'asperges vertes aux crevettes_Mc²** **(\*\*)**, figues séchées enroulées de jambon ibérique, tapas d'asperges, tapas d'esturgeon fumé, tapas de crevettes au curry ou satés de crevettes et poulet ou **vraie crème de champignons_Mc²** **(lait de champignons de Paris et mousse de lavande) (\*\*)** ou **pétoncles poêlés, couscous de noix du Brésil à l'orange sanguine, yogourt au gingembre (\*\*)**.

## Château de Lancyre Rosé 2009

COTEAUX-DU-LANGUEDOC PIC SAINT-LOUP, DURAND ET VALENTIN, FRANCE

| 15,50 $ | SAQ S* (10263841) | ★★☆ $$ | | Modéré |
|---|---|---|---|---|

Plus que jamais l'une des valeurs sûres chez les rosés français offerts sous la barre des vingt dollars. Robe d'un rose pâle. Nez aromatique à souhait, très fin et épuré, aux parfums subtils de cerise, de framboise et de muguet. Sec et droit en bouche, il se montre digeste au possible, tout en étant éclatant de saveurs et de fraîcheur. **Dans vos recettes, réservez-lui celles où dominent les ingrédients complémentaires à ses arômes de framboise (carotte, algue nori, thé) et melon (melon d'eau, tomate, cerise et safran).** **Cépages :** 50 % syrah, 40 % grenache, 10 % cinsault. **Alc./**13,5 % www.chateaudelancyre.com

☛ *Servir dans les trois années suivant le millésime, à 15 °C*

Salade de tomates fraîches et de cubes de melon d'eau à l'huile de basilic, salade d'endives fraîches et cerises avec sésame et fromage de chèvre sec émietté, casserole de poulet à la pancetta et carottes, **carré de porcelet de la Ferme Gaspor au safran, carottes, pommes Golden et melon d'eau (\*\*)** ou **pattes de pieuvre rôties, compote de tomates au thé noir, pamplemousse rose, lavande et safran du Maroc (\*\*)**.

## Quinta do Infantado Blanc Dry     ✓ TOP 100 CHARTIER

PORTO BLANC DRY, QUINTA DO INFANTADO, PORTUGAL

| 17,65 $ | SAQ S (884437) | ★★★ $$ | | Corsé | BIO |
|---|---|---|---|---|---|

Comme ce porto blanc trône depuis quelques années déjà au premier rang de ma hiérarchie de ce type de porto, il n'a pas volé sa place dans le « Top 100 Chartier ». Provenant d'un vignoble de culture biologique, ce Blanc Dry développe une palette aromatique de fruits très mûrs, aux notes de zeste d'orange, de miel, d'abricot confit, de pêche et de mirabelle, s'installant en bouche et imprégnant le palais à n'en plus finir d'une imposante onctuosité, tout en donnant l'impression d'être presque sec, terminant sur des accents de figue, de noix et d'épices. **Cépages :** gouveio, rabigato, viosinho, moscatel galego. **Alc./**19,5 % www.quintadoinfantado.pt

☛ *Servir dès sa mise en marché, à 14 °C*

Fromages : saint-marcelin (sec) ou são jorge au lait cru (120 jours et plus d'affinage) accompagné de *marmelada* (confiture de coings). Desserts : millefeuille de pain d'épices aux pêches (\*), pêches rôties au caramel à l'orange (\*), **pouding poché au thé** *Earl Grey*, **beurre de cannelle et scotch highland** *single malt* **(\*\*) ou bavarois de mascarpone sucré au miel d'orange aromatisé en trois versions : géranium/lavande; citronnelle/ menthe; eucalyptus (\*\*).**

## Pétale de Rose 2009       ✓ TOP 100 CHARTIER
CÔTES-DE-PROVENCE, RÉGINE SUMEIRE, FRANCE

| 17,85 $ | SAQ C (425496) | ★★★ $$ | Modéré+ |
|---------|----------------|--------|---------|

Ce qui avait été mon premier rosé du printemps 2010 s'est avéré aussi le meilleur de la saison! Il y a longtemps que ce rosé ne m'avait paru aussi réussi. Pas qu'il ne l'était pas dans les précédents millésimes, bien au contraire, sa régularité est tout à son honneur, mais là, en 2009, il a ce petit «*je ne sais quoi*… » qui fait de lui un éclatant rosé plaisir à la fois aromatique, riche et gourmand. À vrai dire, lorsque nous l'avons dégusté en avril 2010, dans la cuisine de Stéphane Modat, pendant nos séances de création de plats inspirés par mes recherches sur la structure aromatique des aliments, il nous a littéralement bluffés! Dégusté après un grand vin blanc, le Clos de la Bergerie 2001, un pénétrant et complexe savennières-roche aux moines de Nicolas Joly pour ne pas le nommer, le Pétale de Rose restait en selle et réussissait même à nous en mettre plein les papilles. Nous avions créé, à partir de la piste aromatique des vins rosés, une recette de carré de porcelet de la Ferme Gaspor, accompagné, entre autres, de carottes, de pomme golden et de melon d'eau parfumés au safran. Servi à 15 °C, ce rosé gagnait en volume et en expressivité en bouche avec chaque ingrédient de ce plat. Et ce, même après avoir dégusté le puissant savennières, ainsi qu'un généreux rouge (le Tilenus Crianza 2004 Bierzo, Espagne). Ces deux autres vins étaient agréables avec ce plat, mais il n'y avait pas ce petit «*je ne sais quoi*… » qui nous a laissé un sentiment de plénitude. Émotion que je vous souhaite vivement! **Cépages :** cinsault, grenache, syrah et autres cépages du midi. **Alc./**12,8 % www.toureveque.com

☛ *Servir dans les trois années suivant le millésime, à 15 °C*

**Cacahouètes apéritives à l'américaine : sirop d'érable, cannelle, zestes d'orange et piment Chipotle fumé (\*\*), carré de porcelet de la Ferme Gaspor au safran, carottes, pommes Golden et melon d'eau (\*\*),** salade de tomates et de melon d'eau ou **tagliatelles à la réglisse noire, queues de langoustines rôties, tomates séchées et petits pois (\*\*).**

## Puerto Fino Lustau
XÉRÈS, EMILIO LUSTAU, ESPAGNE

| 18,20 $ | SAQ S (10808901) | ★★★ $$ | Modéré |
|---------|------------------|--------|--------|

Épuré, raffiné et rafraîchissant, ce fino se montre toujours aussi éclatant et complet qu'en 2009. Donc, plus que jamais un fino d'une grande subtilité aromatique, ainsi que d'une invitante texture satinée et aérienne, d'une présence unique. Il faut savoir que la maison Lustau positionne habituellement tous ses produits au sommet de la hiérarchie andalouse. N'oubliez pas de vous amuser à table, au-delà de l'apéritif, avec ce style de vin qui est, comme je vous le dis depuis des lustres, l'un des plus polyvalents « accordeurs de piano ». **Optez, entre autres, pour les aliments pourvus des mêmes composés aromatiques, tels que le safran, le romarin, la figue séchée et les asperges. Alc./**15 % **www.emilio-lustau.com**

☞ *Servir dès sa mise en marché, à 12 °C*

Crème de carotte au safran et moules, figues séchées enroulées de jambon ibérique, salade d'asperges et vinaigrette à la cannelle ou **pétoncles poêlés, couscous de noix du Brésil à l'orange sanguine, yogourt au gingembre (\*\*)**.

## Château du Tariquet
FLOC-DE-GASCOGNE, P. GRASSA FILLE ET FILS, FRANCE

| 18,50 $ | SAQ S\* (966598) | ★★★ $$ | Modéré |
|---|---|---|---|

Je vous le dis depuis une décennie, ce floc-de-gascogne vole au-dessus de nombreux pineaux des Charentes. Une petite perle au nez charmeur de mirabelle, d'abricot, de fleurs séchées, de vanille et de zeste d'agrumes, à la bouche tout aussi invitante, sucrée à souhait, sans trop, élégante et riche d'un fruité pur et rafraîchissant. Sachez que tout comme les vins d'appellation Pineau-des-Charentes, ceux de la zone de Floc-de-Gascogne sont nés de l'assemblage de jus de raisin frais non fermenté et d'eau-de-vie, de l'armagnac dans ce cas-ci. **Cépages :** 40 % gros manseng, 30 % ugni blanc, 30 % colombard. **Alc./**17 % www.tariquet.com

☞ *Servir dès sa mise en marché, à 12 °C (sans glaçon)*

Antipasto de melon, de figues fraîches et de prosciutto, crostini aux figues et au gorgonzola, croûtons de pain grillés surmontés de foie gras de canard et de compote d'abricots ou mousse de foies de volaille aux figues. Dessert : tarte à l'ananas et aux zestes d'orange confits (\*) ou sachertorte accompagnée de confiture d'abricot.

## Offley LBV 2005
PORTO LATE BOTTLED VINTAGE, SOGRAPE VINHOS, PORTUGAL

| 20,85 $ | SAQ C (483024) | ★★★ $$ | Modéré+ |
|---|---|---|---|

Offley présente, dans ce nouveau millésime, un LBV plus élégant que jamais, me rappelant le style des vins doux naturels du Roussillon, dont celui du Mas Amiel Vintage. La robe noire est violacée. Le nez aromatique est complexe et passablement riche, aux profonds effluves de chocolat, de bleuet, de rose séchée, de réglisse et de violette. La bouche, ronde, est presque pulpeuse, aux tanins fins certes tissés serrés, mais enveloppés, aux longues saveurs chocolatées et fruitées, presque confites, mais sans lourdeur. **Cépages :** tinta roriz, touriga francesa, touriga nacional, tinta amarela. **Alc./**20,5 % www.sogrape.pt

☞ *Servir dans les dix années suivant le millésime, à 16 °C*

**Fougasse parfumée au clou de girofle et fromage bleu fondant caramélisé (\*\*)** ou fromage fourme d'Ambert accompagné de confiture de cerises noires. Desserts : **ananas caramélisé (cassonade, sauce soya, saké et réglisse noire, copeaux de chocolat noir) (\*\*)** ou **panna cotta au fromage bleu, air de rose et craquelins de clou de girofle (\*\*)**.

## Domaine La Tour Vieille « Rimage » 2008
✓ TOP 100 CHARTIER

BANYULS, VINCENT CANTIE ET CHRISTINE CAMPADIEU, FRANCE *(DISP. OCT. 2010)*

| 21,70 $ 500 ml | SAQ S (884908) | ★★★☆ $$ | Modéré+ | BIO |
|---|---|---|---|---|

Difficile d'être plus cacaoté et chocolaté en matière de banyuls. Un vrai dessert liquide! Finesse et fraîcheur aromatique, ainsi que plénitude, compacité et soyeux de bouche sont au rendez-vous de ce vin doux naturel au sucre modéré et à l'alcool intégré comme jamais.

Un modèle d'équilibre et de plaisir immédiat, même s'il évoluera en beauté plus de dix ans. **Cépage :** grenache noir. **Alc./**16 %

☞ *Servir dans les douze années suivant le millésime, à 16 °C*

Palets de ganache de chocolat noir parfumée au café, **panna cotta au fromage bleu, air de rose et craquelins de clou de girofle (\*\*),** bleuets trempés dans le chocolat noir, **fougasse parfumée au clou de girofle et fromage bleu fondant caramélisé (\*\*)** ou **ananas caramélisé (cassonade, sauce soya, saké et réglisse noire, copeaux de chocolat noir) (\*\*).**

## Domaine La Tour Vieille Reserva
BANYULS, VINCENT CANTIE ET CHRISTINE CAMPADIEU, FRANCE

| 23 $ | SAQ **S** (884916) | ★★★☆ $$$ | Modéré+ |
|---|---|---|---|

Cette réserve se montre toujours aussi chocolatée et fruitée, d'une enivrante pureté aromatique, qui se transforme beaucoup à l'aération dans le verre, d'une bouche à la fois pénétrante et vaporeuse, à la texture raffinée, sans lourdeur, où s'harmonisent le grain fin des tanins et l'amplitude veloutée des saveurs, dans un style presque aérien. La finale, d'une grande allonge, laisse deviner des notes de cerise à l'eau-de-vie, de cacao et de noisette. **Cépage :** grenache noir. **Alc./**16 %

☞ *Servir dans les dix années suivant l'achat, à 15 °C*

**Fougasse parfumée au clou de girofle et fromage bleu fondant caramélisé (\*\*)** ou salade d'endives braisées et de cerises au fromage bleu. Fromages : gorgonzola accompagné de **gelée_Mc² (au café) (\*\*)** ou gavoi di montagna (lait de brebis, fumé durant son affinage d'une durée de 12 mois). Desserts : tarte au chocolat noir (\*) baignée d'une sauce au café ou truffes au chocolat et à la cardamome (\*).

## Pedro Ximénez Solera
MONTILLA-MORILES, ALVEAR, ESPAGNE

| 24,45 $ 375 ml | SAQ **S** (10261141) | ★★★☆ $$ | Corsé+ |
|---|---|---|---|

Une remarquable *solera*, dont le long et savant assemblage a débuté au début du vingtième siècle. Le nez est toujours aussi résineux, intense et ultracomplexe, laissant échapper de puissants effluves de bière noire, de raisins de Corinthe, de mélasse, de très vieux vinaigre balsamique de Modène, de café, de cacao, de caramel, d'épices douces et de figue. La bouche, elle aussi, est toujours aussi grasse, onctueuse et expansive, tapissant le palais d'une liqueur sucrée, riche de saveurs brûlées, caramélisées et torréfiées. Tout simplement magnifique pour ce prix. **Cépage :** pedro ximénez. **Alc./**16 % www.alvear.es

☞ *Servir dès sa mise en marché, à 12 °C*

Desserts : **ganache chocolat Soyable_Mc² (\*\*), mousseux au chocolat noir et thé Lapsang Souchong (\*\*),** dattes chaudes dénoyautées et saupoudrées de curry à l'intérieur ou glace à la vanille saupoudrée de raisins de Corinthe macérés dans un doigt de Solera. Digestif : truffes au chocolat aux parfums de havane (\*). Cigare : figurados Arturo Fuente Don Carlos N° 2.

## Quinta do Infantado LBV 2004
PORTO LATE BOTTLED VINTAGE, FAMILLE ROSEIRA, PORTUGAL *(RETOUR NOV. 2010)*

| 27,20 $ | SAQ **S\*** (884361) | ★★★☆ $$$ | Corsé | BIO |
|---|---|---|---|---|

Avec une baisse de prix de cinq dollars cinquante, comparativement à l'automne 2009, ce porto LBV, d'une régularité sans faille, mérite plus que jamais d'être acquis, bon an mal an, les yeux fermés!

Toujours aussi élégant, profond et racé. Violette et bleuet donnent le ton au nez. Belle plénitude en bouche, avec fraîcheur et race. Tanins serrés et mûrs, avec du grain, mais déjà un brin fondus. Acidité juste fraîche et saveurs longues et cacaotées, sans être puissantes, rappelant les bleuets trempés dans le chocolat noir et la confiture de prunes. Un *must* des quinze ans de *La Sélection*. **Cépages :** touriga nacional, touriga franca, tinta roriz, tinta barroca, tinta amarela, tinto cão, rufete, sousão. **Alc./**19,5 % **www.quintadoinfantado.pt**

☛ *Servir dans les quinze années suivant le millésime, à 16 °C et oxygéné en carafe 15 minutes*

Filets de caribou sauce aux bleuets et au chocolat noir 90 % cacao ou **fougasse parfumée au clou de girofle et fromage bleu fondant caramélisé (\*\*)**. Desserts : bleuets trempés dans le chocolat noir ou **panna cotta au fromage bleu, air de rose et craquelins de clou de girofle (\*\*)**.

## Offley « Baron de Forester » Tawny 10 ans
PORTO TAWNY, SOGRAPE VINHOS, PORTUGAL

| 28,55 $ | SAQ S* (260091) | ★★★ $$ | Modéré+ |
|---|---|---|---|

Comme à son habitude, ce Baron Forester se montre savoureux, fondu et coulant à souhait, comme la patine d'un vieux meuble en chêne. La robe est rouge clair rubis aux reflets ambrés. Le nez est aromatique, distingué, fin et complexe, aux effluves de richesse modérée, s'exprimant par des tonalités cacaotées, ainsi qu'avec des touches de cerise, de sucre d'orge, de figue séchée et boîte à cigares. La bouche est à la fois ample et ronde, d'une suavité sensuelle, égrainant de longues saveurs de sirop d'érable, d'épices et de noix. **Cépages :** tinta roriz, touriga francesa, tinta barroca, touriga nacional, tinta amarela, tinto cão. **Alc./**20 % **www.sogrape.pt**

☛ *Servir dès sa mise en marché, à 15 °C*

**Bœuf grillé et réduction de Soyable_Mc$^2$ (\*\*)** ou médaillons de porc à l'érable et patates douces, garniture de pacanes épicées. Desserts : **ganache chocolat Soyable_Mc$^2$ (\*\*)**, **caramous_Mc$^2$ (caramel mou à saveur d'érable « sans érable »)** **(\*\*)** ou **guimauve érable_Mc$^2$ (sirop d'érable, vanille et amandes amères) (\*\*)**.

## Quinta do Castelinho 10 ans
PORTO TAWNY, QUINTA DO CASTELINHO, PORTUGAL

| 28,55 $ | SAQ S* (734079) | ★★★☆ $$$ | Modéré+ |
|---|---|---|---|

Cet engageant 10 ans d'âge, de la très bonne maison Castelinho, exhibe comme à son habitude une robe ambrée assez soutenue, un nez toujours aussi riche et marqué par des notes de noix, d'abricot sec, de figue, de caramel, de tabac et de havane, ainsi qu'une bouche plus que jamais vaporeuse et gorgée de saveurs d'une grande persistance, se terminant avec un très beau rancio de noix grillée. Du sérieux, à prix assez doux pour le rang. **Alc./**20 % **www.castelinho-vinhos.com**

☛ *Servir dès sa mise en marché, à 14 °C*

Fromages : são jorge au lait cru (de 120 jours et plus d'affinage) ou gouda (très vieux). Desserts : millefeuille de pain d'épices aux figues et aux noix de Grenoble (\*) ou **caramous_Mc$^2$ (caramel mou à saveur d'érable « sans érable ») (\*\*)**. Cigare : petit corona Hoyo de Monterrey Le Hoyo du Prince.

## Torcolato 2007

BREGANZE, FAUSTO MACULAN, ITALIE *(DISP. AUTOMNE 2010)*

| **28,60 $** 375 ml | SAQ S (710368) | ★★★★ $$$ | | Corsé |
|---|---|---|---|---|

Aussi disponible en format 750 ml, ce liquoreux vénitien est probablement le plus renommé des blancs liquoreux d'Italie aux quatre
coins du monde, dont au Québec. La régularité du cru tout comme
le dynamisme de Fausto Maculan n'y sont pas étrangers. Après avoir
passé une année en barriques, ce nouveau millésime se montre d'une
couleur modérément orangée, d'un nez exubérant comme toujours,
exhalant de riches parfums de miel, d'épices douces, de zeste
d'orange et d'érable, à la bouche toujours aussi charnelle et pénétrante (...), tapissant le palais d'une liqueur onctueuse, tout en
étant fraîche, et de saveurs qui ont de l'éclat, de l'allonge et de la
prestance. **Alc./**13,5 % **www.maculan.net**

☛ *Servir dans les douze années suivant le millésime, à 12 °C*

Terrine de foie gras de canard au torchon et pain au safran
(*), **noix de macadamia sablées au sirop d'érable et
curry (**), whippet_Mc² (guimauve au sirop d'érable vanillé,
coque de chocolat blanc caramélisé) (**)** ou palets de ganache
de chocolat noir parfumée à l'érable.

## Château de Beaulon « Vieille Réserve Ruby 10 ans d'âge »

PINEAU-DES-CHARENTES, CHRISTIAN THOMAS, FRANCE

| **29,65 $** | SAQ S* (093245) | ★★★☆ $$$ | | Modéré+ |
|---|---|---|---|---|

Un pineau rouge, ayant séjourné plus ou moins dix ans en fûts, se
montrant d'une texture à la fois suave et d'une certaine densité,
s'exprimant par des arômes et par des saveurs expressives et détaillées de cerise à l'eau-de-vie, de vanille, d'écorce d'orange, de caramel, d'épices douces, de boîte à cigares et d'eau d'érable. La robe
est d'un rouge sombre, au pourtour tuilé. Le nez est quant à lui très
aromatique, distingué et complexe. Moelleux sensuel, acidité discrète et alcool complètement fondu au cœur de la matière font de
ce vin de liqueur une référence en la matière. J'ajouterais qu'il ne
m'a jamais semblé aussi réussi que dans les cuvées mises en marché
dans les deux dernières années. **Cépages :** cabernet franc, cabernet
sauvignon, merlot. **Alc./**18 % **www.chateau-de-beaulon.com**

☛ *Servir dès sa mise en marché, sans glaçon, à 14 °C*

Salade d'endives braisées et cerises (avec noix et fromage
bleu), **fougasse parfumée au clou de girofle et fromage
bleu fondant caramélisé (**)**, gâteau au chocolat et coulis de
fruits rouges, palets de ganache de chocolat noir au poivre du
Sichuan ou **panna cotta au fromage bleu, air de rose et craquelins de clou de girofle (**)**.

## Dindarello 2009

VENETO MOSCATO, FAUSTO MACULAN, ITALIE *(DISP. AUTOMNE 2010)*

| **30,25 $** | SAQ S (850420) | ★★★☆ $$$ | | Modéré+ |
|---|---|---|---|---|

Comme toujours, bon an mal an, ce muscat italien se montre d'une
remarquable fraîcheur et d'une présence unique. Du sérieux, comme
toujours chez les Maculan, qui mériteraient presque tous de figurer
dans le « TOP 100 CHARTIER » anniversaire! Quoi qu'il en soit, ce
nouveau millésime est tout aussi festif et exubérant, donc bavard
comme un Vénitien (!), mais aussi élégant, raffiné et floral à souhait, présentant une bouche toujours aussi riche, ample, expressive,
volubile et fort savoureuse. Un vin doux, donc moins sucré que la
majorité des moelleux de ce cépage. **Cépage :** moscato. **Alc./**11,5 %
**www.maculan.net**

☛ *Servir dans les cinq années suivant le millésime, à 12 °C*

🍴 Salade de fruits exotiques à la menthe fraîche, **crémeux citron, meringue/siphon au romarin (\*\*)**, figues fraîches confites « linalol » : cannelle et eau de rose, mousse de tangerine au babeurre, huile de thé à la bergamote (\*\*) ou bavarois de mascarpone sucré au miel d'orange aromatisé en trois versions : géranium/lavande; citronnelle/menthe; eucalyptus (\*\*).

## Mas Amiel Cuvée Spéciale 10 ans d'âge     ✓ TOP 100 CHARTIER

MAURY, DOMAINE DU MAS AMIEL, FRANCE *(DISP. NOV. 2010)*

| 34 $ | SAQ **S** (11154785) | ★★★☆ $$$ | Corsé |
|------|------|------|------|

Il y a longtemps que l'assemblage de ce 10 ans d'âge de Maury ne m'a semblé aussi prenant, complexe et réussi. Le nez est fulgurant de richesse, d'expressivité et de complexité, exhalant des notes d'abricot séché, de fruits confits, d'épices douces, de havane et de cacao. La bouche suit avec autant de présence, d'ampleur et de texture, sans aucune lourdeur ni chaleur. Une très longue finale, aux relents de zeste d'orange, de tabac et de cacao, signe cet excellent achat. **Cépages :** 90 % grenache noir, 5 % carignan, 5 % maccabeo. **Alc./**16 % www.lesvinsdumasamiel.com

☛ *Servir dès sa mise en marché, à 16 °C*

🍴 Fromages : são jorge et vieux cheddar accompagnés de confiture de coings portugaise et de noix de Grenoble (\*), **ananas caramélisé (cassonade, sauce soya, saké et réglisse noire, copeaux de chocolat noir) (\*\*)**, palets de ganache de chocolat noir (parfumée au café), truffes au chocolat aux parfums de havane (\*) ou **ganache chocolat Soyable_Mc$^2$ (\*\*)**.

## Ben Ryé 2007

PASSITO DI PANTELLERIA, TENUTA DONNAFUGATA, ITALIE

| 35 $ 375 ml | SAQ **S** (10520309) | ★★★☆ $$$ | Corsé |
|------|------|------|------|

Modèle d'harmonie depuis plusieurs années, ce muscat exhale un nez d'une enivrante maturité de fruit, passablement confit, mais non sans fraîcheur. En bouche, il se montre on ne peut plus éclatant (orange, miel, fruits confits), ample et juteux, ainsi que plein, texturé et volumineux. La liqueur se fait toujours aussi imposante et les saveurs épicées et torréfiées avec panache. Parfait pour l'harmonie avec le chocolat noir aux agrumes, tout comme avec les desserts jouant avec des ingrédients dans l'univers du sotolon (voir chapitre du même nom dans le tome I de *Papilles et Molécules*). **Cépage :** moscato. **Alc./**14,5 % www.donnafugata.it

☛ *Servir dans les huit années suivant le millésime, à 12 °C*

🍴 Mousse au chocolat noir et au parfum de Grand Marnier (\*) ou **ananas caramélisé (cassonade, sauce soya, saké et réglisse noire, copeaux de chocolat noir) (\*\*)**.

## Martinez 10 ans

PORTO TAWNY, MARTINEZ GASSIOT & CO., PORTUGAL

| 37,50 $ | SAQ **S** (297127) | ★★★★ $$$$ | Corsé |
|------|------|------|------|

Il y a déjà plusieurs éditions que je succombe au style brûlé de ce tawny, le *douro bake* comme disent les *Britishs*, ce qui lui permet d'être classé parmi les meilleurs achats des quinze dernières années. Voilà donc un solide coup de cœur, littéralement enivré par ses parfums de noix brûlée, de cassonade, d'épices, de cigare et de fruits confits, qui composent son profil aromatique d'une richesse profonde, et pénétré par sa suavité et son amplitude en bouche qui donnent ainsi le coup de grâce. Du sérieux, pour de belles envolées aromatiques à table. **Alc./**20 % **www.martinez.pt**

☛ *Servir dès sa mise en marché, à 16 °C*

Foie gras de canard poêlé déglacé au porto tawny et aux raisins de Corinthe. Fromage : cheddar (très vieux). Desserts : parfait à l'érable, gâteau au café, gâteau Davidoff (*), **caramous_Mc² (caramel mou à saveur d'érable « sans érable »)** (**) ou **ganache chocolat Soyable_Mc² (**).

## Mas Amiel Prestige 15 ans d'âge

MAURY, DOMAINE DU MAS AMIEL, FRANCE *(RETOUR SEPT./OCT. 2010)*

| **38,50 $** | SAQ S (884312) | ★★★★ $$$ | Corsé |
|---|---|---|---|

Ne manquez pas l'ixième retour de cette référence chez les vins doux naturels du Roussillon. Après avoir passé une année à l'extérieur, dans des bonbonnes en verre, et quatorze années en foudres de chêne, ce maury a acquis un nez aux parfums pénétrants de cacao, de caramel, d'abricot séché, de havane et de noix. Il a aussi développé une patine à la texture satinée et une amplitude de saveurs qui tapissent littéralement toute la surface du palais, et ce, pendant de longues secondes, y déposant ainsi des notes de brûlé et de Nutella. Une saisissante finale de zestes d'orange, tout en fraîcheur, signe ce nouvel arrivage, dégusté en primeur en juillet 2010. **Cépages :** 90 % grenache noir, 5 % carignan, 5 % maccabeo. **Alc./**16 % **www.lesvinsdumasamiel.com**

☛ *Servir dès sa mise en marché, à 15 °C*

Fromages : **gelée_Mc² (au café) (**) en accompagnement de cheddars (très vieux) ou **fougasse parfumée au clou de girofle et fromage bleu fondant caramélisé (**). Dessert : tarte au chocolat noir parfumée au thé Lapsang Souchong (*).

## Warre's Otima 20 ans

PORTO TAWNY, WARRE & CA., PORTUGAL

| **39,75 $** 500 ml | SAQ C (10667360) | ★★★☆ $$$$ | Corsé |
|---|---|---|---|

Ce 20 ans de Warre's, qui complète le duo avec le populaire 10 ans du même nom, et élevé par la puissante famille Symington, se montre toujours aussi subtilement aromatique, aux relents passablement riches et invitants de noisette, de havane et de cassonade, à la bouche plus que jamais pénétrante et généreuse, avec une certaine retenue qui lui procure de la distinction, dévoilant des notes persistantes et chaudes de caramel, d'épices et de fruits confits. Donc, à ranger parmi les portos de type tawny les plus réguliers au fil des dernières éditions de *La Sélection*. Il faut dire que tout ce qui est signé Symington est irréprochable. **Alc./**20 % **www.warre.com**

☛ *Servir dès sa mise en marché, à 15 °C*

**Tatin de pommes au curry, noix de macadamia salées au sirop d'érable, tranche de foie gras de canard poêlé (**).** Fromage : terrincho velho (plus ou moins 90 jours d'affinage) accompagnés de **noix de macadamia sablées au sirop d'érable et curry (**).** Desserts : carré aux dattes, truffes au chocolat au café (*) ou figues rôties au miel et glace à la vanille. Cigare : corona grande Hoyo de Monterrey Le Hoyo des Dieux.

# *RÉPERTOIRE ADDITIONNEL*

Les vins des *Répertoires additionnels*, qui font l'objet d'une description plus concise, mais presque tous offerts avec un choix de mets, sont ou seront généralement disponibles dans les mois suivant la parution de cette quinzième édition. De multiples futurs arrivages y sont aussi commentés cette année. En revanche, certains de ces vins peuvent ne plus être disponibles au moment où vous lirez ces lignes, ce qui explique le commentaire moins détaillé pour certains crus.

Soyez tout de même vigilants, car la majorité de ces vins fera l'objet d'un nouvel arrivage au cours de l'automne 2010 et des premiers mois de 2011, et ce, dans le même millésime proposé dans ce guide. Autre fait important cette année, plusieurs vins des *Répertoires additionnels* sont de futurs arrivages, commentés ici en primeur, avec leur date de mise en marché. Le retour ou l'arrivée de ces vins, comme de tous les vins commentés dans *La Sélection Chartier 2011*, vous sera annoncé par le biais du service de **Mises à jour Internet de *La Sélection Chartier 2011***, via le site Internet **www.francoischartier.ca**.

### Quinta de Santa Eufêmia
PORTO TAWNY, QUINTA DE SANTA EUFÊMIA, PORTUGAL
**14,10 $**   SAQ **S** (733378)   ★★☆ **$$**                    Modéré
Toujours aussi charmeur et ragoûtant, ce tawny, des plus abordables, à la texture enveloppante et aux saveurs doucereuses d'abricot confit, de noix de Grenoble et de cassonade. **Alc./**19 % www.qtastaeufemia.com
■ *Millefeuille de pain d'épices aux figues (*).*

### Uroulat 2007
JURANÇON, CHARLES HOURS, FRANCE
**16,20 $** 375 ml   SAQ **S** (709261)   ★★★☆ **$$**               Modéré+
Dans ce millésime, ce remarquable liquoreux du Sud-Ouest surpasse à nouveau de nombreux sauternes. Nez invitant, d'une rare complexité, aux notes de poire au beurre, d'érable, de vanille et de miel. Bouche à la fois moelleuse et vivifiante, d'une belle liqueur, sans être sirupeuse, aux saveurs qui ont de l'éclat et de l'allonge. **Cépage :** petit manseng. **Alc./**12,5 % www.uroulat.com ■ *Poires asiatiques cuite au safran et belle de Brillet, éclats de vieux cheddar, mangue glacée/râpée (**).*

### Solera Cream Alvear
MONTILLA-MORILES, ALVEAR, ESPAGNE
**19,25 $** 500 ml   SAQ **S** (884874)   ★★★ **$$**                Modéré+
Ce vin est élaboré avec une base d'*oloroso* à laquelle on a ajouté un concentré de pedro ximénez. Quelques années d'élevage en barriques à peaufiner l'ensemble d'un nez aromatique, sans être puissant, à la bouche toujours aussi ample, presque onctueuse mais fraîche et équilibrée à la perfection par une douce amertume. Réglisse, raisins de Corinthe, épices, cumin et boîte à cigares composent l'essence de ce nectar. **Alc./**18 % **www.alvear.es** ■ *Truffes au chocolat et à la vanille (*) ou glace au café saupoudrée de raisins de Corinthe macérés dans le Solera Cream.*

### Causse Marines « Grain de Folie Douce » 2008
GAILLAC DOUX, DOMAINE CAUSSE MARINES, VIRGINIE MAGNIEN ET PATRICE LESCARRET, FRANCE *(DISP. SEPT./OCT. 2010)*
**20,85 $** 500 ml   SAQ **S** (866236)   ★★★?☆ **$$**             Modéré+
Cette folle douceur se montre tout aussi mûre et confite qu'en 2006, et plus nourrie, avec un toujours subtil accent botrytisien. Son habituelle tonalité de beurre d'érable est à nouveau au rendez-vous, à laquelle s'ajoutent des notes de crème, de vanille, de miel et de fruits exotiques. Belle liqueur et invitante fraîcheur. Du sérieux, non sans douce folie... **Cépages :** muscadelle, loin de l'œil, mauzac. **Alc./**13,5 % ■ *After 8_Mc² (version originale à la menthe) (**).*

### Château Laffitte-Teston « Rêve d'Automne » 2007
PACHERENC-DU-VIC-BILH, CHÂTEAU LAFFITTE-TESTON, FRANCE
**21,75 $** 500 ml   SAQ S (10779855)   ★★★?☆ **$$**          Modéré+
Un liquoreux très aromatique, fin, gracieux et complexe, aux riches effluves d'abricot, de noisette, de fruit de la passion, de mangue, et d'épices douces, à la bouche à la fois onctueuse et vibrante, pleine et rafraîchissante, aux longues saveurs de pêche. **Cépage :** petit manseng. **Alc./**13 % ■ *Poires asiatiques cuite au safran et belle de Brillet, éclats de vieux cheddar, mangue glacée/râpée (\*\*).*

### Torcolato 2004
BREGANZE, FAUSTO MACULAN, ITALIE
**28,60 $** 375 ml   SAQ S (710368)   ★★★★ **$$$**          Corsé
D'une couleur orangée et d'un nez exubérant, exhalant de riches et très frais parfums de mandarine, de zeste d'orange et d'érable, tapissant le palais de saveurs pénétrantes de miel, d'épices douces et de vanille. Liqueur onctueuse, tout en étant fraîche, saveurs juteuses et allonge de grande pointure. **Alc./**12,5 % www.maculan.net ■ *Palets de ganache de chocolat noir parfumée à l'érable.*

### Castello di Pomino « Vendemmia Tardiva » 2006
POMINO BIANCO, MARCHESI DE FRESCOBALDI, ITALIE
**29,65 $** 500 ml   SAQ S (10322089)   ★★★ **$$$**          Modéré+
Une vendange tardive, dominée par le chardonnay, se montrant à la fois raffinée et complexe, dégageant des notes de zeste d'orange, d'abricot, de citron, de pain d'épice, de cire d'abeille, à la bouche d'une texture ample et ronde, marquée par d'enivrantes saveurs de kumquat et d'épices douces. **Cépages :** 70 % chardonnay, 10 % traminer aromatico, 10 % pinot bianco, 10 % pinot grigio. **Alc./**13 % **www.frescobaldi.it** ■ *Millefeuille de pain d'épices aux mangues (\*).*

### Dindarello 2008
VENETO MOSCATO, FAUSTO MACULAN, ITALIE
**30,25 $**       SAQ S (850420)   ★★★☆ **$$$**          Modéré+
Ce muscat italien se montre en 2008 d'une remarquable fraîcheur et d'une présence de bouche unique. En bouche, vous constaterez qu'il est riche, ample, expressif, volubile et fort savoureux. Un vin doux, donc moins sucré que la majorité des moelleux de ce cépage. **Alc./**11 % www.maculan.net ■ *Panna cotta aux framboises et à l'eau de rose.*

### Noé Pedro Ximénez Muy Viejo
XÉRÈS, GONZALEZ BYASS, ESPAGNE
**30,75 $** 375 ml   SAQ S (744185)   ★★★★☆ **$$$$**          Puissant
Recherché mondialement par les aficionados de xérès, le Noé est né d'une très vieille *solera*, d'un âge moyen de trente ans, dont vingt ans élevée comme un vintage, c'est-à-dire sans retraits ni ajouts de vin d'autres années, et dix ans en méthode *solera*. Il vous faudra user d'audace gustative pour découvrir ce vin d'une complexité et d'un goût renversants, d'une liqueur dense et imposante. Le nez puissant est marqué par des effluves de réglisse, de mélasse et de torréfaction. La bouche sirupeuse exprime une texture proche de celle de la mélasse, néanmoins fraîche et élégante. **Cépage :** pedro ximénez. **Alc./**15,5 % www.gonzalezbyass.es ■ *Carré aux figues séchées, crème fumée et cassonade à la réglisse (\*\*) ou pouding poché au thé Earl Grey, beurre de cannelle et scotch highland single malt (\*\*).*

### Symphonie de Novembre 2005
JURANÇON, DOMAINE CAUHAPÉ, HENRI RAMONTEU, FRANCE
**32,25 $**          SAQ S (10782510)   ★★★★ **$$$$**          Corsé
Coup de cœur de l'édition 2010. ■ *Filet de veau sauce crémeuse à l'érable et aux noix.*

### Castello di Pomino 2003
POMINO VINSANTO, MARCHESI DE FRESCOBALDI, ITALIE
**35 $** 500 ml       SAQ S (11013325)   ★★★☆ **$$$**          Corsé
Un remarquable vin santo, patiné et satiné à souhait, à l'acidité discrète, laisse place à une texture cireuse et aux saveurs pénétrantes jouant dans

l'univers aromatique de l'érable, du cacao, de l'orange amère, de la cannelle, de la fumée et de l'abricot séché. **Cépages :** chardonnay, trebbiano et sangiovese. **Alc./**15 % www.frescobaldi.it ■ *Mousseux au chocolat noir et thé Lapsang Souchong (\*\*).*

---

**Moulin Touchais 1999**
COTEAUX DU LAYON, VIGNOBLES TOUCHAIS, FRANCE *(DISP. AUTOMNE 2010)*
**44,75 $**       SAQ **S** (739318)       ★★★☆?☆ **$$$$**       Modéré+
Dans la lignée de l'excellent 1997 (49,00 $; 11177418), sans toutefois se montrer aussi complexe. Il n'en demeure pas moins une réussite, exhalant de passablement puissants effluves d'acacia, de tilleul, de poire et de coing, à la bouche ample, au satiné plus fin que le 1997, mais moins onctueux que ce dernier, aux saveurs de pâte d'amande et de miel, d'une belle allonge. Question de style. **Alc./**13,5 % ■ *Fondue à Johanne_Mc² (cubes de fromage à croûte lavée, frits et parfumés à l'ajowan) (\*\*).*

# VINS MOUSSEUX
# ET CHAMPAGNES
# DE LA VIEILLE
# EUROPE

## Antech Cuvée Expression Brut 2008

CRÉMANT-DE-LIMOUX, GEORGES ET ROGER ANTECH, FRANCE

| 17,40 $ | SAQ S (10666084) ★★★ $$ | Modéré+ |
|---|---|---|

Saluée « en primeur » dans *La Sélection 2007*, lors de sa première mise en marché au Québec, avec ce nouveau millésime, ce crémant se montre plus que jamais vineux, complexe et ample. Vous y dénicherez un mousseux de haut niveau, pour son prix, à la robe dorée, aux bulles fines, aux parfums engageants, à la fois très frais et riches, rappelant l'amande, la poire et la brioche, à la bouche texturée, vivifiante et caressante. Comme prévu dans les dernières éditions de *La Sélection*, il est devenu l'une des références françaises chez les mousseux de qualité offerts sous la barre des vingt dollars. **Cépage :** 70 % chardonnay, 20 % chenin blanc, 10 % mauzac. **Alc./**12 % www.antech-limoux.com

☛ *Servir dans les deux premières années de son achat, à 12 °C*

Apéritif, **chips de jambon serrano, pommade de nectar d'abricot, chapelure d'oreilles de crisse (\*\*)** ou **calmars en tempura d'amandes, fleur de sel au cèdre, mousse de riz en paella (\*\*).**

## Nino Franco Brut

PROSECCO DI VALDOBBIADENE, NINO FRANCO SPUMANTI, ITALIE

| 17,50 $ | SAQ S* (349662) ★★☆ $$ | Modéré |
|---|---|---|

Avec une baisse de prix de plus de deux dollars depuis la montée du huard par rapport à l'euro, entre l'automne 2009 et l'été 2010, ce mousseux se montre certes toujours aussi enjôleur, mais encore plus avantageux. Vous y dénicherez des arômes et des saveurs juteuses, rappelant la pomme, ainsi qu'une texture vaporeuse en bouche, grâce à une mousse presque crémeuse, supportée par une fraîche acidité et par des saveurs toujours aussi expressives et digestes. Je vous l'écris depuis plusieurs années déjà, cet italien est l'un des meilleurs mousseux à être offert à la SAQ dans cette tranche de prix. Il faut admettre que le sympathique Primo Franco, de la troisième génération à la direction de cette maison vénitienne, met tout en œuvre pour élaborer des prosecco de qualité. À nous d'en profiter! **Cépage :** prosecco. **Alc./**11 % www.ninofranco.it

☛ *Servir dès sa mise en marché, à 10 °C*

Apéritif, huîtres frites à la coriandre et wasabi (\*\*), canapés de poisson fumé au fromage à la crème ou **vraie crème de champignons_Mc² (lait de champignons de Paris et mousse de lavande) (\*\*).**

## Prestige de Moingeon Brut

CRÉMANT DE BOURGOGNE, MOINGEON, FRANCE

| 19,60 $ | SAQ S* (871277) ★★★ $$ | Modéré+ |
|---|---|---|

Un ixième mousseux à avoir profité de la baisse de l'euro vis-à-vis du huard, résultant en plus de 2,50 $ de moins à débourser pour se sustenter de ces bulles qui étaient déjà une remarquable aubaine. Car, comme je vous le dis depuis quelques éditions de *La Sélection*, question de vous approcher de la qualité du champagne, à un prix des plus compétitifs, ce délectable Prestige de Moingeon représente LE mousseux français qu'il vous faut. Maintenant qu'il est passé sous la barre des vingt dollars, il n'y a plus de raison de s'en passer! Vous n'aurez aucune honte à le servir à vos invités de marque qui seront enchantés par ses élégants effluves, d'une fraîcheur invitante, jouant dans la sphère des fleurs blanches et de la pomme McIntosh, ainsi que par sa bouche à la prise de mousse plus ample et vaporeuse que jamais, aux saveurs éclatantes et juste dosées, laissant des traces de pain grillé et d'amande. **Cépage :** 80 % chardonnay, 20 % pinot noir. **Alc./**12 %

☞ *Servir dès sa mise en marché, à 12 °C*

Apéritif, salade d'endives et de pommes fraîches à l'huile de sésame, trempette d'**émulsion d'asperges vertes aux crevettes_Mc² (\*\*)** ou lotte à la vapeur de thé gyokuro, salade d'agrumes et pistils de safran (\*\*).

## Château Moncontour Cuvée Prédilection 2007
VOUVRAY, CHÂTEAU MONCONTOUR, FRANCE

| 19,75 $ | SAQ ℂ (430751) | ★★☆ $$ | Modéré |
|---|---|---|---|

Une ixième Cuvée Prédilection réussie avec brio, spécialement pour le prix, ce qui la positionne dans le groupe des meilleurs achats en matière de mousseux hors Champagne. Elle se montre plus que jamais tout en fraîcheur, en vivacité et en élégance, dotée de saveurs croquantes de pomme poire et d'amande grillée, ainsi que de fleurs séchées. Un mousseux sec festif, parfumé à souhait. **Cépage :** chenin blanc. **Alc./**12 % www.moncontour.com

☞ *Servir dès sa mise en marché, à 10 °C*

Apéritif, terrine de truite fumée, roulade de saumon fumé, rouleaux de printemps à la coriandre fraîche ou tartelettes au fromage de chèvre frais aux poireaux et noix de pin grillées.

## Cuvée Flamme Brut
SAUMUR, GRATIEN & MEYER, FRANCE

| 21,85 $ | SAQ ℂ (165100) | ★★★ $$ | Modéré |
|---|---|---|---|

Ce mousseux de haut niveau se montre plus que jamais expressif et brioché, comme il a su l'être depuis quelques années de *Sélection*, tout en étant aussi vivifiant et digeste, texturé et aérien. Belle matière, égrainant des notes de fleurs blanches, de miel et d'amande. Mais de grâce, comme je vous l'écris depuis un certain temps déjà, ne le servez pas glacé! Ainsi, il offrira l'expansion aromatique et de bouche qui lui procure une certaine ressemblance avec quelques champagnes vendus beaucoup plus cher. **Cépage :** chenin blanc, chardonnay, cabernet franc. **Alc./**12 % www.gratienmeyer.com

☞ *Servir dans les deux premières années de son achat, à 12 °C*

Apéritif, crevettes tempura, tartelettes chaudes de fromage de chèvre frais et de noix de pin grillées, **calmars en tempura d'amandes, fleur de sel au cèdre, mousse de riz en paella (\*\*)** ou pétoncles poêlés, couscous de noix du Brésil à l'orange sanguine, yogourt au gingembre (\*\*).

## Ca'del Bosco « Cuvée Prestige » Brut
FRANCIACORTA, AZIENDA AGRICOLA CA'DEL BOSCO, ITALIE

| 37,25 $ | SAQ S (11008024) | ★★★☆ $$$ | Modéré+ |
|---|---|---|---|

Vous ne désirez pas débourser le prix demandé pour les champagnes, tout en servant un mousseux top qualité? Alors, sélectionnez comme je le fais depuis quelques années déjà cet excellent mousseux italien, de méthode traditionnelle (donc champenoise), ayant été conservé 30 mois sur lies, en bouteille, avant sa mise en marché, ce qui explique, en partie, sa grande complexité aromatique. Un mousseux de haut niveau à la robe dorée, aux bulles fines et abondantes, au nez brioché, passablement riche, à la bouche presque crémeuse et enveloppante, à l'acidité fraîche, juste dosée, au corps plein, sans trop et aux saveurs très longues, égrainant des notes de noisette, de miel et de fleurs séchées. Du niveau de certaines cuvées de la Champagne, vendues à une vingtaine de dollars de plus. **Cépage :** 40 % chardonnay, 40 % pinot bianco, 20 % pinot nero. **Alc.**/12,5 % www.cadelbosco.com

☞ *Servir dans les trois premières années suivant son achat, à 12 °C*

 Apéritif, mousse de foies de volaille aux poires, *toast* de foie gras de canard au torchon (*), **figues confites au thé Pu-Erh, chantilly de fromage Saint Nectaire (**) ou crabe des neiges, ketchup aux pois verts, épinards fanés à l'huile d'olive, caviar de mulet et mousse de bière noire (**).**

## ✳ Delamotte Brut
CHAMPAGNE, CHAMPAGNE DELAMOTTE, FRANCE

| 42,75 $ | SAQ S (10839660) | ★★★★ $$$$ | Modéré+ |
|---|---|---|---|

Faisant partie du giron de la grandissime et unique maison de champagne Salon, Delamotte présente à nouveau à la SAQ son délectable Brut, qui, comme de nombreux vins de l'Europe, a vu son prix ajusté à la baisse, de plus de sept dollars dans ce cas-ci, étant donné la faiblesse de l'euro. Vous y dénicherez plus que jamais, quelques flacons sifflés en 2010 à l'appui (!), une cuvée de base faite sur mesure pour l'apéritif tant sa fraîcheur et son élan titillent les papilles avec brio. Bâtie sur une base de chardonnay, on y décèle toujours une grande minéralité, ainsi que des saveurs de fleurs blanches et de poire d'une bonne allonge. Plus croquante de vérité que jamais et à prix plus que correct. **Cépage :** 50 % chardonnay, 30 % pinot noir, 20 % pinot noir. **Alc.**/12 % **www.salondelamotte.com**

☞ *Servir dans les trois années qui suivent l'achat, à 12 °C*

 Apéritif.

## Pol Roger Extra Cuvée de Réserve Brut
CHAMPAGNE, POL ROGER, FRANCE

| 60,75 $ | SAQ C (051953) | ★★★★ $$$$ | Modéré+ |
|---|---|---|---|

Depuis trois ans maintenant, comme je l'ai écrit dans les éditions 2008, 2009 et 2010, ce champagne atteint plus que jamais la richesse de sève du remarquable Bollinger Spécial Cuvée. La haute définition, l'expression et la texture sont assurément au rendez-vous, le positionnant à nouveau parmi le *Top 5* des bruts non millésimés offerts au Québec. Brioche, pâte d'amandes et fleurs séchées participent à l'ivresse aromatique. **Cépage :** 1/3 chardonnay, 1/3 pinot noir, 1/3 pinot meunier. **Alc.**/12 % www.polroger.com

☞ *Servir dans les trois années qui suivent l'achat, à 12 °C*

Apéritif, canapés de mousse de foie de volaille sur pain brioché, canapés de mousse de saumon fumé sur pain de campagne grillé ou **figues confites au thé Pu-Erh, chantilly de fromage Saint Nectaire (**).**

## Bollinger Spécial Cuvée Brut
CHAMPAGNE, BOLLINGER, FRANCE

| 64,25 $ | SAQ S (384529) | ★★★★☆ $$$$ | Corsé |
|---|---|---|---|

Comme je vous le dis depuis les premières éditions de *La Sélection*, cette cuvée est LE champagne des amateurs de grands vins rouges! Tout y est : couleur dorée soutenue; profil aromatique intensément brioché et toasté, auquel s'ajoutent des notes de vanille et de noisette ; présence en bouche toujours aussi vineuse et puissante, non dénuée de fraîcheur et d'élégance. La richesse de cette cuvée est due à l'utilisation d'un pourcentage élevé de vins de réserve, âgés de quatre à six ans. **Cépage :** 60 % pinot noir, 25 % chardonnay, 15 % pinot meunier. **Alc./**12 % **www.champagne-bollinger.fr**

☛ *Servir dans les quatre années qui suivent l'achat, à 12 °C*

Apéritif, croûtons de pain grillés surmontés de foie gras de canard, Surf'n Turf Anise (*) ou soupe de cerfeuil tubéreux à l'émulsion de jaune d'œuf, copeaux de foie gras et poêlée de chanterelles (*). Fromages : comté Fort des Rousses (24 mois d'affinage) ou parmigiano reggiano (plus de 24 mois d'affinage).

## De Venoge Brut Blanc de Noirs
CHAMPAGNE, DE VENOGE, FRANCE

| 65 $ | SAQ **SS** (11258040) ★★★☆?☆ $$$$ | Modéré+ |
|---|---|---|

■ **NOUVEAUTÉ!** Robe dorée. Bulles abondantes. Nez finement brioché, d'une richesse modérée, aux effluves de biscuit, de noisette et de fleurs séchées. Bouche à la fois ample et fraîche, pleine et rafraîchissante, d'une certaine vinosité et dotée d'une belle prise de mousse vaporeuse et de saveurs longues, sur les fruits. Un brut gourmand, très marqué par les cépages rouges qui le composent. Gagnera en complexité et en structure au cours des trois ou quatre années suivant l'achat, atteignant ainsi la quatrième étoile à laquelle il est voué. **Cépage :** 80 % pinot noir, 20 % pinot meunier. **Alc./**12 %

☛ *Servir dans les quatre années suivant sa mise en marché, à 12 °C*

Fromages : comté Fort des Rousses (24 mois d'affinage) ou parmigiano reggiano (plus de 24 mois d'affinage) ou Surf'n Turf Anise (pétoncles et foie gras) (*).

## Bruno Paillard Première Cuvée Brut
CHAMPAGNE, BRUNO PAILLARD, FRANCE

| 65,25 $ | SAQ **S** (411595) ★★★★?☆ $$$$ | Modéré+ |
|---|---|---|

Depuis plusieurs éditions de *La Sélection*, il est difficile de trouver mieux pour émoustiller vos invités à l'apéritif et ainsi mettre de la magie dans vos soirées. Je serais à nouveau tenté de lui donner quatre étoiles et demie ; ce qu'il gagnera après deux ou trois années d'évolution en cave, bouteilles de ma cave récemment sifflées comme preuve à l'appui... L'arrivage de 2010 se montre donc toujours aussi captivant, exhalant un nez complexe et une superbe prise de mousse dans le verre, se voulant toujours aussi détaillé, dégageant des notes anisées de pomme et d'amande. La bouche est quant à elle toujours aussi ample et gourmande, tout en étant vivifiante et prenante. De la texture et de la prestance, terminant longuement sur des notes de fruits secs. **Cépage :** 45 % pinot noir, 33 % chardonnay, 22 % pinot meunier. **Alc./**12 % **www.champagnebrunopaillard.com**

☛ *Servir dans les trois années qui suivent l'achat, à 12 °C*

Canapés de truite fumée sur purée de céleri-rave, risotto aux langoustines et à la poudre de réglisse (un petit nuage de concentré de réglisse noire râpée au moment de servir) ou **pétoncles rôtis fortement, shiitakes poêlés, copeaux de parmigiano reggiano et écume de bouillon de kombu (**)**.

## Veuve Clicquot Carte Jaune Brut

CHAMPAGNE, VEUVE CLICQUOT-PONSARDIN, FRANCE

| 67,25 $ | SAQ C (563338) | ★★★★ $$$$ | Modéré+ |
|---|---|---|---|

Parmi les champagnes où domine le pinot noir, lequel apporte une plus grande vinosité (un caractère plus proche du vin rouge), un corps plus dense et des parfums plus riches, vous choisirez le Carte Jaune – également disponible en formats 375 ml et 1,5 litre –, qui se maintient toujours parmi le *Top 5* des bruts non millésimé. La cuvée dégustée cette année est d'une fraîcheur toujours aussi invitante que par le passé, tout en étant pleine et nourrie comme cette maison nous y a habitués, mais avec une acidité légèrement plus vivifiante. Il gagnera en texture d'ici 2012 si vous osez mettre quelques flacons en cave. **Cépage :** 52 % pinot noir, 32 % chardonnay, 16 % pinot meunier. **Alc./**12 % www.veuve-clicquot.com

☛ *Servir dans les trois années qui suivent l'achat, à 12 °C*

*Toast* de foie gras de canard au torchon (*), huîtres chaudes au beurre de poireaux ou saumon infusé au saké et champignons shiitake. Fromage : coulommiers.

## Henriot Blanc Souverain Brut

CHAMPAGNE, CHAMPAGNE HENRIOT, FRANCE

| 70,25 $ | SAQ C (10796946) | ★★★★ $$$$ | Modéré+ |
|---|---|---|---|

Ne manquez pas ce Blanc Souverain lors de ces trop rares arrivages sur notre marché. Après un bénéfique vieillissement sur lies, en bouteille, d'une période de quatre années, ce Blanc Souverain, à 100 % chardonnay, est on ne peut plus engageant et vivifiant. Vous y dénicherez une grande fraîcheur aromatique, à laquelle s'ajoutent des notes évolutives de noisette, d'amande grillée et de brioche. En bouche, il se montre plein et vaporeux, texturé et très frais, à l'acidité discrète, laissant place à un corps presque rond. Une maison plus que sérieuse, dont chaque cuvée mérite vote attention. **Cépage :** chardonnay. **Alc./**12 % www.champagne-henriot.com

☛ *Servir dans les trois années qui suivent l'achat, à 12 °C*

Huîtres frites à la coriandre et wasabi (**), *toast* de foie gras de canard au torchon (*), saumon infusé au saké et champignons shiitake ou **figues confites au thé Pu-Erh, chantilly de fromage Saint Nectaire (**)**.

## Pol Roger Extra Cuvée de Réserve 2000

CHAMPAGNE, POL ROGER, FRANCE

| 87,75 $ | SAQ S (10663123) | ★★★★ $$$$$ | Corsé |
|---|---|---|---|

Comme toujours chez cette maison top niveau, un 2000 vineux et prenant, au nez complexe, jouant dans l'univers aromatique de la noisette, de l'arachide, du biscuit sec et du pain grillé, à la bouche au dosage qui semble plus élevé qu'à l'habitude, à l'acidité qui se fait discrète, au corps vaporeux et texturé, et aux saveurs longues, rappelant la poire. Parfait pour les plats riches en saveur « umami ». **Cépage :** pinot noir, chardonnay. **Alc./**12 % www.polroger.com

☛ *Servir dans les treize années suivant le millésime, à 12 °C*

**Pétoncles rôtis fortement, shiitakes poêlés, copeaux de parmigiano reggiano et écume de bouillon de kombu (**)**.

## Henriot Rosé Brut

CHAMPAGNE, CHAMPAGNE HENRIOT, FRANCE

| 89,25 $ | SAQ **S** (10839635)   ★ ★ ★ ★ $$$$ | Corsé |
|---|---|---|

Ne manquez pas le retour des champagnes Henriot (voir les autres crus recommandés dans la présente édition), commentés en primeur dans *La Sélection 2008*, dont cet inspirant rosé à la couleur truite saumonée, au nez très aromatique, d'une grande fraîcheur, exhalant de riches parfums de fraise, de grenadine, à la bouche gourmande et vineuse, sans trop, à l'acidité discrète, laissant place à une prise de mousse presque crémeuse et à des saveurs de fruits rouges proches du pinot noir tranquille bourguignon. **Cépage :** 58 % pinot noir (dont une partie vinifiée en vin rouge), 42 % chardonnay. **Alc./**12 % **www.champagne-henriot.com**

☛ *Servir dans les trois années qui suivent l'achat, à 12 °C*

Apéritif, dindon de Noël et risotto au jus de betterave parfumé au girofle ou cailles laquées au miel et au cinq-épices.

# RÉPERTOIRE ADDITIONNEL

Les vins des **Répertoires additionnels**, qui font l'objet d'une description plus concise, mais presque tous offerts avec un choix de mets, sont ou seront généralement disponibles dans les mois suivant la parution de cette quinzième édition. De multiples futurs arrivages y sont aussi  commentés cette année. En revanche, certains de ces vins peuvent ne plus être disponibles au moment où vous lirez ces lignes, ce qui explique le commentaire moins détaillé pour certains crus.

Soyez tout de même vigilants, car la majorité de ces vins fera l'objet d'un nouvel arrivage au cours de l'automne 2010 et des premiers mois de 2011, et ce, dans le même millésime proposé dans ce guide. Autre fait important cette année, plusieurs vins des *Répertoires additionnels* sont de futurs arrivages, commentés ici en primeur, avec leur date de mise en marché. Le retour ou l'arrivée de ces vins, comme de tous les vins commentés dans *La Sélection Chartier 2011*, vous sera annoncé par le biais du service de **Mises à jour Internet de *La Sélection Chartier 2011***, via le site Internet **www.francoischartier.ca**.

### Faïve Rosé Brut
VINO SPUMANTE, NINO FRANCO SPUMANTI, ITALIE
**22,95 $**     SAQ S (11140720)   ★★★ **$$**          Modéré
Coup de cœur de la précédente édition, voici une autre référence à se mettre sous la dent de cette très bonne maison, qui nous offre déjà depuis des années son délectable mousseux blanc **Nino Franco Brut** (aussi commenté). Belle couleur saumonée pour ce mousseux rosé sec, au nez ultrafin et élégant, aux arômes de framboise mûre et de miel, à la bouche vaporeuse, au corps modéré et ample, à l'acidité discrète, laissant toute la place à une texture suave et presque crémeuse. De belles bulles pour célébrer la vie à prix plus que doux. **Cépages:** 80 % merlot, 20 % cabernet franc. **Alc./**12 % www.ninofranco.it ■ *Apéritif, tartare de saumon au poivre rose.*

### Drappier Brut Nature « Pinot Noir Dosage Zéro »
CHAMPAGNE, CHAMPAGNE DRAPPIER, FRANCE
**42,50 $**     SAQ S (11127234)   ★★★☆ **$$$$**          Modéré
■ **NOUVEAUTÉ!** Pour amateur averti uniquement, cette cuvée « Dosage Zéro » se montre mordante et aérienne au possible. vous y dénicherez un champagne minéralisant, vivifiant et on ne peut plus sec, droit et fluide comme une pomme verte qui vous lubrifie les papilles! **Alc./**12 % **www.champagne-devaux.fr** ■ *Apéritif.*

### Devaux Blanc de Noirs Brut
CHAMPAGNE, UNION AUBOISE DES PRODUCTEURS DE VIN DE CHAMPAGNE (VEUVE A. DEVAUX), FRANCE
**44,75 $**     SAQ S (871954)     ★★★ **$$$$**          Modéré
La cuvée disponible en août 2010 de ce champagne, composé uniquement de pinot noir, m'a semblé moins riche et détaillée que celle dégustée il y a plus d'un an. La bouche était moins vineuse, plutôt légère, et même un brin trop dosée, lui procurant une certaine sucrosité inutile. Du moins à mon goût. Il n'en demeure pas moins très agréable, mais il est possible de trouver même niveau à plus de moins trente dollars hors Champagne. **Alc./**12 % **www.champagne-devaux.fr**

### De Venoge Brut Millésimé 2000
CHAMPAGNE, DE VENOGE, FRANCE
**75 $**     SAQ SS (11259982) ★★★★ **$$$$**          Corsé
■ **NOUVEAUTÉ!** Un 2000 actuellement très aromatique et richissime, d'une belle évolution aromatique, s'exprimant par des tonalités de pomme mûre, de figue fraîche, de brioche et de fleurs séchées, à la bouche tout

*RÉPERTOIRE ADDITIONNEL*

aussi aromatique, pleine et sphérique, quasi vaporeuse, à l'acidité discrète et au corps généreux pour le millésime. Longue finale de noisette et de coing. **Alc./**12 % **www.champagnedevenoge.com** ■ *Saumon infusé au saké et aux champignons shiitake.*

### Agrapart « Minéral » Extra Brut Blanc de Blancs 2003
CHAMPAGNE, AGRAPART & FILS, FRANCE
**82 $**          SAQ **S** (10812951)   ★★★★ **$$$$**          Corsé
Provenant d'Avize, l'un des grands crus de renom de la Champagne, et né du millésime caniculaire qu'a été 2003, ce chardonnay se montre toujours aussi extraverti que l'année dernière, à la fois très riche et rafraîchissant, pour ne pas dire saisissant, exhalant des notes de noisette, de pain brioché, de pomme et de fleurs, avec une touche minérale électrisante, à la bouche à la fois pleine et vivifiante, étonnamment tendue par une acidité élancée qui fait souvent défaut chez les crus de ce millésime. Pour amateur de champagne très sec, droit et minéralisant. **Alc./**12 % **www.champagne-agrapart.com** ■ *Saumon infusé au saké et aux champignons shiitakes ou tartare d'huîtres.*

### Canard-Duchêne « Cuvée Léonie » Brut
CHAMPAGNE, CANARD-DUCHÊNE, FRANCE
**84 $**          SAQ **S** (10834551)   ★★★ **$$$$**          Léger+
Belle finesse aromatique, mais peu d'éclat et peu riche. Bonne prise de mousse en bouche, acidité modérée, corps ample, sans excès et saveurs longues, laissant des traces de fleurs séchées et de fruits secs. Agréable, sans être à la hauteur des meilleures cuvées de champagne brut offertes au Québec, à prix plus doux. **Alc./**12 % **www.canard-duchene.fr**

### Delamotte Rosé Brut
CHAMPAGNE, CHAMPAGNE DELAMOTTE, FRANCE
**91 $**          SAQ **S** (10968306)   ★★★★ **$$$$**          Modéré
Ce champagne rosé fait partie du giron de la grandissime et unique maison de champagne Salon. Un rosé d'un charme fou, au nez d'une finesse exquise, à la bouche à la fois ample et aérienne, texturée et fraîche. Un champagne qui remplit la bouche, mais avec esprit! **Alc./**12 % **www.salondelamotte.com** ■ *Saumon grillé au beurre de pesto de tomates séchées ou tartare de thon au piment d'Espelette.*

# VINS DU NOUVEAU MONDE

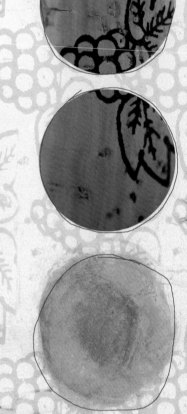

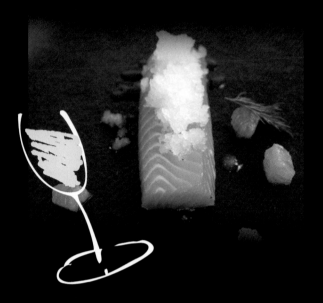

# VINS BLANCS
# DU NOUVEAU
# MONDE

## Chardonnay Trapiche 2009

MENDOZA, BODEGAS TRAPICHE, ARGENTINE

| 10,35 $ | SAQ C (588004) | ★★?☆ $ | Léger+ |
|---------|----------------|--------|--------|

Coup de cœur de la précédente édition, vous y dénicherez à nouveau un chardonnay à prix doux qui se montre vivifiant, texturé et expressif, classique et pas très puissant, mais drôlement efficace pour son rang. Fruits secs et pain grillé en complexifient le nez, tandis que la bouche se montre plus que jamais suave et digeste. J'espère que vous en avez fait votre ballon de blanc quotidien tel que je vous l'ai prescrit l'année dernière! Et de grâce, n'oubliez pas de ne pas le servir trop froid. **Cépage :** chardonnay. **Alc./**13,5 % www.trapiche.com.ar

☞ *Servir dans les deux années suivant le millésime, à 14 °C*

Sandwich « pita » au poulet, fricassée de poulet aux champignons, vol-au-vent de fruits de mer, pâtes aux champignons et parmesan ou pizza aux fruits de mer sauce béchamel.

## Sauvignon Blanc Caliterra Reserva 2010

✓ TOP 20 BAS PRIX

CASABLANCA, VIÑA CALITERRA, CHILI

| 11,90 $ | SAQ C (275909) | ★★☆ $ | Modéré |
|---------|----------------|-------|--------|

Grâce à des conditions climatiques sur mesure pour ce cépage, Caliterra présente un 2010 on ne peut plus réussi! *Crispy* comme le disent si bien les chroniqueurs anglo-saxons, ce blanc sec se montre très aromatique, rafraîchissant et festif, exhalant des tonalités classiques de menthe fraîche, de feuille de tomate et d'agrumes. La bouche suit avec une texture satinée, une acidité vibrante, mais pas dominante, et de longues saveurs, spécialement pour son rang. Difficile d'être plus *bench mark* et plus abordable. Bravo! **Cépage :** sauvignon blanc. **Alc./**13 % http ://caliterra.com

☞ *Servir dans les deux années suivant le millésime, à 12 °C*

**Émulsion d'asperges vertes aux crevettes_Mc$^2$ (\*\*)**, salade de tomates fraîches et de cubes de melon d'eau (vinaigrette au jus de pamplemousse rose et paprika), fusillis au saumon et basilic, **huîtres frites à la coriandre et wasabi (\*\*)**, quiche au fromage de chèvre et aux poireaux ou saumon mariné en sauce à l'aneth (\*).

## Chardonnay Bin 65 Lindemans 2009

SOUTH EASTERN AUSTRALIA, LINDEMANS, AUSTRALIE

| 11,95 $ | SAQ C (142117) | ★★ $ | Modéré+ |
|---------|----------------|------|---------|

Impossible de passer sous silence la régularité de cette cuvée pourtant élaborée à plusieurs millions de bouteilles chaque année. Il a beau faire partie du paysage depuis des lustres, il n'en demeure pas moins aromatique, aguicheur, à la fois vanillé et exotique, au corps gras, sans trop, à l'acidité discrète et aux courbes sensuelles, égrainant des arômes d'ananas, de crème fraîche et d'amande grillée. Comme on dit dans notre jargon « *il fait la job!* ». Que demander de plus à ce prix, d'autant plus si vous êtes un *chardonnay aficionados*? **Cépage :** chardonnay. **Alc./**13 % www.lindemans.com

☞ *Servir dans les deux années suivant le millésime, à 12 °C*

**Amandes apéritives à l'espagnole (***pimentón* fumé, miel et huile d'olive**) (\*\*)**, abattis de dinde croustillants farcis à la fraise « cloutée », laqués à l'ananas (\*\*)**, sauté de porc à l'asiatique et aux fraises (ou à l'ananas), filet de porc au miel et aux poires, pâtes aux fruits de mer sauce crémeuse ou pizza aux fruits de mer sauce béchamel.

## Sauvignon Blanc Santa Rita « 120 » 2009

VALLE DE LONTUÉ, VIÑA SANTA RITA, CHILI

| 11,95 $ | SAQ C (301093) | ★★ $ | Léger+ |
|---------|----------------|------|--------|

Vin de plaisirs harmoniques assurés, rafraîchissez-vous les papilles par les notes anisées (basilic, menthe) et par les touches d'agrumes (lime, pamplemousse rose) de ce blanc sec vivifiant au possible, aérien, fin et satiné. Une étonnamment longue finale, pour son rang, permet de croquer dans les saveurs de pomme juteuse. Presque une référence depuis quinze ans de *Sélection* chez les blancs offerts sous la barre des treize dollars. Réservez-lui les aliments de liaison à ses arômes que sont le basilic, le cerfeuil, le fenouil frais, la tomate fraîche, l'asperge, la pomme verte ou le pamplemousse. **Cépage :** sauvignon blanc. **Alc./**13,5 % www.santarita.com

☛ *Servir dans les deux années suivant le millésime, à 12 °C*

**Huîtres frites à la coriandre et wasabi (\*\*)**, tomates farcies au thon avec céleri et persil, fusillis au saumon et au basilic, salade d'asperges et de mozzarella à l'émulsion de jus de pamplemousse rose ou rouleaux de printemps aux crevettes, pommes et menthe fraîche.

## Chardonnay « Varietal Series » Inniskillin 2008

NIAGARA PENINSULA VQA, INNISKILLIN WINES, CANADA

| 13,45 $ | SAQ C (66266) | ★★☆ $ | Léger+ |
|---------|---------------|-------|--------|

L'une des nombreuses références de cette maison légendaire, dont les crus des derniers millésimes semblent connaître une remontée qualitative, après un petit creux au tournant du millénaire. Un chardonnay qui charme par son nez expressif et raffiné, aux notes à la fois minérales de craie blanche, doublées de tonalités fruitées rappelant la pomme verte, la lime et l'amande fraîche, le tout subtilement épicées par la cannelle. Tout comme il enchante par sa bouche à l'acidité toujours aussi fraîche, à la texture suave et aux saveurs croquantes de vitalité. Du beau chardonnay, épuré et minéralisant, sans être très riche, plutôt digeste, tout à fait typique du terroir de la Péninsule, qui sera en osmose à table avec vos recettes dominées par des aliments au « goût de froid » (voir le chapitre de ce nom dans le livre *Papilles et Molécules*), comme le sont, entre autres, le basilic, le céleri, le concombre, la coriandre, le fenouil, la lime, la menthe, le persil, la pomme et le wasabi. **Cépage :** chardonnay. **Alc./**13,5 % www.inniskillin.com

☛ *Servir dans les trois années suivant le millésime, à 14 °C*

Salade de fenouil et de pommes au fromage de chèvre chaud, rouleaux de printemps au crabe et à la coriandre fraîche, *pasta* au citron, asperges et basilic frais ou **lotte à la vapeur de thé gyokuro, salade d'agrumes et pistils de safran (\*\*)**.

## Chardonnay R.H. Phillips 2008

CALIFORNIA, R.H. PHILLIPS VINEYARD, ÉTATS-UNIS

| 13,75 $ | SAQ C (594457) | ★★☆ $ | Modéré |
|---------|----------------|-------|--------|

Comme toujours, bon an mal an, ce chardonnay se montre efficace et juteux comme pas un. Nez très aromatique, agréable et original, aux parfums assez riches pour son prix, exhalant des tonalités de fleurs blanches, de beurre, d'ananas, de noisette et de miel. Bouche à l'acidité fraîche et aux courbes larges et texturées, aux saveurs gourmandes et sucrées (sans sucre), d'une longueur correcte. Certes commercial, mais gourmand au possible si vous êtes fanas des blancs californiens. **Cépage :** chardonnay. **Alc./**13,5 % www.rhphillips.com

☛ *Servir dans les trois années suivant le millésime, à 14 °C*

Pizza au camembert, filet de sole à la moutarde et au miel, brochettes de poulet et de crevettes à la salsa d'ananas, pâtes aux fruits de mer sauce à la crème et aux lardons ou **abattis de dinde croustillants farcis à la fraise « cloutée », laqués à l'ananas (\*\*)**.

## Chardonnay Errazuriz Estate 2009
CASABLANCA, VIÑA ERRAZURIZ, CHILI

| 13,90 $ | SAQ C (318741) | ★★☆ $ | Modéré |
|---|---|---|---|

Comme tous les crus signés Errazuriz, qu'ils soient blancs ou rouges, ce chardonnay mérite, bon an mal an, d'être acheté les yeux fermés tant il représente une valeur sûre chez les produits courants du Nouveau Monde. Vous dégusterez un blanc sec aromatique à souhait et fin, laissant échapper des notes délicates d'agrumes et de fruits secs, à la bouche texturée et sensuelle, dont l'acidité discrète laisse toute la place à des courbes rondes et généreuses, mais sans lourdeur, tout en fraîcheur, avec de l'élan, terminant sur une note d'ananas. **Cépage :** chardonnay. **Alc./**13 % www.errazuriz.com

☛ *Servir dans les deux années suivant le millésime, à 12 °C*

Avocats farcis à la chair de crabe et vinaigrette au jus d'agrumes, pâtes aux fruits de mer sauce crémeuse, croquettes de pommes de terre et de saumon ou truite saumonée à l'huile d'olive et citron ou **abattis de dinde croustillants farcis à la fraise « cloutée », laqués à l'ananas (\*\*)**.

## Sémillon/Sauvignon Blanc Red Label Wolf Blass 2009
SOUTH EASTERN AUSTRALIA, WOLF BLASS WINES, AUSTRALIE

| 13,95 $ | SAQ C (10340931) | ★★?☆ $$ | Modéré+ |
|---|---|---|---|

Un blanc sec au profil mi-sémillon mi-sauvignon, comme à son habitude, subtilement marqué par des notes de pomme, de fleurs blanches et de miel, à la bouche à la fois expressive et très fraîche, ample et revitalisante, aux saveurs qui claquent sur les papilles comme une pomme verte. Juste assez relevé et vivifiant pour soutenir le gras et le salé de la fondue au fromage. **Cépages :** sémillon, sauvignon blanc. **Alc./**12 % www.wolfblass.com.au

☛ *Servir dans les trois années suivant le millésime, à 12 °C*

Fricassée de poulet à l'asiatique, fondue au fromage suisse ou raclette.

## Sauvignon Blanc Sula Vineyards 2008
NASHIK, NASHIK VINTNERS, INDE

| 14,10 $ | SAQ S (11200981) | ★★?☆ $$ | Modéré |
|---|---|---|---|

■ **NOUVEAUTÉ!** L'Inde n'est pas vraiment le Nouveau Monde..., mais en matière de vins, difficile de l'être plus que ça! Ce blanc sec complète le duo, avec la gourmande Shiraz, devenant deux étonnantes nouveautés de ce pays plus connu pour ses remarquables et pluriels currys que pour ses vins. Vous serez par contre en terrain balisé avec ce sauvignon au profil on ne peut plus classique. C'est-à-dire aux parfums élégants et expressifs rappelant le pamplemousse rose, le basilic et le gazon fraîchement coupé, à la bouche élancée, très fraîche et éclatante comme un coup de fouet! Tout aussi dépaysant que la shiraz du même domaine! **Cépage :** sauvignon blanc. **Alc./**13,5 % www.sulawines.com

☛ *Servir dans les trois années suivant le millésime, à 12 °C*

**Bloody Ceasar_Mc² (version solide pour l'assiette) (\*\*)**, salade d'asperges vertes vapeur et émulsion filet d'huile d'olive espagnole et jus de pamplemousse rose, avocats farcis aux crevettes et aux asperges, crêpes fines aux asperges et saumon fumé ou moules marinière « à ma façon » (\*).

## Sauvignon Blanc Brampton 2009

WESTERN CAPE, RUSTENBERG WINES, AFRIQUE DU SUD *(DISP. OCT. 2010)*

| 14,60 $ | SAQ S (11155104) | ★★☆?☆ $$ | Modéré |
|---|---|---|---|

Ce nouveau millésime, dégusté en août 2010 (d'un échantillon du domaine), dont le 2007 avait aussi été commenté en primeur dans *La Sélection 2010*, de cette excellente maison sud-africaine, saluée à plusieurs reprises pour la qualité de ses rouges dans les précédentes éditions de ce guide, se montre à nouveau plus que satisfaisant pour le prix demandé. Il en résulte un sauvignon toujours aussi aromatique, élégant et vivace, sans esbroufe, à l'acidité fraîche et plus croquante qu'en 2007, mais juste dosée, permettant d'apprécier la texture satinée et ses saveurs éclatantes aux tonalités aromatiques de pamplemousse rose, d'anis vert et de menthe fraîche, sans aucune note boisée. **Cépage :** sauvignon blanc. **Alc./**13,5 % www.rustenberg.co.za

☛ *Servir dans les quatre années suivant le millésime, à 12 °C*

Salade de tomates fraîches et de cubes de melon d'eau à l'huile de basilic, moules marinière « à ma façon » (\*) ou morue poêlée et salade de fenouil cru à la lime.

## Symphony Obsession 2009

CALIFORNIA, IRONSTONE VINEYARDS, ÉTATS-UNIS

| 14,65 $ | SAQ C (11074021) | ★★☆ $$ | Modéré |
|---|---|---|---|

■ NOUVEAUTÉ! Dans vos recettes où l'orange est à l'honneur, comme un poulet ou une salade, l'orange étant évidemment la piste à suivre pour atteindre l'accord, il faut avant tout opter pour un blanc de cépage terpénique, comme le sont les vins de riesling et de muscat, contenant idéalement quelques grammes de sucre résiduel. Avec ses parfums de fleur d'oranger, tout comme avec sa texture satinée et sa très légère présence sucrée, le symphony blanc, cépage né d'un croisement de muscat et de grenache gris, y répond avec aplomb. Sa présence légère de sucre permet aussi une multitude d'harmonies à table, spécialement avec les cuisines épicées et aigre-douce, tout comme à l'heure de l'apéritif. **Cépage :** symphonie. **Alc./**12,5 % **www.ironstonevineyards.com**

☛ *Servir dans les trois années suivant le millésime, à 12 °C*

Apéritif, salade de poulet au sésame et vinaigrette à l'orange, poulet rôti à l'orange, poulet aux litchis et piments forts, brochettes de poulet à la salsa d'ananas, cuisine cantonaise épicée, cuisine sichuanaise ou cuisine thaï.

## Chardonnay Jackson-Triggs Proprietors' Reserve 2008

OKANAGAN VALLEY VQA, JACKSON-TRIGGS ESTATE WINES, CANADA

| 14,95 $ | SAQ C (10302555) | ★★☆ $$ | Modéré |
|---|---|---|---|

Les amateurs de chardonnay de type australien seront conquis par ce canadien qui étonne par sa grande maturité de fruit. Donc, toujours aussi engageant et réussi pour le prix que ce sensuel et exotique blanc sec de l'Ouest, s'exprimant avec éclat et finesse, à la texture ample et patinée, égrainant de longues et intenses saveurs jouant dans l'univers de la noix de coco, de pêche et de vanille. **Ses saveurs exotiques et boisées seront en osmose parfaite avec des plats dont font partie les aliments complémentaires suivants : porc, noix de coco, miel, tilleul, pêche et abricot. Cépage :** chardonnay. **Alc.**/13,9 % **www.jacksontriggswinery.com**

☛ *Servir dans les trois années suivant le millésime, à 14 °C*

Rôti de porc farci aux abricots, escalopes de porc à la salsa de pêche et curcuma, mignon de porc mangue-curry (*) ou **pétoncles poêlés, couscous de noix du Brésil à l'orange sanguine, lait de coco au gingembre (**).**

## Pinot Blanc Mission Hill 2009

OKANAGAN VALLEY VQA, MISSION HILL VINEYARDS, CANADA

| 14,95 $ | SAQ C (300301) | ★★ $$ | Modéré |
|---|---|---|---|

Cette excellente maison de la côte ouest nous a habitués à un pinot blanc juteux et gourmand, presque sucré sans sucre, à la texture dodue et aux saveurs mûres, dont l'acidité discrète, mais croquante, laisse place à un certain moelleux pour le style. Ce qu'elle réussit avec brio dans ce nouveau millésime festif et désaltérant à souhait. **Cépage :** pinot blanc. **Alc.**/13,5 % **www.missionhillwinery.com**

☛ *Servir dans les trois années suivant le millésime, à 12 °C*

Trempette crémeuse servie avec des légumes frais et croquants, salade chinoise aux crevettes à l'ananas, pâtes aux fruits de mer sauce crémeuse ou pizza aux fruits de mer sauce béchamel.

## Pinot Gris Bodega François Lurton 2009
✓ TOP 20 BAS PRIX

VALE DE UCO, JFL ARGENTINA, ARGENTINE

| 14,95 $ | SAQ S* (556746) | ★★☆ $$ | Modéré+ |
|---|---|---|---|

Un ixième vin argentin réussi avec brio par François Lurton, signant cette fois un pinot gris on ne peut plus *bench mark*, c'est-à-dire très aromatique, assez riche et aux parfums d'une belle maturité, exhalant des notes de pamplemousse, de houblon et de miel, à la bouche à la fois ample et fraîche, texturée et patinée, comme tout bon pinot gris se doit d'être. Si vous le servez plus frais que froid, vous serez à même d'apprécier son gras et son ampleur aromatique, sinon le vin vous semblera plus timide et plus longiligne qu'il ne l'est réellement. Je vous le rappelle, le froid intense est l'ennemi des vins blancs! **Cépage :** pinot gris. **Alc.**/12,5 % **www.jflurton.com**

☛ *Servir dans les trois années suivant le millésime, à 14 °C et oxygéné en carafe 5 minutes*

Salade tiède d'endives au fromage bleu Cambozola (*), sandwichs « pita » au poulet et au chutney à la mangue, salade de nouilles au gingembre et thon au sésame noir ou **carré de porcelet de la Ferme Gaspor au safran, carottes, pommes Golden et melon d'eau (**).** Fromages : chaource ou migneron.

## The Stump Jump « d'Arenberg » 2008
✓ TOP 100 CHARTIER

MCLAREN VALE, D'ARENBERG, AUSTRALIE

| 15,70 $ | SAQ S* (10748400) | ★★★ $$ | Modéré |
|---|---|---|---|

Un nouveau Stump blanc toujours aussi original, singulier et réussi dans les précédents millésimes. C'est-à-dire un blanc sec à la fois satiné et électrisant, passablement marqué par la présence aromatique du riesling, avec ses notes terpéniques d'épinette et de cèdre, à la bouche aussi aérienne et cristalline. Le nez est à la fois subtil et aromatique, s'exprimant par des notes plus mûres, rappelant l'abricot séché, le miel et l'aubépine. **Cépages :** riesling, sauvignon blanc, marsanne, roussanne. **Alc./**13 % www.darenberg.com.au

☞ *Servir dans les quatre années suivant le millésime, à 14 °C*

**Chips de jambon serrano, pommade de nectar d'abricot, chapelure d'oreilles de crisse (\*\*)**, crème de carotte au safran et moules, minibrochettes de crevettes au romarin ou **pattes de pieuvre rôties, compote de tomates au thé noir, pample-mousse rose, lavande et safran du Maroc (\*\*)**.

## Torrontés Infinitus 2009
RIO NEGRO, INFINITUS, ARGENTINE

| 15,90 $ | SAQ **S** (10394605) | ★★★ $$ | Corsé |
|---|---|---|---|

À nouveau l'un des trop rares blancs argentins à base de torrontés de haut niveau à être offert sur le marché québécois. Vous y dégus-terez un vin sec, hyper aromatique, aux parfums exotiques, comme il se doit avec ce cépage proche parent des tout aussi empreints d'exotisme muscats – les résultats, publiés en 2004, d'une recherche sur l'ADN de ce cépage argentin ont démontré qu'il origine d'un croi-sement entre le cépage chilien mission et le cépage du bassin médi-terranéen muscat d'Alexandrie. Fleurs jaunes, banane et melon de miel participent à l'amplitude des saveurs perçues en bouche, qui se montre gourmande, fraîche et ludique comme pas une. **Alc./**13,5 % www.domainevistalba.com

☞ *Servir dans les trois années suivant le millésime, à 12 °C*

Escalopes de porc à la salsa de fruits exotiques, **panna cotta au fromage bleu, air de rose et craquelins de clou de girofle (\*\*)** ou **dos de morue poché au lait de coco à la rose (gingembre mariné et pois craquants) (\*\*)**.

## Chardonnay Koonunga Hill 2008
SOUTH EASTERN AUSTRALIA, PENFOLDS WINES, AUSTRALIE

| 15,95 $ | SAQ C (321943) | ★★☆☆?☆ $$ | Modéré+ |
|---|---|---|---|

Avec plus de trente-deux millésimes sous le goulot, la marque Koonunga Hill, qui connaît un succès planétaire amplement mérité, tant pour les blancs que pour les rouges, se montre plus en forme que jamais. Vous y dénicherez un nouveau millésime toujours aussi frais, raffiné, expressif, satiné et croquant de vérité, aux courbes juste assez larges et aux saveurs de pomme, d'ananas, d'épices douces et de fleurs. Sa grande digestibilité fait de lui un compagnon de table de choix. Rares sont les chardonnays du Nouveau Monde, offerts à ce prix, à être plus frais que gras. **Cépage :** chardonnay. **Alc./**13 % www.penfolds.com

☞ *Servir dans les quatre années suivant le millésime, à 12 °C*

**Jambon glacé aux fraises et girofle (\*\*)**, sauté de porc à l'asiatique au jus d'ananas, pâtes aux champignons et parmesan, pizza aux fruits de mer, filet de sole à la moutarde et au miel, dindon farci aux pommes ou **abattis de dinde croustillants farcis à la fraise « cloutée », laqués à l'ananas (\*\*)**.

## Chardonnay Le Bonheur 2009
SIMONSBERG, DOMAINE STELLENBOSCH, AFRIQUE DU SUD

| 15,95 $ | SAQ S* (710780) | ★★★ $$ | Modéré |
|---|---|---|---|

Ce cru de chardonnay sud-africain est l'un des plus constants, millésime après millésime, chez les blancs secs du Nouveau Monde
offerts sous la barre des vingt dollars. De la fraîcheur, de l'éclat, de
l'ampleur, mais aussi de la vitalité et de la digestibilité. Pomme golden, poire et amande y donnent le ton, avec une arrière-scène subtilement boisée, rappelant le girofle. Avec le chef **Stéphane Modat**,
nous sommes partis sur la piste aromatique du clou de girofle (épice
de la barrique) et de ses épices complémentaires, tout comme sur
la cuisson bouillie de l'agneau pour créer une recette de pot-au-feu
d'agneau cuit rosé au thé et aux épices (voir dans le livre *Les
Recettes de Papilles et Molécules*). Les notes boisées subtiles de ce
blanc sud-africain trouvent écho dans celles tout aussi boisées du
clou de girofle et du thé noir. Enfin, la texture de l'agneau étant
devenue blanche et filandreuse, gorgée des parfums boisés du
bouillon, l'accord résonne haut et fort. **Cépage :** chardonnay.
**Alc./**13 % www.lebonheur.co.za

☛ *Servir dans les trois années suivant le millésime, à 14 °C*

**Pot-au-feu d'agneau cuit rosé, au thé et aux épices
(\*\*), fougasse parfumée au clou de girofle et fromage
bleu fondant caramélisé (\*\*),** pizza au camembert, pâtes aux
fruits de mer sauce crémeuse ou casserole de poulet à la pancetta.

## Sauvignon Blanc Arboleda 2008
VALLE DE LEYDA, VIÑA SEÑA, CHILI

| 16,50 $ | SAQ S (11256626) | ★★☆?☆ $$ | Modéré+ |
|---|---|---|---|

À l'image du 2007 ce sauvignon du millésime 2008 se montre puissamment aromatique et d'une imposante présence de bouche. Mais,
contrairement au 2007, il se montre aussi plus harmonieux, moins
nerveux et moins végétal. La finale est marquée par une étonnante
complexité de saveurs (basilic, gazon fraîchement coupé, pamplemousse rose, fenouil et citron vert). Plus proche du style des sauvignons de la Loire que de ceux du Chili. **Cépage :** sauvignon blanc.
**Alc./**14 % www.arboledawines.com

☛ *Servir dans les trois années suivant le millésime, à 12 °C*

Rouleaux de printemps et sauce citron-soja, taboulé à la
menthe fraîche ou *pasta* au citron, asperges et basilic frais
(sachez que le basilic pourrait aisément être remplacé par de l'aneth
frais, de la menthe fraîche ou des branches de fenouil).

## Big House White 2009                ✓ TOP 100 CHARTIER
CALIFORNIA, CA'DEL SOLO, ÉTATS-UNIS

| 16,90 $ | SAQ S* (10354005) | ★★☆?☆ $$ | Modéré+ |
|---|---|---|---|

Si vous appréciez les blancs aux parfums et aux saveurs exotiques,
à la façon des muscats secs et des viogniers, qui font partie de son
éclectique assemblage, alors ne cherchez plus et faites-vous plaisir
avec ce blanc sec au charme plus invitant que jamais. Difficile d'être
plus enjôleur, avec ses exaltantes et passablement riches tonalités
de melon cantaloup, de fleurs jaunes, de litchi et d'agrumes, tout
comme avec sa texture satinée, quasi enveloppante, harmonisée par
une fraîche et désaltérante acidité. Comme toujours, plus que du
bonbon! **Cépages :** muscat canelli, viognier, malvasia bianca, grüner
veltliner, pinot grigio. **Alc./**13,5 % **www.bonnydoonvineyards.com**

☛ *Servir dans les quatre années suivant le millésime, à 14 °C*

Minibrochettes de poulet à l'ananas et au cumin, poulet aux litchis et aux piments, risotto au safran et aux petits pois, sole pochée et tagliatelles au safran et fenouil, taboulé à la menthe fraîche et aux crevettes, trempette de guacamole et mangue ou **crevettes caramélisées, écume de carotte, pomme McIntosh et graines de cumin, purée de carottes à l'huile de crustacés et** *pimentón* **fumée (\*\*)**.

## Torrontés Rio de Los Pájaros Reserve 2009
PROGRESO, PISANO, URUGUAY

| 17,25 $ | SAQ S (1202601) | ★★☆?☆ $$ | Modéré+ |
|---|---|---|---|

■ NOUVEAUTÉ! Un très beau torrontés, un brin atypique de l'exotisme auquel ce cépage nous a habitués avec son profil habituellement très muscaté – ce dernier étant l'un de ses ancêtres. Ici, il s'exprime en mode anisé, comme un sauvignon blanc ou un verdejo, y allant de notes de menthe et de basilic. La bouche se montre presque dodue et ample, même si très fraîche et presque iodée ou minéralisante. Quoi qu'il en soit, le jus est beau et digeste. **Alc./**13,5 % **www.pisanowines.com**

☛ *Servir dans les trois années suivant le millésime, à 14 °C*

**Huîtres frites à la coriandre et wasabi (\*\*)** ou **crevettes caramélisées, écume de carotte, pomme McIntosh et graines de cumin, purée de carottes à l'huile de crustacés et** *pimentón* **fumée (\*\*)**.

## Sauvignon Blanc Saint Clair 2009
MARLBOROUGH, SAINT CLAIR ESTATE WINES, NOUVELLE-ZÉLANDE

| 17,40 $ | SAQ S (10382639) | ★★☆?☆ $$ | Modéré |
|---|---|---|---|

Coup de cœur de quelques précédentes éditions, le sauvignon de Saint Clair présente à nouveau un tout aussi parfumé et saisissant blanc sec, à la fois fin et raffiné, aux tonalités rafraîchissantes de pomme verte, d'agrumes et de fenouil frais, à la bouche plus croquante et mordante que jamais, aérienne et vivifiante, aux longues saveurs de gazon fraîchement coupé et de lime. **Cépage :** sauvignon blanc. **Alc./**13 % **www.saintclair.co.nz**

☛ *Servir dans les trois années suivant le millésime, à 12 °C*

Canapés de saumon fumé à l'aneth, moules au jus de persil, avocats farcis aux crevettes et aux asperges ou *pasta* au citron, asperges et basilic frais (le basilic pourrait aisément être remplacé par de l'aneth frais, de la menthe fraîche ou des branches de fenouil).

## Chardonnay Arboleda 2009
VALLE DE LEYDA, VIÑA SEÑA, CHILI *(DISP. SEPT./OCT. 2010)*

| 17,45 $ | SAQ S (11324289) | ★★★ $$ | Corsé |
|---|---|---|---|

Débarqué l'année dernière avec son tout aussi bon 2008 (commenté dans *La Sélection 2010*), ce bel ajout au répertoire des blancs chiliens, signé par Eduardo Chadwick, l'homme derrière la grande maison Errazuriz, est de retour avec un nouveau millésime tout aussi réussi. Il en résulte un blanc très aromatique, au nez riche et complexe, s'exprimant par des tonalités de fruits presque confits, ainsi que de praline (noisette/miel), à la bouche à la fois grasse et fraîche, pénétrante et prenante, d'une grande allonge, aux relents boisés. Arboleda représente plus que jamais une gamme à suivre, et ce, tant en rouge qu'en blanc. **Cépage :** chardonnay. **Alc./**14 % **www.arboledawines.com**

☛ *Servir dans les quatre années suivant le millésime, à 14 °C*

**Petit poussin laqué (\*\*)**, salade de champignons portabellos sautés et de copeaux de parmesan, saumon grillé et émulsion d'huile d'olive et de jus d'agrumes, brochettes de porc glacées à l'orange et au miel ou **pétoncles rôtis fortement, shiitakes poêlés, copeaux de parmigiano reggiano et écume de bouillon de kombu (\*\*)**.

## Chardonnay EXP Toasted Head 2008
CALIFORNIA, R.H. PHILLIPS VINEYARD, ÉTATS-UNIS

| 17,75 $ | SAQ C (594341) | ★★☆ $$ | Modéré |
|---|---|---|---|

Devenu un grand classique du répertoire des produits courants de la SAQ, ce chardonnay de la côte ouest se montre toujours aussi tendre et texturé que dans le précédent millésime. Si vous êtes à la recherche d'un blanc sec au boisé expressif, sans trop, qui procure une belle patine à la texture de bouche, vous serez conquis par celui-ci. Qui plus est, il se montre très aromatique au nez, aux parfums de richesse modérée mais très engageants, exhalant des notes de pomme golden, de vanille et de bois, à la fois gras et frais en bouche, aux saveurs persistantes, laissant deviner des notes exotiques (ananas), ainsi que beurrées et grillées. **Cépage :** chardonnay. **Alc./**13,5 %

☛ *Servir dans les quatre années suivant le millésime, à 14 °C*

**Jambon glacé aux fraises et girofle (\*\*)**, lapin à la crème moutardée (\*), brochette de crevettes satay (sauce aux arachides) ou **abattis de dinde croustillants farcis à la fraise « cloutée », laqués à l'ananas (\*\*)**.

## Chardonnay Oyster Bay 2008
MARLBOROUGH, OYSTER BAY WINES, NOUVELLE-ZÉLANDE

| 18,60 $ | SAQ S* (10383691) | ★★★ $$ | Modéré+ |
|---|---|---|---|

Cette très bonne maison présente à nouveau un inspirant chardonnay au nez exaltant d'ananas et de pomme McIntosh, suivi d'une bouche tout aussi ample, passablement pleine et texturée, non dénuée de fraîcheur et d'élan. Il complète la très bonne gamme Oyster Bay, où le Merlot, le Pinot Noir et le Sauvignon Blanc ferment la marche à cette marque devenue l'une des bonnes références néozélandaises chez les vins offerts sous la barre des vingt dollars. **Cépage :** chardonnay. **Alc./**13,5 % www.oysterbaywines.com

☛ *Servir dans les quatre années suivant le millésime, à 14 °C*

**Brochettes de poulet et de crevettes à la salsa d'ananas**, fricassée de poulet au gingembre, carré de porc aux pommes Golden et au safran ou fromage québécois à croûte fleurie (Casimir, Petit Normand ou Riopelle) accompagné de salade de poires et figues fraîches (vinaigrette au quatre-épices).

## Sauvignon Blanc Oyster Bay 2009
MARLBOROUGH, OYSTER BAY WINES, NOUVELLE-ZÉLANDE

| 18,65 $ | SAQ S* (316570) | ★★★ $$ | Modéré+ |
|---|---|---|---|

Coup de cœur de *La Sélection 2010*, ce sauvignon néo-zélandais est plus que jamais à ranger parmi les bons achats à effectuer sous la barre des vingt dollars. Vous vous rafraîchirez les papilles d'un vin au nez puissamment aromatique et à la bouche vivifiante et élancée, aux saveurs qui ont de l'éclat, laissant deviner des parfums de feuille de tomate, de pamplemousse rose, de menthe et de pomme verte. **Cépage :** sauvignon blanc. **Alc./**13 % www.oysterbaywines.com

☛ *Servir entre 2009 et 2012, à 12 °C*

**Émulsion d'asperges vertes aux crevettes_Mc$^2$ (\*\*)**, salade d'asperges vertes vapeur à l'émulsion d'huile d'olive et jus de pamplemousse rose, salade de tomates fraîches et de cubes de melon d'eau (vinaigrette au jus de pamplemousse rose et paprika), **huîtres frites à la coriandre et wasabi (\*\*)**, avocats farcis aux crevettes et aux asperges ou crêpes fines aux asperges et saumon fumé.

## Chardonnay Robert Mondavi « Private Selection » 2008

CENTRAL COAST, ROBERT MONDAVI WINERY, ÉTATS-UNIS

| **18,75 $** | SAQ S\* (379180) | ★★★ **$$** | Modéré+ |
|---|---|---|---|

Cette maison nous a habitués à un blanc sec plutôt savoureux, à la fois très frais et discrètement boisé, aromatique et fin, passablement riche et complexe pour son rang, détaillant des effluves classiques du chardonnay californien, c'est-à-dire rappelant la vanille, l'ananas, la pomme poire et les fruits secs, à la bouche texturée, sans mollesse, presque grasse mais aussi très fraîche, terminant sur de longues saveurs. Et c'est justement ce qu'elle offre avec ce nouveau millésime! **Cépage :** chardonnay. **Alc./**12,5 % **www.robertmondaviwinery.com**

☛ *Servir dans les quatre années suivant le millésime, à 14 °C et oxygéné en carafe 5 minutes*

Brochettes de poulet et de crevettes à la salsa d'ananas, crabe à carapace molle en tempura, fricassée de poulet au gingembre ou pizza au camembert.

## Chardonnay « Unoaked » Kim Crawford 2009

MARLBOROUGH, KIM CRAWFORD WINES, NOUVELLE-ZÉLANDE

| **18,95 $** | SAQ C (10669470) | ★★☆?☆ **$$** | Modéré |
|---|---|---|---|

Comme à son habitude, millésime après millésime, ce blanc sec exprime un nez étonnamment mûr et vanillé pour un vin non boisé (*unoaked*), ce qui s'explique par la maturité de la vendange, le type de vinification et l'apport de notes vanillées provenant de la lignine de la rafle qui, quelquefois, peut entrer en contact avec le moût lors du pressurage. Donc, très charmeur au nez, et tout à fait ample, texturé et savoureux en bouche, tout en demeurant très frais, élancé et vivace comme un pomme McIntosh. **Alc./**13,5 % **www.kimcrawfordwines.co.nz**

☛ *Servir dans les huit années suivant le millésime, à 17 °C et oxygéné en carafe 15 minutes*

Saumon mariné à l'aneth (\*), **calmars en tempura d'amandes, fleur de sel au cèdre, mousse de riz en paella (\*\*), huîtres frites à la coriandre et wasabi (\*\*)** ou risotto de crevettes au basilic.

## Chardonnay Rodney Strong 2008

SONOMA COUNTY, RODNEY STRONG VINEYARDS, ÉTATS-UNIS

| **18,95 $** | SAQ S\* (10544714) | ★★★ **$$** | Modéré+ |
|---|---|---|---|

Si vous êtes fanas des chardonnays vanillés et ensoleillés, comme peuvent l'être les californiens, alors ce nouveau millésime de Rodney Strong représente encore un excellent achat. Il se montre, au nez, toujours aussi expressif et assez riche, exhalant des notes de miel, de noisette, de pomme golden et de chêne. En bouche, il suit avec une présence à la fois rafraîchissante et moelleuse, tout en étant dominé par un moelleux caractéristique des blancs du Nouveau Monde élevés en barriques. Une longue finale à la fois épicée et beurrée, non sans fraîcheur, signe cette cuvée. **Cépage :** chardonnay. **Alc./**13,8 % **www.rodneystrong.com**

☛ *Servir dans les quatre années suivant le millésime, à 14 °C*

**Balloune de mozarella_Mc$^2$** (à l'air de clou de girofle, **éclats de viande de grison et piment d'Espelette) (\*\*),** filet de saumon bénédictin (\*), sauté de porc à l'asiatique au jus d'ananas, rôti de porc et pommes caramélisées, brochettes de poulet et de crevettes sauce moutarde et miel ou **abattis de dinde croustillants farcis à la fraise « cloutée », laqués à l'ananas (\*\*).**

## The Hermit Crab « d'Arenberg » 2008
MCLAREN VALE, D'ARENBERG, AUSTRALIE *(DISP. SEPT./OCT. 2010)*

| 19,25 $ | SAQ **S** (10829269) | ★★★ **\$**\$ | Modéré+ |
|---|---|---|---|

Comme dans le précédent millésime de ce cru, ce nouveau millésime se montre moins sous la domination du viognier, ce qui était le cas avant 2007. La marsanne, avec sa tonalité de noisette, donne le ton et lui procure un style plus *low profile*, donc moins extraverti à la viognier. L'ensemble est tout aussi nourri qu'en 2007, sans être lourd ni chaud, avec un élan de fraîcheur et une minéralité digeste. Du bel ouvrage, comme toujours avec d'Arenberg. **Cépages :** viognier, marsanne. **Alc./**13,5 % **www.darenberg.com.au**

☛ *Servir dans les cinq années suivant le millésime, à 14 °C*

Crevettes sautées aux noisettes concassées et réduction de sauce soya et café noir, fricassée de porc au soya et sésame ou **morceau de flanc de porc poché, vinaigrette de boudin à la noix de coco,** *crumble* **de boudin noir (\*\*).**

## Riesling The Dry Dam « d'Arenberg » 2008
MCLAREN VALE, D'ARENBERG, AUSTRALIE

| 19,40 $ | SAQ **S** (11155788) | ★★★ **\$**\$ | Modéré+ |
|---|---|---|---|

Invitant et éclatant riesling australien, coup de cœur de la précédente édition de ce guide, qui vient élargir la très vaste et excellente gamme des vins signés d'Arenberg. Un blanc sec aux parfums terpéniques (romarin, épinette et agrumes), à la bouche à la fois vivifiante, sapide, très fraîche, satinée et d'une étonnante allonge pour son rang. Croquant de vérité et de fraîcheur, laissant apparaître des saveurs de zeste de lime, de camphre, d'eucalyptus et de bergamote. Les rieslings australiens se taillent une réputation des plus enviables, les rapprochant du style des meilleurs rieslings secs allemands. **Cépage :** riesling. **Alc./**11,5 % **www.darenberg.com.au**

☛ *Servir dans les cinq années suivant le millésime, à 12 °C*

Arancini au safran, salade de crevettes au mojo (ail, huile d'olive, graines de cumin grillées, jus de lime et jus d'orange), salade de fromage de chèvre sec mariné dans l'huile d'olive parfumée au romarin.

## Chardonnay Liberty School 2008
CENTRAL COAST, LIBERTY SCHOOL WINERY, ÉTATS-UNIS

| 19,45 $ | SAQ S\* (719443) | ★★★ **\$**\$ | Corsé |
|---|---|---|---|

Vous cherchez à faire vos gammes aromatiques avec le style « chardonnay américain »? Ne cherchez plus et sustentez vos cils olfactifs et vos papilles de ce « bench mark » en la matière. Premièrement, la robe est comme toujours d'un jaune or 14 K comme seuls les jeunes chardonnays américains en sont capables. Nez passablement riche et marqué par un profil solaire et boisé (ananas, fruits secs, noix de coco, vanille). Bouche à la fois pleine et rafraîchissante, toujours aussi sensuelle et prenante, gorgée de saveurs crémeuses. Les amateurs du genre seront ravis et conquis plus que jamais par ce nouveau millésime. **Cépage :** chardonnay. **Alc./**13,5 % **www.treana.com**

☛ *Servir dans les quatre années suivant le millésime, à 14 °C*

Fricassée de poulet au gingembre et au sésame, fromage à croûte fleurie farci d'une poêlée de champignons macérés quelques jours, pâtes sauce au fromage bleu (voir Entrecôte sauce au fromage bleu) (*), côtelettes de porc au bourbon et compote de pommes ou **morceau de flanc de porc poché, vinaigrette de boudin à la noix de coco,** *crumble* **de boudin noir (**).

## Riesling Pacific Rim 2007

WASHINGTON STATE, PACIFIC RIM WINEMAKERS, ÉTATS-UNIS

| **19,45 $** | SAQ S* (10354419) ★★★ $$ | Modéré |
|---|---|---|

Voilà l'un des blancs américains les plus réguliers chez les crus offerts à plus ou moins vingt dollars. Notez que, même s'il est bel et bien « élaboré chez nos voisins du Sud, il est né d'un assemblage de 80 % de riesling provenant de l'État de Washington et de 20 % de riesling importé d'Allemagne, plus précisément de l'excellent domaine Selbach. Toujours aussi engageant, épuré et sec, contrairement aux millésimes d'avant 2006, qui se montraient très légèrement sucrés. Pamplemousse rose, coriandre fraîche, romarin et épinette donnent le ton au nez. La bouche suit comme à son habitude avec la même ampleur, fraîcheur et plénitude qui ont fait sa réputation. Réservez-lui des plats rehaussés de romarin, de safran, de sauge, de cannelle, de curcuma, d'agrumes, de bière blanche et de coriandre, de cardamome, d'ananas ou de cardamome, qui sont tous des aliments complémentaires au romarin – partageant le même profil moléculaire, tel que décrit en détail dans le livre *Papilles et Molécules*. **Cépage :** riesling. **Alc./**12,5 % **www.pacificrimwinemakers.com**

☛ *Servir dans les quatre années suivant le millésime, à 12 °C*

**Fromage de chèvre cendré à l'huile d'olive et romarin (**), crème de carotte au safran et moules, brochettes de crevettes au romarin, mix grill de légumes au romarin ou cocotte de poulet et lentilles aux piments forts, curcuma, cardamome et coriandre.

## Sauvignon Blanc Mount Nelson 2007

MARLBOROUGH, TENUTA CAMPO DI SASSO, NOUVELLE-ZÉLANDE

| **19,70 $** | SAQ S (10748469) ★★★ $$ | Modéré+ |
|---|---|---|

Commenté en primeur (dans *La Sélection 2008*) pour son millésime 2006, cet excellent sauvignon d'Océanie est de retour avec un 2007 encore plus engageant et plus craquant de vérité. Voilà plus que jamais un néo-zélandais au profil quasi identique à celui des sancerres d'entrée de gamme. Il faut dire qu'il provient de la nouvelle propriété de Lodovico Antinori, l'homme qui a mis au monde l'Ornellaia et le Masseto, grandissimes crus italiens de Bolgheri. Il s'était d'ailleurs fait la main avec le sauvignon en y élaborant, en Toscane, le très beau blanc Poggio Alle Gazze (commenté à quelques reprises dans les premières éditions de *La Sélection*, au milieu des années 90). Du fruit, de l'éclat, de la fraîcheur, de la précision, de l'ampleur et des saveurs plus que persistantes, où s'entremêlent la menthe fraîche, le fenouil, le bourgeon de cassis et le pamplemousse rose. **Cépage :** sauvignon blanc. **Alc./**13 % **www.biserno.it**

☛ *Servir entre 2009 et 2011, à 14 °C*

Asperges vertes à la vapeur et émulsion filet d'huile d'olive espagnole et jus de pamplemousse rose, taboulé de crevettes à la menthe fraîche et persil, **pétoncles poêlés, couscous de noix du Brésil à l'orange sanguine, yogourt au gingembre (\*\*)** ou **pattes de pieuvre rôties, compote de tomates au thé noir, pamplemousse rose, lavande et safran du Maroc (\*\*)**.

## Chardonnay Swan Bay Scotchmans Hill 2008

VICTORIA, SCOTCHMANS HILL VINEYARDS, AUSTRALIE

| 19,85 $ | SAQ **S** (10748434) | ★★★ **$$** | Modéré+ |
|---|---|---|---|

Cette maison top niveau élabore des vins, en blanc comme en rouge, à mi-chemin entre le style arrondi et généreux des crus californiens et le style plus frais et satiné de leurs collègues européens. Ce à quoi répond ce nouveau millésime avec une matière nourrie, sans excès, à l'acidité fraîche, presque vivifiante, au corps ample et aux saveurs qui ont de l'éclat et de la persistance, jouant dans la sphère de la pomme jaune et de l'ananas. Invitante finale saisissante et digeste. **Cépage :** chardonnay. **Alc./**13,5 % **www.scotchmanshill.com.au**

☛ *Servir dans les cinq années suivant le millésime, à 14 °C*

Pot-au-feu d'agneau cuit rosé, au thé et aux épices **(\*\*)**, **balloune de mozzarella_Mc²** (à l'air de clou de girofle, éclats de viande de grison et piment d'Espelette) **(\*\*)** ou **pétoncles poêlés, couscous de noix du Brésil à l'orange sanguine, lait de coco au gingembre (\*\*)**.

## Chardonnay Mission Hill « Reserve » 2007

OKANAGAN VALLEY VQA, MISSION HILL VINEYARDS, CANADA

| 19,95 $ | SAQ **S** (11092078) | ★★☆?☆ **$$** | Modéré+ |
|---|---|---|---|

Dégusté en primeur, en septembre 2009, d'un échantillon provenant du domaine, puis à nouveau en août 2010, ce 2007, contrairement au 2006, se montre plus retenu, plus frais et toujours aussi bourguignon d'approche. Du beau et invitant chardonnay canadien, qui ne possède certes pas la richesse et la maturité du 2006, mais qui séduit par son élégance et sa pureté, tout en ayant gagné en texture et en complexité de fruit depuis l'année dernière. **Cépage :** chardonnay. **Alc./**13,5 % **www.missionhillwinery.com**

☛ *Servir dans les quatre années suivant le millésime, à 14 °C*

Petit poussin laqué **(\*\*)** ou **pétoncles rôtis fortement, shiitakes poêlés, copeaux de parmigiano reggiano et écume de bouillon de kombu (\*\*)**.

## Sauvignon Blanc EQuilibrio 2008

SAN ANTONIO, MATETIC VINEYARDS, CHILI *(DISP. SEPT./OCT. 2010)*

| 19,95 $ | SAQ **S** (10986361) | ★★★ **$$** | Modéré | BIO |
|---|---|---|---|---|

Trop rares malheureusement sont les aussi bons sauvignons blancs chiliens, au nez défini et raffiné, d'une maturité parfaite, au corps satiné et à l'acidité vibrante, tendant le vin vers le futur, à la longue finale marquée par des notes saisissantes de pamplemousse, de persil frais et d'anis. Exactement ce à quoi vous convie ce dernier, deuxième millésime de suite à récidiver avec éclat. **Cépage :** sauvignon blanc. **Alc./**14,5 % **www.matetic.com**

☛ *Servir dans les quatre années suivant le millésime, à 14 °C*

**Émulsion d'asperges vertes aux crevettes_Mc² (\*\*)**, fettucine au saumon fumé et à l'aneth, **bloody Ceasar_Mc² (version solide pour l'assiette) (\*\*)**, avocats farcis aux crevettes et asperges (vinaigrette au jus de pamplemousse rose), **huîtres frites à la coriandre et wasabi (\*\*)**.

## The Money Spider « d'Arenberg » 2009

MCLAREN VALE, D'ARENBERG, AUSTRALIE *(DISP. OCT. 2010)*

| 22,70 $ | SAQ S (10748397) | ★★★?☆ $$ | Modéré+ |
|---|---|---|---|

Dégustée en primeur en juillet 2010, d'un échantillon du domaine, cette référence des derniers millésimes revient nous hanter avec un nouveau millésime se montrant toujours aussi éclatant au nez, mais avec une belle élégance et une fraîcheur unique pour ce cru, exhalant des notes fines d'osmanthus (une fleur chinoise à l'odeur de pêche), d'abricot et de noix de coco, à la bouche ultra-satinée, d'une certaine ampleur, mais aussi très fraîche et d'une belle allonge, digeste au possible pour le style. L'occasion plus que jamais de se sustenter à table avec ce grand cépage rhodanien qu'est la roussanne, encore trop rarement vinifié seul. **Notez que le profil aromatique de ce cépage est taillé sur mesure pour s'unir à la viande de porc, tout comme à la noix de coco, à la pêche et à l'abricot. Cépage :** roussanne. **Alc./**13,5 % www.darenberg.com.au

☛ *Servir dans les quatre années suivant le millésime, à 14 °C*

Curry de poulet à la noix de coco (\*), **dos de morue poché au lait de coco à la rose (gingembre mariné et pois craquants) (\*\*)**, escalopes de porc à la salsa fruitée, filets de porc à la salsa de pêche et abricot ou filets de porc au miel et gingembre.

## Chardonnay Montes Alpha « Special Cuvée » 2007

VALLÉE DE CASABLANCA, MONTES, CHILI

| 23,05 $ | SAQ S (390203) | ★★★?☆ $$ | Corsé |
|---|---|---|---|

Comme tous les vins signés Montes Alpha, ce chardonnay se montre engageant au possible, au nez riche d'ananas mûr, de goyave, d'aubépine et de beurre chaud, à la bouche pleine et volumineuse, mais aussi fraîche et harmonieuse, au boisé intégré avec brio. Assurément l'un des beaux chardonnays chiliens sous cette gamme de prix, pour quiconque apprécie le style gras et opulent. **Cépage :** chardonnay. **Alc./**14 % www.monteswines.com

☛ *Servir dans les cinq années suivant le millésime, à 14 °C*

**Jambon glacé aux fraises et girofle (\*\*)**, **fougasse parfumée au clou de girofle et fromage bleu fondant caramélisé (\*\*)**, saumon grillé à la salsa d'ananas, lapin à la crème moutardée (\*) ou raviolis aux champignons.

## Turkey Flat « Butchers Block » 2008

BAROSSA VALLEY, P. & C. SCHULZ, AUSTRALIE *(DISP. SEPT./OCT. 2010)*

| 23,95 $ | SAQ S (11155833) | ★★★?☆ $$ | Corsé |
|---|---|---|---|

Coup de cœur de la précédente édition, avec sa version 2007, ce nouveau millésime de cette marsanne, dégustée en primeur en juillet 2010, se montre plus que jamais riche, complexe, dense, volumineuse et d'une grande allonge. De percutantes saveurs jouant dans la sphère de la noisette, de l'abricot et du miel signent avec éclat et précision cette réussite. Du sérieux qui complète le duo avec l'excellente cuvée rouge Butchers Block, à base de grenache/syrah/mourvèdre. Étant sous l'emprise du *filbert pyrazine*, la molécule à l'origine, entre autres, de l'odeur de la noisette, ce cru doit être servi avec les aliments portant cette même signature, comme la crevette, le parmesan, la viande grillée de porc et d'agneau, les produits du soya, le pain grillé, le maïs, l'orge rôti, le cacao, le café, l'arachide, le sésame et la noix de Grenoble. **Cépages :** 82 % marsanne, 18 % viognier. **Alc./**13,5 % **www.turkeyflat.com.au**

☛ *Servir entre 2009 et 2013, à 14 °C et oxygéné en carafe 30 minutes*

🍴 Filet de porc au café noir (voir Filets de bœuf au café noir) (*), fricassée de porc au soya et sésame ou **blanc de volaille cuit au babeurre, émulsion d'asperges vertes aux crevettes_Mc² (feuilles de choux de Bruxelles, vinaigrette acide à la chicorée) (**).**

## Chardonnay Le Clos Jordanne « Village Reserve » 2007

✓ TOP 100 CHARTIER

NIAGARA PENINSULA VQA, LE CLOS JORDANNE, CANADA

| 26,15 $ | SAQ **S** (10745567) | ★★★☆ **$$** | Corsé |
|---------|----------------------|-------------|-------|

Coup de cœur dans le précédent millésime, ce percutant et fort prenant blanc sec est à acheter les yeux fermés, et ce, bon an mal an, d'ailleurs comme tous les vins blancs et rouges de chaque millésime de ce domaine, depuis son lancement en 2005. Le nez explose du verre tant les parfums sont expressifs et complexes, exhalant des notes exotiques d'ananas mûr, d'abricot, de pêche et de lait de coco, et démontrant une bouche texturée, enveloppante et d'une grande allonge, à l'acidité certes discrète, mais juste assez présente pour soutenir ce généreux ensemble. Bravo et, vous en serez avertis, ne manquez pas les arrivages de chaque cuvée, car elles disparaissent des tablettes à la vitesse grand V. **Enfin, notez que le profil aromatique de ce cépage est taillé sur mesure pour s'unir à la viande de porc, tout comme à la noix de coco, à la pêche et à l'abricot, tout comme aux aliments riches en saveurs « umami ».** **Cépage :** chardonnay. **Alc./**13,5 % **www.leclosjordanne.com**

☛ *Servir dans les six années suivant le millésime, à 14 °C*

🍴 Curry de poulet à la noix de coco (*), **morceau de flanc de porc poché, vinaigrette de boudin à la noix de coco,** *crumble* de boudin noir (**), mignon de porc mangue-curry (*) ou **pétoncles rôtis fortement, shiitakes poêlés, copeaux de parmigiano reggiano et écume de bouillon de kombu (**).**

## Chardonnay Mission Hill « Select Lot Collection » 2007

OKANAGAN VALLEY VQA, MISSION HILL VINEYARDS, CANADA *(DISP. OCT. 2010)*

| 26,95 $ | SAQ **S** (11140421) | ★★★?☆ **$$** | Corsé |
|---------|----------------------|--------------|-------|

À nouveau un chardonnay typiquement Nouveau Monde, c'est-à-dire marqué par un fruité riche et très mûr, ainsi que par un profil boisé, sans excès, à la bouche pleine et amplement texturée, dotée d'une belle fraîcheur sous-jacente, égrainant de longues et pénétrantes saveurs de pomme golden, de noix de coco et d'abricot. Donc, à la fois typé meursault et Californie. **Cépage :** chardonnay. **Alc./**13,5 % **www.missionhillwinery.com**

☛ *Servir dans les six années suivant le millésime, à 14 °C*

🍴 **Morceau de flanc de porc poché, vinaigrette de boudin à la noix de coco,** *crumble* de boudin noir (**) ou homard « Hommage à la route des épices » (*).

# RÉPERTOIRE ADDITIONNEL

Les vins des *Répertoires additionnels*, qui font l'objet d'une description plus concise, mais presque tous offerts avec un choix de mets, sont ou seront généralement disponibles dans les mois suivant la parution de cette quinzième édition. De multiples futurs arrivages y sont aussi commentés cette année. En revanche, certains de ces vins peuvent ne plus être disponibles au moment où vous lirez ces lignes, ce qui explique le commentaire moins détaillé pour certains crus.

Soyez tout de même vigilants, car la majorité de ces vins fera l'objet d'un nouvel arrivage au cours de l'automne 2010 et des premiers mois de 2011, et ce, dans le même millésime proposé dans ce guide. Autre fait important cette année, plusieurs vins des *Répertoires additionnels* sont de futurs arrivages, commentés ici en primeur, avec leur date de mise en marché. Le retour ou l'arrivée de ces vins, comme de tous les vins commentés dans *La Sélection Chartier 2011*, vous sera annoncé par le biais du service de **Mises à jour Internet de** *La Sélection Chartier 2011*, via le site Internet **www.francoischartier.ca**.

### Fumé Blanc Hogue 2008
COLUMBIA VALLEY, HOGUE CELLARS, ÉTATS-UNIS
**14,95 $**　　　SAQ S* (274829)　★★?☆ **$$**　　　Modéré
Un blanc sec à ranger une fois de plus parmi les nombreux excellents achats à effectuer en provenance de l'État de Washington, dont les vins ont actuellement le vent dans les voiles. Plus que parfumé, mais fin et délicat, frais et saisissant, respirant le citron et la menthe. **Alc.**/12,5 % **www.hoguecellars.com** ∎ *Rouleaux de printemps à la menthe ou taboulé à la menthe fraîche.*

### Sauvignon Blanc Monkey Bay 2009
MARLBOROUGH, MONKEY BAY WINE COMPANY, NOUVELLE-ZÉLANDE
**16,35 $**　　　SAQ C (10529936)　★★?☆ **$$**　　　Modéré
Un sauvignon néo-zélandais, certes commercial d'approche, mais toujours aussi exotique, expressif, s'exprimant par des notes de bourgeon de cassis, d'ananas et de lime, à la bouche croquante, vive, juteuse et désaltérante, presque sucrée (sans sucre). **Alc.**/12,5 % **www.monkeybaywine.com** ∎ *Apéritif, avocats farcis aux crevettes et aux asperges, fusillis au saumon.*

### Riesling Mount Cass 2009
WAIRARAPA VALLEY, ALPINE PACIFIC WINES COMPANY, NOUVELLE-ZÉLANDE
**16,65 $**　　　SAQ S (10383658)　★★☆?☆ **$$**　　　Modéré
Très alsacien d'approche, ce très aromatique riesling néo-zélandais qui s'était montré agréable, sans être transcendant, dans le millésime 2008, se dévoile en 2009 plus fin, plus riche et plus détaillé, tout en étant toujours aussi vivifiant, minéral et terpénique (épinette, agrumes). Un excellent achat à ce prix. **Alc.**/11,5 % **www.mountcasswines.com** ∎ *Fish and chips et mayonnaise au romarin.*

### Viognier Brampton 2007
RUSTENBERG, RUSTENBERG WINES, AFRIQUE DU SUD
**17,50 $**　　　SAQ S (11155147)　★★★ **$$**　　　Corsé
Difficile d'être plus classiquement viognier, voguant même vers des allures de condrieu, mais à prix plus que doux. Abricot, pâte d'amandes et fleurs jaunes donnent le ton à ce blanc pour amateur de rouge, au corps plein et dense, non sans fraîcheur, et aux saveurs percutantes. **Alc.**/15 % **www.rustenberg.co.za** ∎ *Dos de morue poché au lait de coco à la rose (gingembre mariné et pois craquants) (\*\*).*

### C.M.S White 2007
COLUMBIA VALLEY, HEDGES FAMILY AND ESTATE, ÉTATS-UNIS
**18,05 $**      SAQ S (11035655)  ★★☆ $$            Modéré
Un assemblage plutôt aromatique, fin et délicat, aux parfums d'une richesse modérée, s'exprimant par le citron vert et la pomme verte, à la bouche à la fois fraîche et ample, au corps modéré, d'une allonge assez soutenue, laissant des traces de pamplemousse et d'anis. Un vin non boisé, tout en nuances et en retenue. **Cépages :** 62 % sauvignon blanc, 35 % chardonnay, 3 % marsanne. **Alc./**13,5 % **www.hedgesfamilyestate.com**

### Sauvignon Blanc Tohu 2009
MARLBOROUGH, TOHU WINES, NOUVELLE-ZÉLANDE
**18,30 $**      SAQ S (10826156)  ★★☆?☆ $$          Modéré+
Un nouveau millésime on ne peut plus classiquement néo-zélandais, avec ses parfums d'agrumes, de menthe et d'asperge verte. La bouche est tout aussi vivifiante et satinée que par le passé, droite et élancée, aux longues saveurs anisées et végétales. Parfait pour capter l'esprit des blancs de ce cépage cultivé dans son terroir de prédilection, pour ce qui est des pays Nouveau Monde. **Alc./**13 % **www.tohuwines.co.nz** ■ *Bloody Ceasar_Mc² (version solide pour l'assiette) (\*\*) ou huîtres frites à la coriandre et wasabi (\*\*).*

### Chardonnay Tohu « Unoaked » 2008
MARLBOROUGH, TOHU WINES, NOUVELLE-ZÉLANDE
**18,75 $**      SAQ S (11213520)  ★★★ $$            Modéré
Si vous appréciez les chablis non boisés, donc élevés en cuves inox, minéraux et vivifiants à souhait, vous serez en terrain connu avec ce chardonnay *unoaked*. Vous vous sustenterez d'un blanc sec à la fois très frais et étonnamment texturé, vivace et enveloppant. Pureté et haute définition, à prix d'ami. **Alc./**13 % **www.tohuwines.co.nz** ■ *Avocats farcis aux crevettes ou crêpes fines aux asperges et saumon fumé.*

### Chardonnay Alpha Domus 2008
HAWKES BAY, ALPHA DOMUS, NOUVELLE-ZÉLANDE
**19,30 $**      SAQ S (10955601)  ★★☆ $$            Corsé
Ce chardonnay se montre passablement boisé et mûr, tout en ayant conservé une belle fraîcheur naturelle. Son profil est plus californien que néo-zélandais, étant beurré, plein et gras, à la manière côte ouest. **Alc./**13,5 % **www.alphadomus.co.nz** ■ *Lapin à la crème moutardée (\*).*

### Riesling Reserve Mission Hill 2007
OKANAGAN VALLEY VQA, MISSION HILL VINEYARDS, CANADA
**19,95 $**      SAQ S (11092086)  ★★★ $$            Modéré+
Très beau et invitant riesling canadien, à l'attaque certes un brin sucrée, mais tellement fraîche et harmonisée par une acidité élancée que le vin se montre presque sec en finale. Parfums terpéniques (épinette, romarin, pamplemousse rose, lime) au rendez-vous, saveurs nettes et précises et justesse de propos. **Alc./**12,5 % **www.missionhillwinery.com** ■ *Fricassée de crevettes à l'ananas et poivrons doux fouettés au curry rouge et au parfum de romarin (\*).*

### Sauvignon Blanc Churton 2008
MARLBOROUGH, CHURTON, NOUVELLE-ZÉLANDE
**20,60 $**      SAQ S (10750091)  ★★★ $$            Modéré+
Excellent blanc néo-zélandais, à la fois sapide et nourrissant, et même marqué par un satiné sensuel! Nez extraverti, à la fois élégant et riche, aux notes de pamplemousse rose et de lime. Bouche vive et élancée, aux longues saveurs croquantes de pomme verte et de basilic. **Alc./**13,5 % **www.churton-wines.co.nz** ■ *Rouleaux de printemps aux crevettes, pommes et menthe fraîche.*

### Sauvignon Blanc Isabel 2009
MARLBOROUGH, ISABEL ESTATE VINEYARD, NOUVELLE-ZÉLANDE
**22,95 $**      SAQ S (10826439)  ★★★ $$            Corsé
Contrairement à la majorité des sauvignons blancs néo-zélandais offerts au Québec, celui-ci est en partie fermenté et élevé en barriques de chêne, ce qui lui procure un profil plus nourri et des parfums moins exotiques,

jouant plus dans la sphère des fruits secs grillés. De l'ampleur en bouche, non dénuée de fraîcheur et d'élan, boisé intégré et saveurs très longues. Du sérieux. **Alc./**12,5 % ■ *Brochettes de poulet et de crevettes sauce moutarde et miel.*

### Wildass 2006
NIAGARA PENINSULA VQA, WILDASS WINES, CANADA *(DISP. SEPT./OCT. 2010)*
23,95 $          SAQ **S** (11098293)   ★★★ **$$**          Modéré+
Une juteuse et crémeuse cuvée canadienne, vinifiée avec doigté par l'équipe de Stratus, l'un des nouveaux domaines phare. Il en résulte un blanc sec, aromatique à souhait, à la texture onctueuse, caressante et gourmande, dont l'acidité discrète laisse place aux courbes sensuelles et aux saveurs de pêche, de crème fraîche, de vanille et de pomme Golden. **Cépages :** chardonnay, sauvignon blanc, sémillon, gewürztraminer, riesling. **Alc./**12,5 % **www.wildasswines.com** ■ *Carré de porcelet de la Ferme Gaspor au safran, carottes, pommes Golden et melon d'eau (**).*

### Fumé Blanc Robert Mondavi 2007
NAPA VALLEY, ROBERT MONDAVI WINERY, ÉTATS-UNIS
26,50 $          SAQ **S** (221887)   ★★★ **$$**          Modéré+
Vous vous sustenterez d'un blanc sec, généreux et éclatant, au nez racé, on ne peut plus typique du sauvignon blanc, euh! plutôt du fumé blanc..., aux parfums profonds, exhalant des notes de buis, de basilic et de pamplemousse rose, à la bouche patinée et dense, qui remplit bien la bouche, tout en étant très fraîche, s'exprimant par des saveurs plus grillées (amande) et beurrées (crème fraîche et vanille). **Alc./**14,5 % **www.robertmondaviwinery.com** ■ *Salade de tomates et melon d'eau vinaigrette au jus de pamplemousse rose ou brochettes de saumon au beurre de pamplemousse (*).*

### Riesling CSV 2005
NIAGARA PENINSULA VQA, CAVE SPRING CELLARS, CANADA
27,45 $          SAQ **S** (10270194)   ★★★☆ **$$$**          Modéré+
Pur, parfumé et terpénique comme tout bon riesling se doit d'être, sec vif et droit, long et intense. Une réussite, proche du style alsacien. **Alc./**11,5 % ■ *Avocats farcis à la chair de crabe et vinaigrette au jus d'agrumes.*

### Sauvignon Blanc Heitz Cellar 2006
NAPA VALLEY, HEITZ WINE CELLARS, ÉTATS-UNIS
29 $     SAQ Courrier vinicole « en ligne » (11319789)          ★★★ **$$$**
Modéré+
■ **NOUVEAUTÉ!** Ce nouveau sauvignon, de la grande maison Heitz, disponible uniquement en ligne, via le *Courrier vinicole* de la SAQ, au cours de l'été 2010, se montre on ne peut plus classique, aromatique, fin, mentholé et fruité, à la texture satinée, à l'acidité discrète mais juste dosée et aux saveurs longues, rappelant le fenouil, le basilic, le pamplemousse et la menthe. **Alc./**13,5 % **www.heitzcellar.com**

### Chardonnay Cellar Reserve Penfolds 2007
ADELAÏDE, PENFOLDS WINES, AUSTRALIE
30 $          SAQ **SS** (11214418)  ★★★☆ **$$$**          Modéré+
Se montre ultraraffiné au nez, tout en étant passablement concentré, détaillant des notes de noisette, d'amande grillée et de citron confit. Un coup de carafe est nécessaire. Sa grande fraîcheur et sa minéralité électrisante, ainsi que son décent pourcentage d'alcool (12 %) surprennent pour un blanc australien. Très bourgogne d'allure, il se montre élancé et épuré. **Alc./**12 % **www.penfolds.com** ■ *Salade de crevettes et vinaigrette au gingembre et sauce soya (avec jus de citron).*

### Gewurztraminer Cellar Reserve Penfolds 2008
EDEN VALLEY, PENFOLDS WINES, AUSTRALIE
30 $          SAQ **SS** (11214371)  ★★★ **$$$**          Modéré
Présenté en primeur dans la dernière édition, ce « gewurz » étonne toujours par sa retenue et sa fraîcheur européennes, faisant de lui un blanc racé et distingué, fait plutôt rare pour les crus habituellement exubérants de ce cépage alsacien. Le corps est sapide et rafraîchissant, sans l'opulence habituelle. La texture est élancée et les saveurs discrètes et subtiles,

qui ne jouent pas dans la typicité habituelle litchi/rose, mais plutôt dans l'univers pomme/poire/pêche. **Alc./**13,5 % **www.penfolds.com**
■ *Taboulé de grosses crevettes safranées.*

### Chardonnay Kumeu River 2006
KUMEU, KUMEU RIVER WINES, NOUVELLE-ZÉLANDE
**32,25 $**        SAQ **S** (10281184)   ★★★☆ **$$$**        Corsé

Coup de cœur de l'édition précédente, tout comme de *La Sélection 2007*, avec son 2004, ce 2006 se hisse au sommet des grands chardonnays néo-zélandais. Vivifiant, plein, texturé, détaillé (noisette, fleurs séchées, miel, ananas, pomme Golden) et élancé par une acidité quasi électrisante pour le style. **Alc./**13,5 % **www.kumeuriver.co.nz** ■ *Carré de porc aux pommes Golden et au safran.*

# VINS ROUGES
# DU NOUVEAU
# MONDE

## Merlot/Malbec Astica 2009
REGION DE CUYO, BODEGAS TRAPICHE, ARGENTINE

| 7,95 $ | SAQ C (637876) | ★★ $ | Modéré |

Je vous l'écris – pour ne pas dire « vous le crie! » – depuis quelques millésimes de *La Sélection* déjà, ce sympathique et plus qu'abordable rouge argentin est un incontournable quand vient le temps du ballon de rouge quotidien. Et il le prouve une fois de plus avec ce gourmand, coulant et festif 2009, aromatique comme pas un dans cette gamme à moins de dix dollars. Il se paye même le luxe d'avoir des airs boisés! Confirme une fois de plus que l'achat de vin en format « vinier », à prix vraiment trop élevé pour la qualité que l'on y trouve, est vraiment dépassé... tout comme les bouteilles trop chères et manquant d'éclat vendues au dépanneur! **Cépages :** merlot, malbec. **Alc./**13 % www.trapiche.com.ar

☛ *Servir dans les trois années suivant le millésime, à 16 °C*

Lasagne au four, spaghetti bolognaise, côtelettes de porc à la niçoise ou quesadillas (*wraps*) aux saucisses italiennes.

## Malbec Finca Flichman 2009    ✓ TOP 20 BAS PRIX
MENDOZA, FINCA FLICHMAN, ARGENTINE

| 8,35 $ | SAQ C (10669832) | ★★☆ $ | Modéré+ |

Coup de cœur de la précédente édition, avec son tout aussi juteux 2008, ce cru est plus que jamais une aubaine parmi les rouges du Nouveau Monde offerts à la SAQ sous les treize dollars. Vous vous sustenterez d'un rouge coloré, qui a de l'éclat aromatique, d'une certaine richesse, à la bouche ronde, veloutée et presque dodue, mais aussi dotée d'une certaine prise, grâce à des tanins qui ont du grain. Complète le tableau des saveurs persistantes, pour son rang, rappelant la framboise, le poivre et l'anis. Il sera suivi du tout aussi enjôleur 2010 (aussi commenté en primeur dans le Répertoire). Salué dans *La Sélection*, millésime après millésime, depuis son introduction au Québec, ce cru d'une constance rarissime à ce niveau de prix mérite haut la main de figurer dans le « TOP 20 BAS PRIX » anniversaire. Servez-le à table avec vos recettes préférées où dominent les aliments complémentaires au poivre ou au clou de girofle, comme le sont, entre autres, le thym, le basilic, le gingembre, les champignons, le café, la cannelle, la fraise et le sirop d'érable. **Cépage :** malbec. **Alc./**13 % **www.flichman.com.ar**

☛ *Servir dans les trois années suivant le millésime, à 16 °C*

 **Feuilles de vigne farcies_Mc² (riz sauvage soufflé, bacon de sanglier, sirop de riz brun/café) (\*\*)**, brochettes d'agneau au thym, chili de Cincinnati, filets de bœuf au café noir (\*), foie de veau sauce au poivre et à la cannelle ou sauté de bœuf au gingembre.

## Shiraz Astica Superior 2009
SAN JUAN, BODEGAS TRAPICHE, ARGENTINE

| 9,90 $ | SAQ C (10394584) | ★★ $ | Modéré |

Saluée dans les trois précédentes éditions de ce guide, pour ses savoureux 2005, 2007 et 2008, cette shiraz récidive avec un nouveau millésime fidèle à ses récentes habitudes qualitatives. Tout y est. De la couleur, du fruit (mûre, fraise, poivre), du charme, une certaine souplesse, de la fraîcheur et des tanins souples et dodus. Assurément l'un des meilleurs achats chez les vins rouges du Nouveau Monde à être offerts sous la barre des 10$. Oubliez le dépanneur et l'épicerie et faites-en bonne provision! **Cépage :** shiraz. **Alc./**13,5 % **www.trapiche.com.ar**

☛ *Servir dans les trois années suivant le millésime, à 16 °C*

**Amandes apéritives à l'espagnole (***pimentón* **fumé, miel et huile d'olive) (\*\*), abattis de dinde croustillants farcis à la fraise « cloutée », laqués à l'ananas (\*\*)**, sauté de porc à l'asiatique et aux fraises (ou à l'ananas), pâtes aux tomates séchées et au basilic, pâtes aux saucisses italiennes épicées, brochettes souvlakis ou côtes levées à la sauce barbecue.

## Zinfandel Barefoot
CALIFORNIA, BAREFOOT CELLARS, ÉTATS-UNIS

| 9,90 $ | SAQ C (11133175) | ★★ $ | Modéré+ |
|---|---|---|---|

Je n'ai pas l'habitude de commenter les vins non millésimés, n'étant pas pour les assemblages « recettes », mais il faut avouer que ce « zin » se montre tout à fait avantageux pour le prix demandé. Difficile de trouver aussi engageant, débordant et juteux sous la barre des douze dollars pour ce cépage. Bien sûr que nous n'avons pas affaire à un vin fin et détaillé. C'est plutôt un style « et v'lan dans les gencives »! Mais tout en rondeur, en texture et en fruit. D'ailleurs, j'ai rarement vu un cocktail aussi fruité. Bon, à plus ou moins dix dollars, ceux qui apprécient les rouges californiens superlatifs seront au comble. Les autres, passez votre tour. **Cépage :** zinfandel (probablement...). **Alc./**13,5 % www.barefootwine.com

☛ *Servir dans l'année suivant l'achat, à 17 °C*

**Pâté chinois (voir recette On a rendu le pâté chinois) (\*\*)**, ailes de poulet épicées, côtes levées sauce barbecue épicée, sandwich au rôti de bœuf parfumé au thym frais ou fromage à croûte fleurie aux clous de girofle (macérés quelques jours au centre du fromage).

## Cabernet Sauvignon Trapiche 2009
MENDOZA, BODEGAS TRAPICHE, ARGENTINE

| 10,35 $ | SAQ C (530907) | ★★ $ | Modéré+ |
|---|---|---|---|

Fidèle à ses habitudes, cet abordable « cab » se montre à nouveau équilibré, tonique et débordant de fruits noirs et de poivre. Le nez enchante par son expressivité, comme tous les vins de cette gamme signée Trapiche. La bouche se montre tout aussi engageante que par les précédents millésimes, d'une texture ample, aux courbes presque rondes, aux tanins mûrs, mais avec une certaine fermeté, et aux saveurs longues pour le prix demandé. Amateurs de cabernet à prix doux, ne cherchez plus. **Cépage :** cabernet sauvignon. **Alc./**13,5 % **www.trapiche.com.ar**

☛ *Servir dans les trois années suivant le millésime, à 17 °C*

**Brochettes de bœuf à l'origan, carbonade à la flamande, hamburgers au fromage et champignons (avec bacon et poivrons rouges confits) ou rosbif de côtes farci au chorizo et au fromage.

## Malbec Trapiche 2009                    ✓ TOP 20 BAS PRIX
MENDOZA, BODEGAS TRAPICHE, ARGENTINE

| 10,35 $ | SAQ C (501551) | ★★☆ $ | Modéré+ |
|---|---|---|---|

Ce cru a toujours été l'un de mes préférés, dans cette gamme de prix, chez les rouges argentins offerts sous la barre des treize dollars. Depuis le précédent, comme si ce n'était pas assez, il a atteint un sommet qualité-plaisir faisant de lui l'une des aubaines sud-américaines toutes catégories confondues. Du fruit à revendre comme à son habitude, de la pureté, de la fraîcheur, de la précision et même du tonus, avec une bouche aux tanins doux et aux longues saveurs de girofle, de poivre et de fruits rouges. Un bien beau programme pour dix dollars seulement! **Cépage :** malbec. **Alc./**13,5 % **www.trapiche.com.ar**

☛ *Servir dans les trois années suivant le millésime, à 17 °C*

**Jambon glacé aux fraises et girofle (\*\*)**, sandwich au rôti de bœuf parfumé au thym frais, brochettes d'agneau à l'ajowan, pizza aux tomates séchées et à l'origan, chili de Cincinnati ou fromage à croûte fleurie grillé dans une feuille de brick parfumée au thym.

## Cabernet Sauvignon Beringer Collection 2008

CALIFORNIA, BERINGER WINES, ÉTATS-UNIS

| 11,90 $ | SAQ C (11133132) | ★★?☆ $ | Modéré+ |
|---------|------------------|--------|---------|

Depuis deux millésimes, ce vin de Beringer me réconcilie avec cette gamme à prix doux. Vous y trouverez un cabernet certes commercial d'approche, mais débordant de fruit, engageant, fin et charmeur, aux subtils parfums de cassis, de mûre et de girofle, à l'acidité juste fraîche, aux tanins fins, avec du grain, au corps ample et texturé, et aux saveurs d'une allonge plus que correcte, pour son rang. **Cépage :** cabernet sauvignon. **Alc./**13 % **www.beringer.com**

☛ *Servir dans les quatre années suivant le millésime, à 17 °C*

Chili de Cincinnati, brochettes de porc sauce au poivre vert, dindon de Noël et risotto au jus de betteraves parfumé au girofle, fromage à croûte fleurie aux clous de girofle (macérés quelques jours au centre du fromage) ou **asperges vertes rôties, enrobées de chocolat noir (infusé au thé fumé Zheng Shan Xiao Zhong, fleur de sel au café) (\*\*)**.

## Carmenère PKNT 2009

VALLÉE CENTRALE, TERRAUSTRAL WINE COMPANY, CHILI

| 12,10 $ | SAQ C (10669816) | ★★ $ | Modéré+ |
|---------|------------------|------|---------|

À base du singulier cépage carmenère, cette cuvée commerciale chilienne se montre toujours aussi en fruits et en rondeur, au profil « bonbon », donc aux tanins souples et aux saveurs de fruits rouges, de menthol et de poivre. Facile, agréable et festive, ce carmenère représente une belle porte d'entrée pour se familiariser avec ce cépage autrefois très cultivé dans le bordelais, qui a trouvé sa terre d'accueil en sol chilien. **Cépage :** carmenère. **Alc./**13,5 % **www.pknt.com**

☛ *Servir dans les trois années suivant le millésime, à 16 °C*

Hamburgers d'agneau aux poivrons rouges confits et au paprika, brochettes de bœuf au poivre, bifteck de contrefilet grillé au beurre d'estragon ou souvlakis de porc mariné à l'origan et aux épices à steak.

## Syrah RH Phillips 2007

CALIFORNIA, R.H. PHILLIPS VINEYARD, ÉTATS-UNIS

| 12,95 $ | SAQ C (576272) | ★★☆ $$ | Modéré+ |
|---------|----------------|--------|---------|

Avec un prix revu à la baisse au fil des derniers millésimes, ne manquez pas cette syrah on ne peut plus californienne et racoleuse, comme toujours pour ce cru, aux saveurs confiturées, un brin fumées, poivrées et cacaotées. Du fruit à revendre et des rondeurs. Pour ceux qui aiment les rouges qui se donnent aisément, sans poser de questions... Parfait pour les plats de viande braisée et épicée. **Cépage :** syrah. **Alc./**13,5 %

☛ *Servir dans les cinq années suivant le millésime, à 17 °C*

**Pâté chinois (voir recette On a rendu le pâté chinois)**
**(\*\*)**, bifteck au poivre et à l'ail, côtes levées sauce barbecue épicée, pâtes aux saucisses italiennes épicées ou sauté de
bœuf au gingembre.

## Syrah Pascual Toso 2008
MENDOZA, BODEGAS Y VINEDOS PASCUAL TOSO, ARGENTINE

| 13,25 $ | SAQ C (557496) | ★★?☆ $ | Modéré+ |
|---|---|---|---|

Comme toujours avec ce cru, vous dénicherez une belle syrah savoureuse, sans maquillage technologique et à un prix plus que doux. Le
nez est très aromatique, élégant et charmeur, aux effluves qui
déploient des tonalités d'olive noire, de poivre et de thym. La
bouche, aux tanins fins et un brin serrés, à l'acidité fraîche, dévoile
une texture ample aux contours presque sensuels et aux saveurs tout
aussi engageantes qu'au nez. **Comme le thym, l'olive noire et le
poivre, qui dominent en bouche, partagent une structure moléculaire semblable, réservez-lui à table des recettes où sont à
l'avant-scène les aliments complémentaires au poivre, comme
le café, le thé, le safran, le gingembre, les champignons, le cacao
et, bien sûr, le thym, l'olive noire et le poivre. Cépage :** syrah.
**Alc./**14 % www.bodegastoso.com.ar

☛ *Servir dans les trois années suivant le millésime, à 16 °C*

Pizza sicilienne aux saucisses épicées et olives noires,
sauté de bœuf au gingembre, sandwich au rôti de bœuf
parfumé au thym frais ou focaccia à la sauce tomate de longue cuisson et aux olives noires et thym séché.

## Malbec Reserva Nieto Senetiner 2008
✓ TOP 20 BAS PRIX

MENDOZA, BODEGAS NIETO SENETINER, ARGENTINE

| 13,35 $ | SAQ S\* (10669883) | ★★☆?☆ $$ | Corsé |
|---|---|---|---|

Les vins de cette *bodega* m'avaient beaucoup impressionné lors de
mon passage en Argentine en 2001, et leur nouveau millésime de
ce malbec se montre encore une fois à la hauteur de mes attentes.
Un rouge au nez actuellement discret, mais non sans richesse ni promesses, à la bouche bavarde au possible, débordante de saveur, pulpeuse à souhait et très généreuse. Fruits noirs, épices et torréfaction
s'entremêlent longuement en fin de bouche. Du corps et du moelleux à bon prix. Les amateurs de vins du Nouveau Monde seront com-
blés. **Cépage :** malbec. **Alc./**14,5 % www.nietosenetiner.com.ar

☛ *Servir dans les quatre années suivant le millésime, à 17 °C*

Sandwich de canard confit, nigelle et feuille de roquette
(voir chapitre *Recettes*), filet de bœuf à la pâte de poivrons verts (voir chapitre *Recettes*), ragoût de bœuf à la bière et
polenta crémeuse aux oignons caramélisés ou brochettes de bœuf
au café noir (voir Filets de bœuf au café noir) (\*).

## Malbec Pascual Toso 2009
MENDOZA, BODEGAS Y VINEDOS PASCUAL TOSO, ARGENTINE

| 13,85 $ | SAQ C (10967320) | ★★☆ $ | Corsé |
|---|---|---|---|

Délectable et éclatant coup de cœur de la précédente *Sélection*, dans
son millésime 2008, ce malbec se montre à nouveau comme une
bonne affaire dans ce nouveau millésime. La robe est toujours aussi
profonde. Le nez est plus qu'aromatique, d'une étonnante richesse
pour son rang, non sans finesse, dévoilant des arômes de fruits noirs

et de poivre, avec une arrière-scène légèrement mentholée. La bouche est quant à elle tout aussi enveloppante et presque soyeuse, malgré la présence des jeunes tanins, et signale sa forte personnalité par des saveurs épicées à souhait. **Cépage :** malbec. **Alc./**14 % **www.bodegastoso.com.ar**

☛ *Servir dans les trois années suivant le millésime, à 16 °C*

Saucisses grillées, brochettes souvlakis, tranches d'épaule d'agneau grillées au poivre noir et sauté de poivrons verts et rouges au paprika ou foie de veau sauce au poivre et à la cannelle.

## Malbec « Fût de chêne » Trapiche 2008
MENDOZA, BODEGAS TRAPICHE, ARGENTINE

| 13,90 $ | SAQ C (430611) | ★★☆ $ | | Corsé |
|---------|-----------|-------|--|-------|

Toujours moins boisé, plus dense et plus ramassé que par le passé, ce malbec demeure une belle affaire, tout comme la cuvée Malbec 2009, des mêmes bodegas, classée parmi la liste quinzième anniversaire du « Top 20 BAS PRIX ». Fruits noirs et épices donnent toujours le ton, tandis que les tanins sont à la fois compacts et enveloppants, et le corps passablement joufflu. **Un régal, à servir avec, entre autres, des asperges rôties au four à l'huile d'olive – car sachez que ce légume vert, une fois rôti à l'huile, développe des pyrazines « de cuisson », qui sont des molécules aromatiques de la même famille que celles que possèdent, une fois élevés en barrique de chêne, les malbecs argentins.** **Cépage :** malbec. **Alc./**13,5 % **www.trapiche.com.ar**

☛ *Servir dans les trois années suivant le millésime, à 17 °C et oxygéné fortement en carafe 5 minutes*

Asperges vertes rôties au four à l'huile d'olive, foie de veau sauce au poivre et à la cannelle, brochettes de bœuf au café noir (voir Filets de bœuf au café noir) (\*) ou **asperges vertes rôties, enrobées de chocolat noir (infusé au thé fumé Zheng Shan Xiao Zhong, fleur de sel au café) (\*\*).**

## Malbec Los Cardos Doña Paula 2009
MENDOZA, VIÑA DOÑA PAULA, ARGENTINE

| 13,90 $ | SAQ S (10893914) | ★★☆?☆ $ | | Modéré+ |
|---------|-----------|---------|--|---------|

Célébré dans l'édition 2009 de ce guide, avec son exhalant et volumineux 2006, tout comme dans *La Sélection 2010*, avec son charmeur 2008, cette *bodega* argentine récidive avec un nouveau millésime à la fois dodu et volumineux. Difficile d'être plus engageant et satisfaisant pour le prix demandé. Faites-vous plaisir avec ses parfums de fruits noirs et d'épices, tout comme en vous laissant caresser les papilles par sa texture voluptueuse, tout en ayant du grain et de la prise. Vraiment, du beau jus. **Cépage :** malbec. **Alc./**14 % **www.donapaula.com.ar**

☛ *Servir dans les quatre années suivant le millésime, à 17 °C*

Foie de veau sauce au poivre et à la cannelle, brochettes de bœuf à la pommade de menthe fraîche poivre concassé et vinaigre balsamique, steak de saumon grillé au *pimentón* et tomates séchées ou **feuilles de vigne farcies_Mc² (riz sauvage soufflé, bacon de sanglier, sirop de riz brun/café) (\*\*).**

## Malbec Barrel Select Norton 2008

MENDOZA, BODEGA NORTON, ARGENTINE *(DISP. DÉC. 2010)*

| 13,95 $ | SAQ C (860429) | ★★☆?☆ $ | Modéré+ |
|---------|----------------|---------|---------|

Ce nouveau millésime, dégusté en primeur en août 2010, d'un échantillon provenant de l'une des meilleures *bodegas* d'Argentine, se montre plus que jamais à la fois expressif et retenu, à la manière européenne, tout en laissant deviner un fruité invitant et passablement riche, pour ne pas dire débordant. La bouche est comme à son habitude d'un toucher velouté à souhait, aux tanins tendres, à l'image du 2007 qui était disponible au moment de mettre sous presse, et à l'acidité discrète. Bleuet, mûre et épices douces en signent le complexe aromatique. Du sérieux à prix doux. **Alc./**14 % **www.norton.com.ar**

☛ *Servir dans les cinq années suivant le millésime, à 17 °C et oxygéné en carafe 5 minutes*

Bifteck à l'ail et aux épices accompagné de purée de navets à l'anis étoilé (voir chapitre *Recettes*), poulet grillé sur une canette de bière (frotté aux épices barbecue et copeaux d'hickory) ou hachis Parmentier de canard au quatre-épices.

## Shiraz Sula Vineyards 2008

NASHIK, NASHIK VINTNERS, INDE

| 14,10 $ | SAQ S (11201060) | ★★☆ $$ | Corsé |
|---------|------------------|--------|-------|

■ **NOUVEAUTÉ!** Étonnante nouveauté de l'Inde, provenant du plus important vignoble indien, situé à 180 km au nord-est de Mumbai. Vous serez surpris par une shiraz au profil on ne peut plus australien, fortement colorée, aromatique à souhait, passablement riche, pleine, jouffle, dodue, très fumée et boisée, aux longues saveurs éclatantes de fraise, de cassis, de café, de poivre et de caco. Savoureuse, généreuse et très dépaysante! **Cépage :** shiraz. **Alc./**13,5 % **www.sulawines.com**

☛ *Servir dans les quatre années suivant le millésime, à 17 °C*

Curry de bœuf, bifteck au poivre et à l'ail, brochettes de poulet teriyaki, sauté de bœuf au gingembre ou côtes levées sauce barbecue épicée.

## Cocoa Hill 2007

WESTERN CAPE, CHRISTOPH DORNIER, AFRIQUE DU SUD

| 14,55 $ | SAQ S (10679361) | ★★★ $$ | Corsé |
|---------|------------------|--------|-------|

Après un 2006 un brin asséchant, et un 2004 passablement riche pour son prix, fin et compact, cette très belle nouveauté sud-africaine fait un retour en force avec un 2007 coloré à souhait, aromatique comme jamais et gourmand comme savent l'être les crus du Nouveau Monde. Poivre, poivron et fraise donnent le ton avec éclat au nez, tandis que la bouche se montre juteuse, fraîche, savoureuse et enveloppante. Il faut dire qu'il provient d'un terroir de granite rouge décomposé, ce qui sied parfaitement à la syrah qui entre dans son assemblage. Donc, à nouveau harmonieux au possible pour un rouge à 14 % d'alcool. **Cépages :** 41 % cabernet sauvignon, 36 % shiraz, 23 % merlot. **Alc./**14 % **www.dornierwines.co.za**

☛ *Servir dans les cinq années suivant le millésime, à 17 °C*

Braisé de bœuf à l'anis étoilé, filets de bœuf grillés et sauté de poivrons rouges au curcuma ou jarret d'agneau confit et bulbe de fenouil braisé.

## Merlot Washington Hills 2006

COLUMBIA VALLEY, WASHINGTON HILLS WINERY, ÉTATS-UNIS

| 14,80 $ | SAQ S* (10846641) ★★☆?☆ $$ | Modéré+ |
| --- | --- | --- |

Introduit à la SAQ avec son précédent millésime 2005, commenté en primeur dans *La Sélection Chartier 2008*, ce cru de l'État de Washington, nouvel Eldorado états-unien, se montre dans sa dernière version toujours aussi savoureux et goûteux, mais s'exprimant par une texture plus souple et coulante, au charme immédiat, au corps modéré, laissant de longues traces de framboise, de violette, de poivre et de clou de girofle. Parfait pour des raviolis froids confectionnés avec des feuilles d'algues nori mouillées au thé noir et farcis de purée de framboises fraîches – il suffit de couper des petits carrés de nori de 10 x 10 cm (4 x 4 po), de les mouiller délicatement, puis de déposer la purée de framboises au centre, et enfin de refermer le tout en forme de raviolis ou de bonbons! **Cépage : Alc./**13,5 % www.washingtonhills.com

☛ *Servir dans les cinq années suivant le millésime, à 17 °C*

Raviolis d'algue nori mouillée au thé et farcis de purée de framboises ou gros pétoncles grillés fortement et enrubannés d'algues nori.

## Shiraz Errazuriz Estate 2009

VALLE DEL RAPEL, VIÑA ERRAZURIZ, CHILI

| 14,90 $ | SAQ C (604066) ★★☆ $$ | Modéré+ |
| --- | --- | --- |

Comme elle le fait millésime après millésime, Errazuriz présente à nouveau une shiraz chilienne on ne peut plus poivrée, ainsi qu'intensément fruitée (mûre) et profondément mentholée pour son prix. La bouche se montre plus détendue que jamais, aux tanins presque ronds, enveloppés par une générosité solaire, et supportés par une acidité juste dosée, qui lui cède le pas. Crème de mûres, eucalyptus et café signent une longue fin de bouche de cette référence que les amateurs de shiraz au profil Nouveau Monde connaissent déjà fort bien et qui fait dorénavant partie de ma liste de vins que l'on peut « acheter les yeux fermés », et ce, bon an mal an. **Cépage :** shiraz. **Alc./**14 % www.errazuriz.com

☛ *Servir dans les quatre années suivant le millésime, à 16 °C*

**Feuilles de vigne farcies_Mc² (riz sauvage soufflé, bacon de sanglier, sirop de riz brun/café) (\*\*)**, minibrochettes d'agneau à la menthe fraîche, pâtes aux olives noires et au romarin, dinde farcie et sauce aux canneberges et au porto LBV ou carré d'agneau marocain et provençal façon Pinard (avec feuilles de menthe, poivre de Cayenne, piment doux, paprika, cumin, romarin frais, thym, ail et moutarde de Dijon).

## Brampton OVR 2008

COASTAL REGION, RUSTENBERG WINES, AFRIQUE DU SUD *(DISP. SEPT. 2010)*

| 14,95 $ | SAQ S (10678528) ★★☆?☆ $$ | Modéré+ |
| --- | --- | --- |

Poivre blanc, fruits noirs et poivron donnent le ton avec expression et panache à ce nouveau millésime, dégusté en primeur en août 2010, de cet assemblage tout aussi réussi que le précédent 2006 (commenté dans *La Sélection 2009*). De la couleur, du nez, exhalant de riches et presque confits parfums, de l'ampleur, des tanins mûrs, avec du grain, et des saveurs longues, laissant deviner des notes de poivron vert, de graphite, de cassis, et de poivre. Si tous les assemblages shiraz/cabernet offerts chez les produits courants étaient de ce niveau... **Cépages :** cabernet sauvignon, shiraz, merlot. **Alc./**14,5 % www.rustenberg.co.za

☞ *Servir dans les cinq années suivant le millésime, à 17 °C*

Bifteck au poivre et à l'ail, brochettes d'agneau grillées à l'ajowan, gigot d'agneau à l'ail et au romarin ou **carré de porc glacé aux fraises, poivre du Sichuan, galanga et miel (\*\*)**.

## Carmenère Reserva Araucano 2008
COLCHAGUA, FRANÇOIS LURTON, HACIENDA ARAUCANO, CHILI

| 14,95 $ | SAQ **S** (10694413) | ★★★ $$ | | Modéré+ |
|---|---|---|---|---|

Après une carmenère 2005 classiquement chilienne (commentée dans *La Sélection 2009*), aux arômes d'eucalyptus, de poivre, de groseille, François Lurton revient avec une version 2008 complètement différente, plus mûre et moins « eucalyptus », comme ce cépage à l'habitude de s'exprimer. La matière est aussi plus enveloppante, pleine et généreuse, au boisé présent mais sans excès, et aux saveurs étonnamment longues pour le prix demandé, laissant des traces de framboise, de café et de girofle. Un judicieux travail à la vigne (effeuillage important pour meilleure exposition au soleil) et au chai (départ de fermentation à froid) lui a permis d'accoucher d'une aussi engageante carmenère. **Cépage :** carmenère. **Alc./**14 % www.jflurton.com

☞ *Servir dans les cinq années suivant le millésime, à 17 °C*

**Feuilles de vigne farcies_Mc² (riz sauvage soufflé, bacon de sanglier, sirop de riz brun/café) (\*\*)**, bifteck grillé au beurre d'estragon, hamburgers d'agneau aux poivrons rouges confits et au paprika ou souvlakis à l'origan et aux épices à steak.

## Syrah Trapiche « Fût de chêne » 2008
MENDOZA, BODEGAS TRAPICHE, ARGENTINE

| 14,95 $ | SAQ **C** (10893341) | ★★☆?☆ $$ | | Corsé |
|---|---|---|---|---|

D'une robe rouge profond, au pourtour légèrement violacé. D'un nez très aromatique, aux effluves de cuir, de mûre, de réglisse, d'olive noir et de poivre. D'une bouche à la fois dense et veloutée, aux tanins tissés presque serrés, sans fermeté, aux longues saveurs poivrées, torréfiées et réglissées. Très Nouveau Monde, donc loin de la fraîcheur des syrahs rhodaniennes, mais drôlement efficace pour le prix. **Cépage :** syrah. **Alc./**14 % www.trapiche.com.ar

☞ *Servir dans les cinq années suivant le millésime, à 17 °C*

Sushis pour amateurs de vin rouge (à la pommade d'olives noires, poivre et riz sauvage soufflé au café) (voir chapitre *Recettes*), pâtes aux olives noires (\*), brochettes de poulet teriyaki ou côtes levées sauce barbecue épicée.

## Carmenère/Cabernet Sauvignon Cono Sur 2008
VALLE DE COLCHAGUA, VIÑA CONO SUR, CHILI

| 15,10 $ | SAQ **S** (10694376) | ★★☆?☆ $$ | | Modéré+ | BIO |
|---|---|---|---|---|---|

Coup de cœur de l'édition 2007 de ce guide, avec la nouveauté que représentait la version 2005 de cet assemblage, Cono Sur, qui avait récidivé avec un 2006 tout aussi réussi, *rides again* avec un 2008 engageant et gourmand. Toujours aussi fumé et poivré, au corps élancé mais avec texture, magnifiquement équilibré par une fraîche acidité, juste dosée, et par des tanins qui ont du grain. Donc, à nouveau un rouge, né de raisins de culture biologique, d'une fraîcheur qui commence à faire école au Chili depuis plus ou moins cinq ans. **Cépages :** cabernet sauvignon, carmenère. **Alc./**13,5 % www.conosur.com

☛ *Servir dans les cinq années suivant le millésime, à 17 °C*

Tranches d'épaule d'agneau grillées au poivre rose ou côtes de veau et purée de pois à la menthe (*).

## Shiraz/Cabernet Koonunga Hill 2008
SOUTH EASTERN AUSTRALIA, PENFOLDS WINES, AUSTRALIE

| 15,45 $ | SAQ C (285544) | ★★★ $$ | | Corsé |
|---|---|---|---|---|

Un classique australien, avec la régularité d'un horloger suisse! Très beau nez, marqué par une certaine retenue européenne, au fruité pur et précis, sans notes boisées apparentes, d'une bonne tenue, à la bouche d'une bonne ampleur, mais, tout comme le nez, se montrant ramassée, sans être ferme, aux tanins fins, à l'acidité fraîche et aux saveurs longues, laissant des traces de menthe, de café, de poivre, de fraise et de fruits noirs. Rares sont les assemblages australiens à ce prix à être vinifiés avec autant de sérieux, bâtis pour une certaine garde. Pour preuve, en novembre 2006, lors du passage à mon bureau de Peter Gago, le maître de chais de Penfolds, j'ai eu la surprise de déguster l'étonnant et profond Koonunga 1976 – le premier millésime de ce désormais mondialement connu Shiraz/Cabernet de Penfolds. Aucun doute sur le potentiel de conservation de ce type de rouge, pourtant on ne peut plus agréable en jeunesse. Alors, osez quelques années de cellier! **Une fois à table, réservez-lui des recettes dominées par les aliments complémentaires à ses arômes de fraise et de poivre, comme le sont le basilic, le café, le clou de girofle, la cannelle, le curcuma, le gingembre, la sauce soya, la vanille et le balsamique. Cépages :** shiraz, cabernet sauvignon. **Alc./**13,5 % www.penfolds.com

☛ *Servir dans les huit années suivant le millésime, à 17 °C*

Fricassée de porc au soya (et sésame, saumon laqué à la sauce soya et à la bière noire, côtes levées à la cannelle et au curry de vin rouge ou **carré de porc glacé aux fraises, poivre du Sichuan, galanga et miel (\*\*)**.

## Malbec Alamos 2009
MENDOZA, BODEGA CATENA ZAPATA, ARGENTINE

| 15,60 $ | SAQ S* (467951) | ★★★ $$ | | Corsé |
|---|---|---|---|---|

Cette cuvée de malbec coup de cœur a été l'une des plus régulières et des plus avantageuses des quinze dernières années, chez les argentins, et elle récidive à nouveau. Tout y est. De la couleur. Du fruit, de l'expression, de la richesse, mais aussi de la fraîcheur, de la précision, de l'ampleur, du coffre et, surtout, du plaisir à boire. Girofle, café, prune et fruits noirs signent la bouche avec éclat. **Cépage :** 100 % malbec. **Alc./**13,8 % www.catenawines.com

☛ *Servir dans les cinq années suivant le millésime, à 17 °C*

Côtelettes d'agneau au café noir (*) servies avec asperges vertes rôties au four à l'huile d'olive, brochettes de bœuf et de foie de veau servies avec **purée_Mc² pour amateur de vin au céleri-rave et clou de girofle (\*\*)** ou ragoût de bœuf au vin rouge et polenta crémeuse au parmesan.

## Syrah Reserve Don David 2007
VALLE DE CAFAYATE, MICHEL TORINO ESTATE, ARGENTINE

| 15,95 $ | SAQ S* (10894431) | ★★★?☆ $$ | | Corsé+ |
|---|---|---|---|---|

Coup de cœur des éditions 2010 et 2009 de ce guide, dans les précédents millésimes, cette shiraz représente plus que jamais l'une des belles aubaines de l'année chez les crus argentins. Son style se montre on ne peut plus Nouveau Monde, donc solaire, dense, plein, boisé et pénétrant, sans excès, mais avec de l'étoffe et de la dimension, pour son rang, bien sûr. Cassis, prune, poivre et torréfaction complexifient l'ensemble. Et tout ça pour plus ou moins seize dollars. **Cépage :** syrah. **Alc./**13,8 % www.micheltorino.com.ar

☞ *Servir dans les six années suivant le millésime, à 17 °C*

**Purée_Mc² pour amateur de vin au céleri-rave et clou de girofle (\*\*)**, hamburgers de bœuf à la pommade d'olives noires, tajine d'agneau au safran ou daube d'agneau au vin et à l'orange.

## Jacob's Creek Three Vines 2008

SOUTH AUSTRALIA, JACOB'S CREEK, AUSTRALIE

| 16,85 $ | SAQ C (11072481) | ★★☆?☆ $$ | Modéré+ |
|---------|------------------|----------|---------|

Débarqué en fanfare l'année dernière, tant la matière était belle et aguichante pour le prix, ce cru du *down under* demeure un incontournable. Vous trouverez un assemblage australien au nez généreusement fruité, passablement riche pour son rang, à la bouche presque juteuse, sans être lourde, et même étonnamment fraîche et digeste, aux tanins toujours aussi ronds, à l'acidité discrète, au corps presque plein et aux saveurs festives, rappelant le cassis, le poivre et le lys odorant. **Cépages :** shiraz, cabernet, tempranillo. **Alc./**12,5% www.jacobscreek.com

☞ *Servir dans les quatre années suivant le millésime, à 17 °C*

Brochettes de bœuf à la pommade de menthe fraîche, poivre concassé et vinaigre balsamique, côtelettes d'agneau grillées sauce teriyaki à l'orange, saucisses grillées chipolatas ou boudin noir grillé avec sauté de poivrons rouges épicés.

## Shiraz E Minor 2008

BAROSSA VALLEY, BAROSSA VALLEY ESTATE, AUSTRALIE

| 16,90 $ | SAQ C (11073926) | ★★★ $$ | Modéré+ |
|---------|------------------|--------|---------|

Cette belle nouveauté de l'année dernière, débarquée en 2009 avec un très réussi 2007, récidive avec un tout aussi engageant nouveau millésime. Une shiraz australienne tout en fruit, en texture, en ampleur et en épaisseur veloutée, avec une trame tannique légèrement plus serrée que dans sa version 2007, mais sans fermeté. De la fraîcheur, des saveurs qui ont de l'éclat (fruits noirs, poivre, olive) et du plaisir à boire jusqu'à plus soif, ce qui est rarissime pour un rouge à 14 % d'alcool. Le coup de cœur y était presque à nouveau. **Cépage :** shiraz. **Alc./**14 % www.bve.com.au

☞ *Servir dans les quatre années suivant le millésime, à 17 °C*

Bifteck au poivre et à l'ail, brochettes de poulet teriyaki, sauté de bœuf au gingembre ou côtes levées sauce barbecue épicée.

## Pinot Noir Rosemount « Diamond Label » 2009

SOUTH EASTERN AUSTRALIA, ROSEMOUNT ESTATE, AUSTRALIE

| 16,95 $ | SAQ S* (184267) | ★★?☆ $$ | Modéré |
|---------|-----------------|---------|--------|

Si vous cherchez un pinot gourmand, velouté, facile d'approche et disponible à longueur d'année, et ce, dans toutes les succursales de la SAQ, ne cherchez plus et choisissez cet australien certes commercial d'approche, mais efficace de goût. Il se montre à nouveau enveloppant, sans être très riche, souple, coulant et frais, pour ne pas dire festif! Fruits rouges et fleurs tout aussi rouges participent au cocktail. **Cépage :** pinot noir. **Alc./**13 % www.rosemountestate.com

☛ *Servir dans les trois années suivant le millésime, à 16 °C*

Pâtes aux tomates séchées et au basilic, tourtière aux épices douces (cannelle et muscade), poulet rôti et ratatouille sur couscous, brochettes de poulet aux champignons portabellos ou dindon de Noël sauce aux canneberges.

## Easton House 2007
CALIFORNIA, EASTON, ÉTATS-UNIS

| 17,20 $ | SAQ S* (10744695)  ★★★ $$ | Modéré+ |
|---------|----------------------------|---------|

Comme à son habitude depuis quelques millésimes, ce cru de Bill Easton se montre à son meilleur, tout en fruit, mais aussi en chair et en texture, aux tanins certes présents, mais au grain fin. Du beau jus, toujours épicé et d'une invitante fraîcheur, pour ne pas dire digeste dans son esprit solaire. Ceux qui s'ennuient avec les cabernets et les merlots de la côte ouest, trop souvent sans esprit, devraient se rincer le goulot plus souvent avec ce genre de rouge plaisir où le cabernet associé à la syrah, façon « Provence et Languedoc », acquiert un profil franchement singulier. Sans compter que son prix a été revu à la baisse de deux dollars depuis l'automne 2009, jamais le ballon de rouge californien n'aura été aussi avantageux. **Cépages :** syrah, cabernet sauvignon. **Alc./**14 % **www.eastonwines.com**

☛ *Servir dans les six années suivant le millésime, à 16 °C*

Pizza sicilienne aux saucisses épicées et olives noires, hamburgers de bœuf à la pommade d'olives noires, bavette de bœuf sauce teriyaki, côtes levées sauce barbecue épicée ou **flanc de porc « façon bacon » fumé au bois de pommier, mélasse, sauce soya, rhum et clou de girofle (\*\*)**.

## Pinot Noir « Montes » 2009
VALLÉE DE CASABLANCA, MONTES, CHILI

| 17,60 $ | SAQ S (10944187)  ★★★ $$ | Modéré+ |
|---------|---------------------------|---------|

Coup de cœur de la précédente édition de ce guide, avec son 2008, en plus de vous l'avoir écrit dans ma chronique hebdomadaire de *La Presse*, le samedi 27 mars 2010, ce pinot est actuellement la meilleure affaire chez les représentants de ce cépage sous les cieux chiliens. Donc, j'en remets une couche… : assurément le meilleur pinot noir chilien actuellement offert sous la barre des vingt dollars, se montrant richement expressif, épicé à souhait (cannelle, muscade, poivre), débordant de fruits (fraise, cerise), aux tanins mûrs et enrobés, au corps plein et généreux, sans excès et à l'épaisseur veloutée assez nourrie, spécialement pour un pinot de ce prix, mais avec élégance et finesse dans le style. Il faut dire que cette maison est à ranger parmi les références de l'heure en matière de qualité. D'ailleurs, vous pourriez aisément aussi choisir son nouveau Sauvignon Blanc Montes Limited Selection 2008 (16,70 $; 11156721), disponible en quantité plus restreinte. **Cépage :** pinot noir. **Alc./**14 % **www.monteswines.com**

☛ *Servir dans les trois années suivant le millésime, à 17 °C*

**Feuilles de vigne farcies_Mc² (riz sauvage soufflé, bacon de sanglier, sirop de riz brun/café) (\*\*)**, filet de saumon fortement grillé accompagné de **riz sauvage soufflé au café_Mc² (\*\*)**, brochettes de bœuf à la pommade de menthe fraîche, poivre concassé et vinaigre balsamique, risotto au jus de betterave parfumé aux clous de girofle ou fromage à croûte fleurie aux clous de girofle (macérés quelques jours au centre du fromage).

## Shiraz/Cabernet Sauvignon/Merlot Clancy's 2008

BAROSSA, PETER LEHMANN WINES, AUSTRALIE

| 17,65 $ | SAQ S* (10345707) ★★★ $$ | | Corsé |
|---|---|---|---|

Comme à son habitude, ce nouveau millésime de cet assemblage australien se montre très aromatique, engageant au possible, d'une étonnante richesse pour le prix demandé, aux parfums à la fois poivrés, fruités et cacaotés, à la bouche pleine, juteuse et volumineuse, non dénuée de fraîcheur, aux tanins presque enveloppés, mais avec une certaine fermeté juvénile, et aux longues saveurs de cassis et de café. Un régal d'expression qui fera le bonheur des amateurs de crus du Nouveau Monde. **Cépages :** 48 % shiraz, 32 % cabernet sauvignon, 16 % merlot, 4 % cabernet franc. **Alc./**14,5 % www.peterlehmannwines.com

☛ *Servir dans les cinq années suivant le millésime, à 17 °C*

Sushis pour amateur de vin rouge (à la pommade d'olives noires, poivre et riz sauvage soufflé au café) (voir chapitre *Recettes*), bifteck aux champignons, foie de veau en sauce à l'estragon ou filet de porc au café noir (voir Filets de bœuf au café noir) (*).

## Pinot Noir Blackstone 2009

CALIFORNIA, BLACKSTONE WINERY, ÉTATS-UNIS

| 17,70 $ | SAQ C (10544811) ★★☆ $$ | | Modéré |
|---|---|---|---|

L'archétype du charmant pinot californien, certes commercial d'approche, mais tout à fait expressif, épicé et floral, d'une richesse modérée, engageant, presque juteux, gourmand et moelleux, laissant apparaître de longues saveurs de cannelle et de giroflée. Difficile d'être plus côte ouest avec ce profil solaire et immédiat. Amateurs de bourgognes ramassés et élancés, passez votre tour, mais fans des vins tutti frutti allez-y gaiement! **Cépage :** pinot noir. **Alc./**13,5 % www.blackstonewinery.com

☛ *Servir dans les 3 années suivant le millésime, à 16 °C*

Bruschetta à la tapenade de tomates séchées, salade de bœuf grillé à l'orientale, sauté de bœuf au gingembre, sukiyaki de saumon, sauté de porc vietnamien au cinq-épices.

## Cabernet Sauvignon Legado « Reserva » 2007

VALLE DEL MAIPO, DE MARTINO, CHILI

| 17,80 $ | SAQ S (642868) ★★☆?☆ $$ | | Corsé+ |
|---|---|---|---|

Ce cabernet stylisé a pratiquement gagné une troisième étoile depuis l'an passé tant il se montre plus engageant et plus complet. D'une fraîcheur et d'une souplesse presque européennes, il est plus que jamais très aromatique et passablement riche et détaillé, aux notes subtiles de menthe, de cuir et de mûre, à la bouche aux tanins tissés serrés mais plus détendus qu'en août 2009, à l'acidité moins vive, laissant ainsi tout la place à une texture plus ample et à des saveurs plus soutenues que jamais, d'une bonne allonge, rappelant les fruits noirs, l'eucalyptus et la torréfaction. **Cépage :** cabernet sauvignon. **Alc./**14,5 % www.demartino.cl

☛ *Servir dans les six années suivant le millésime, à 17 °C et oxygéné en carafe 15 minutes*

Gigot d'agneau à l'ail et au romarin, fromage à croûte lavée parfumé au romarin (macéré quelques jours au centre du fromage) ou **pot-au-feu froid d'agneau cuit rosé, cubes de bouillon à la sauge, condiment au curcuma, sel de romarin** (**).

## Merlot Cousiño-Macul « Antiguas Reservas » 2008

VALLE DEL MAIPO, VIÑA COUSIÑO-MACUL, CHILI

| 17,90 $ | SAQ C (866723) | ★★★ $$ | Corsé+ |
|---|---|---|---|

Fidèle à ses habitudes, cette grande maison chilienne présente un merlot, de la gamme Antiguas Reservas, étoffé, au profil certes chilien, mais avec un petit je ne sais quoi de stylisé à l'européenne. Laissez-vous convaincre par son nez passablement aromatique, fin et élégant, aux puissants et classiques effluves de cassis, de feuilles de basilic, de framboise, d'eucalyptus, de poivre et de menthe, ainsi que par sa bouche à la fois ferme et bien en chair, quasi sensuelle, dotée d'une acidité fraîche et de saveurs tout aussi éclatantes qu'au nez, à laquelle s'ajoutent des tonalités réglissées et torréfiées. Soutenu et juteux, à prix d'ami, surtout pour les amateurs de crus sud-américains au profil un brin mentholé. **Comme le romarin et le laurier sont parmi les aliments complémentaires à l'eucalyptus et au poivre, réservez-lui des plats rehaussés de ces herbes du Midi. Cépage :** merlot. **Alc./**14 % www.cousinomacul.com

☛ *Servir dans les cinq années suivant le millésime, à 17 °C et oxygéné en carafe 15 minutes*

Filets de porc marinés au porto et au romarin frais, filets de bœuf à la fourme d'Ambert et au romarin (*) ou **pot-au-feu froid d'agneau cuit rosé, cubes de bouillon à la sauge, condiment au curcuma, sel de romarin (**).**

## Cabernet/Merlot Mission Hill « Five Vineyards » 2008

OKANAGAN VALLEY VQA, MISSION HILL VINEYARDS, CANADA

| 17,95 $ | SAQ C (10544749) | ★★☆?☆ $$ | Modéré+ |
|---|---|---|---|

Introduit au Québec avec son très bon millésime 2005, salué dans *La Sélection 2008*, cette excellente maison de l'Ouest, qui avait récidivé avec un 2007 aromatique à souhait et engageant, nous refait le coup avec un nouveau millésime dans la même veine aromatique et gourmande que les précédents. Vous vous délecterez d'un assemblage à la bordelaise légèrement boisé, sans être dominant, à la bouche d'une bonne ampleur, même si très fraîche, quasi veloutée, aux tanins mûrs, qui ont du grain et une certaine fermeté juvénile, aux saveurs longues qui laissent deviner des tonalités de framboise, de violette, de café et de fumée. Si vous aimez les rouges un brin torréfiés, façon Californie, au corps texturé mais non dénué de fraîcheur et de grippe, vous apprécierez plus que jamais cette cuvée de l'Okanagan. **Cépages :** 45 % merlot, 35 % cabernet, 20 % cabernet franc. **Alc./**13 % **www.missionhillwinery.com**

☛ *Servir dans les cinq années suivant le millésime, à 17 °C*

**Feuilles de vigne farcies_Mc² (riz sauvage soufflé, bacon de sanglier, sirop de riz brun/café) (**), filet de bœuf de la Ferme Eumatimi, sauce *mole* mexicaine à la noix de coco et au cinq-épices (**)**, foie de veau en sauce à l'estragon ou tranches d'épaule d'agneau grillées au poivre noir et sauté de poivrons verts et rouges au paprika.

## Belle Vallée Southern Oregon 2006

SOUTHERN OREGON, BELLE VALLÉE CELLAR, ÉTATS-UNIS *(DISP. SEPT./OCT. 2010)*

| 18,15 $ | SAQ S (11208405) | ★★★ $$ | Corsé |
|---|---|---|---|

Vivement le retour de cet américain pulpeux et engageant au possible, célébré dans l'édition précédente de ce guide, aux effluves toujours aussi exacerbés de liqueur de framboise, de poivre et de chêne, à la bouche pleine, joufflue et dodue, presque capiteuse, sans trop, aux tanins enrobés par un moelleux dominant, aux longues saveurs confites. Un vin de plaisir immédiat, à boire sans se poser de question, mais sensations fortes garanties! **Cépages :** cabernet sauvignon, merlot, cabernet franc. **Alc./**13,8 % www.bellevallee.com

☛ *Servir dans les sept années suivant le millésime, à 17 °C et oxygéné en carafe 15 minutes*

Ailes de poulet épicées, chili de Cincinnati, côtes levées à l'anis et à l'orange ou brochettes de bœuf sauce teriyaki.

## Shiraz Reserva Tabalí 2008   ✓ TOP 100 CHARTIER
LIMARI VALLEY, VIÑA TABALÍ, CHILI *(DISP. OCT./NOV. 2010)*

| 18,25 $ | SAQ **S** (10960072) | ★★★?☆ $$ | Corsé+ |
|---|---|---|---|

Cette shiraz chilienne 2008, d'une nouvelle *winery*, située dans la vallée de Limari, au climat plus frais, se montre à nouveau, comme elle l'était en 2006 (voir commentaire dans *La Sélection 2010*), hyper colorée, au nez à la fois concentré et retenu, d'une race certaine pour son rang, un brin torréfiée, à la bouche débordante de saveurs, aux tanins mûrs, mais au grain serré, offrant coffre et fraîcheur, non dénuée d'élégance, malgré sa richesse de sève et d'alcool. Un cru on ne peut plus nouveau mondiste, mais les deux pieds dans le terroir plutôt que dans la cave... Attendu en octobre 2010, un deuxième arrivage suivra en fin d'année. **Alc./**14,5 % **www.tabali.com**

☛ *Servir dans les sept années suivant le millésime, à 17 °C*

Sushis pour amateur de vin rouge (à la pommade d'olives noires, poivre et riz sauvage soufflé au café) (voir chapitre *Recettes*), filets de bœuf au café noir (\*) ou tajine de ragoût d'agneau au cinq-épices et aux oignons cipollini caramélisés.

## Cabernet Sauvignon Max Reserva Errazuriz 2008
VALLE DE ACONCAGUA, VIÑA ERRAZURIZ, CHILI

| 18,40 $ | SAQ **C** (335174) | ★★☆?☆ $$ | Léger |
|---|---|---|---|

Un nouveau millésime tout aussi sensuel que le précédent (commenté dans *La Sélection 2010*), mais non dénué, pour son rang, de tonus, de complexité (fruits noirs, torréfaction, poivron et anis), de prise tannique et de dimension. Il faut savoir que le Don Maximiano, au cœur de l'Aconcagua, est l'un des rares vignobles chiliens plantés en coteaux. Son terroir argilo-graveleux et sablonneux, ainsi que son microclimat semi-désertique, donc chaud mais rafraîchi par la brise en fin d'après-midi, permet l'élaboration d'excellents vins. Ce qui explique le style bordelais moderne de cette cuvée chilienne. **Cépage :** cabernet sauvignon. **Alc./**14 % **www.errazuriz.com**

☛ *Servir dans les six années suivant le millésime, à 17 °C et oxygéné en carafe 5 minutes*

**Asperges vertes rôties, enrobées de chocolat noir (infusé au thé fumé Zheng Shan Xiao Zhong, fleur de sel au café) (\*\*)**, côtes levées à l'anis et à l'orange, filets de bœuf grillés et coulis de poivrons verts (\*) ou rôti de bœuf aux champignons et jus au café expresso (voir Carré d'agneau (et jus au café expresso) (\*) accompagné de bâtonnets de polenta grillée à l'anis.

## Cabernet Sauvignon Arboleda 2008

VALLE DE ACONCAGUA, VIÑA SEÑA, CHILI

| **18,70 $** | SAQ C (10967434) | ★★★ **$$** | | Corsé |
|---|---|---|---|---|

Coup de cœur de la précédente édition, avec son 2007, Eduardo Chadwick revient à la charge avec un nouveau millésime tout aussi accompli et on ne peut plus classique des cabernets issus des terroirs chiliens. Un « cab » au nez très aromatique et passablement riche, sans excès de surmaturité et non dénué de fraîcheur, dévoilant des effluves de fumée, de girofle, de crème de cassis et de menthe, et à la bouche à la fois ample et voluptueuse, pleine et d'une certaine fermeté tannique, aux tanins mûrs et presque enveloppés, à l'acidité discrète et aux saveurs longues. Pour un deuxième millésime consécutif, difficile d'être plus représentatif de son origine. **Cépage :** cabernet sauvignon. **Alc./**14,5 % www.arboledawines.com

☛ *Servir dans les cinq années suivant le millésime, à 17 °C*

**Asperges vertes rôties, enrobées de chocolat noir (infusé au thé fumé Zheng Shan Xiao Zhong, fleur de sel au café) (\*\*), feuilles de vigne farcies_Mc² (riz sauvage soufflé, bacon de sanglier, sirop de riz brun/café) (\*\*)**, brochettes de bœuf à la pommade de menthe fraîche et poivre ou foie de veau (tranches épaisses) au poivre noir et sauté de poivrons verts et rouges au paprika.

## Merlot Oyster Bay 2009

HAWKES BAY, OYSTER BAY WINES, NOUVELLE-ZÉLANDE

| **18,70 $** | SAQ C (10826113) | ★★☆?☆ **$$** | | Modéré |
|---|---|---|---|---|

Un nouveau millésime moins généreux et moins ferme que le précédent, au charme invitant, texturé, mais aussi bien ramassé, au corps compact, mais avec un profil détendu, aux tanins soyeux, à l'acidité discrète et aux saveurs longues. Donc, un très bon achat, plus néo-zélandais qu'en 2008, où il se montrait presque californien. Mérite pratiquement trois étoiles. **Cépage :** merlot. **Alc./**13 % www.oysterbaywines.com

☛ *Servir dans les quatre années suivant le millésime, à 17 °C*

*Wraps* au bifteck et aux champignons, rôti de veau à la dijonnaise, veau marengo (de longue cuisson ou côtelettes de porc aux poivrons rouges confits épicés).

## Cabernet Sauvignon « Private Selection » 2008

CENTRAL COAST, ROBERT MONDAVI WINERY, ÉTATS-UNIS

| **18,75 $** | SAQ C (379180) | ★★☆?☆ **$$** | | Corsé |
|---|---|---|---|---|

Si vous recherchez un « cab » californien, c'est-à-dire richement aromatique, sur les fruits noirs, le poivron et la menthe, au corps ample, aux tanins enveloppés et aux saveurs longues et juteuses, rappelant le cassis et l'eucalyptus, vous serez plus que jamais conquis par ce nouveau millésime de cette cuvée porte-étendard de cette maison historique. **Cépage :** cabernet sauvignon. **Alc./**13,5 % www.robertmondaviwinery.com

☛ *Servir dans les quatre années suivant le millésime, à 17 °C*

Brochettes de bœuf et de foie de veau aux poivrons, côtes de veau et purée de pois à la menthe (\*), **asperges vertes rôties, enrobées de chocolat noir (infusé au thé fumé Zheng Shan Xiao Zhong, fleur de sel au café) (\*\*)** ou **pot-au-feu froid d'agneau cuit rosé, cubes de bouillon à la sauge, condiment au curcuma, sel de romarin (\*\*)**.

## Pinot Noir Robert Mondavi Private Selection 2009

CALIFORNIA, ROBERT MONDAVI WINERY, ÉTATS-UNIS

| 18,75 $ | SAQ S* (465435) | ★★★ $$ | Modéré+ |
|---|---|---|---|

Nouveau millésime réussi pour ce désormais classique pinot noir californien, devenu passe-partout des pinots offerts sous la barre des vingt dollars. Aromatique, élégant et séduisant, aux effluves d'une richesse modérée, exhalant des notes de cerise, de violette et de poivre blanc. Texturé, à la fois ample et très frais, aux tanins qui ont du grain, sans trop, au corps expansif pour le style, et aux saveurs subtilement épicées et giroflées qui charme. À table, réservez-lui des plats dominés par la tomate séchée, la cannelle, les épices barbecue ou la canneberge. **Cépage :** pinot noir. **Alc./**13 % **www.robertmondaviwinery.com**

☛ *Servir dans les quatre années suivant le millésime, à 16 °C*

Filets de porc à la cannelle et aux canneberges, foie de veau sauce au poivre et à la cannelle, saumon grillé au beurre de pesto de tomates séchées ou poulet grillé sur une canette de bière frottée aux épices barbecue et copeaux d'hickory.

## Cabernet Sauvignon Liberty School 2007

CALIFORNIA, LIBERTY SCHOOL WINERY, ÉTATS-UNIS

| 19,45 $ | SAQ C (856567) | ★★★?☆ $$ | Corsé |
|---|---|---|---|

Coup de cœur de *La Sélection 2010*, tout comme dans plusieurs précédentes éditions d'ailleurs, est plus que jamais une réussite à ne pas laisser filer si vous êtes un « king cab aficionados ». Vous y dénicherez un excellent vin, civilisé et poli avec brio, aux saveurs qui ont de l'éclat, sans trop, au boisé certes présent, mais harmonieux, aux tanins qui ont du grain, mais avec élégance, et au corps presque dense et plein, non dénué de fraîcheur. De puissantes saveurs de bleuet, de cassis, de menthe, de poivre et de girofle signent une longue fin de bouche en feu d'artifice. Assurément l'une des plus belles périodes pour ce cru vedette. **Cépage :** cabernet sauvignon. **Alc./**13,5 % **www.treana.com**

☛ *Servir dans les six années suivant le millésime, à 17 °C et oxygéné en carafe 5 minutes*

**Purée_Mc$^2$ pour amateur de vin au céleri-rave et clou de girofle (\*\*),** salade de champignons portabellos sautés (bien poivrés) et copeaux de parmesan, brochettes de foie de veau et de poivrons rouges, **asperges vertes rôties, enrobées de chocolat noir (infusé au thé fumé Zheng Shan Xiao Zhong, fleur de sel au café) (\*\*) ou filet de bœuf de la Ferme Eumatimi, sauce *mole* mexicaine à la noix de coco et au cinq-épices (\*\*).**

## Syrah Liberty School 2008                    ✓ TOP 100 CHARTIER

CALIFORNIA, LIBERTY SCHOOL WINERY, ÉTATS-UNIS

| 19,45 $ | SAQ S* (10355454) | ★★★ $$ | Corsé |
|---|---|---|---|

Fidèle à ses habitudes, cette réputée et régulière syrah californienne se montre on ne peut plus aromatique et gourmande, riche et juteuse, pénétrante et généreuse, exhalant d'intenses saveurs de lard fumé, de vanille, de cacao et de poivre, dans le style pulpeux qui a fait le succès jusqu'ici de tous les vins de la gamme Liberty School. **Pour créer l'accord à table, cuisinez-la avec vos recettes préférées où dominent les aliments complémentaires au poivre, comme, entre autres, le thym, l'agneau, le basilic, le gingembre, les champignons, le café, le genièvre, l'olive noire, le safran, la** carotte, la framboise, les algues, le cacao et l'orange, sans oublier tous les plats riches en saveurs umami. **Cépages :** syrah, viognier (faible proportion). **Alc./**13,5 % www.treana.com

☛ *Servir dans les cinq années suivant le millésime, à 17 °C et oxygéné fortement en carafe 15 minutes*

Côtelettes d'agneau grillées sauce teriyaki à l'orange, tajine d'agneau au safran, bœuf braisé aux carottes ou **sushis pour amateur de vin rouge, shiitakes poêlés, copeaux de parmigiano reggiano et écume de bouillon de kombu (\*\*).**

## Pinot Noir Scotchmans Hill « Swan Bay » 2008
GEELONG, SCOTCHMANS HILL VINEYARDS, AUSTRALIE

| | | | |
|---|---|---|---|
| 19,50 $ | SAQ **S** (10748442) ★★★ $$ | Modéré+ |

Fidèle à ses habitudes, ce pinot se montre charmeur, très aromatique, dodu, mais, contrairement aux précédents millésimes, aussi très généreux, expressif et exaltant. Cerise, fraise et pivoine participent au plaisir immédiat de ce vin aux tanins presque fins et à la texture veloutée mais au volume plus généreux. Pour ceux qui aiment en avoir plein les papilles! **Alc./**14,5 % www.scotchmanshill.com.au

☛ *Servir dans les six années suivant le millésime, à 17 °C*

**Bœuf grillé et réduction de Soyable_Mc² (\*\*)** ou **carré de porc glacé aux fraises, poivre du Sichuan, galanga et miel (\*\*).**

## Shiraz Wolfkloof Robertson 2007
ROBERTSON, ROBERTSON WINERY, AFRIQUE DU SUD

| | | | |
|---|---|---|---|
| 19,55 $ | SAQ **S** (10649111) ★★★☆ $$ | Corsé |

Cette cuvée d'une régularité sans faille, qui avait été accueillie avec un coup de cœur dans *La Sélection 2008* lors de son introduction au Québec, récidive avec un nouveau millésime réussi avec brio et offrant à nouveau un remarquable rapport qualité-prix. Vous vous ferez plaisir avec une shiraz sud-africaine au nez toujours aussi raffiné, à mi-chemin entre le style très frais et minéral des syrahs rhodaniennes et le profil sur le fruit des syrahs de soleil du midi de la France, même si passablement mûr, s'exprimant par des notes de fruits noirs, d'épices douces et de girofle, à la bouche qui a de l'éclat, mais avec la même retenue européenne des précédents millésimes, aux tanins fins et tissés serrés, à l'acidité fraîche et aux saveurs expressives et persistantes de mûre et de violette, au boisé intégré. Rares sont les vins du Nouveau Monde à être aussi élégants, profonds et harmonieux. Il faut dire qu'il provient des versants sud plus frais des montagnes Langeberg, où est située la ferme Wolfkloof, appartenant à la famille Viljoen, dans la vallée de Robertson. **Cépage :** shiraz. **Alc./**14,5 % www.robertsonwinery.co.za

☛ *Servir dans les sept années suivant le millésime, à 17 °C et oxygéné en carafe 15 minutes*

**Riz sauvage soufflé au café_Mc² (\*\*), purée_Mc² pour amateur de vin au céleri-rave et clou de girofle (\*\*),** gigot d'agneau aux herbes séchées (thym, romarin et origan) ou **feuilles de vigne farcies_Mc² (riz sauvage soufflé, bacon de sanglier, sirop de riz brun/café) (\*\*).**

## Tempranillo Zuccardi « Q » 2006

MENDOZA, FAMILIA ZUCCARDI, ARGENTINE

| 19,60 $ | SAQ **S** (10848005) | ★★★ $$ | | Corsé |
|---|---|---|---|---|

Un nouveau millésime réussi de ce tempranillo argentin, élaboré
sous la houlette de la maison qui produit – car ici c'est vraiment de
« production » dont il est question – le plus gros succès commercial
du Québec avec la gamme à bas prix Fuzion. Bien sûr, il faut être
fana des vins de style espagnol moderne, c'est-à-dire au boisé très
torréfié à l'américaine comme on en rencontre dans de multiples
tempranillos de la Rioja et de la Ribera del Duero. Café, fumée,
girofle, caramel et fruits noirs donnent le ton au nez. La bouche est
plus serrée et plus dense que le précédent 2004, souligné dans *La
Sélection 2009*, aux saveurs tout aussi confites et vanillées. Parfait
pour *Les Recettes de Papilles et Molécules* émanant du chapitre de
l'univers des vins élevés en barriques. **Cépage :** tempranillo.
**Alc./**14 % www.familiazuccardi.com

☛ *Servir dans les sept années suivant le millésime, à 17 °C*

**Feuilles de vigne farcies_Mc² (riz sauvage soufflé,
bacon de sanglier, sirop de riz brun/café) (\*\*)**, flanc
de porc « façon bacon » fumé au bois de pommier, mélasse,
sauce soya, rhum et clou de girofle (\*\*), filets de bœuf au café
noir (\*) ou tranches d'épaule d'agneau grillées sauce au poivre.

## Sangiovese Ca'del Solo 2006

SAN BENITO COUNTY, BONNY DOON VINEYARD, ÉTATS-UNIS

| 19,90 $ | SAQ **S\*** (10268431) | ★★★?☆ $$ | | Corsé | BIO |
|---|---|---|---|---|---|

Ce rouge provient du Gimelli Vineyard, dans le comté de San Benito,
le premier vignoble à avoir été cultivé en biodynamie par l'illustre
maison Bonny Doon, et ce, depuis 2005. Le nez est compact, profond et distingué, sans esbroufe ni boisé inutile. La bouche est d'un
éclat unique, au fruité pur et précis, aux tanins fins et racés, au
corps plein, sans lourdeur, à l'alcool magistralement intégré au cœur
de la matière. Du bel ouvrage. **Prune, cerise noire et violette
signent le profil aromatique, sur lequel d'ailleurs vous devez
vous appuyer pour mettre en valeur ce cru à table. Les aliments
complémentaires à la prune (girofle, anis étoilé, cannelle,
lavande, poivre, thé, basilic, eau de rose, canneberge, cassis,
vieux fromage gruyère et scotch) et à la violette (carotte, algue
nori, framboise, mûre) sont à prescrire. Cépages :** 90 % sangiovese, 5 % nero d'avola, 3 % cinsault, 2 % colorino. **Alc./**14 %
www.bonnydoonvineyards.com

☛ *Servir dans les huit années suivant le millésime, à 17 °C et
oxygéné en carafe 30 minutes*

Pâtes aux tomates séchées et au basilic, filet de bœuf
enveloppé d'algues nori et accompagné d'un braisé de
carottes au jus de bœuf, canard rôti badigeonné au scotch *single
malt* ou fromage Gruyère Réserve très vieux accompagné d'une confiture de prunes au clou de girofle.

## Shiraz Elderton « Friends Vineyard Series » 2008

BAROSSA, ELDERTON WINES, AUSTRALIE

| 19,90 $ | SAQ **S** (10955126) | ★★★?☆ $$ | | Corsé |
|---|---|---|---|---|

À nouveau une shiraz australienne au possible, et surtout avanta-
geuse comme pas une. Il y a plus que jamais à boire et à manger pour
un prix dérisoire. Le fruité, certes confit, est exubérant, pour ne pas
dire luxuriant. Le boisé, présent, sans être écœurant. La texture,

enveloppante et sensuelle, laisse paraître des tanins dodus et mûrs à point, ainsi qu'un corps généreux et des saveurs expressives (bleuet, cuir, épices et violette). Du sérieux, qui vient compléter la gamme de crus de cette maison sérieuse. **Cépage :** shiraz. **Alc./**14,5 % www.eldertonwines.com.au

☛ *Servir dans les six années suivant le millésime, à 17 °C*

Salade d'endives braisées et cerises (avec noix et fromage parmesan émietté), salade de betteraves rouges parfumées au quatre-épices ou filets de bœuf surmontés de raviolis de pâtes d'algues nori farcies à la purée de framboise.

## Zinfandel Easton 2008
AMADOR COUNTY, EASTON, ÉTATS-UNIS

✓ TOP 100 CHARTIER

| 20,35 $ | SAQ S* (897132) | ★★★ $$ | Corsé |
|---|---|---|---|

Après un « zin » 2005 (commenté dans *La Sélection 2008*) plus que jamais explosif et mûr, à la bouche pleine et capiteuse, ainsi qu'un 2006 (commentée dans *La Sélection 2009*) certes fruité et chocolaté à souhait, mais moins compact, moins dense et moins complet que ne l'était le 2005, ce nouveau millésime abonde dans la direction de l'harmonieux et complexe 2007. Le nez est tout aussi enchanteur, déployant de riches effluves de girofle, de fruits rouges, avec une pointe discrète de garrigue et de torréfaction. La bouche suit comme toujours avec une certaine densité, une bonne ampleur et une longueur plus que correcte. Les tanins sont bien présents, pour ne pas dire juvéniles, mais avec une certaine enveloppe qui les rend presque charmeurs. Je vous le redis, l'équilibre est à nouveau au rendez-vous, ce qui lui donne une digestibilité rarissime chez les crus de « zin ». **Alc./**14,5 % www.eastonwines.com

☛ *Servir dans les six années suivant le millésime, à 17 °C*

**Bœuf grillé et réduction de Soyable_Mc$^2$ (\*\*)**, chili de Cincinnati, brochettes de bœuf à la pommade de menthe fraîche, poivre concassé et vinaigre balsamique ou **pétoncles rôtis fortement, shiitakes poêlés, copeaux de parmigiano reggiano et écume de bouillon de kombu (\*\*)**.

## Syrah Delheim 2006
SIMONSBERG-STELLENBOSCH, DELHEIM WINES, AFRIQUE DU SUD *(DISP. SEPT./OCT. 2010)*

| 20,95 $ | SAQ S (10960689) | ★★★?☆ $$ | Modéré+ |
|---|---|---|---|

Coup de cœur de la précédente édition de ce guide, avec son invitant 2005, Delheim récidive avec aplomb dans un quatrième millésime consécutif. Cet excellent rapport qualité-prix se montre comme à son habitude sans lourdeur ni boisé dominant, s'exprimant par des arômes d'une belle définition, pour son rang, ainsi qu'avec des tanins quasi soyeux et bien enveloppés, une certaine fraîcheur et une belle complexité de saveurs classiques de ce cépage, rappelant le poivre, la mûre et la violette. Réservez-lui des mets dominés par les aliments complémentaires au poivre, dont font partie, entre autres, l'olive noire, la carotte, les algues nori, le café, le thé, le thym et l'agneau. **Cépage :** syrah. **Alc./**14,5 % www.delheim.com

☛ *Servir dans les sept années suivant le millésime, à 17 °C*

Bœuf braisé au jus de carotte, filets de bœuf marinés au parfum de thym ou thon rouge mi-cuit au poivre et purée de pommes de terre aux olives noires.

## Cabernet Sauvignon Reserve Okanagan Inniskillin 2005

OKANAGAN VALLEY VQA, INNISKILLIN WINES, CANADA

| 21 $ | SAQ S (11035591) ★★★ $$ | | Corsé |
|------|-------------------------|---|-------|

Fortement coloré, ce cabernet de l'Okanagan est marqué par de riches effluves de la famille des pyrazines, c'est-à-dire par des notes de poivron, de feuille de cassis et de café. La bouche suit avec le même type de saveurs, mais aussi avec une ampleur et une matière généreuse (en partie grâce à la chaptalisation) qui étonnent pour un cru à la maturité aromatique plutôt fraîche que mûre. Le travail à la cave, effectué avec brio, résulte en un très beau et engageant rouge. Parfait pour se faire une idée de l'excellent potentiel de cette vallée canadienne, au climat semi-désertique, en matière de vins rouges. **Alc./**14 % **www.inniskillin.com**

☛ *Servir dans les sept années suivant le millésime, à 17 °C*

Asperges vertes rôties au four à l'huile d'olive, brochettes de bœuf et de foie de veau aux poivrons, rôti de bœuf aux champignons café ou côtes de veau et purée de pois à la menthe (*).

## Pinot Noir Kim Crawford 2008

MARLBOROUGH, KIM CRAWFORD WINES, AUSTRALIE

| 21,75 $ | SAQ S* (10754244) ★★★ $$ | | Modéré |
|---------|--------------------------|---|--------|

Cette très bonne maison présente régulièrement un pinot stylisé à l'européenne, donc très frais. Le nez est aromatique, fin et délicat, marqué par des effluves assez profonds et tout en finesse, qui déploient des notes d'épices douces, de pivoine et de cerise. La bouche, quant à elle, démontre des tanins fins, à l'acidité fraîche et à la texture ample, sans être large, égrainant des saveurs de cannelle/muscade. **Cuisinez pour ce vin des plats dominés par les aliments complémentaires à la cannelle, qui est son ingrédient de liaison dominant. Optez, entre autres, pour l'anis étoilé, la bergamote, la cardamome, le clou de girofle, la coriandre vietnamienne, le cumin, le laurier, le poivre, le safran ou le thym.** **Cépage :** pinot noir. **Alc./**13,5 % **www.kimcrawfordwines.co.nz**

☛ *Servir dans les trois années suivant le millésime, à 16 °C*

**Pot-au-feu d'agneau cuit rosé, au thé et aux épices (**)**, hachis Parmentier de canard au quatre-épices, filet de saumon grillé au quatre-épices chinois ou pot-au-feu d'agneau de cuisson saignante au thé et aux épices (anis étoilé, réglisse, cannelle, grains de cardamome, girofle et feuilles de thé noir).

## Tête-à-Tête 2006

SIERRA FOOTHILLS, DOMAINE DE LA TERRE ROUGE, ÉTATS-UNIS

| 21,75 $ | SAQ S (10745989) ★★★?☆ $$ | | Modéré+ |
|---------|---------------------------|---|---------|

Un très bel assemblage de type rhodanien, à la mode californienne, mais avec un accent du Midi quasi dominant. Il faut dire que Bill Easton a une touche « à la française » dans son approche viticole et vinicole. Il en résulte un rouge coloré, aromatique à souhait, sans boisé inutile, aux notes de garrigue et de fruits rouges, avec une subtile tonalité cacaotée, à la bouche certes pleine mais pas joufflue, plutôt bien ramassée, aux tanins fins, à l'acidité fraîche et au corps enveloppant, le tout soutenu par un fruité frais et expressif, persistant longuement en fin de dégustation. Du plaisir à revendre, et même plus, car m'ayant semblé un brin plus complexe en juin 2010 qu'en septembre 2009. **Cépages :** 56 % syrah, 28 % mourvèdre, 16 % grenache. **Alc./**14,5 % **www.terrerougewines.com**

☛ *Servir dans les sept années suivant le millésime, à 17 °C et oxygéné en carafe 15 minutes*

🍴 Ragoût de bœuf à la bière brune, carré de porc aux tomates séchées et thym ou sauté de bœuf au gingembre.

## Pinot Noir Oyster Bay 2009

MARLBOROUGH, OYSTER BAY WINES, NOUVELLE-ZÉLANDE *(DISP. AUTOMNE 2010)*

| **21,85 $** | SAQ **S** (10826105) | ★★★ **$$** | Modéré |
|---|---|---|---|

Belle finesse aromatique pour ce pinot 2009. Vous y dénicherez un rouge au nez modérément aromatique, mais marqué par une bouche toujours aussi juteuse et ample, comme en 2008, sans être épaisse ni généreuse, aux tanins soyeux et aux saveurs longues, rappelant la cerise, les épices douces et les fleurs rouges. Parfait pour s'allier aux recettes marquées par les aliments complémentaires à la cannelle, tout comme au girofle, tel que cela est proposé dans *Les Recettes de Papilles et Molécules*. **Cépage :** pinot noir. **Alc./**13,5 % **www.oysterbaywines.com**

☛ *Servir dans les quatre années suivant le millésime, à 17 °C*

🍴 **Pot-au-feu d'agneau cuit rosé, au thé et aux épices (\*\*)**, **saumon laqué sauce soya/vinaigre balsamique (\*\*)** et **riz sauvage soufflé au café_Mc$^2$ (\*\*)** ou **magret de canard rôti, graines de sésame et cinq-épices, navets confits au clou de girofle (\*\*)**.

## Shiraz Piping Shrike 2007   ✓ TOP 100 CHARTIER

BAROSSA VALLEY, K. CIMICKY & SON WINEMAKERS, AUSTRALIE *(DISP. NOV. 2010)*

| **21,95 $** | SAQ **S** (10960671) | ★★★☆ **$$** | Corsé |
|---|---|---|---|

Retour attendu de l'un des beaux coups de cœur de l'édition 2010 de ce guide, qui démontre une évolution plus que positive depuis l'année dernière. Une shiraz australienne qui, avec son précédent millésime 2005 (commenté en primeur dans *La Sélection 2009*), avait connu un succès éclair dès son arrivée. Il en a été de même avec sa délectable version 2007 – qui était aussi de retour au printemps 2010 –, qui abonde dans le même sens que la 2005. C'est-à-dire tout aussi colorée, aromatique, concentrée, fraîche, pleine et veloutée, d'une étonnante densité pour son prix, mais plus détendue qu'à l'automne 2009, aux riches et fraîches saveurs de violette, de prune et de vanille. Seuls les tanins se montrent plus enrobés et arrondis qu'en 2005, et même plus dodus que l'année dernière. Difficile de trouver mieux à ce prix en matière de shiraz du *down under*. Il faut dire qu'elle provient de vieilles vignes, non irriguées, âgées de 60 à 100 ans, cultivées dans la sous-région de Lyndoch, reconnue pour la très grande qualité des vins qui en sont issus. Ceci explique cela (mais comme le prix demeure sage... autant en profiter). **Cépage :** shiraz. **Alc./**14 %

☛ *Servir dans les dix années suivant le millésime, à 17 °C et oxygéné en carafe 30 minutes*

🍴 Magret de canard fumé au thé Lapsang Souchong et risotto au jus de betterave parfumé aux clous de girofle, filet d'agneau enveloppé d'algues nori accompagné d'un braisé de carottes au jus d'agneau ou pot-au-feu d'agneau de cuisson saignante au thé et aux épices (anis étoilé, réglisse, cannelle, grains de cardamome, girofle et feuilles de thé noir).

## Pinot Noir Waimea 2009

NELSON, WAIMEA ESTATES, NOUVELLE-ZÉLANDE

| 22,10 $ | SAQ S (10826447) | ★★★?☆ $$ | | Corsé |
|---------|------------------|----------|--|-------|

Coup de cœur des éditions 2008 et 2010 de *La Sélection*, dans les millésime 2005 et 2007, Waimea récidive avec une autre aubaine néo-zélandaise en matière de pinot noir de style plus bourguignon que californien. Toujours aussi compact et dense pour un pinot de ce rang, mais aussi éclatant et charmeur comme il se doit. Belle complexité aromatique au rendez-vous, aux notes de muscade et de cerise. Fraîcheur et droiture, dans un ensemble presque nourri. **Cépage :** pinot noir. **Alc./**14,3 % **www.waimeaestates.co.nz**

☛ *Servir dans les six années suivant le millésime, à 17 °C et oxygéné en carafe 15 minutes*

Filets de porc à la cannelle et aux canneberges, cailles laquées au miel et au cinq-épices ou camembert aux clous de girofle (macérés quelques jours au centre du fromage).

## Shiraz-Grenache d'Arry's Original 2006    ✓ TOP 100 CHARTIER

MCLAREN VALE, D'ARENBERG, AUSTRALIE

| 22,10 $ | SAQ S* (10346371) | ★★★?☆ $$ | | Corsé |
|---------|-------------------|----------|--|-------|

Belle façon de célébrer le 80e anniversaire d'Arry Osborn, ainsi que le 64e millésime consécutif de cette cuvée, que ce très engageant et gourmand 2006, qui était toujours disponible au moment de la parution de ce guide. Coup de cœur des récentes éditions de ce guide, avec les millésimes 2005 et 2002, cette cuvée 2006 se montre actuellement certes plus boisée que ses consœurs, mais n'en demeure pas moins réussie avec brio. Quel fruit et quelle belle matière, non dénuée de fraîcheur dans cet ensemble généreux, tannique et quasi enveloppant. Girofle, vanille, pivoine et fraise donnent le ton, tant au nez qu'en bouche. Mérite presque une demi-étoile supplémentaire, ainsi que d'être acheté les yeux fermés lors du passage au prochain millésime. **Cépages :** 50 % grenache, 50 % shiraz. **Alc./**14,5 % **www.darenberg.com.au**

☛ *Servir dans les huit années suivant le millésime, à 17 °C*

**Pâté chinois (voir recette On a rendu le pâté chinois) (\*\*), purée_Mc² pour amateur de vin au céleri-rave et clou de girofle (\*\*), carré de porc glacé aux fraises, poivre du Sichuan, galanga et miel (\*\*),** brochettes d'agneau à l'ajowan ou filets de bœuf à la fourme d'Ambert et au romarin (\*).

## Syrah Terre Rouge    ✓ TOP 100 CHARTIER
## « Les Côtes de l'Ouest » 2006

CALIFORNIA, DOMAINE DE LA TERRE ROUGE, ÉTATS-UNIS

| 22,30 $ | SAQ S* (897124) | ★★★?☆ $$ | | Corsé |
|---------|-----------------|----------|--|-------|

Après une syrah 2004 passablement plus capiteuse et plus dense et un 2005 moins substantiel et plus harmonieux, Bill Easton est de retour avec un 2006 tout aussi raffiné et expressif que dans le précédent millésime. Olive noire, poivre et lavande s'en donnent à cœur joie au nez, dans un ensemble assez riche et frais, tandis que la bouche se montre à la fois pleine et fraîche, tannique et longiligne, pure et stylisée, sans lourdeur, malgré les 14,5 % d'alcool. Beau travail qui confirme une fois de plus son statut de cru vedette chez les *rhône rangers* aficionados du Québec. **Cépage :** syrah. **Alc./**14,5 % **www.terrerougewines.com**

☞ *Servir dans les huit années suivant le millésime, à 17 °C et oxygéné en carafe 5 minutes*

🍴 **Flanc de porc « façon bacon » fumé au bois de pommier, mélasse, sauce soya, rhum et clou de girofle (\*\*)** ou **sushis pour amateur de vin rouge.**

## Cabernet Sauvignon Kendall-Jackson « Vintner's Reserve » 2007

CALIFORNIA, KENDALL-JACKSON, ÉTATS-UNIS

| 22,35 $ | SAQ S* (427153) | ★★★ $$ | Corsé |
|---|---|---|---|

Depuis plusieurs millésimes déjà que ce « king cab » californien se montre, bon an mal an, fort engageant et on ne peut plus classiquement américain. Les cabernets aficionados ne seront pas en reste avec ce nouveau millésime, toujours aussi richement coloré, très aromatique, exhalant des notes de fruits rouges compotés, de fumée et de vanille, à la bouche certes pulpeuse et d'une bonne épaisseur veloutée, mais aussi avec une mâche certaine, étant donné la présence d'un grain de tanin juvénile. Une longue finale aux saveurs boisées et torréfiées percutantes signe ce bon achat, certes commercial d'approche mais hautement savoureux. **Cépages :** 96 % cabernet sauvignon, 3 % cabernet franc, 1 % merlot. **Alc./**13,5 % **www.kj.com**

☞ *Servir dans les sept années suivant le millésime, à 17 °C*

🍴 **Asperges vertes rôties, enrobées de chocolat noir (infusé au thé fumé Zheng Shan Xiao Zhong, fleur de sel au café) (\*\*)**, côtelettes d'agneau grillées à la sauce teriyaki ou brochettes de bœuf sauce au fromage bleu (\*).

## Pinot Noir Devil's Corner 2008

TASMANIA, TAMAR RIDGE ESTATES, AUSTRALIE

| 22,50 $ | SAQ S (10947741) | ★★★ $$ | Modéré |
|---|---|---|---|

Cette cuvée 2008 se montre dans le même ton que l'était la précédente 2007, commentée en primeur dans *La Sélection 2009*, c'est-à-dire au charme invitant, rafraîchissante au possible, au profil tout aussi élégant, épurée de tout artifice et au fruité éclatant, mais plus frais et aérien que riche et mûr comme peuvent l'être certains pinots australiens. Difficile de trouver plus digeste et sapide, à boire jusqu'à plus soif, mais avec intelligence, chez les pinots de ce prix. Ceux qui sont plus bourguignons d'approche trouveront leur compte avec ce petit diable de bon vin. Ceux qui aiment l'épaisseur veloutée des pinots californiens seront par contre déçus. **Cépage :** pinot noir. **Alc./**14 % **www.tamarridge.com.au**

☞ *Servir dans les cinq années suivant le millésime, à 17 °C*

🍴 Filets de porc à la cannelle et aux canneberges ou filets de porc grillés servis avec **chutney d'ananas au curcuma, gingembre et vinaigre de xérès (\*\*)**.

## The Custodian Grenache d'Arenberg 2006

MCLAREN VALE, D'ARENBERG, AUSTRALIE *(RETOUR SEPT./OCT. 2010)*

| 22,50 $ | SAQ S (10748389) | ★★★ $$ | Corsé |
|---|---|---|---|

Un autre grenache du *down under* qui surprend par sa profondeur, sa richesse et sa précision. Le fruité est très mûr et boisé, la matière est presque juteuse, mais avec fraîcheur et élan. Les tanins sont soyeux et les saveurs longues, sans être percutantes. À la fois très rhodanien par sa fraîcheur et très australien par sa maturité et son boisé. En plus des 300 caisses qui étaient disponibles à l'automne 2009 et des 150 autres caisses débarquées en début 2010, un troisième arrivage du même millésime était attendu au moment de mettre sous presse. **Cépage :** grenache. **Alc./**14,5 % **www.darenberg.com.au**

☞ *Servir dans les huit années suivant le millésime, à 17 °C*

Côtes levées à la cannelle et au curry de vin rouge, gigot d'agneau à l'ail et au romarin ou fromage à croûte fleurie grillé dans une feuille de brick parfumée au thym.

## Cabernet Sauvignon Gran Lurton 2006

MENDOZA, BODEGAS J. & F. LURTON, ARGENTINE

| 22,55 $ | SAQ S* (863332) | ★★★?☆ $$ | Corsé |
|---|---|---|---|

Succès incontesté au Québec, ce cabernet signé par le bordelais François Lurton a été leur premier vin élaboré à son arrivée en Argentine en 1992. Lui et son frère, Jacques, avec qui il était associé jusqu'à peu, trouvaient à cette époque les malbecs argentins plutôt mous, leur préférant les cabernets. Étant d'origine bordelaise, ceci explique cela aussi... Quoi qu'il en soit, cette cuvée est toujours réussie avec brio, ce à quoi répond à nouveau le 2006. Vous y dégusterez un rouge à la fois concentré et raffiné, au corps gras et aux tanins enveloppés, d'un bon volume de bouche et aux saveurs d'une grande allonge, laissant des traces de fruits noirs, de café et de girofle. Un modèle d'équilibre pour son rang, **Cépages :** 80 % cabernet sauvignon, 20 % malbec. **Alc./**14 % **www.jflurton.com**

☞ *Servir dans les huit années suivant le millésime, à 17 °C et oxygéné en carafe 15 minutes*

**Feuilles de vigne farcies_Mc$^2$ (riz sauvage soufflé, bacon de sanglier, sirop de riz brun/café) (\*\*)**, carré d'agneau et jus au café expresso (\*), brochettes de bœuf et de foie de veau aux poivrons rouges confits ou **asperges vertes rôties, enrobées de chocolat noir (infusé au thé fumé Zheng Shan Xiao Zhong, fleur de sel au café) (\*\*)**.

## Cabernet-Merlot Te Awa 2007

HAWKES BAY, TE AWA WINERY, NOUVELLE-ZÉLANDE

| 22,95 $ | SAQ S (10382882) | ★★★☆ $$ | Corsé |
|---|---|---|---|

Après avoir atteint un sommet dans les millésimes 2004 et 2005, cet assemblage présente à nouveau un excellent achat pour tout amateur de rouge au profil bordelais. Vous y retrouverez un vin au nez complexe, spécialement après un séjour agité en carafe, dévoilant sa race et sa richesse de fruit, avec des tonalités de graphite et de torréfaction. La bouche suit avec une certaine ampleur et, surtout, une généreuse texture, aux tanins qui ont du grain, tissés assez serrés, aux saveurs d'une bonne allonge. Toujours aussi médocain d'approche, c'est-à-dire aux tonalités de mine de crayon, de mûre, de cassis et de café. Du sérieux, terminant dans une finale ferme et ramassée, offert à un prix défiant toute compétition, spécialement si on le compare aux bordeaux vendus à plus de vingt dollars. Devrait trouver sa zone de confort à compter de 2013. **Cépages :** 45 % cabernet sauvignon, 41 % merlot, 11 % cabernet franc, 5 % malbec. **Alc./**14,5 % **www.teawa.com**

☞ *Servir dans les dix années suivant le millésime, à 17 °C et oxygéné en carafe 30 minutes*

Filets de bœuf et coulis de poivrons verts (\*) ou magret de canard rôti à la nigelle.

## Cabernet Franc Reserve CEV 2005

LAKE ERIE NORTH SHORE VQA, COLIO ESTATE VINEYARDS, CANADA

| 23,15 $ | SAQ S (11157222) | ★★★?☆ $$ | Modéré+ |
|---|---|---|---|

Un excellent cabernet franc canadien, stylisé, tout en finesse et prêt à boire. Il faut savoir que, comme je vous l'écris depuis plus de dix ans, ce cépage est assurément celui qui a le plus de potentiel en sol ontarien, même si les producteurs n'osent pas beaucoup le mettre à l'avant-plan, les consommateurs préférant acheter du cabernet sauvignon... Dommage. Quoi qu'il en soit, régalez-vous de celui-ci, très aromatique, élégant et passablement riche, aux notes complexes de poivron vert, de menthe, de violette et de framboise, sur un arrière-plan minéralisant. En bouche, il se montre à la fois tannique, ample et digeste, gâce à une acidité très fraîche qui le porte vers le haut. **Cépage :** cabernet franc. **Alc./**12,7 % www.coliowines.com

☛ *Servir dans les huit années suivant le millésime, à 17 °C*

**Figues confites au thé Pu-Erh, chantilly de fromage Saint Nectaire (\*\*)**, pétoncles poêlés enrubannés d'algues nori et réduction de jus de veau et framboises, **pot-au-feu froid d'agneau cuit rosé, cubes de bouillon à la sauge, condiment au curcuma, sel de romarin (\*\*)**.

## Bedell First Crush 2008

NORTH FORK OF LONG ISLAND, BEDELL CELLARS, ÉTATS-UNIS *(DISP. SEPT./OCT. 2010)*

| 23,60 $ | SAQ S (11040180) | ★★★ $$ | Modéré+ |
|---|---|---|---|

D'une propriété appartenant à Michael Lynne, producteur de la trilogie cinématographique *The Lord of the Rings*, qui a tout mis en œuvre, dont l'embauche d'un ex-œnologue consultant du Château Mouton-Rothschild, pour y élaborer les meilleurs vins possibles sous le climat de Long Island. Le résultat est tout à fait intéressant pour le prix demandé. Nez très aromatique et charmant, aux notes de goudron, de confiture de fraise, de cerise noire et de menthe. Bouche aux tanins présents, presque gras et dodus, à l'acidité fraîche et à la texture charnue, d'un bon volume, sans excès, terminant dans une longue finale torréfiée. Croquant de jeunesse et de précision, exprimant le climat passablement frais de cette région américaine ainsi que l'élevage en barriques. **Cépages :** 72 % merlot, 28 % cabernet franc. **Alc./**12 %

☛ *Servir dans les six années suivant le millésime, à 17 °C*

**Pétoncles poêlés, couscous de noix du Brésil à l'orange sanguine, lait de coco au gingembre (\*\*)** ou **asperges vertes rôties, enrobées de chocolat noir (infusé au thé fumé Zheng Shan Xiao Zhong, fleur de sel au café) (\*\*)**.

## Clos de los Siete 2008

✓ TOP 100 CHARTIER

MENDOZA, MICHEL ROLLAND, ARGENTINE

| 24,05 $ | SAQ S* (10394664) | ★★★☆ $$ | Puissant |
|---|---|---|---|

Comment ne pas décerner le « Top 10 » du « Top 100 Chartier » à cette vedette incontestée argentine, saluée à nombreuses reprises dans les éditions de *La Sélection* ? Il faut savoir que le Clos de los Siete est le plus important, en volume, des vins de garage de ce monde. Il résulte d'un projet de sept vignerons français (*los siete* : les sept), mis en marche il y a quelques années par Michel Rolland et son grand copain, le défunt Jean-Michel Arcaute (Château Clinet à Pomerol). Les vins de ce gigantesque domaine de 800 hectares, situé au cœur de la vallée du Tupungato, mais vinifiés parcelle par parcelle, se démarquent des autres crus des Andes sur la scène internationale. Ils présentent un nouveau millésime tout aussi viril et sphérique que le précédent qui, lui, était plus substantiel que l'harmonieux 2006 et le généreux 2005. Le nez est toujours aussi percutant et complexe (cacao, poivre, muscade, mûre). La bouche est aussi à nouveau marquée par de solides tanins, mais enveloppés par une gangue d'une grande épaisseur veloutée. Du coffre, de la profondeur et du tonus, à prix plus que doux, étant donné son niveau. **Réservez-lui des mets dominés par les aliments complémentaires au poivre, comme le café, le safran, le thym, l'agneau et l'orange. Cépages :** 50 % malbec, 30 % merlot, 10 % syrah, 10 % cabernet sauvignon. **Alc./**14,5 %

☛ *Servir dans les huit années suivant le millésime, à 17 °C et oxygéné en carafe 30 minutes*

🍴 Daube d'agneau au vin et à l'orange, tajine d'agneau au safran ou carré d'agneau et jus au café expresso (*).

## Syrah Qupé 2008                    ✓ TOP 100 CHARTIER
CENTRAL COAST, ROBERT N. LINQUIST, ÉTATS-UNIS *(RETOUR OCT./NOV. 2010)*

| 24,05 $ | SAQ S (866335) | ★★★?☆ $$ | Corsé+ |
|---|---|---|---|

Coup de cœur de la précédente édition, pour son 2007, ce viticulteur inspiré récidive dans ce nouveau millésime avec une syrah qui étonne encore plus que par le passé par sa haute définition, sa retenue européenne, sa fraîcheur revitalisante, sa grande digestibilité, son fruité pur et précis et son profil subtilement poivré. Fraîcheur inhabituelle dans les crus de la côte ouest, tanins d'une finesse rarissime, soyeux comme jamais, corps longiligne, façon syrah des meilleurs coteaux du sud de l'appellation Saint-Joseph, et saveurs raffinées, rappelant la canneberge, la grenadine et le poivre blanc. Du sérieux, pour amateur de syrah rhodanienne et européenne. Un second arrivage de 140 caisses, suivant celui d'août 2010, était attendu en octobre de la même année. **Cépages :** 98 % syrah, 2 % grenache. **Alc./**13,5 % www.qupe.com

☛ *Servir dans les six années suivant le millésime, à 17 °C*

🍴 Salade d'endives braisées et de cerises (avec noix et fromage parmesan émietté), salade de foies de volaille et de cerises noires ou sushis pour amateur de vin.

## Zinfandel Cardinal Zin 2007
CALIFORNIA, CARDINAL ZIN CELLARS, ÉTATS-UNIS

| 24,65 $ | SAQ S* (10253351) | ★★★ $$ | Modéré+ |
|---|---|---|---|

Ce « zin », d'une régularité sans faille, depuis une dizaine de millésimes, est marqué par ses habituels accents de girofle et de poivre, qui font fureur à table avec les mets dominés par les aliments complémentaires à ces deux épices de même famille aromatique, comme le sont, entre autres, le thym, l'ajowan, l'agneau, le gingembre, le café, l'olive noire, les champignons, les algues nori, le cacao et la muscade. Pour ce qui est de la structure de ce rouge californien, elle se montre tout aussi souple et juteuse que dans le précédent millésime, tout en conservant sa chair et sa texture qui font son succès. Les tanins sont enveloppés, l'acidité discrète et les saveurs longues. Du plaisir, comme toujours. **Cépages :** 80 % zinfandel, 13 % carignan, 5 % mourvèdre, 1 % dolcetto, 1 % barbera. **Alc./**14,8 % www.bonnydoonvineyards.com

☛ *Servir dans les six années suivant le millésime, à 17 °C*

🍴 **Fougasse parfumée au clou de girofle et fromage bleu fondant caramélisé (**),** salade de betteraves rouges parfumées au quatre-épices (poivre, muscade, gingembre en poudre et clou de girofle), brochettes d'agneau grillées à l'ajowan, sandwich au rôti de bœuf parfumé au thym frais, steak de saumon au café noir et au cinq-épices chinois (*) ou fromage à croûte fleurie aux clous de girofle (macérés quelques jours au centre du fromage).

## Cabernet Sauvignon Mission Hill « Reserve » 2007

OKANAGAN VALLEY VQA, MISSION HILL VINEYARDS, CANADA

| 24,95 $ | SAQ **S** (11092051) | ★★★☆ $$ | | Corsé |
|---|---|---|---|---|

Étonnant cabernet de l'Ouest, coup de cœur de la précédente édition de ce guide, réussi avec brio, grâce à une maturité de fruit parfaite. Le nez est riche et expressif, sans boisé dominant, au fruité pur. La bouche est pleine, presque sphérique, mais sans tomber dans la caricature californienne, tout en restant proche de Bordeaux, aux tanins qui ont de la prise, sans trop, à l'acidité fraîche et aux saveurs amples et persistantes, laissant des traces de cacao, de café, de mûre, de bleuet et de muscade. Une cuisine plus pénétrante que celle proposée pour le 2006 (aussi commenté) lui sera nécessaire. Il faut dire que la dynamique équipe de la maison Mission Hill Vineyards connaît la chanson, sans compter qu'elle profite des conseils de l'excellent œnologue bordelais Pascal Chatonnet. **Cépage :** cabernet sauvignon. **Alc./**14 % **www.missionhillwinery.com**

☛ *Servir dans les huit années suivant le millésime, à 17 °C et oxygéné en carafe 30 minutes*

 Ragoût d'agneau au quatre-épices ou filets de caribou sauce aux bleuets et au chocolat noir 90 % cacao.

## Pinot Noir Reserve Mission Hill 2007

OKANAGAN VALLEY VQA, MISSION HILL VINEYARDS, CANADA *(RETOUR DÉC. 2010)*

| 24,95 $ | SAQ **C** (11092027) | ★★★?☆ $$ | | Corsé |
|---|---|---|---|---|

Cette excellente maison de la côte ouest nous présente un plus que réussi pinot noir, sans surmaturité ni boisé inutile, au fruité à maturité parfaite, passablement riche, à la bouche pleine, presque dense, sans trop, aux tanins murs et enveloppés d'une gangue moelleuse, à l'acidité discrète, mais juste dosée, et aux saveurs très longues, rappelant les fruits noirs et la torréfaction. Comme tous les autres crus signés Mission Hill, à acheter les yeux fermés tant la qualité est au rendez-vous. Un second arrivage est attendu en décembre 2010. **Cépage :** pinot noir. **Alc./**13,5 % **www.missionhillwinery.com**

☛ *Servir dans les cinq années suivant le millésime, à 17 °C*

Champignons sautés au lait de coco et vanille, purée de panais au basilic thaï (voir chapitre *Recettes*), bruschetta à la tapenade de tomates séchées, pâtes aux tomates séchées, poulet au soja et à l'anis étoilé ou risotto à la tomate et au basilic.

## Shiraz Epsilon 2009

✓ TOP 100 CHARTIER

BAROSSA VALLEY, AJ SOUTHERN VINEYARDS, AUSTRALIE *(DISP. NOV. 2010)*

| 24,95 $ | SAQ **S** (10817479) | ★★★☆ $$$ | | Corsé |
|---|---|---|---|---|

Coup de cœur de la précédente édition de ce guide, avec son richement aromatique et modérément boisé 2007, cette shiraz récidive avec un nouveau millésime allant dans le même sens. Celui de la qualité à prix doux. Un vin très coloré, exubérant, plein, juteux, expressif à souhait, du fruit à profusion, poivrée comme seule la syrah australienne en connaît le secret moléculaire (!), de la chair, mais aussi de la fraîcheur et de l'élan, et du plaisir à boire, dans un ensemble qui a du coffre et du bagou. Depuis que cette shiraz fut dégustée et présentée en primeur avec le millésime 2005, dans l'édition 2008 de *La Sélection*, chaque millésime de ce cru a répondu présent à l'appel, d'où son classement dans le « TOP 100 CHARTIER » anniversaire. À table, en prenant en compte les données communiquées dans mon livre *Papilles et Molécules*, osez cuisiner une recette où dominera l'un de ces ingrédients complémentaires au poivre (genièvre, olive noire, algue nori, thym, agneau, orange, safran). **Cépage :** shiraz. **Alc./**14,5 % www.epsilonwines.com.au

☛ *Servir dans les huit années suivant le millésime, à 17 °C et oxygéné en carafe 15 minutes*

Brochettes d'agneau au thym, daube d'agneau au vin et à l'orange, risotto au jus de betterave parfumé aux clous de girofle, sauté de porc vietnamien au cinq-épices ou fromage à croûte fleurie aux clous de girofle (macérés quelques jours au centre du fromage).

## Clarry's Kalleske 2007
BAROSSA VALLEY, KALLESKE WINES, AUSTRALIE *(DISP. NOV. 2010)*

| 25,95 $ | SAQ S (10985798) | ★★★☆ $$$ | Modéré+ | BIO |
|---|---|---|---|---|

Élaborée à partir de raisins de culture organique, cette cuvée australienne s'exprime plus que jamais par un nez au fruité d'une belle définition, mûr à point, presque confit, au boisé on ne peut plus australien, sans être dominant, ainsi que par une bouche à la fois très fraîche et ample, longiligne et compacte, aux tanins extrafins pour le style, qui se sont arrondis depuis l'année dernière, et aux saveurs pures et précises, laissant apparaître des notes de cerise, de fumée et de girofle. Une belle matière qui se laisse déjà boire, mais qui saura évoluer en beauté. Le coup de cœur y était presque. **Cépages :** 65 % grenache, 35 % shiraz. **Alc./**14,5 % www.kalleske.com

☛ *Servir dans les six années suivant le millésime, à 16 °C et oxygéné rapidement en carafe 5 minutes*

**Purée_Mc² pour amateur de vin au céleri-rave et clou de girofle (\*\*)**, hachis Parmentier de canard au quatre-épices ou **magret de canard rôti, graines de sésame et cinq-épices, navets confits au clou de girofle (\*\*)**.

## Pinot Noir Belle Vallée 2007
WILLAMETTE VALLEY, BELLE VALLÉE CELLAR, ÉTATS-UNIS

| 26,60 $ | SAQ S (10947839) | ★★★?☆ $$$ | Modéré+ |
|---|---|---|---|

Ce pinot de l'Oregon se montre passablement engageant, sans être profond ni riche, exhalant des tonalités aromatiques de cerise, de groseille et de pivoine. La bouche, quant à elle, dévoile une texture aérienne et fraîche, tout en étant bien ancrée les deux pieds dans le sol, c'est-à-dire avec une certaine fermeté tannique et une subtile minéralité. La finale se montre plus crémeuse et vanillée, ainsi que plus éclatante qu'en septembre 2009. À mi-chemin entre le style frais et élancé des bourgognes et celui plus *juicy fruit* du Nouveau Monde. **Cépage :** pinot noir. **Alc./**13,6 % www.bellevallee.com

☛ *Servir dans les cinq années suivant le millésime, à 17 °C et oxygéné en carafe 5 minutes*

Poulet au soja à l'anis étoilé servi avec riz sauvage ou **pétoncles poêlés, couscous de noix du Brésil à l'orange sanguine, lait de coco au gingembre (\*\*)**.

## The Galvo Garage d'Arenberg 2007

MCLAREN VALE, D'ARENBERG, AUSTRALIE *(DISP. NOV. 2010)*

| 26,80 $ | SAQ **S** (11155876) | ★★★☆ $$ | Corsé+ |
|---|---|---|---|

Coup de cœur de la précédente *Sélection*, avec son percutant et concentré 2006, cet assemblage australien, de l'une des maisons de référence en matière d'excellents rapports qualité-prix, récidive avec un nouveau millésime toujours dans le même ton. Forte coloration, fruité exubérant et très mûr, au boisé certes présent sans être dominant, laissant échapper des notes concentrées de crème de cassis, de girofle et de cuir neuf, à la bouche à la fois amplement texturée et ramassée, aux tanins qui on un grain serré, mais aussi une grande maturité, à l'acidité juste fraîche, aux saveurs égrainant des persistantes notes de fumée, de torréfaction, de mûre et de violette. Du sérieux, comme toujours chez d'Arenberg. **Cépages :** cabernet sauvignon, merlot, petit verdot, cabernet franc. **Alc./**14,5 % **www.darenberg.com.au**

☞ *Servir dans les huit années suivant le millésime, à 17 °C et oxygéné en carafe 30 minutes*

 Côtelettes d'agneau marinées au porto et au romarin frais, **asperges vertes rôties, enrobées de chocolat noir (infusé au thé fumé Zheng Shan Xiao Zhong, fleur de sel au café) (\*\*)** ou **filet de boeuf de la Ferme Eumatimi, sauce** *mole* **mexicaine à la noix de coco et au cinq-épices (\*\*).**

## Rustenberg John X Merriman 2006

STELLENBOSCH, RUSTENBERG WINES, AFRIQUE DU SUD

| 27,05 $ | SAQ **S** (11155016) | ★★★☆ $$$ | Corsé |
|---|---|---|---|

Coup de cœur de *La Sélection 2010*, ce superbe assemblage sud-africain de type bordelais, de l'une des grandes maisons traditionnelles du pays, était encore disponible au moment de mettre sous presse. Le nez est toujours profond, racé et compact, n'ayant pas bougé depuis septembre 2009. La bouche est tout aussi dense, fraîche et ramassée, mais exprimant des tanins mûrs, au grain un brin moins serré que l'an passé, permettant ainsi au volume et à la texture de s'installer plus confortablement. Les saveurs (mûre, prune, violette, chêne neuf, épices) sont d'une grande allonge, sans esbroufe. Un cru qui se donne déjà, si on prend le temps de le laisser reposer en carafe, mais qui gagnera encore un peu plus en définition au cours des prochaines années. **Cépages :** cabernet sauvignon, merlot, cabernet franc, petit verdot, malbec. **Alc./**14,5 % **www.rustenberg.co.za**

☞ *Servir dans les dix années suivant le millésime, à 17 °C et oxygéné en carafe 30 minutes*

 Magret de canard rôti parfumé de baies roses.

## Pinot Noir Akarua « Gullies » 2007

✓ TOP 100 CHARTIER

CENTRAL OTAGO, BANNOCKBURN HEIGHTS WINERY, NOUVELLE-ZÉLANDE *(DISP. SEPT./OCT. 2010)*

| 27,75 $ | SAQ **S** (10947960) | ★★★☆ $$$ | Corsé |
|---|---|---|---|

À nouveau une réussite pour cet excellent pinot néo-zélandais qui, au moment d'aller sous presse, devait prendre la relève du 2006 avec ce 2007 plus éclatant que jamais. Vous y dénicherez un vin coloré, puissamment aromatique et complexe, aux parfums de poivre et de clou de girofle, à la bouche au fruité explosif, pur et frais, d'une bonne plénitude de saveurs, à l'harmonie parfaite, aux tanins fins, au grain enveloppé et aux saveurs d'une grande allonge, laissant éclater des tonalités de framboise, de violette et de giroflée. Juteux, sans tomber dans la caricature. Bravo! **Cépage :** pinot noir. **Alc./** 13,7 % **www.akarua.com**

☞ *Servir dans les sept années suivant le millésime, à 17 °C*

**Pétoncles poêlés, couscous de noix du Brésil à l'orange sanguine, lait de coco au gingembre (\*\*)** ou **bœuf de la Ferme Eumatimi frotté à la cannelle avant cuisson, compote d'oignons brunis au four et parfumée à la pâte d'anchois salés (\*\*).**

## The Laughing Magpie « d'Arenberg » Shiraz-Viognier 2007

MCLAREN VALE, D'ARENBERG, AUSTRALIE *(DISP. NOV. 2010)*

| 27,95 $ | SAQ **S** (10250855) | ★★★☆ **$$** | Corsé+ |

Un nouveau millésime, dégusté en primeur d'un échantillon provenant du domaine, se montrant tout aussi remarquablement réussi que le précédent, souligné dans *La Sélection 2010*. Cet assemblage de très vieilles vignes de syrah et de jeunes plants de viognier résulte en un vin puissamment aromatique, au boisé présent, au fruité profond et passablement mûr, aux tanins racés et très serrés, d'une certaine fraîcheur rhodanienne, en millésime chaud bien sûr (!), comme dans les deux précédents millésimes, à la texture dense et aux saveurs d'une grande allonge, rappelant les fruits noirs, le poivre et la violette. Un ixième cru de cette maison qui aurait pratiquement mérité de figurer au « TOP 100 CHARTIER » anniversaire. **Cépages :** shiraz, viognier. **Alc./**14,5 % **www.darenberg.com.au**

☞ *Servir dans les dix années suivant le millésime, à 17 °C et oxygéné fortement en carafe 15 minutes*

**Carré d'agneau farci aux olives noires et au romarin, sauce au porto LBV** ou **filets de bœuf surmontés de raviolis de pâtes d'algues nori farcies à la purée de framboise.**

## Shiraz de Trafford « Blueprint » 2007

STELLENBOSCH, DE TRAFFORD, AFRIQUE DU SUD *(DISP. SEPT./OCT. 2010)*

| 31 $ | SAQ **S** (10710250) | ★★★☆ **$$$** | Corsé |

Après nous avoir conquis avec les millésimes 2004 (commenté en primeur dans *La Sélection 2008*) et 2005 (dans *La Sélection 200*9), tout comme avec le 2006, ce cru sud-africain récidive avec un ixième millésime à nouveau imposant, touchant la complexité des excellents millésimes d'avant 2006. La retenue européenne de ce cru étonne dans le paysage sud-africain, malgré sa richesse en alcool, tout comme son raffinement, non dénué de profondeur et de densité. Grande qualité au rendez-vous, comme d'habitude pour cette shiraz de l'une des *micro-wineries* d'avant-garde du Cap. Pas d'exotisme ni de bois, que du fruit, de l'éclat et de la prestance, dans un ensemble généreusement nourri qui ira loin, même s'il se donne déjà après un bon coup de carafe. Fruits noirs, violette et poivre se signalent en finale. **Cépage :** shiraz. **Alc./**15 % **www.detrafford.co.za**

☞ *Servir dans les douze années suivant le millésime, à 17 °C et oxygéné fortement en carafe 90 minutes*

**Carré d'agneau au poivre vert et à la cannelle** ou **steak de thon grillé et frotté au concassé de baies de genièvre.**

## Cabernet Sauvignon Bin 407 Penfolds 2007

SOUTH AUSTRALIA, PENFOLDS WINES, AUSTRALIE

| 32,25 $ | SAQ S* (414987) | ★★★☆ $$$ | Corsé+ |
|---------|-----------------|----------|--------|

À nouveau un assemblage de cabernets des plus réussis pour Penfolds provenant de différentes parcelles, malgré la sécheresse qui a sévi durant la saison de maturation 2007. Fruité expressif, on ne peut plus cabernet, avec des tonalités florales et épicées passablement puissantes, ainsi qu'un boisé certes présent, mais intégré avec brio. Beaucoup de grippe en bouche, avec des tanins à nouveau très cabernets, fermes et granuleux, avec grâce, bien travaillés par un élevage maîtrisé. Du coffre, de la persistance et de la complexité aromatique, égrainant des notes de menthe, de mûre, de boîte à cigares, de cannelle, de poivre du Sichuan, de cacao et de violette. Pour les inconditionnels du cabernet. **Cépage :** cabernet sauvignon. **Alc./**14,5 % www.penfolds.com

☞ *Servir dans les treize années suivant le millésime, à 17 °C et oxygéné fortement en carafe 30 minutes*

Carré d'agneau et jus au café expresso (*) accompagné d'asperges vertes rôties au four à l'huile d'olive et au poivre noir, **asperges vertes rôties, enrobées de chocolat noir (infusé au thé fumé Zheng Shan Xiao Zhong, fleur de sel au café) (\*\*)** ou **magret de canard rôti, graines de sésame et cinq-épices, navets confits au clou de girofle (\*\*)**.

## Shiraz Bin 128 Penfolds 2007

COONAWARRA, PENFOLDS WINES, AUSTRALIE

| 32,50 $ | SAQ S* (509919) | ★★★☆ $$$ | Corsé |
|---------|-----------------|----------|-------|

Contrairement aux autres crus de la gamme des « Bin » de Penfolds, qui proviennent presque tous d'assemblages de récoltes de différentes régions, à l'image du très beau Cabernet Sauvignon Bin 407 (aussi commenté), cette shiraz provient uniquement de la zone d'appellation Coonawarra. Cette dernière, au climat très frais et au sol d'argile rouge, engendre des vins aux notes typiques d'épices et de poivre. De plus, cette cuvée Bin 128 est l'une des seules de Penfolds à subir un élevage en barriques de chêne français uniquement, sans bois américain. Ce qui magnifie parfaitement la syrah, renforçant ses notes singulièrement poivrées, épicées et florales. Ce qui participe aussi à son profil habituellement plus européen, moins torréfié et chocolaté. Quoi qu'il en soit, ce nouveau millésime se montre hyper aromatique, spécialement après un gros coup de carafe, exhalant des touches de noisette, de fruits rouges et noirs et d'épices douces. La bouche suit avec une attaque d'une grande ampleur, pour ne pas dire *juicy fruit*, mais superbement retenue et harmonisée par une vibrante acidité et par des tanins qui ont de la prise. Boisé noble, accentuant en fin de bouche les notes de violette, de muscade, de cannelle et de girofle. **Cépage :** shiraz. **Alc./**14,5 %

☞ *Servir dans les douze années suivant le millésime, à 18 °C et oxygéné fortement en carafe 45 minutes*

Brochettes de bœuf à la pommade de menthe fraîche, poivre concassé et vinaigre balsamique, steak de thon grillé et frotté au concassé de baies de genièvre ou **filet de bœuf de la Ferme Eumatimi, sauce *mole* mexicaine à la noix de coco et au cinq-épices (\*\*)**.

## Pinot Noir Calera « Central Coast » 2007

CENTRAL COAST, CALERA WINE COMPANY, ÉTATS-UNIS

| 35,25 $ | SAQ **S** (898320) | ★★★☆ $$$ | Modéré+ |

Ce coup de cœur de la précédente édition était à nouveau disponible en juillet 2010. Vous y trouverez un pinot presque juteux, rond et texturé, qui vous sustentera autant les papilles que les neurones, tant il offre plaisir et matière à réfléchir. Le nez, complexe et passablement riche, exhale des parfums de cerise noire, de clou de girofle et de muscade. La bouche se montre presque généreuse, mais avec fraîcheur et élégance, tout en étant marquée par des tanins mûrs à point, donc enveloppés par une gangue moelleuse. Un vrai régal! Pour parvenir à cette qualité, à ce niveau de prix, étant l'entrée de gamme de cette grande maison, ce pinot provient d'une sélection parcellaire d'une dizaine de vignobles, récoltés à la main, puis vinifiés avec les levures autochtones, conservés sur lies en barriques, avec seulement 10 % de chêne neuf. Ceci explique cela. **Alc./**14,6 % **www.calerawine.com**

☛ *Servir dans les six années suivant le millésime, à 16 °C*

Thon rouge mi-cuit au poivre et risotto au jus de betterave parfumé aux clous de girofle ou camembert aux clous de girofle (macérés quelques jours au centre du fromage).

## Pinot Noir « La Bauge Au-Dessus » 2006

SANTA MARIA VALLEY, AU BON CLIMAT VINEYARDS, ÉTATS-UNIS *(DISP. SEPT. 2010)*

| 39,50 $ | SAQ **S** (11089936) | ★★★☆ $$$ | Modéré+ |

Excellent pinot noir, de l'un des domaines pionniers de ce cépage en sol californien, s'exprimant par un nez à la fois riche et mûr, complexe et frais, aux tonalités de tomate séchée, de rose séchée, de girofle et de cerise noire. En bouche, il se montre plein et presque détendue, aux tanins fins et enrobés, bien travaillés par un élevage retenu, et marqué par de longues et pénétrantes saveurs d'épices douces. À boire dès maintenant, tant l'ensemble est nourri et engageant, mais, heureusement, sans tomber dans la caricature mollasse des vins de soleil. **Cépage :** pinot noir. **Alc./**14,5 % **www.aubonclimat.com**

☛ *Servir dans les sept années suivant le millésime, à 17 °C*

Pétoncles poêlés, couscous de noix du Brésil à l'orange sanguine, lait de coco au gingembre (\*\*) ou bœuf de la Ferme Eumatimi frotté à la cannelle avant cuisson, compote d'oignons brunis au four et parfumée à la pâte d'anchois salés (\*\*).

## Osoyoos Larose « Le Grand Vin » 2006

OKANAGAN VALLEY VQA, OSOYOOS LAROSE, CANADA

| 43 $ | SAQ **S** (10293169) | ★★★☆ $$$$ | Corsé+ |

Sixième millésime commercialisé de ce domaine phare du vignoble canadien, résultant d'un *joint venture* entre le géant canadien Vincor International et le tout aussi grandiloquent groupe bordelais Taillan (propriétaire, entre autres, des châteaux Ferrière, Haut-Bages-Libéral, Chasse-Spleen, La Gurgue et Gruaud Larose). Il en résulte un rouge au nez toujours aussi passablement concentré, où alternent fraîcheur et maturité de fruit, exhalant des notes de poivre rose, de girofle, de chêne neuf, de poivron rouge et de rose fanée, à la bouche presque généreuse, mais aux tanins toujours aussi tissés serrés, avec fermeté, tendant le vin vers le futur. Un vin dense et compact, au boisé jeune et ambitieux. Devrait évoluer avec grâce, mais laissons-lui le temps de digérer son bois. **Cépages :** 69 % merlot, 20 % cabernet sauvignon, 3 % malbec, 4 % petit verdot, 4 % cabernet franc. **Alc./**13,5 % **www.osoyooslarose.com**

☞ *Servir dans les douze années suivant le millésime, à 17 °C et oxygéné en carafe 45 minutes*

**Magret de canard rôti, graines de sésame et cinq-épices, navets confits au clou de girofle (\*\*).**

## Shiraz Turkey Flat Vineyards 2006
BAROSSA VALLEY, P. & C. SCHULZ, AUSTRALIE *(DISP. NOV. 2010)*

| 45,50 $ | SAQ SS (10816943) | ★★★☆?☆ $$$$ | Corsé |
|---|---|---|---|

Commenté dans *La Sélection* 2008 et 2009, le 2005 avait fait une entrée remarquée au Québec. Avec ce nouveau millésime à venir, dégusté en primeur en juillet 2010, la suite sera tout aussi éclatante. Vous y dénicherez une shiraz au nez toujours aussi concentré et richement fruité, complexe et racée, aux effluves jouant dans la sphère de la noix de coco, du bleuet, de la violette et du poivre, au boisé certes présent, mais intégré à cette richissime matière boisée. En bouche, elle se montre plus que jamais vivifiante et élancée, presque européenne de style, tout en conservant son aura bien australienne et sa trame tannique passablement serrée, avec race. Fraîche et compacte, voilà de quoi satisfaire les amateurs de syrah rhodanienne ouverts à l'aventure. **Cépage :** shiraz. **Alc./**14,5 % **www.turkeyflat.com.au www.epsilonwines.com.au**

☞ *Servir dans les dix années suivant le millésime, à 17 °C et oxygéné en carafe 45 minutes*

**Thon rouge frotté aux baies de genièvre, olives noires, quelques petits pois, algues nori torréfiées, dés de graisse de jambon fondue, huile de pépins de raisin aux pistils de safran (\*\*).**

## Cabernet Sauvignon Cuvaison « Mont Veeder » 2006
NAPA VALLEY, CUVAISON, ÉTATS-UNIS

| 45,75 $ | SAQ S (903534) | ★★★★ $$$$ | Puissant |
|---|---|---|---|

Excellent vin racé et étoffé, d'une grande concentration, je dirais même de la vraie dynamite! Robe profonde. Nez explosif, aux puissants arômes de bois de cèdre, de cassis, de poivre et de menthe. Bouche bien enrobée, aux tanins certes fermes et tissés très serrés, mais au velouté de texture imposant, à l'acidité en retrait et aux saveurs qui ont du volume et de la prestance. Bleuet, torréfaction et réglisse s'ajoutent au cocktail pour amateur de « king cab » dans la plus pure tradition californienne. **Cépages :** 81 % cabernet sauvignon, 9 % malbec, 5 % cabernet franc, 3 % petit verdot, 2 % merlot. **Alc./**14,8 % **www.cuvaison.com**

☞ *Servir dans les douze années suivant le millésime, à 18 °C et oxygéné en carafe 45 minutes*

**Filet de boeuf de la Ferme Eumatimi, sauce *mole* mexicaine à la noix de coco et au cinq-épices (\*\*)** ou asperges vertes rôties, enrobées de chocolat noir (infusé au thé fumé Zheng Shan Xiao Zhong, fleur de sel au café) (\*\*).

## Shiraz The Dead Arm 2007

MCLAREN VALE, D'ARENBERG, AUSTRALIE *(DISP. OCT./NOV. 2010)*

| 51,75 $ | SAQ **S** (728170) | ★★★★ $$$$ | Puissant |
|---|---|---|---|

Déguster en primeur, en juillet 2010, d'un échantillon provenant du domaine, voici une puissante syrah, au nez intensément aromatique, complexe et profond, marqué d'effluves d'une grande maturité et profondeur, aux notes de bleuets, de mûre, de fumée, de torréfaction et de poivre. Bouche aux solides tanins, sans être durs, à l'acidité très fraîche, aux courbes larges, presque rondes mais actuellement retenues par la trame tannique à l'avant-plan, aux très longues saveurs confites, épicées et torréfiées. Une shiraz australienne à dompter, que le temps amadouera. **Cépage :** shiraz. **Alc./**14,5 % www.darenberg.com.au

☛ *Servir dans les douze années suivant le millésime, à 17 °C et oxygéné en carafe 90 minutes*

**Carré de porc glacé aux fraises, poivre du Sichuan, galanga et miel (\*\*).**

## Cabernet Sauvignon/Shiraz Cellar Reserve Penfolds 2005

COONAWARRA, PENFOLDS WINES, AUSTRALIE

| 149 $ | SAQ **SS** (11227551) | ★★★★?☆ $$$$$ | Puissant |
|---|---|---|---|

■ **NOUVEAUTÉ!** Coup de cœur de la précédente édition de *La Sélection*, ce cru était à nouveau disponible en 2010. Un assemblage qui se montre tout aussi puissamment aromatique, presque confit, aux tonalités fruitées (cassis, mûre), épicées (poivre, anis) et boisées (girofle, vanille), à la bouche pulpeuse, sphérique, opulente et enveloppante, tout en étant passablement tannique et dense, aux saveurs extraverties, complexes et intenses, laissant des traces de liqueur de mûre, de fumée, de goudron, de girofle, de violette et de poivre. Le plus australien – pour ne pas dire le plus proche du style du grandissime et *mythiqueGrange* – des six nouveaux crus de la gamme *Cellar Reserve* introduite à la SAQ en juin 2010, et que j'ai eu le privilège de déguster et de commenter en primeur à l'automne 2009. À table, en prenant en compte les données communiquées dans mon livre *Papilles et Molécules*, osez cuisiner une recette où dominera soit l'un de ces ingrédients complémentaires au poivre (genièvre, olive noire, algue nori, thym, agneau, orange, safran), soit l'un des aliments de même famille aromatique que le girofle (asperges rôties à l'huile, basilic thaï, bœuf grillé, café, cinq-épices, fraise, romarin, vanille). **Cépages :** cabernet sauvignon, shiraz. **Alc./**14 % www.penfolds.com

☛ *Servir dans les quinze années suivant le millésime, à 17 °C et oxygéné en carafe 5 minutes*

Tajine d'agneau au safran accompagné d'asperges vertes rôties au four à l'huile d'olive et au poivre noir ou carré d'agneau frotté aux baies de genièvre et pommade d'olives noires (avec poudre d'algues nori torréfiées et graisse de jambon fondue au safran).

# RÉPERTOIRE ADDITIONNEL

Les vins des *Répertoires additionnels*, qui font l'objet d'une description plus concise, mais presque tous offerts avec un choix de mets, sont ou seront généralement disponibles dans les mois suivant la parution de cette quinzième édition. De multiples futurs arrivages y sont aussi commentés cette année. En revanche, certains de ces vins peuvent ne plus être disponibles au moment où vous lirez ces lignes, ce qui explique le commentaire moins détaillé pour certains crus.

Soyez tout de même vigilants, car la majorité de ces vins fera l'objet d'un nouvel arrivage au cours de l'automne 2010 et des premiers mois de 2011, et ce, dans le même millésime proposé dans ce guide. Autre fait important cette année, plusieurs vins des *Répertoires additionnels* sont de futurs arrivages, commentés ici en primeur, avec leur date de mise en marché. Le retour ou l'arrivée de ces vins, comme de tous les vins commentés dans *La Sélection Chartier 2011*, vous sera annoncé par le biais du service de **Mises à jour Internet de *La Sélection Chartier 2011***, via le site Internet **www.francoischartier.ca**.

### Malbec Finca Flichman 2010
MENDOZA, FINCA FLICHMAN, ARGENTINE *(DISP. AUTOMNE 2010)*
**8,35 $**        SAQ C (10669832)   ★★?☆ $                    **Modéré**
Dégusté en primeur, d'un échantillon reçu d'Argentine, à la fin août 2010, juste avant de mettre sous presse, ce 2010 se montrait tout aussi charmeur et expressif que le 2009 (aussi commenté), tout en étant doté d'un velouté encore plus engageant. Une aubaine qui mériterait comme le 2009 le Top 20! **Alc./** 13 % **www.flichman.com.ar**

### Pinotage/Cabernet Sauvignon Obikwa 2009
WESTERN CAPE, DISTELL, AFRIQUE DU SUD
**10,85 $**        SAQ C (10846018)   ★☆ $                    **Modéré**
Un assemblage de l'emblématique sud-africain pinotage et du chouchou universel qu'est le cabernet, résultant en un rouge tout en fruit, passablement souple, aux saveurs toujours aussi boisées et fumées que dans le précédent millésime. Tout à fait engageant pour le prix et régalera ceux et celles qui apprécient les vins solaires du Nouveau Monde, mais rebutera ceux qui apprécient la fraîcheur et l'élégance. **Alc./**13,5 % **www.distell.co.za** ■ *Lasagne aux saucisses italiennes épicées ou chili de Cincinnati.*

### Shiraz Kumala 2009
WESTERN CAPE, CONSTELLATION EUROPE LTD, AFRIQUE DU SUD
**10,95 $**        SAQ C (10754236)   ★★ $                    **Modéré+**
Un nouveau millésime toujours aussi généreux et vineux, riche en alcool, qui plaira aux amateurs de rouges capiteux. Très aromatique et agréable, aux effluves d'épices douces, de vanille et de fruits noirs. Tanins assez souples, acidité fraîche, texture ample et charnue pour son rang, dont le volume est augmenté par la présence dominante de l'alcool. Parfait pour les plats aigres-doux des soirs de sport à la télé... **Alc./**14 % **www.kumala.com** ■ *Ailes de poulet épicées ou côtes levées à la sauce barbecue.*

### Cabernet Sauvignon Trapiche « Fût de chêne » 2008
MENDOZA, BODEGAS TRAPICHE, ARGENTINE
**13,90 $**        SAQ C (323295)   ★★?☆ $                    **Corsé**
Cette version « barriquée » du cabernet « non boisé » de Trapiche (aussi commenté) se montre comme toujours très aromatique, au nez à la fois fruité, épicé et boisé, à la bouche ferme, d'un certain volume et d'une certaine épaisseur veloutée. **Alc./**13,5 % **www.trapiche.com.ar** ■ *Bœuf à la bière brune.*

### Cocoa Hill 2008
✓ TOP 100 CHARTIER

WESTERN CAPE, CHRISTOPH DORNIER, AFRIQUE DU SUD *(DISP. OCT./NOV. 2010)*

**14,55 $**     SAQ S (10679361)  ★★★ $$     **Corsé**

Ce 2008, dégusté en primeur en août 2010, qui prendra la relève du 2007 (aussi commenté) au courant de l'automne 2010, se montre tout aussi gourmand, généreux et épicé que ce dernier. Courbes larges et plaisir sensuel. **Alc./**14 % www.dornierwines.co.za ■ *Filets de bœuf grillés et sauté de poivrons rouges au curcuma.*

### Cabernet Sauvignon Errazuriz Estate 2009
VALLE DE ACONCAGUA, VIÑA ERRAZURIZ, CHILI

**14,90 $**     SAQ C (262717)   ★★☆ $     **Modéré+**

Les vins signés par Errazuriz sont toujours parmi les meilleurs rapports qualité-prix dans leur gamme respective, ce à quoi répond à nouveau ce dernier. D'une tenue et d'une persistance étonnantes, tout en étant richement aromatique, presque plein et ramassé, aux longues saveurs de cassis, de poivre et de menthe. **Alc./**13 % www.errazuriz.com ■ *Brochettes de bœuf nappées de pâte concentrée de poivron vert à la menthe (voir chapitre* Recettes*).*

### Pinot Noir Varietal Series 2007
NIAGARA PENINSULA VQA, INNISKILLIN WINES, CANADA

**16 $**     SAQ S (11035604)  ★★?☆ $$     **Léger+**

Un élégant et subtil pinot canadien, aux notes de cerises et de fleurs séchées, à l'acidité rafraîchissante, aux tanins coulants, à la texture souple et détendue, et aux saveurs passablement longues, à la fois fruitées et torréfiées. **Alc./**12,5 % www.inniskillin.com ■ *Pizza aux tomates séchées et au fromage de chèvre.*

### Shiraz Jackson-Triggs « Proprietors' Reserve » 2006
NIAGARA PENINSULA VQA, JACKSON-TRIGGS ESTATE WINES, CANADA

**16,15 $**     SAQ S (11096829)  ★★★ $$     **Modéré**

(Voir commentaire détaillé dans *La Sélection Chartier 2010*)

### Carmenère Reserva Calina 2008
VALLE DEL MAULE, CALINA WINERY, CHILI

**16,35 $**     SAQ S (10692696)  ★★★ $$     **Corsé**

À nouveau l'une des belles carmenères de l'année, comme l'avait été le 2006, chez les vins offerts sous la barre des vingt dollars. Que de la pureté et de la précision, avec des saveurs fraîches et prenantes, sans trop, aux relents de fraise, de poivre et d'eucalyptus. Les tanins sont presque veloutés, un brin plus fermes et serrés qu'en 2006, au corps presque dense, mais tout en étant détendu. Grande harmonie et plaisir à boire dès maintenant. **Alc./**13,5 % www.calina.com ■ *Hamburgers d'agneau aux poivrons rouges confits et curcuma.*

### Syrah La Capitana 2008
VALLE DE COLCHAGUA, VIÑA LA ROSA, CHILI

**16,95 $**     SAQ S* (10694165) ★★★ $$     **Corsé+**

Une puissante syrah, dont il faudra surveiller le prochain arrivage, déployant un nez complexe et exubérant, jouant dans l'univers aromatique de l'eucalyptus, de la mûre, de la prune, de la menthe, du poivre, à la bouche ferme et carrée, mais avec une texture passablement charnue et pleine, aux longues saveurs épicées, mentholées et réglissées. Plein les babines! **Alc./**14 % www.larosa.cl ■ *Thon rouge mi-cuit au poivre et purée de pommes de terre aux olives noires.*

### Malbec Reserva Norton 2006
MENDOZA, BODEGA NORTON, ARGENTINE

**17,95 $**     SAQ S* (10689930) ★★★ $$     **Corsé+**

Contrairement au très réussi et harmonieux 2005 (coup de cœur de l'édition 2009 de ce guide), ce 2006 exprime un boisé plus dominant, tout en étant aussi concentré, sinon plus. De la couleur, du fruit, de l'éclat, des épices, de la profondeur, du tonus, pour un cru riche en saveurs confites et boisées. Il provient de l'une de mes *bodegas* préférées d'Argentine, avec la maison Weinert. **Alc./**14 % www.norton.com.ar ■ *Brochettes de bœuf au café noir (voir Filets de bœuf au café noir) (*).*

## Shiraz VAT 8 Deen de Bortoli 2007

SOUTH AUSTRALIA, DE BORTOLI WINES, AUSTRALIE

**17,95 \$**     SAQ S (10829189)   ★★★ **\$\$**     Modéré+

Une shiraz à la fois puissamment aromatique et dodue, pleine et presque sphérique, mais avec du grain et de la fraîcheur, aux longues saveurs rappelant la violette, la mûre et le poivre. Surveillez le prochain arrivage et le prochain millésime étant donné la régularité de ce cru, bon an mal an. **Alc./**14 % **www.debortoli.com.au** ■ *Brochettes de poulet teriyaki.*

## No 99 Meritage 2007

NIAGARA PENINSULA VQA, WAYNE GRETZKY ESTATES, CANADA

**18 \$**     SAQ S (10991178)   ★★☆?☆ **\$\$**     Modéré+

Un assemblage ontarien à la bordelaise, signé Wayne Gretzky. Le nez est aussi aromatique que le 2006, tout aussi fin et frais, exhalant des notes de café, de poivron et de fruits noirs. La bouche est tout aussi texturée, aux tanins qui ont du grain et au corps modéré, presque riche. **Cépages :** merlot, cabernet sauvignon. **Alc./**12,5 % **www.gretzkyestatewines.com** ■ *Asperges vertes rôties au four à l'huile d'olive et au poivre noir.*

## Saurus Patagonia Select « Malbec » 2006

SAN PATRICIO DEL CHAÑAR-NEUQUEN, BODEGA FAMILIA SCHROEDER, ARGENTINE

**18,15 \$**     SAQ S (11156959)   ★★ **\$**     Modéré+

Un nouvel arrivage, provenant de Patagonie, à découvrir tant son nez, à la fois concentré et pur, riche et très frais, charme avec intensité, tout comme sa plénitude en bouche, doublée d'une finesse de tanins unique, d'une texture soyeuse singulière et d'un ensemble harmonieux comme le sont rarement les jeunes malbecs. **Servez-le à table avec vos recettes préférées où dominent les aliments complémentaires à la cerise ou à la violette, comme le sont, entre autres, les carottes, les framboises, les algues, les endives, les noix et les fromages. Alc./**14 % **www.familiaschroeder.com** ■ *Salade d'endives braisées et cerises (avec noix et fromage parmesan émietté).*

## Merlot Oyster Bay 2008

HAWKES BAY, OYSTER BAY WINES, NOUVELLE-ZÉLANDE

**18,70 \$**     SAQ S* (10826113)   ★★☆?☆ **\$\$**     Modéré

■ *Côtelettes de porc aux poivrons rouges confits épicés.* (Voir commentaire détaillé dans *La Sélection Chartier 2010*)

## Nebbiolo Reserva Privada L.A. Cetto 2001

BAJA CALIFORNIA, L.A. CETTO, MEXIQUE

**18,85 \$**     SAQ S (10390233)   ★★★?☆ **\$\$**     Puissant

■ *Ragoût de bœuf à la bière et polenta crémeuse aux oignons caramélisés.* (Voir commentaire détaillé dans *La Sélection Chartier 2008*)

## Nebbiolo Reserva Privada L.A. Cetto 2004

BAJA CALIFORNIA, L.A. CETTO, MEXIQUE

**18,85 \$**     SAQ S (10390233)   ★★★ **\$\$**     Puissant

Un 2004 dans la lignée des précédents millésimes, c'est-à-dire richement parfumé et confituré, aux relents de cerise noire et de cacao, à la bouche presque pleine, aux tanins qui ont du grain mais enveloppé par la générosité solaire et dont l'acidité discrète laisse place à la texture. Ce nebbiolo mexicain représente comme toujours une incroyable aubaine que les amateurs de barolos ne doivent surtout pas laisser passer. **Alc./**14 % **www.lacetto.com** ■ *Filet de bœuf de la Ferme Eumatimi, sauce mole mexicaine à la noix de coco et au cinq-épices (\*\*).*

## Zinfandel Liberty School 2008

CALIFORNIA, LIBERTY SCHOOL WINERY, ÉTATS-UNIS

**19,45 \$**     SAQ S* (10709021)   ★★★ **\$\$**     Corsé

Comme toujours avec cette cuvée, un « zin » 2008 mûr, pratiquement confit et boisé, sans trop, à l'attaque généreuse, aux tanins enrobés d'une gangue moelleuse et d'une texture passablement détendue, terminant sur de longues saveurs de fruits compotés et de clou de girofle. **Alc./**13,5 % **www.treana.com** ■ *Purée de navets au clou de girofle (voir chapitre* Recettes*) ou bœuf grillé et réduction de Soyable_Mc² (\*\*).*

### Carmenère Arboleda 2008
VALLE DE ACONCAGUA, VIÑA SEÑA, CHILI *(DISP. OCT. 2010)*
**19,90 $**          SAQ S (11092836)  ★★★ $$          Corsé

Coup de cœur dans le précédent millésime, vous y découvrirez un 2008 plus typé chili et plus boisé, sans trop, au fruité extraverti (crème de cassis, eucalyptus, menthe poivrée), à la bouche sphérique et juteuse, aux tanins mûrs et aux saveurs qui ont de l'éclat. Les amateurs de carmenère aimeront beaucoup. **Alc./**13,5 % **www.arboledawines.com**
■ *Feuilles de vigne farcies_Mc² (riz sauvage soufflé, bacon de sanglier, sirop de riz brun/café) (\*\*)*.

### Pinot Noir Cono Sur Visión 2008
VALLE DE COLCHAGUA, VIÑA CONO SUR, CHILI
**19,90 $**          SAQ S (10694309)  ★★☆ $$          Modéré

Un pinot chilien gorgé de saveurs et de fraîcheur pour cette cuvée, au corps élancé et élégant. De l'éclat dans le fruité, de la droiture dans la matière et de la digestibilité dans le plaisir à boire. **Alc./**14 % **www.conosur.com** ■ *Sauté de bœuf au gingembre ou sukiyaki de saumon.*

### Shiraz Elderton « Friends Vineyard Series » 2006
BAROSSA, ELDERTON WINES, AUSTRALIE
**19,90 $**          SAQ S (10955126)  ★★★ $$          Corsé

■ *Salade de betteraves rouges parfumées au quatre-épices.* (Voir commentaire détaillé dans *La Sélection Chartier 2010*)

### Shiraz Elderton « Friends Vineyard Series » 2008
BAROSSA, ELDERTON WINES, AUSTRALIE
**19,90 $**          SAQ S (10955126)  ★★★ $$          Corsé

Coup de cœur de la précédente édition, avec son 2006, cette shiraz se montrait tout aussi explosive, débordante de fruits, sensuelle et généreuse dans ce nouveau millésime. Il y a plus que jamais à boire et à manger pour un prix dérisoire. **Alc./**14,5 % **www.eldertonwines.com.au**
■ *Filets de bœuf surmontés de raviolis de pâtes d'algues nori farcies à la purée de framboise.*

### Shiraz Malbec Zuccardi « Q » 2007
MENDOZA, FAMILIA ZUCCARDI, ARGENTINE
**19,95 $**          SAQ S (11218460)  ★★☆ $$          Puissant

■ NOUVEAUTÉ! Un malbec on ne peut plus Nouveau Monde, pour ne pas dire superlatif, extra-mûr et capiteux. Ceux et celles qui apprécient les *amaroni* d'Italie devraient se retrouver dans cet argentin hyper mûr, concentré et chaud en alcool, aux saveurs de confiture de bleuets et de créosote. **Alc./**14 % **www.familiazuccardi.com** ■ *Côtes de cerf sauce aux griottes et au chocolat noir (\*).*

### Shiraz Redstone 2007
MCLAREN VALE, CORIOLE VINEYARDS, AUSTRALIE
**20 $**          SAQ S (10831300)  ★★★ $$          Corsé

Ce nouveau millésime de cette cuvée de shiraz se montre on ne peut plus Nouveau Monde, à l'image du précédent 2005, c'est-à-dire colorée, richement aromatique, au fruité très mûr, pratiquement confit, à l'attaque pulpeuse, et aux courbes larges et sensuelles, marquées par des tanins gras. **Alc./**14,5 % **www.coriole.com** ■ *Médaillons de porc sauce aux canneberges et au porto LBV.*

### Pinot Noir Saint Clair 2008
MARLBOROUGH, SAINT CLAIR ESTATE WINES, NOUVELLE-ZÉLANDE
**20,70 $**          SAQ S (10826543)  ★★★ $$          Modéré+

Un nouveau millésime d'une aussi belle concentration aromatique que l'était le 2006, exhalant des notes fraîches de fruits rouges et de fleurs, au boisé subtil, à la bouche presque juteuse, très fraîche, presque ronde et persistante. **Alc./**13,5 % **www.saintclair.co.nz** ■ *Rôti de veau à la dijonnaise.*

### Syrah Delheim 2005
SIMONSBERG-STELLENBOSCH, DELHEIM WINES, AFRIQUE DU SUD
**20,95 $**       SAQ **S** (10960689)   ★★★?☆ **$$**        Corsé
■ *Thon rouge mi-cuit au poivre et purée de pommes de terre aux olives noires.*
(Voir commentaire détaillé dans *La Sélection Chartier 2010*)

### Syrah Terre Rouge « Les Côtes de l'Ouest » 2005
CALIFORNIA, DOMAINE DE LA TERRE ROUGE, ÉTATS-UNIS
**21,75 $**       SAQ **S*** (897124)   ★★★?☆ **$$**        Corsé
■ *Côtelettes d'agneau grillées sauce teriyaki à l'orange.* (Voir commentaire
détaillé dans *La Sélection Chartier 2010*)

### Pinot Noir Oyster Bay 2008
MARLBOROUGH, OYSTER BAY WINES, NOUVELLE-ZÉLANDE
**21,85 $**       SAQ **S** (10826105)   ★★★ **$$**            Modéré+
Un rouge très aromatique, invitant à souhait, marqué par d'expressifs
arômes de cerise au marasquin, de cannelle et de giroflée, à la bouche
juteuse, d'une bonne ampleur, sans être épaisse ni généreuse, aux tanins
ronds et aux saveurs longues. **Alc./**13,5 % **www.oysterbaywines.com**
■ *Pot-au-feu d'agneau cuit rosé, au thé et aux épices (\*\*).*

### Pinot Noir Waimea 2007
NELSON, WAIMEA ESTATES, NOUVELLE-ZÉLANDE
**22,05 $**       SAQ **S** (10826447)   ★★★?☆ **$$**        Modéré+
Vous vous sustenterez d'un cru d'une belle complexité aromatique, aux
notes de cannelle, de muscade et de cerise, avec une pointe de cardamome, à la bouche étonnamment ramassée, fraîche et expressive, tout
en étant texturée à souhait, aux tanins très fins et aux saveurs longues
et précises. **Alc./**14,3 % **www.waimeaestates.co.nz** ■ *Filets de porc à la
cannelle et aux canneberges.*

### Cabernet-Merlot Te Awa 2005
HAWKES BAY, TE AWA WINERY, NOUVELLE-ZÉLANDE
**22,95 $**       SAQ **S** (10382882)   ★★★☆ **$$**        Corsé
■ *Filets de bœuf et coulis de poivrons verts (\*).* (Voir commentaire détaillé
dans *La Sélection Chartier 2010*)

### Merlot Château Los Boldos « Vieilles Vignes » 2006
ALTO CACHAPOAL, VIÑA LOS BOLDOS, CHILI
**23,15 $**       SAQ **S** (10693921)   ★★★?☆ **$$**        Corsé+
■ *Côte de veau grillée au fromage bleu et réduction de porto, balsamique et miel.*
(Voir commentaire détaillé dans *La Sélection Chartier 2010*)

### Merlot Château Los Boldos « Vieilles Vignes » 2007
ALTO CACHAPOAL, VIÑA LOS BOLDOS, CHILI
**23,15 $**       SAQ **S** (10693921)   ★★★?☆ **$$**        Corsé
Comme à son habitude, un très beau nouveau millésime pour ce merlot
chilien, au nez plus qu'aromatique, aux riches arômes de fruits noirs, de
violette, d'épices orientales et de menthe, à la bouche ronde et enveloppante, non dénuée d'une certaine prise tannique et d'une fraîche acidité
sous-jacente, aux longues et pénétrantes saveurs torréfiées. **Alc./**13,5 %
**www.clboldos.cl** ■ *Feuilles de vigne farcies_Mc² (riz sauvage soufflé, bacon
de sanglier, sirop de riz brun/café) (\*\*).*

### Pinot Noir Estancia « Pinnacles Ranches » 2008
MONTEREY COUNTY, ESTANCIA ESTATES, ÉTATS-UNIS
**23,95 $**       SAQ **S** (10354232)   ★★★ **$$**            Modéré+
Un 2008 qui abonde dans le sens du précédent 2007, c'est-à-dire passablement compact et ramassé, sans être ferme, ayant besoin d'un bon gros
coup de carafe pour se révéler, au fruité expressif en bouche et bien
défini, tout en fraîcheur, aux tanins qui ont du grain, à l'acidité juste et
aux saveurs longilignes. Du sérieux, spécialement pour le prix demandé,
qui gagnera en complexité et en volume de bouche à compter de l'été
2011. **Alc./**13,5 % **www.estanciawinery.com** ■ *Fromage à croûte fleurie aux
clous de girofle (macérés quelques jours au centre du fromage).*

### Petite Sirah Foppiano 2005

RUSSIAN RIVER VALLEY, FOPPIANO VINEYARDS, ÉTATS-UNIS

**24 $**  SAQ S (611780)  ★★★ $$  Corsé

Cette classique petite sirah américaine se montre meilleure que jamais. Du fruit à revendre, un boisé certes présent, mais noblement extrait, une richesse marquée, mais sans excès, une matière dense et fraîche, ample et compacte, aux saveurs intenses de fruits mûrs, plus frais que surmuris, ainsi qu'aux notes de violette, de chêne neuf et de poivre blanc. Elle est même dotée d'une certaine retenue pour le style. **Alc./**14,5 % **www.foppiano.com** ■ *Ragoût de bœuf à la bière.*

### Syrah Qupé 2007

CENTRAL COAST, ROBERT N. LINQUIST, ÉTATS-UNIS

**24,05 $**  SAQ S (866335)  ★★★?☆ $$  Corsé

Coup de cœur de l'édition 2010 de ce guide. ■ *Steak de thon grillé et frotté au concassé de baies de genièvre.*

### Pinot Noir Eola Hills 2006

OREGON, EOLA HILLS WINE CELLARS, ÉTATS-UNIS

**24,60 $**  SAQ S (10947759)  ★★★ $$  Modéré+

(Voir commentaire détaillé dans *La Sélection Chartier 2010*)

### Cabernet Sauvignon Mission Hill « Reserve » 2006

OKANAGAN VALLEY VQA, MISSION HILL VINEYARDS, CANADA

**24,95 $**  SAQ S (11092051)  ★★★ $$  Modéré+

Contrairement au 2007 (aussi commenté), ce 2006 démontre une maturité encore plus bordelaise, avec fraîcheur et profondeur. Harmonie de matière unique en sol canadien, tanins fins et enrobés, corps relevé, mais harmonisé par des courbes sensuelles, quasi veloutées. **Alc./**14 % **www.missionhillwinery.com** ■ *Tataki de thon au café noir et au cinq-épices chinois (voir Steak de saumon au café noir et au cinq-épices chinois) (\*).*

### Shiraz Wolf Blass « Premium Selection » 2005

SOUTH AUSTRALIA, JAMIESONS RUN, AUSTRALIE

**25,60 $**  SAQ S* (10253925)  ★★★ $$$  Corsé+

Malgré sa générosité solaire, cette shiraz conserve son équilibre. Vous y découvrirez un rouge très aromatique, aux riches et puissants arômes, qui déploient des relents de mûre, de bleuet, de muscade, de cuir et de poivre, à la bouche aux tanins tissés serrés et fermes, sans être durs, à l'acidité fraîche, à la texture pleine et enveloppante. Des pointes d'eucalyptus et de torréfaction s'ajoutent dans une longue fin de bouche. **Alc./**14 % **www.wolfblass.com.au** ■ *Carré d'agneau farci aux olives noires et au romarin, sauce au porto LBV.*

### Shiraz Stonehorse 2006

BAROSSA VALLEY, KALLESKE WINES, AUSTRALIE

**25,85 $**  SAQ S (11110361)  ★★★ $$$  Corsé+

Une jeune, fougueuse et généreuse syrah australienne, fortement colorée, au puissant nez d'eucalyptus, de bleuet, de cassis, de muscade, d'olive noire et de poivre, à la bouche à la fois très ferme et charnue, aux solides tanins, mais aussi dotée de courbes sensuelles, d'un épais velouté. **Alc./**15,5 % **www.kaesler.com.au** ■ *Jarrets de veau braisés au porto.*

### Sideral 2005

VALLE DEL RAPEL, VIÑA ALTAÏR, CHILI

**26,10 $**  SAQ S (10692830)  ★★★☆ $$  Corsé

Ce rouge chilien est né de l'association du Château Dassault, de Saint-Émilion, et de la grande bodega chilienne Viña San Pedro, et élaboré sous les conseils de l'œnologue bordelais Pascal Chatonnet, propriétaire du laboratoire Excell, ainsi que des Châteaux Haut-Chaigneau et La Sergue, situés à Lalande-de-Pomerol. Tout comme le 2003, il étonne par sa grande expression aromatique, son fruité à la fois riche et très frais, son corps dense et enveloppant, ses tanins qui ont du grain mais aussi du velouté, sa fraîcheur qui le tend, ainsi que par son harmonie d'ensemble. Cèdre, girofle, épices douces, fruits noirs et menthe poivrée participent au plaisir immédiat. Du sérieux. **Alc./**14,5 % ■ *Brochettes de bœuf à la pommade de menthe fraîche, poivre concassé et vinaigre balsamiques.*

## Mourvèdre Terre Rouge 2003

AMADOR COUNTY, DOMAINE DE LA TERRE ROUGE, ÉTATS-UNIS *(DISP. SEPT./OCT. 2010)*

**26,90 $**      SAQ **S** (921601)     ★★★☆ **$$$**          Corsé

Fidèle à ses habitudes, Bill Easton présente un nouveau millésime de son mourvèdre dans le plus pur style bandol, c'est-à-dire toujours aussi gorgé de fruits noirs, d'épices, de fumée, ainsi que de tonalités cacaotées et animales, au coffre à la fois dense et capiteux, mais plus détendu que les vins de la célèbre appellation provençale. Expressivité sauvage, chair et volume à un excellent prix. **Alc./**14,5 % www.terrerougewines.com
■ *Morceau de flanc de porc poché, vinaigrette de boudin à la noix de coco,* **crumble** *de boudin noir* **(\*\*)**

## Shiraz-Grenache-Mourvèdre Turkey Flat « Butchers Block » 2006

BAROSSA VALLEY, P. & C. SCHULZ, AUSTRALIE

**26,95 $**      SAQ **S** (10968171)     ★★★☆ **$$$**          Corsé

Ce délicieux assemblage GSM se montre toujours d'une étonnante complexité aromatique, au charme immédiat, à l'élégance rarissime dans ce genre de trio australien. Les saveurs sont plus épicées et plus confites que l'année dernière, tout en étant pulpeuses à souhait, mais aussi vivifiantes et fraîches quelles ne l'étaient, grâce à une acidité élancée et saisissante, pour le style bien sûr. Les tanins sont quant à eux toujours aussi veloutés, mais avec de la prise. **Alc./**14,5 % **www.turkeyflat.com.au**
■ *Carré d'agneau au poivre vert et à la cannelle.*

## Pinot Noir Akarua « Gullies » 2006

CENTRAL OTAGO, BANNOCKBURN HEIGHTS WINERY, NOUVELLE-ZÉLANDE

**27,75 $**      SAQ **S** (10947960)     ★★★☆ **$$$**          Corsé

Il ne fallait pas laisser filer cet excellent pinot néo-zélandais, coup de cœur de la précédente édition, qui a fait un retour sur notre marché en juillet 2010. Vous y dénicherez un vin très aromatique et complexe, aux envoûtants parfums d'épices et de giroflée, à la bouche gorgée de saveurs, pleine et fraîche, d'une superbe harmonie d'ensemble, aux tanins extrafins et aux saveurs longues et éclatantes, laissant des traces de muscade, de pivoine, de cerise et de fraise. Du sérieux. **Alc./**13,8 %
www.akarua.com ■ *Purée_Mc$^2$ pour amateur de vin au céleri-rave et clou de girofle* **(\*\*)** *ou pétoncles poêlés, couscous de noix du Brésil à l'orange sanguine, lait de coco au gingembre* **(\*\*)**.

## Pinot noir, La Crema 2008

SONOMA COAST, LA CREMA WINERY, ÉTATS-UNIS

**29,70 $**      SAQ **S** (860890)     ★★★ **$$$**          Modéré

Un pinot au nez sucré de barbe à papa à saveur de fraise, de pâtisserie et de noix de coco, à la bouche tout aussi gourmande et veloutée, presque sucrée (sans sucre), aux courbes charnelles. Pas de tanins ni d'acidité à l'horizon. Difficile d'être plus crémeux... **Alc./**13,9 % www.lacrema.com ■ *Pétoncles poêlés, couscous de noix du Brésil à l'orange sanguine, lait de coco au gingembre* **(\*\*)**.

## The Holy Trinity « GSM » 2004

BAROSSA, GRANT BURGE WINES, AUSTRALIE

**29,80 $**      SAQ **S** (10257871)     ★★★?☆ **$$$**          Corsé+

Un ixième GSM typiquement australien, toujours aussi parfumé, aux effluves richement boisés, épicés et fruités à souhait, à la bouche jouflue et généreuse, aux explosives et puissantes saveurs de confiture de fraises, de cerise au marasquin et d'épices. **Cépages :** 37 % grenache, 36 % shiraz, 27 % mourvèdre. **Alc./**14,5 % **www.grantburgewines.com.au**
■ *Braisé de bœuf à l'anis étoilé ou daube de bœuf niçoise.*

## Pinot Noir Village Reserve 2006

NIAGARA PENINSULA VQA, LE CLOS JORDANNE, CANADA

**30 $**      SAQ **S** (10745487)     ★★★ **$$**          Modéré     BIO

Coup de cœur de *La Sélection 2010*. ■ *Pâtes aux tomates séchées.*

### Pinot Noir Village Reserve 2007
✓ TOP 100 CHARTIER

NIAGARA PENINSULA VQA, LE CLOS JORDANNE, CANADA

**30 $**      SAQ S (10745487)   ★★★☆ **$$$**      Modéré+   BIO

Coup de cœur de l'édition 2010, dans le millésime 2006, cette grande maison récidive avec un 2007 au charme aromatique fou. Griotte, pivoine et muscade complexifient le nez, passablement riche et élégant. La bouche suit avec ampleur, fraîcheur et texture, aux tanins souples, mais avec un grain fin et serré, aux saveurs très longues. Du plaisir, rien que du plaisir! **Alc./**13,5 % www.leclosjordanne.com ■ *Salade d'endives braisées et cerises (avec noix et fromage parmesan émietté), salade de betteraves rouges parfumées au quatre-épices.*

### Merlot Katnook 2005

COONAWARRA, WINGARA WINE GROUP, AUSTRALIE

**30,25 $**      SAQ S (11155850)   ★★★☆ **$$$**      Corsé

■ **NOUVEAUTÉ!** Un merlot très aromatique, passablement puissant, sans excès, aux tanins sphériques, enveloppé dans une gangue veloutée, au corps nourri et aux saveurs d'une grande complexité, aux tonalités de cassis, de framboise, d'épices et de cuir neuf. Savoureux et croquant de fruits, tout en étant sérieux. **Alc./**14,5 % www.katnookestate.com.au ■ *Hamburgers d'agneau aux poivrons rouges confits et au paprika.*

### Shiraz Bin 28 Kalimna Penfolds 2005

SOUTH AUSTRALIA, PENFOLDS WINES, AUSTRALIE

**31 $**      SAQ S (422782)   ★★★☆ **$$$**      Corsé

Une pulpeuse syrah australienne, à la couleur sombre, au nez très riche, détaillé et mûr, sans excès ni boisé dominant, à la bouche à la fois pleine et ramassée, aux tanins enveloppés, presque gras, à l'acidité juste fraîche, au corps charnu et aux saveurs très longues, jouant dans la sphère de la mûre, de la framboise, du café et de la fumée. **Alc./**14,5 % www.penfolds.com ■ *Côtelettes de longe d'agneau épicées à la mode du Sichuan.*

### Cabernet Sauvignon Craneford « Basket Pressed » 2007

BAROSSA VALLEY, CRANEFORD WINES, AUSTRALIE

**31,25 $**      SAQ S (10968630)   ★★★?☆ **$$$**      Puissant

Après avoir présenté un très bon 2006 (commenté en primeur dans *La Sélection 2009*), à la fois capiteux et solaire au possible, cette excellente maison australienne revenait de la charge avec un 2007 encore plus dense, plus nourri et plus complexe. Quelques années de cellier lui permettront certes de se détendre, mais, après un long passage en carafe, vous y dénicherez dès maintenant un rouge imposant, plein et volumineux, aux tanins à la fois fermes et mûrs, presque enveloppés, aux saveurs percutantes, d'une grande allonge, laissant des traces d'eucalyptus, de menthe chocolatée, de cassis et de bleuet, avec un arrière-plan boisé. **Alc./**15,5 % www.cranefordwines.com ■ *Osso buco de jarret de veau à la vanille de Tahiti sauce liée au chocolat noir.*

### Pinot Noir Lake Hayes 2007

CENTRAL OTAGO, AMISFIELD WINE COMPANY, NOUVELLE-ZÉLANDE

**31,75 $**      SAQ S (10948057)   ★★★☆ **$$$**      Modéré+

■ *Filets de bœuf au café noir (\*) et asperges vertes rôties au four à l'huile d'olive.* (Voir commentaire détaillé dans *La Sélection Chartier 2010*)

### Terre Rouge « Noir » Grande Année 2000

SIERRA FOOTHILLS, DOMAINE DE LA TERRE ROUGE, ÉTATS-UNIS

**32,75 $**      SAQ S (866012)   ★★★☆ **$$$**      Corsé

Un assemblage GSM au nez enchanteur et riche, s'exprimant par des notes puissantes de cacao, de muscade, de prune à l'eau-de-vie, de sous-bois, qui se démarque par une bouche à la fois pleine et fraîche, généreuse et sphérique, élégante et texturée, aux tanins réglissés, passablement fermes. Amusez-vous à table avec des plats dominés par les ingrédients complémentaires au cacao et à la réglisse, comme le sont l'anis étoilé, l'estragon, la cannelle, le clou de girofle, le fenouil, le café, l'érable, la sauce soya. **Alc./**14,5 % www.terrerougewines.com ■ *Osso buco au fenouil et gremolata.*

## The Twenty-Eight Road « Mourvèdre » 2005
MCLAREN VALE, D'ARENBERG, AUSTRALIE
**33,50 $**      SAQ **S** (10250804)   ★★★☆ **$$$**      **Corsé+**
Cet excellent cru au nez d'une grande distinction, à la fois charnu et pénétrant en bouche, aux tanins mûrs et gras, aux saveurs d'une grande présence, détaillants des notes de fruits noirs, d'épices douces et de cacao, **ne fera qu'un avec les ingrédients de liaison harmonique du mourvèdre tels que l'huile de truffes, le vinaigre balsamique, les champignons sauvages ou le chocolat noir.** Alc./14,5 % **www.darenberg.com.au** ■ *Jarret d'agneau confit parfumé à l'huile de truffes.*

## Zinfandel Heitz Cellar 2006
NAPA VALLEY, HEITZ WINE CELLARS, ÉTATS-UNIS
**35 $**      SAQ Courrier vinicole « en ligne » (11320288)
★★★☆ **$$$**      **Corsé**
■ **NOUVEAUTÉ!** Ce nouveau « zin », qui était disponible uniquement en ligne, via le *Courrier vinicole* de la SAQ, au cours de l'été 2010, se montre d'une fraîcheur et d'une définition rarissime chez les crus de ce cépage californien. Peu de bois à l'horizon, du fruit, de l'élégance, des tanins qui ont du grain, sans trop, du coffre, mais sans lourdeur, une générosité solaire retenue, ce qui est aussi rare pour les « zin ». J'aime! **Alc./14,5 % www.heitzcellar.com** ■ *Pétoncles rôtis fortement, shiitakes poêlés, copeaux de parmigiano reggiano et écume de bouillon de kombu (**).*

## Zinfandel Peter Franus 2007
MOUNT VEEDER, PETER FRANUS WINE COMPANY, ÉTATS-UNIS
**36,50 $**      SAQ **S** (897652)   ★★★☆?☆ **$$$$**      **Puissant**
Si vous cherchez un cru au nez puissant de clou de girofle et de poivre noir, ne cherchez plus et sustentez-vous de ce « zin », qui **ne fera qu'un avec les aliments complémentaires à ces deux épices (asperge rôtie à l'huile, basilic thaï, bière, bœuf grillé, boutons de rose chinois, café, cannelle, cinq-épices, curry indien, fraise, noix de coco grillée, romarin, scotch, vanille), tels que prescrits dans le livre *Papilles et Molécules*.** La robe est profonde, le nez intense et prenant, la bouche large, presque capiteuse, enveloppante et d'une grande allonge, aux tanins mûrs et gras, aux saveurs percutantes, sans trop. Du sérieux. **Alc./15,6 % www.franuswine.com** ■ *Meringue de pois verts, tomates confites, filets d'anchois croustillants au vinaigre de xérès_Mc2 (air de shiitakés dashi) (**).*

## Bin 389 Cabernet/Shiraz Penfolds 2006
SOUTH AUSTRALIA, PENFOLDS WINES, AUSTRALIE
**37,50 $**      SAQ **S**\* (309625)   ★★★☆?☆ **$$$**      **Corsé+**
Un 2006 coup de cœur, noir, très aromatique, richissime, puissant, compact, volumineux, éclatant, juteux, sphérique et très long, laissant des saveurs de fruits noirs, café et violette. **Alc./14,5 % www.penfolds.com** ■ *Carré de porc glacé aux fraises, poivre du Sichuan, galanga et miel (**).*

## Cabernet Sauvignon Rutherford Hill 2005
NAPA VALLEY, RUTHERFORD HILL WINERY, ÉTATS-UNIS
**39,75 $**      SAQ **S** (10354291)   ★★★☆ **$$$$**      **Corsé**
Un pulpeux et extraverti cabernet de Napa, richement coloré, très aromatique, plein, enveloppant, aux tanins mûrs, presque dodus pour le cépage, aux saveurs intenses, sans trop, laissant deviner des notes de cassis, de bleuet, d'épices douces, de vanille et de torréfaction. **Alc./13,8 % www.rutherfordhill.com** ■ *Carré d'agneau et jus au café expresso (*).*

## Pinot Noir Calera « Mt. Harlan Cuvée » 2006
MT. HARLAN, CALERA WINE COMPANY, ÉTATS-UNIS
**40,25 $**      SAQ **S** (10944216)   ★★★☆ **$$$**      **Corsé**
Belle matière à la fois dense et fraîche, pleine et détendue, aux tanins mûrs, qui ont du grain, aux saveurs ensoleillées, jouant dans l'univers des épices douces et de la cerise à l'eau-de-vie. Longue finale où le vin gagne en velouté et en fraîcheur, sans excès, ce qui lui procure un profil qui n'est pas sans rappeler certains crus bourguignons du village de Chambolle. **Alc./14 % www.calerawine.com** ■ *Poulet au soja et à l'anis étoilé.*

### Osoyoos Larose « Le Grand Vin » 2005

OKANAGAN VALLEY VQA, OSOYOOS LAROSE, CANADA

43 $ SAQ S (10293169) ★★★☆?☆ $$$$ Corsé+

Un 2005 coloré, au nez retenu et difficile à cerner, mais marqué par une fraîcheur et une élégance certaines, à la bouche plus bavarde, presque généreuse, mais aux tanins tissés très serrés, tendant le vin vers le futur. **Alc./**13,5 % ■ *Magret de canard rôti à la nigelle.*

### Pinot Noir Clos Henri 2006

MARLBOROUGH, CLOS HENRI, NOUVELLE-ZÉLANDE

43,75 $ SAQ S (10916493) ★★★☆ $$$$ Modéré+

■ *Pétoncles poêlés enrubannés d'algues nori et réduction de jus de veau.* (Voir commentaire détaillé dans *La Sélection Chartier 2010*)

### Pinot Noir Clos Henri 2008

MARLBOROUGH, CLOS HENRI, NOUVELLE-ZÉLANDE *(DISP. AUTOMNE 2010)*

43,75 $ SAQ S (10916493) ★★★☆ $$$$ Corsé

Élaboré sous la houlette de la famille Bourgeois, ce nouveau millésime de leur pinot néo-zélandais se montre actuellement discret au nez, mais généreusement fruité en bouche. Les tanins sont gras, l'acidité discrète mais fraîche, le corps plein et velouté, et les saveurs longues et solaires (cerise noire, fraise, muscade et violette). **Alc./**14 % www.closhenri.com ■ *Filets de porc à la cannelle et aux canneberges.*

### Pinot Noir Cellar Reserve Penfolds 2007

ADELAÏDE, PENFOLDS WINES, AUSTRALIE

45 $ SAQ SS (11216691) ★★★☆ $$$$ Modéré+

Très aromatique, rafraîchissant et invitant au possible, ce pinot australien joue dans l'univers des arômes bourguignons plus qu'australiens, exhalant des notes de framboise, de violette, de cerise, de muscade et de rose séchée. La bouche suit avec un profil presque juteux mais tout en fraîcheur, aux tanins extrafins, à l'acidité juste dosée, au corps ample, sans excès, plutôt droit, sans aucun boisé apparent. **Alc./**14 % www.penfolds.com ■ *Casserole de poulet à la pancetta et carottes.*

### Sangiovese Cellar Reserve Penfolds 2006

BAROSSA VALLEY, PENFOLDS WINES, AUSTRALIE

45 $ SAQ S (11214282) ★★★☆?☆ $$$ Corsé

Coup de cœur de la précédente édition. Nez riche, concentré et compact, au fruité mûr, sans excès, et au boisé subtilement floral et épicé, laissant deviner des notes de violette, de prune, de cassis et de poivre. Bouche juteuse, explosive, large, mais aussi fraîche et inspirante au possible, aux tanins très fins et enrobés, avec du grain, aux saveurs d'une grande allonge. **Comme la cannelle, l'anis étoilé, le poivre, le basilic, le thé et le clou de girofle sont à ranger parmi les aliments complémentaires à la prune, l'une de ses signatures aromatiques, sélectionnez des recettes où ces aliments dominent.** **Alc./**14,5 % www.penfolds.com ■ *Hachis Parmentier de canard au quatre-épices.*

### Quatrain 2005

OKANAGAN VALLEY VQA, MISSION HILL VINEYARDS, CANADA

47,75 $ SAQ S (11140447) ★★★★ $$$$ Corsé+

Coup de cœur de *La Sélection 2010*. ■ *Osso buco de cerf aux parfums de mûres et de réglisse (\*).*

### Napanook 2005

NAPA VALLEY, DOMINUS ESTATE, ÉTATS-UNIS

49,25 $ SAQ S (897488) ★★★★ $$$$ Corsé

■ *Filets de bœuf au café noir (\*).* (Voir commentaire détaillé dans *La Sélection Chartier 2009*)

### Napanook 2006

NAPA VALLEY, DOMINUS ESTATE, ÉTATS-UNIS

49,25 $ SAQ S (897488) ★★★☆?☆ $$$$ Corsé+

■ *Filets de bœuf et coulis de poivrons verts (\*).* (Voir commentaire détaillé dans *La Sélection Chartier 2010*)

### Napanook 2007
✓ TOP 100 CHARTIER
NAPA VALLEY, DOMINUS ESTATE, ÉTATS-UNIS *(DISP. JANV. 2011)*
**49,25 $**      SAQ **S** (897488)   ★★★★ **$$$$**         Corsé+
Un 2007 ultraprofond, retenu et racé, qui étonne par sa densité, sa richesse, sa trame et sa persistance. Il se rapproche du Dominus, le grand vin du domaine (aussi commenté). Pas de bois, que du fruit. Finale presque crémeuse et harmonie d'ensemble. Une grande réussite. **Alc./**14,1 % **www.dominusestate.com** ■ *Magret de canard rôti parfumé de baies roses.*

### Shiraz The Dead Arm 2006
MCLAREN VALE, D'ARENBERG, AUSTRALIE
**51,75 $**      SAQ **S** (728170)   ★★★★ **$$$$**         Puissant
Très aromatique, au nez racé et complexe, marqué d'effluves d'une grande profondeur, aux notes de lys, de bleuet, de poivre, de menthe et d'eucalyptus. Bouche tannique, aux tanins fins, mais tissés très serrés, à l'acidité très fraîche, aux courbes rondes et sensuelles, aux très longues saveurs confites, épicées et florales. Une remarquable, succulente, gracieuse shiraz autalienne. **Alc./**14,5 % **www.darenberg.com.au**

### Cabernet Sauvignon « Napa » Heitz Cellar 2004
NAPA VALLEY, HEITZ WINE CELLARS, ÉTATS-UNIS
**52,50 $**      SAQ **S** (702092)   ★★★★ **$$$$**         Corsé+
Un coup de cœur de la précédente édition, au nez plus boisé que le 2003, mais avec race et style, rappelant le boisé noble et unique des vins argentins de la grande maison Weinert, avec la « fleur » du bois qui embaume le nez... Bouche pleine, ample, volumineuse et généreuse, mais avec une fraîcheur unique en sol californien. **Alc./**14,5 % **www.heitzcellar.com** ■ *Côtes de veau et purée de pois à la menthe (\*).*

### Shiraz St. Henri Penfolds 2005
SOUTH AUSTRALIA, PENFOLDS WINES, AUSTRALIE
**58,75 $**      SAQ **S** (510875)   ★★★?★ **$$$$**        Corsé+
La syrah St. Henri, dont les vendanges proviennent de différentes régions (Barossa, Eden, Mc Laren, Clare...), exprime un style qui n'a pas changé depuis 1951. Elle défie les modes avec son profil ancien, hérité d'une autre l'époque, mais vinifié avec doigté, grâce aux applications des techniques modernes, mais sans bois neuf, l'élevage s'effectuant dans de vieux foudres de bois de 50 ans, sans bois américain, résultant en une shiraz sur le fruit, différente des autres crus de Penfolds. Par contre, lorsque j'ai dégusté ce 2005, en novembre 2009, le vin se montrait plus anguleux et plus carré qu'à son habitude, aux tanins secs et aux saveurs plus confiturées que par le passé. Était-ce une mauvaise passe ou une bouteille défectueuse? À suivre, car la matière sous-jacente était toujours aussi compacte et profonde. **Alc./**14,5 %

### Oculus 2005
OKANAGAN VALLEY VQA, MISSION HILL VINEYARDS, CANADA
**59,75 $**      SAQ **S** (10942456)   ★★★★?☆ **$$$$**     Puissant
■ *Côtes de cerf sauce aux griottes et au chocolat noir Valrhona Guanaja (\*).* (Voir commentaire détaillé dans *La Sélection Chartier 2010*)

### Rustenberg « Peter Barlow » 2003
SIMONSBERG-STELLENBOSCH, RUSTENBERG WINES, AFRIQUE DU SUD
**61 $**      SAQ **SS** (10670260)   ★★★★?☆ **$$$$**      Corsé
Une remarquable référence sud-africaine, de l'historique domaine Rustenberg, ayant beaucoup appris lors d'un séjour au célèbre saint-émilion Château Angélus, le vinificateur Adi Badenhorst y élabore une remarquable gamme de vins blancs et rouges. Pour preuve, cet exceptionnel cabernet au nez d'une définition et d'une complexité enivrantes et rarissimes chez les crus du Cap. D'une grande distinction aromatique, marqué par des couches aromatiques successives, à la bouche à la fois dense, compacte et fraîche, ramassée à la manière médocaine, aux grains de tanins très serrés, au corps élancé et aux saveurs d'une très grande allonge, sans esbroufe et sans boisé apparent. **Alc./**15,5 % **www.rustenberg.co.za** ■ *Carré d'agneau et jus au café expresso (\*).*

## Rustenberg « Peter Barlow » 2004
SIMONSBERG-STELLENBOSCH, RUSTENBERG WINES, AFRIQUE DU SUD
**61 $** SAQ **SS** (10670260) ★★★★?☆ **$$$$** Corsé
(Voir commentaire détaillé dans *La Sélection Chartier 2008*)

## Altaïr 2004
CACHAPOAL VALLEY, ALTAÏR VINEYARD & WINERY, CHILI
**62 $** SAQ **S** (11156086) ★★★★ **$$$$** Corsé+
Une grande signature chilienne, provenant d'un récent projet, démarré en 2001. Il en résulte une cuvée prestige, grande sœur du Sidéral (aussi commenté), colorée, richement aromatique, aux notes de bourgeon de cassis, de violette, de fumée et de créosote, à la bouche à la fois compacte et très fraîche, pleine et ramassée, avec élégance et race, aux tanins étonnamment fins pour le style et aux saveurs très longues et retenues par une gangue dense. Boisé noble, intégré avec intelligence, et matière noble, pour un cru qui est loin d'avoir dit son dernier mot. Il faut savoir que les vins de ce domaine sont élaborés sous les conseils de l'œnologue bordelais Pascal Chatonnet, propriétaire des châteaux Haut-Chaigneau et La Sergue (aussi commentés), situés à Lalande-de-Pomerol. **Cépages :** 73 % cabernet sauvignon, 15 % syrah, 11 % carmenère, 1 % cabernet franc. **Alc./**14,5 % www.altairwines.com ■ *Filet d'agneau enveloppé d'algues nori accompagné d'un braisé de carottes au jus d'agneau.*

## Sena 2006
ACONGUA VALLEY, VIÑA SEÑA, CHILI *(DISP. SEPT./OCT. 2010)*
**69,75 $** SAQ **S** (898858) ★★★★ **$$$$$** Corsé+ BIO
Difficile d'être plus chilien que cette cuvée haute couture aux puissants relents d'eucalyptus, de menthe, de poivre et de cacao. La bouche est tout aussi typiquement sud-américaine, pleine, joufflue et généreusement solaire, aux tanins gras et travaillés par un luxueux et dominant élevage en barriques de chêne neuf. Il se montre plus nourri, étoffé, mûr et réussi que le très frais 2005 (commenté dans *La Sélection 2009*). Sachez que le vignoble de Seña est passé en biodynamie à 100 % depuis 2005. **Alc./**14,5 % www.sena.cl ■ *Pot-au-feu froid d'agneau cuit rosé, cubes de bouillon à la sauge, condiment au curcuma, sel de romarin (\*\*).*

## Merlot Pedestal 2006
COLUMBIA VALLEY, PEDESTAL CELLARS, ÉTATS-UNIS
**73,75 $** SAQ **S** (11202741) ★★★★ **$$$$** Corsé
Né d'un *joint venture* entre l'œnologue bordelais de réputation mondiale, Michel Rolland, et le pionnier des vignobles de la région de Washington, Allen Schoup. Il en résulte un merlot ultra-coloré, aromatique, avec une certaine retenue européenne, concentré, sans trop, sans aucun boisé apparent, à la bouche pleine, sphérique et intensément veloutée à la pomerol. Un cru encore plus détendu qu'à l'été 2010, lors d'une première dégustation, aux tanins gras, au corps voluptueux et aux saveurs presque confites, sans être lourdes. Du sérieux. Un deuxième arrivage de 60 caisses est attendu en février 2011. **Alc./**14,7 % www.longshadows.com ■ *Magret de canard fumé aux feuilles de thé Lapsang Souchong.*

## Sena 2005
ACONGUA VALLEY, VIÑA SEÑA, CHILI
**76,25 $** SAQ **S** (898858) ★★★☆?☆ **$$$$$** Modéré+ BIO
**Alc./**14,5 % www.sena.cl ■ *Côtes de veau et purée de pois à la menthe (\*).*
(Voir commentaire détaillé dans *La Sélection Chartier 2009*)

## Dominus « Christian Moueix » 2006
NAPA VALLEY, DOMINUS ESTATE, ÉTATS-UNIS
**110,75 $** SAQ **S** (869222) ★★★☆?☆ **$$$$$** Corsé+
(Voir commentaire détaillé dans *La Sélection Chartier 2010*)

## Dominus « Christian Moueix » 2005
NAPA VALLEY, DOMINUS ESTATE, ÉTATS-UNIS
**112,25 $** SAQ **S** (869222) ★★★★☆?☆ **$$$$$** Corsé+
■ *Magret de canard au poivre vert et à la cannelle.* (Voir commentaire détaillé dans *La Sélection Chartier 2009*)

### Dominus « Christian Moueix » 2007
NAPA VALLEY, DOMINUS ESTATE, ÉTATS-UNIS *(DISP. JANV. 2011)*
**112,25 $**      SAQ S (869222)   ★★★★?☆ **$$$$**$      Corsé+
Un 2007 plus ouvert au nez, contrairement à son habitude d'être plus
retenu dans ses premières années de bouteille. Grande masse aromatique
de fruits noirs et de torréfaction. Bouche généreuse, pleine, presque
sphérique, mais avec une solide prise tannique, sans excès, au corps
ramassé, qui aura besoin de temps pour se délier les jambes, comme tou-
jours avec ce cru. Donc, un cru à suivre – il ne faut pas oublier la répu-
tation qui le précède et la suite des très grandes réussites (voir
commentaires détaillés des précédents millésimes dans les éditions de
2010 à 2007 de *La Sélection*). **Alc./**14,1 % **www.dominusestate.com**

### Cabernet Sauvignon Cellar Reserve Penfolds 2006
BAROSSA VALLEY, PENFOLDS WINES, AUSTRALIE
**149 $**      SAQ SS (11214397) ★★★★ **$$$$$**      Corsé+
Un cab classique, c'est-à-dire richement aromatique, à la fois fruité et
boisé, aux tanins présents, avec de la grippe, mais remarquablement
polis par un élevage bien maîtrisé, au corps dense et aux saveurs très
longues, rappelant la crème de cassis, le cèdre, le café et la violette. À
boire et à manger, sans tomber dans la caricature, demeurant racé et
noble, sans aucune dureté. Ira loin. **Alc./**14 % **www.penfolds.com**
■ *Magret de canard rôti à la nigelle.*

### Insignia 2006
NAPA VALLEY, JOSEPH PHELPS, ÉTATS-UNIS
**214,75 $**      SAQ S (10512544)   ★★★☆?☆ **$$$$$**      Corsé
Un 2006 paradoxal pour ce cru, au nez d'une grande élégance, certes
profond, mais subtilement fruité et épicé, à la bouche généreuse et
débordante de saveurs, aux tanins un brin carrés, pour ne pas dire secs
et anguleux pour le rang. Saveurs longues, sans être prenantes. Un très
bon vin, mais loin du niveau habituel. À suivre. **Alc./**14,5 %
**www.jpvwines.com**

APÉRITIFS,
MOUSSEUX, ROSÉS
ET VINS DE DESSERTS
DU NOUVEAU
MONDE

## Nigori Sake

SAKÉ, GEKKEIKAN, SAN FRANCISCO, ÉTATS-UNIS

| 7,80 $ (300 ml) SAQ **S** (10757066) | ★★☆ $ | Modéré |
|---|---|---|

Si vous cuisinez à l'érable – un saumon érable/soya par exemple –, la sucrosité de l'érable et l'amertume saline de la sauce soya sont les clés pour réussir l'accord avec un saké à faible taux d'alcool et riche en acides aminés, tel le Nigori qui, avec seulement 10 degrés d'alcool, lorsque servi froid, se montre aromatique, fin, exprimant des notes de lait d'amandes et d'eau de riz basmati, ainsi que crémeux, quasi sucré et enveloppant à souhait – comme il le ferait avec brio sur la majorité des mets servis à la cabane à sucre. Il fera aussi sensation avec les sushis, bien sûr, spécialement lorsque le gingembre, les épices et les fruits exotiques sont de la partie. **Alc./** 10 % www.gekkeikan-sake.com

☛ *Servir dès sa mise en marché, à 10 °C*

Cuisine thaï (très épicées), sushis (avec gingembre, épices, fruits exotiques), repas de cabane à sucre, **saumon grillé et réduction de Soyable_Mc² (voir Bœuf grillé et réduction de Soyable_Mc²) (\*\*), whippet_Mc² (guimauve au sirop d'érable vanillé, coque de chocolat blanc caramélisé) (\*\*), guimauve érable_Mc² (sirop d'érable, vanille et amandes amères) (\*\*)**.

## Dégel                                          ✓ TOP 20 BAS PRIX

CIDRE TRANQUILLE, LA FACE CACHÉE DE LA POMME, HEMMINGFORD, QUÉBEC, CANADA

| 9,30 $ | SAQ S* (10661486) ★★?☆ $ | Léger+ |
|---|---|---|

Si les cidres tranquilles des années soixante-dix avaient eu ce bagou et cette justesse de propos, je n'ose à peine imaginer ce que serait aujourd'hui l'univers des cidres québécois. La cuvée dégustée en août 2010 se montrait plus festive et plus croquante que jamais! Quelle définition et quelle expressivité pour un cidre offert à moins de dix dollars. Pratiquement sec (malgré les 28 grammes de sucres résiduels), désaltérant, joyeux et persistant. Que demander de plus à l'heure de l'apéritif? Un chausson aux pommes avec ça... **Pommes :** 80 % mcIntosh, 20 % spartan. **Alc./**11,5 % www.lafacecachee.com

☛ *Servir dans les deux premières années de l'achat, à 10 °C*

Apéritif, salade de pomme et d'endive à la vinaigrette au fromage bleu, sushis avec gingembre, poulet au cidre, canapés d'asperges et de fromage de chèvre ou rouleaux de printemps aux crevettes, pommes et menthe fraîche.

## Kumala Rosé 2008

WESTERN CAPE, CONSTELLATION EUROPE LTD, AFRIQUE DU SUD

| 9,75 $ | SAQ C (10938887) ★☆ $ | Léger |
|---|---|---|

D'une robe rose orangé pâle (œil-de-perdrix), au pourtour vermillon. D'un nez aromatique et fin, aux notes de bonbon à la banane, à la cerise et à la cannelle, avec une pointe de melon d'eau. D'une bouche très fraîche, à la texture souple et aérienne, aux subtiles saveurs de fruits rouges et d'épices douces. Résultant en un rosé rafraîchissant, simple et festif, offert à un prix doux. **Amusez-vous à le servir sur des plats dominés par des aliments complémentaires à la banane (qui est son ingrédient de liaison harmonique), comme le sont la lavande, la bergamote, le clou de girofle, la pomme, la poire, la figue, les fromages et la bière (spécialement le type *Wheat Doppelbock*, toujours marqué par des saveurs de banane et de girofle). Cépages :** pinotage, shiraz, merlot, cabernet sauvignon. **Alc./**12,5 % www.kumala.com

☞ *Servir dans les deux années suivant le millésime, à 14 °C*

🍴 Tacos au chili de Cincinnati, salade de figues fraîches et de fromage de chèvre (vinaigrette au miel et cannelle), salade de fenouil et de pommes à l'huile parfumée à la lavande ou salade de betteraves rouges parfumées au quatre-épices (poivre, muscade, gingembre en poudre et clou de girofle).

## Trapiche Rosé

MENDOZA, BODEGAS TRAPICHE, ARGENTINE

| **14 $** | SAQ C (11104665) | ★★☆ $ | Modéré+ |
|---|---|---|---|

Nouveau coup de cœur depuis son entrée fracassante au Québec, salué dans la précédente édition de ce guide, voilà un bel ajout à la SAQ que ce mousseux sec rosé argentin. Il se montre d'une belle couleur soutenue, d'un nez aromatique, au fruité engageant, d'une bouche à la fois crémeuse et fraîche, ample et vivifiante, presque vineuse, aux saveurs longues, jouant dans l'univers des fleurs et des fruits rouges. Ce qui le positionne parmi les meilleurs rapports qualité-prix de l'heure en matière de mousseux offerts sous la barre des seize dollars. **Cépages :** malbec, pinot noir. **Alc./**13 % www.trapiche.com.ar

☞ *Servir dès sa mise en marché, à 12 °C*

🍴 Apéritif, carpaccio d'agneau fumé, mousse de foies de volaille aux **poires au vin rouge et aux épices douces** (voir recette Vin chaud épicé_Mc$^2$ : à la poire) (\*\*).

## Cuvée de la Diable

HYDROMEL LIQUOREUX, FERME APICOLE DESROCHERS, FERME-NEUVE, QUÉBEC, CANADA

| **16,10 $** 375 ml | SAQ S (10291008) | ★★★?☆ $$ | Modéré+ | BIO |
|---|---|---|---|---|

Avant que les « possibles » effets néfastes des changements climatiques transforment le goût de nos pommes d'aujourd'hui et secouent notre cheptel d'abeilles, c'est l'occasion plus que jamais de découvrir certains nobles produits québécois de la pomme et du miel et de leur rendre hommage. Je le dis depuis les premières éditions de *La Sélection*, la grande force des plaisirs aromatiques du Québec se trouve du côté de ses hydromels liquoreux et de ses cidres, qu'ils soient de glace ou secs, tranquilles ou mousseux. À tout seigneur tout honneur... j'ai nommé un hydromel qui m'a littéralement jeté à terre, lorsque je l'ai découvert, à la fin des années quatre-vingt-dix, et qui n'a cessé de se peaufiner depuis : la Cuvée de la Diable. Cette cuvée d'hydromel liquoreux, mise au monde avec talent et sensibilité par feu Marie-Claude Desrochers, et son conjoint Claude, et maintenant vinifiée avec doigté par leur fille Nadine, et son amoureux d'œnologue Géraud Bonet, demeure un incontournable qui mérite de figurer parmi les favoris québécois, tous produits confondus. Elle se montre plus élégante que jamais, d'un raffinement insoupçonné pour un hydromel et d'une complexité subtile, aux notes de cire d'abeille, de miel, de poire fraîche, de coing et de safran, à la bouche plus satinée et plus fraîche encore que par le passé, tout en étant aussi moelleuse et persistante, ainsi que presque aérienne. Je vous le redis, je considère cet hydromel liquoreux comme l'un des plus beaux et des plus originaux produits des terroirs québécois. Servie à 12 °C, la Cuvée de la Diable crée de vibrantes harmonies tant à l'apéritif qu'à table, de l'entrée au dessert en passant par le fromage. **Alc./**14 %

☞ *Servir dans les six années suivant l'achat, à 12 °C*

🍴 *Antipasti* de melon, figues fraîches et prosciutto. Fromages : saint-marcelin (sec), terrincho velho (de plus ou moins 90 jours) ou vieux cheddars accompagnés de confiture de coings et de noix de Grenoble. Noix de macadamia sablées au sirop d'érable et curry (**), baklavas, **poires asiatiques cuite au safran et belle de Brillet, éclats de vieux cheddar, mangue glacée/râpée (**)** ou **tatin de pommes au curry, noix de macadamia salées au sirop d'érable, tranche de foie gras de canard poêlé (**)**.

## Michel Jodoin Cidre Léger Mousseux Rosé

CIDRE MOUSSEUX, CIDRERIE MICHEL JODOIN, ROUGEMONT, QUÉBEC, CANADA

| 18,75 $ | SAQ S (733394) | ★★☆ $$ | Léger+ |
|---|---|---|---|

Il y a quelques éditions de *La Sélection* déjà que je vous recommande cet excellent cidre mousseux rosé, produit à partir d'une pomme à chair rouge, la Geneva, qui a plus que jamais de quoi faire rougir d'envie les cidreries normandes! Il a été élaboré selon la méthode traditionnelle – la méthode champenoise – et a été conservé deux ans sur lies, après la deuxième fermentation en bouteille. Le résultat est festif à souhait, offrant une texture à la fois caressante et fraîche, des bulles plutôt légères et aériennes mais abondantes, ainsi que des effluves invitants de pomme fraîche, de fleurs séchées et de safran, auxquels s'ajoutent des saveurs croquantes rappelant la fraise et la pomme McIntosh. Avec seulement 7 % d'alcool, et avec sa saisissante fraîcheur aérienne, c'est le mousseux rosé parfait pour l'apéritif et pour les brunches du dimanche. **Alc./7 %** www.cidrerie-michel-jodoin.qc.ca

☛ *Servir dès sa mise en marché, à 10 °C*

Apéritifs : *toasts* de saumon fumé, minibrochettes de tomates cerises, de bocconcini et de basilic frais. À table : tartare de thon, salade d'endives et de pommes, **carré de porcelet de la Ferme Gaspor au safran, carottes, pommes Golden et melon d'eau (**)** ou **poires asiatiques cuite au safran et belle de Brillet, éclats de vieux cheddar, mangue glacée/râpée (**)**.

## Vidal Inniskillin « Select Late Harvest » 2007

NIAGARA PENINSULA VQA, INNISKILLIN WINES, CANADA

| 19,95 $ 375 ml | SAQ S* (398040) | ★★★ $$ | Modéré+ |
|---|---|---|---|

Petit frère du vin de glace (*icewine*) d'Inniskillin, cette sélection de vendange tardive, coup de cœur de l'édition précédente de ce guide, se montre dans ce millésime d'une harmonie et d'une fraîcheur exemplaire. Sans compter qu'elle est aguichante au possible, grâce à ses riches et détaillés parfums de confiture d'abricot, de pulpe de citrouille, de pain d'épices et de zeste d'orange. En bouche, elle se montre à la fois vivifiante et onctueuse, mais sans lourdeur, avec éclat et digestibilité. Une belle réussite à se mettre sous la dent, à table, avec les aliments complémentaires à son profil de saveurs, comme le sont, entre autres, la pêche, la noix de coco, le miel, la citrouille, le gingembre, la lime, le pamplemousse, le litchi. Pour en savoir plus sur les plaisirs des vins de vidal, consultez le chapitre « Vin de glace : le *Vidal sous l'emprise de la glace!* », dans le livre *À table avec Chartier*. **Cépage :** vidal. www.inniskillin.com

☛ *Servir dans les six années suivant le millésime, à 10 °C*

**Terrine de foie gras et cailles, parfums de pétales de rose, gingembre, litchi et piment d'Espelette (**).** Desserts : **pâte de fruits_Mc² (litchi/gingembre, sucre à la rose) (**)**, panna cotta aux pêches et zestes de lime, millefeuille de pain d'épices aux pêches (*) ou tarte à la citrouille et au gingembre (*).

## Michel Jodoin Cidre de Glace 2008

CIDRE DE GLACE, CIDRERIE MICHEL JODOIN, ROUGEMONT, QUÉBEC, CANADA

**21,35 $** 375 ml    SAQ **S** (10317415)    ★★★ **$$**         Modéré+

Michel Jodoin se passe pratiquement de présentation tant il a fait pour la reconnaissance des cidres en sol québécois. D'ailleurs, son cidre de glace exprime très bien la quête de qualité que ce producteur de Rougemont s'est donnée. Vous y dénicherez une aubaine des plus classiques, aux notes fraîches d'abricot et de pomme, plus subtilement caramélisée que ne l'était le 2007, d'une bonne richesse, à la bouche presque vive et moelleuse tout en étant croquante comme se doit de l'être tout bon cidre de glace. Ceux chez qui le froid hivernal provoque invariablement une envie irrépressible de glucides opteront à table pour un dessert comme un croustillant aux pommes et pacanes, qui sait être au diapason de ce style de cidre de glace. **Alc./**9 % www.cidrerie-michel-jodoin.qc.ca

☛ *Servir dans les six années suivant le millésime, à 10 °C*

Croustillant aux pommes et pacanes, tartare de litchis aux épices (*) ou tarte à la citrouille et au gingembre (*).

## Domaine des Salamandres

POIRÉ DE GLACE, DOMAINE DES SALAMANDRES, QUÉBEC, CANADA

**22,90 $** 200 ml    SAQ **S** (11172254)    ★★★☆ **$$**         Modéré+

Une originalité québécoise, ce poiré de glace, donc à base de poires, façon cidre de glace, a été élaboré avec maestria par l'ex-œnologue du réputé domaine La Face Cachée de la Pomme, Loïc Chanut, qui a récemment fondé sa propre maison. Vous pourriez le servir à l'aveugle à vos amis de dégustation et ils seraient assurés d'avoir dans le nez un cidre de glace! Mais sa subtilité aromatique (miel, fleurs et poire) et sa grande fraîcheur lui donnent un profil bien à lui. D'autant plus que ses saveurs sont très longues et qu'elles ont de l'éclat. **La poire étant un naturel avec la pomme lorsque vient le temps de parler de pouvoir d'attraction, tout comme avec la cannelle et la pâte d'amandes, amusez-vous avec ces ingrédients de base afin de créer de belles envolées harmoniques avec cette percutante nouveauté de notre belle province. Le strudel aux pommes n'a qu'à bien se tenir!** **Alc./**11,5 % www.salamandres.ca

☛ *Servir dès sa mise en marché, à 10 °C*

Tarte fine aux poires et pâte d'amandes, strudel aux pommes et cannelle, millefeuille de pain d'épices aux pommes et aux abricots (*) ou **pouding poché au thé** *Earl Grey*, **beurre de cannelle et scotch highland** *single malt* **(**).

## Crémant de glace du Minot

CRÉMANT DE GLACE, CIDRERIE DU MINOT, HEMMINGFORD, QUÉBEC, CANADA

**23,95 $** 375 ml    SAQ **S** (10530380)    ★★★☆ **$$$**         Modéré

Remarquable référence que ce crémant de glace, sorte d'hybride entre le cidre de glace et le crémant de pomme, à la mousse aussi abondante qu'évanescente, au nez d'une saisissante fraîcheur, à la bouche vivifiante, croquante et moelleuse, marquée par une mousse vaporeuse, qui a le mérite de ne pas alourdir les papilles et l'estomac, n'étant doté que de 7 % d'alcool. Du fruit à revendre, de l'expression, de l'ampleur et de la digestibilité. Parfait pour l'heure du brunch, tout comme en ouverture ou en fermeture de repas, plus particulièrement avec un gâteau renversé aux pommes golden et au safran. Il faut dire que Robert et Joëlle Demoy ont fait de ce domaine l'un des pionniers en matière de cidre québécois de grande qualité. **Alc./**7 % www.duminot.com

☛ *Servir dès sa mise en marché, à 10 °C*

Brunch, mousse de foies de volaille aux figues, gâteau renversé aux pommes Golden et au safran ou panna cotta aux poires.

## Domaine Lafrance 2009

CIDRE DE GLACE, LES VERGERS LAFRANCE, SAINT-JOSEPH-DU-LAC, QUÉBEC, CANADA

| 24,95 $ 375 ml    SAQ **S** (733600) | ★★★ $$$ | Modéré+ |
|---|---|---|

D'un domaine à compter parmi le *top ten* des meilleurs producteurs de cidre de glace de la province. Ici, vous dégusterez une cuvée à la fois gourmande et mordante, sans être puissante. Parfaite pour faire vos premiers pas dans l'univers glacé du cidre liquoreux. Certes sucré à souhait, sans lourdeur, ce cidre se montre aussi très élancé et presque mordant, comme dans le précédent millésime 2008, s'exprimant par des saveurs rafraîchissantes et expressives de pomme poire et de gingembre. Bel équilibre sucre-acidité pour de gourmandes harmonies à table, comme le pain d'épices ou les desserts relevés de gingembre. **Alc./**10,5 % **www.lesvergerslafrance.com**

☛ *Servir dans les quatre années suivant le millésime, à 10 °C*

Tartare de litchis aux épices (*), tarte à la citrouille et au gingembre (*) ou millefeuille de pain d'épices aux mangues (*).

## Neige « Première » 2008

CIDRE DE GLACE, LA FACE CACHÉE DE LA POMME, HEMMINGFORD, QUÉBEC, CANADA
*(DISP. AUTOMNE 2010)*

| 24,95 $ 375 ml    SAQ **S** (744367) | ★★☆?☆ $$ | Modéré+ |
|---|---|---|

Dégusté en primeur, en août 2010, d'un échantillon du domaine, ce Neige Première 2008 se montre d'un nez d'une exquise finesse, pas aussi riche que par le passé, mais toujours aussi invitant, à l'attaque en bouche moelleuse, presque liquoreuse, mais faisant rapidement place à une électrisante acidité qui bride le sucre et qui tend le cidre. Mordant, saisissant et savoureux, dans un style plus incisif que par le passé, rappelant même certains rieslings vendanges tardives. **Alc./**11 % **www.cidredeglace.com**

☛ *Servir dans les six années suivant le millésime, à 12 °C*

Fromage Cru des Érables accompagné de **chutney d'ananas au curcuma, gingembre et vinaigre de xérès (\*\*)**. Desserts : tarte à l'ananas et aux zestes d'orange confits (*) ou **crémeux citron, meringue/siphon au romarin (\*\*)**.

## Clos Saragnat « Avalanche » 2007

CIDRE DE GLACE, CLOS SARAGNAT, EXPLORAGE INC., FRELIGHSBURG, QUÉBEC, CANADA

| 26,90 $ 200 ml    SAQ **S** (11133221) | ★★★★ $$$ | Modéré+ |
|---|---|---|

■ NOUVEAUTÉ! Les deux cuvées du Clos Saragnat sont tout simplement époustouflantes. Bonne nouvelle, après plusieurs années d'attente, la cuvée Avalanche est enfin disponible à la SAQ depuis quelques mois. Elle est signée par le maître *ès* cidres de glace, Christian Barthomeuf, qui est ni plus ni moins « l'inventeur » du cidre de glace. Il aura été le premier à avoir osé s'aventurer dans cette production, à la fin des années 80. C'est LA référence mondiale en la matière pour tous les producteurs de cidre de glace. L'Avalanche se montre d'une couleur orangé foncé caramélisée. D'un nez d'une étonnante définition, unique et hors normes, dans une classe à part. Pureté, profondeur et fraîcheur, où s'entremêlent des notes complexes de pomme mûre, de compote, de cassonade, d'érable, d'abricot et de poire chaude. Belle liqueur, onctueuse à souhait, mais immense finale à l'acidité vibrante et aux saveurs prenantes, d'une vibration unique et d'une grande ampleur. Et puisque certaines molécules aromatiques du sirop d'érable sont fortement représentées dans la cannelle, et que cette dernière s'exprime haut et fort dans les cidres de glace, qui sont pourvus de cette même signature moléculaire, il faut opter pour les recettes à base de sirop d'érable et de cannelle. Tout comme celles dominées par les ingrédients complémentaires à la cannelle, tels l'amande, la camomille, les agrumes, le clou de girofle, le cumin, la figue fraîche, le gingembre, le pastis, le piment fort, le safran et la vanille. **Alc./**9,6 % www.saragnat.com

☛ *Servir dans les dix années suivant le millésime, à 12 °C*

**Noix de macadamia sablées au sirop d'érable et curry (\*\*)**, croustade de foie gras aux pommes (\*), fromages (époisses accompagné de pain aux figues ou gorgonzola accompagné de marmelade d'oranges), **pouding poché au thé** *Earl Grey*, **beurre de cannelle et scotch highland** *single malt* **(\*\*)**, tarte Tatin rehaussée de poivre de Sichuan rouge impérial, **tatin de pommes au curry, noix de macadamia salées au sirop d'érable, tranche de foie gras de canard poêlé (\*\*)**.

## Cryomalus 2008

CIDRE DE GLACE, DOMAINE ANTOLINO BRONGO, SAINT-JOSEPH-DU-LAC, QUÉBEC, CANADA

| 29,85 $ 375 ml | SAQ S\* (11002626) | ★★★☆ $$$ | Modéré+ |
|---|---|---|---|

Petit dernier de l'aventure glaciale, mais non le moindre, se positionnant déjà parmi le trio de l'élite mondiale en la matière, avec l'unique et historique Clos Saragnat et le mondialement connu La Face Cachée de la Pomme. Les médailles fusent de partout, que ce soit en Espagne comme au Québec. Un jeune allumé au possible, dont l'avenir se conjugue déjà au présent. Pour y parvenir, aucune réfrigération ou congélation artificielle. Que de la vérité dans la démarche! Il en résulte un produit, des plus aromatiques mais sans être puissant ni profond, d'une bonne définition, où s'expriment des tonalités de pomme mûre, de fleurs et de gingembre, sans aucune tonalité caramélisée, d'un équilibre sucre/acidité quasi parfait. La liqueur, moins imposante et détaillée que chez le Neige « Récolte d'Hiver », de La Face Cachée de la Pomme, et moins complexe que chez la remarquable cuvée Avalanche du Clos Saragnat (tous deux commentés), se voit naturellement bridée grâce à une vibrante acidité naturelle, à la manière d'un enivrant riesling germanique auslèse, qui sait être à la fois moelleux et tendu. **Alc./**10 % www.antolinobrongo.com

☛ *Servir dans les six années suivant le millésime, à 10 °C*

**Crémeux citron, meringue/siphon au romarin (\*\*)** ou salade d'ananas et fraises parfumée au romarin.

## Monde Vin de Glace 2008

VIN DE GLACE, VIGNOBLE RIVIÈRE DU CHÊNE, SAINT-EUSTACHE, QUÉBEC, CANADA

| 32,25 $ 200 ml | SAQ S (11057475) | ★★★?☆ $$$ | Corsé |
|---|---|---|---|

Aussi disponible en format 375 ml (51,75 $; 10419614), ce vin de glace québécois se montre tout à fait dans le ton, passablement engageant, au nez riche et confit, exhalant des tonalités de marmelade, de mangue, de pêche et de litchi, avec un arrière-plan de sirop d'érable, à la bouche marquée par une liqueur qui semble imposante à l'attaque, mais rapidement dominée et bridée par une acidité électrisante, pour ne pas dire mordante, qui tend le vin et rafraîchit la finale. Sans atteindre le niveau d'harmonie et de complexité des meilleurs crus du Niagara, demeure un bel exemple, malgré son prix légèrement élevé, pour faire ses gammes avec les vins de glace québécois. **Cépage :** vidal. **Alc./**10 % www.vignobleriviereduchene.com

☛ *Servir dans les six années suivant le millésime, à 10 °C*

🍴 Baklava aux noix rehaussées de zestes d'agrumes, coupe glacée aux pêches et aux pacanes, pêches rôties au caramel à l'orange (*) ou millefeuille de pain d'épices aux mangues (*).

## Cuvée Nº 1
MARLBOROUGH, Nº 1 FAMILY ESTATE, NOUVELLE-ZÉLANDE

| | | | | |
|---|---|---|---|---|
| 33 $ | SAQ **S** (11140658) | ★★★☆?☆ $$$ | Modéré+ |

■ **NOUVEAUTÉ!** Belle nouveauté, qui mériterait un coup de cœur, que ce mousseux néo-zélandais de chardonnay, qui fait un malheur en Ontario depuis belle lurette et qui est élaboré sous la houlette d'un champenois expatrié en Nouvelle-Zélande. Il en résulte un vin au nez riche et complexe, jouant dans la sphère aromatique de l'abricot et du pain brioché, présentant une abondante prise de mousse en bouche, tendue par une vive acidité. Les saveurs ont de l'éclat et de la présence. Du sérieux, qui vient jouer les trouble-fêtes dans le rayon des mousseux hors champagne – et même en Champagne! **Alc./**12,5 % www.no1familyestate.co.nz

☛ *Servir dans les deux années suivant l'achat, à 10 °C*

🍴 Arancini au safran, crevettes tempura, saumon infusé au saké et aux champignons shiitake ou *toast* de mousse de foie gras de canard (*).

## Pinnacle Réserve 1859
CIDRE ET EAU-DE-VIE DE POMMES, DOMAINE PINNACLE, FRELIGHSBURG, QUÉBEC, CANADA

| | | | | |
|---|---|---|---|---|
| 40,50 $ 500 ml | SAQ **S** (10850156) | ★★★☆ $$$$ | Modéré+ |

Chez les douceurs à se mettre sous la dent, la nouveauté à déguster tant à l'heure du fromage, avec une puissante croûte lavée comme l'époisses, qu'au moment du dessert, avec une tatin caramélisée à souhait, ainsi qu'en guise de digestif, sans glaçon, est sans contredit la sirupeuse, épicée, vanillée et gourmande Réserve 1859. Cette liqueur est née d'un savant assemblage de cidre de glace et d'eau-de-vie de pommes, le tout élevé en fûts de chêne afin d'en épicer et d'en complexifier les saveurs. À la fois ample et d'une grande allonge en bouche, égrainant des notes de crème brûlée et de noix grillées. Ceux et celles qui sont habituellement rebutés par la force de l'alcool des liqueurs et des eaux-de-vie, qui se situe entre 25 et 40 %, seront ici au comble avec cette création québécoise de haute voltige à seulement 16 degrés d'alcool. **Alc./**16 % www.domainepinnacle.com

☛ *Servir dès sa mise en marché, à 14 °C*

🍴 Fromage à croûte lavée (époisses), tarte Tatin ou digestif (sans glaçon).

## Neige « Récolte d'Hiver » 2007
CIDRE DE GLACE, LA FACE CACHÉE DE LA POMME, HEMMINGFORD, QUÉBEC, CANADA

| | | | | |
|---|---|---|---|---|
| 50 $ 375 ml | SAQ **S** (742627) | ★★★☆?☆ $$$$ | Corsé |

Cette cuvée prestige de cidre de glace, dont le millésime 2008 devrait lui succéder en fin d'année 2010, possède un nez éclatant, mais tout aussi racé et élégant, s'exprimant par des notes de pomme caramélisée, d'abricot sec, de marmelade d'orange amère, d'hydromel, de safran, d'épices douces. Elle démontre, comme à son habitude, une liqueur imposante, avec 170 g de sucre résiduel, vitalisée par une acidité électrisante, sans excès, lui procurant de l'élan et de la prestance. Un cidre complexe et harmonieux au possible, équilibré comme par magie par une fraîcheur naturelle rappelant son origine hivernale. Seulement 5 866 flacons de 375 ml ont été élaborés en 2007. Il faut savoir qu'une cinquantaine de pommes gelées et déshydratées à même les arbres sont nécessaires pour obtenir une seule demi-bouteille de ce cidre de prestige. **Variétés de pommes :** Golden Russet, Fuji et variétés de pommes anciennes du domaine. **Alc./**11,5 % www.lafacecachee.com

☛ *Servir dans les dix années suivant le millésime, à 12 °C*

**Tatin de pommes au curry, noix de macadamia salées au sirop d'érable, tranche de foie gras de canard poêlé (\*\*)** ou **pouding poché au thé** *Earl Grey*, **beurre de cannelle et scotch highland** *single malt* **(\*\*)**.

## Vidal Icewine Inniskillin 2007

NIAGARA PENINSULA VQA, INNISKILLIN, CANADA

| 58,50 $ 375 ml | SAQ **S** (551085) | ★★★☆☆**?**☆ $$$$ | Corsé |
|---|---|---|---|

Plus que jamais, ce coup de cœur de la précédente édition, signé par cette mondialement connue maison ontarienne, se montre complexe et expressif à souhait, prenant et plus que satisfaisant, aux richissimes parfums de fruit de la passion, de zestes d'orange confits, de confiture de pêche et de pulpe de citrouille. En bouche, vous serez conquis par son habituelle et imposante liqueur, toujours aussi remarquablement harmonisée par son électrisante acidité sous-jacente qui le propulse dans le temps avec une finale de litchi et d'érable. Un classique, qui tient toujours ses promesses. **Cépage :** vidal. **Alc./**10,5 % www.inniskillin.com

☛ *Servir dans les huit années suivant le millésime, à 10 °C*

**Noix de macadamia sablées au sirop d'érable et curry (\*\*)**, **pâte de fruits_Mc$^2$ (litchi/gingembre, sucre à la rose) (\*\*)**, pêches rôties au caramel à l'orange (\*) ou millefeuille de pain d'épices aux mangues (\*) ou **terrine de foie gras et cailles, parfums de pétales de rose, gingembre, litchi et piment d'Espelette (\*\*)**.

# RÉPERTOIRE ADDITIONNEL

Les vins des *Répertoires additionnels*, qui font l'objet d'une description plus concise, mais presque tous offerts avec un choix de mets, sont ou seront généralement disponibles dans les mois suivant la parution de cette quinzième édition. De multiples futurs arrivages y sont aussi commentés cette année. En revanche, certains de ces vins peuvent ne plus être disponibles au moment où vous lirez ces lignes, ce qui explique le commentaire moins détaillé pour certains crus.

Soyez tout de même vigilants, car la majorité de ces vins fera l'objet d'un nouvel arrivage au cours de l'automne 2010 et des premiers mois de 2011, et ce, dans le même millésime proposé dans ce guide. Autre fait important cette année, plusieurs vins des *Répertoires additionnels* sont de futurs arrivages, commentés ici en primeur, avec leur date de mise en marché. Le retour ou l'arrivée de ces vins, comme de tous les vins commentés dans *La Sélection Chartier 2011*, vous sera annoncé par le biais du service de **Mises à jour Internet de *La Sélection Chartier 2011***, via le site Internet **www.francoischartier.ca**.

## Kanu Kia-Ora Late Harvest 2005
STELLENBOSCH, KANU VINEYARDS, AFRIQUE DU SUD
**20 $** 375 ml      SAQ **S** (10809751)   ★★★?☆ **$$**           Modéré+
■ *Homard rôti à la salsa d'ananas.* (Voir commentaire détaillé dans *La Sélection Chartier 2010*)

## Kanu Kia-Ora Late Harvest 2006
STELLENBOSCH, KANU VINEYARDS, AFRIQUE DU SUD
**20 $** 375 ml      SAQ **S** (10809751)   ★★★ **$$**           Modéré+
Nez tout aussi exotique et expressif pour ce nouveau millésime de ce cru qui avait reçu un coup de cœur pour son précédent 2007 dans *La Sélection 2010*. Bouche presque liquoreuse, vive, droite et rafraîchissante, même si très sucrée, aux invitantes et persistantes saveurs de marmelade et de fruit de la passion. **Cépages :** 95 % chenin, 5 % sauvignon blanc. **Alc./**13,5 % www.kanu.co.za ■ *Fromage époisses accompagné de marmelade d'oranges.*

## Neige 2006
CIDRE DE GLACE, LA FACE CACHÉE DE LA POMME, HEMMINGFORD, QUÉBEC, CANADA
**28,35 $** 500 ml   SAQ **S** (883975)      ★★★ **$$**           Modéré+
Ce Neige 2006 se montre plus aromatique et plus engageant que jamais. Quel nez! Du fruit, des pommes, des poires et même des ananas, avec élégance et fraîcheur, ainsi qu'une belle liqueur en bouche (150 g de sucres résiduels), allégée par une vibrante acidité naturelle, et tendue par des saveurs longues et précises. **Alc./**12 % www.lafacecachee.com ■ *Fromages : cheddars (vieux) accompagnés de confiture de poires et de gingembre ou gorgonzola accompagné de marmelade d'oranges.*

## Pinnacle Signature Réserve 2007
CIDRE DE GLACE, DOMAINE PINNACLE, FRELIGHSBURG, QUÉBEC, CANADA
**37,50 $** 375 ml   SAQ **S** (10233756)   ★★★?☆ **$$$$**        Corsé
Une cuvée haut de gamme à la robe orangée soutenue, au nez ultra-raffiné, exhalant des tonalités passablement riches et rafraîchissantes de fleurs, de pomme, d'épices et de safran, à la bouche à la fois onctueuse et saisissante de fraîcheur, pleine et élancée, d'une droiture et d'un élan qui fouettent les papilles. Du bel ouvrage. **Alc./**11 % **www.domainepinnacle.com** ■ *Tarte Tatin rehaussée de poivre de Sichuan rouge impérial.*

### Riesling Icewine Stratus 2008

NIAGARA PENINSULA VQA, STRATUS WINES, CANADA

**40 $** 200 ml    SAQ **S** (10856937)    ★★★?☆ **$$$$**    Corsé

Franchement de beaucoup supérieur au 2007 (aussi commenté), se montrant d'un grand raffinement aromatique, à la bouche à la fois vive et liquoreuse, droite et enveloppante, mais formidablement tendue par une fraîche et naturelle acidité, laissant des traces de pêche, d'ananas, d'agrumes et de romarin. Ira loin, même si engageant au possible dès maintenant. **Alc./**12,5 % www.stratuswines.com ■ *Crémeux citron, meringue/siphon au romarin (\*\*).*

### Neige « Récolte d'Hiver » 2008

CIDRE DE GLACE, LA FACE CACHÉE DE LA POMME, HEMMINGFORD, QUÉBEC, CANADA *(DISP. FIN 2010/DÉBUT 2011)*

**50 $** 375 ml    SAQ **S** (742627)    ★★★?☆ **$$$$**    Modéré+

Dégustée en primeur, en août 2010, d'un échantillon du domaine, cette récolte 2008 se montrait d'une étonnante maturité de fruit, presque caramélisée et subtilement épicée, à la bouche sirupeuse et ample, mais moins prenante et complexe que dans les précédents millésimes. L'acidité est discrète, même si juste dosée et fraîche en fin de bouche, la matière est belle, la texture patinée et les saveurs persistantes, laissant des traces de poire chaude, de beurre, de figue fraîche. **Alc./**9 % www.lafacecachee.com

### Riesling Icewine Reserve Mission Hill 2007

OKANAGAN VALLEY VQA, MISSION HILL VINEYARDS, CANADA

**58 $** 375 ml    SAQ **S** (10674033)    ★★★?☆ **$$$$**    Corsé+

Coup de cœur de l'édition 2010, voilà un puissant, vitalisant et prenant riesling *icewine*, au nez puissamment aromatique de litchi, de mangue, de miel et de pamplemousse, à la bouche marquée par une liqueur riche et onctueuse, remarquablement harmonisée par une acidité électrisante. **Alc./**9,5 % www.missionhillwinery.com ■ *Tarte à l'ananas et aux zestes d'orange confits (\*).*

### Riesling Icewine Reserve Mission Hill 2008

OKANAGAN VALLEY VQA, MISSION HILL VINEYARDS, CANADA *(DISP. OCT./NOV. 2010)*

**58 $** 375 ml    SAQ **S** (10674033)    ★★★☆?☆ **$$$$**    Corsé+

Coup de cœur dans le précédent millésime, voilà à nouveau un riesling étonnamment puissant, confit et liquoreux pour cet *icewine* signé par cette grande maison. Nez tout aussi puissamment aromatique, aux notes confites d'hydrocarbure, d'épinette, de mangue et de papaye, à la bouche marquée par une liqueur encore plus onctueuse, harmonisée de justesse par une acidité plus discrète qu'en 2007, mais juste dosée. Du sérieux. **Alc./**9,5 % www.missionhillwinery.com ■ *After 8_Mc² (version originale à la menthe) (\*\*).*

### Riesling Icewine Cave Spring 2006

NIAGARA PENINSULA VQA, CAVE SPRING CELLARS, CANADA

**60,50 $** 375 ml    SAQ **S** (403360)    ★★★☆?☆ **$$$$**    Modéré+

Un riesling *icewine* terpénique à fond, s'exprimant par des notes à la fois riches et fraîches de romarin, de sauge, d'agrumes, de camomille, de tilleul et pêche, à la bouche à la fois vivifiante et moelleuse, à la liqueur plutôt modérée, retenue par cette belle acidité, mais sans être dominée par cette dernière. Harmonie parfaite et raffinement unique pour le style. **Alc./**10,5 % www.cavespringcellars.com ■ *Crémeux citron, meringue/siphon au romarin (\*\*).*

# La toute nouvelle SYNTIA de Saeco, conçue pour ceux qui ont des nerfs d'acier !

Pour connaître les points de vente,
composez le 1 888 272 6601
ou visitez le www.saeco.ca

*pour l'amour passionné des vins italiens*

## Le Latini

**restaurant enogastronomico**
1130, rue Jeanne-Mance / Montréal (Québec) H2Z 1L7
© 514.861.3166

# nizza

## L'ANGE DU VIN

restaurant niçois

1121, Anderson ≈ Montréal (Qc) H2Z 1M1
t **514.861.7076** ≈ www.nizza.ca
(coin René-Lévesque)

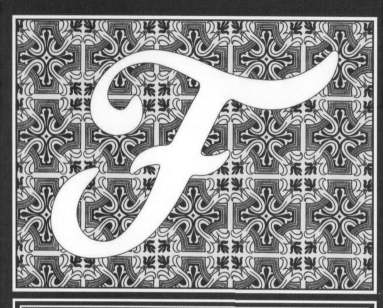

# BAR

**RÉGALEZ-VOUS DE** PLATS LÉGERS INSPIRÉS **ET DE** DÉLICIEUX MIJOTÉS **AUX NOTES PORTUGAISES DANS** UNE AMBIANCE CONVIVIALE **DE BRASSERIE EUROPÉENNE RAFFINÉE.**

**F Bar**
1485, rue Jeanne-Mance , Montréal
514 289-4558 | www.fbar.ca

# AIDE-MÉMOIRE HARMONIQUE SIMPLIFIÉ 2011, « REVU ET AUGMENTÉ », DES PRINCIPAUX CÉPAGES ET DE LEURS HARMONIES AVEC LES METS, AVEC *LES RECETTES DE PAPILLES ET MOLÉCULES*, AINSI QU'AVEC LES RECETTES D'*À TABLE AVEC FRANÇOIS CHARTIER*

Devenu un grand classique depuis les deux précédentes éditions, revoici, sous forme d'un carnet de notes classées par cépages, l'aide-mémoire harmonique simplifié, « **revu et augmenté de 200 nouvelles harmonies et d'une douzaine de nouveaux cépages** » des principales harmonies vins et mets, et des recettes, qui vous accompagnera au fil des vins commentés.

Avec la parution du premier tome du mon livre *Papilles et Molécules « La science aromatique des aliments et des vins »*, aux Éditions La Presse, en mai 2009, et l'évolution à la vitesse grand V de mes recherches harmoniques depuis l'été 2008, cet aide-mémoire a, comme l'année dernière, une fois de plus été mis à jour.

Ainsi, les harmonies proposées dans *La Sélection Chartier 2011*, tout comme celles des éditions 2010 et 2009, sont plus que jamais en lien direct avec les résultats de mes recherches actuelles d'harmonies et de sommellerie moléculaires. Sans compter qu'elles sont aussi inspirées et en lien direct avec les 85 recettes du nouveau livre *Les Recettes de Papilles et Molécules*, concoctées avec mon complice du duo Mc$^2$, le chef **Stéphane Modat**, et paru en juin 2010.

Comme ce travail de compréhension moléculaire est en constante progression, vous bénéficierez aussi, dans cette *Sélection 2011*, de nombreuses harmonies résultant de recherches qui n'ont pas encore été publiées. Elles le seront dans le **tome II de *Papilles et Molécules***, en plus détaillé, bien sûr. Ce guide des vins demeurant avant tout un guide pratique de référence et de consultation rapide pour découvrir les meilleurs vins du moment et les harmonies relatives à ces crus.

Donc, vous y trouverez **une douzaine de nouvelles déclinaisons, dont 62 déclinaisons harmoniques pour les cépages blancs, suivies de 67 déclinaisons harmoniques pour les cépages rouges,** pour un grand total de **1 100 propositions vins et mets.**

Ce précieux aide-mémoire vous permettra à nouveau, en un seul coup d'œil, de repérer rapidement de multiples idées harmoniques et de nombreuses recettes à envisager avec le ou les vins que vous vous apprêtez à servir à table.

**L'harmonie vins et mets ne vous aura jamais paru aussi simple!**

Chaque proposition harmonique se présente en deux parties. Exemple :

### CHARDONNAY (NOUVEAU MONDE)

**Lapin** (à la crème moutardée) (\*), **Dos de morue poché au lait de coco à la rose** (gingembre mariné et pois craquants) (\*\*).

La partie en gras des harmonies proposées ici – **Lapin** et **Dos de morue poché au lait de coco à la rose** – vous indique l'harmonie simplifiée pour atteindre la zone de confort harmonique avec les vins de type chardonnay du Nouveau Monde.

La partie entre parenthèses – (à la crème moutardée) et (gingembre mariné et pois craquants) – vous donne une indication plus pointue de la sauce, du parfum ou de la méthode de cuisson à envisager afin d'atteindre l'harmonie parfaite avec une cuisine plus élaborée.

Enfin, certains plats proposés, comme ce **Lapin** (à la crème moutardée) (\*) et ce **Dos de morue poché au lait de coco à la rose** (gingembre mariné et pois craquants) (\*\*) sont suivis d'une étoile (\*) ou de deux étoiles (\*\*) entre parenthèses, indiquant que cette harmonie fait l'objet d'une recette soit dans le livre *À Table avec François Chartier* (\*), soit dans le nouveau livre *Les Recettes de Papilles et Molécules* (\*\*) (paru en juin 2010).

# LES CÉPAGES BLANCS EN HARMONIES

### ALBARIÑO (RíAS BAIXAS, ESPAGNE)

**Canapés de saumon fumé** (à l'aneth), **Calmars en tempura d'amandes** (fleur de sel au cèdre, mousse de riz en paella) (\*\*), **Filet d'escolar poêlé**, anguille « unagi » BBQ, crème de céleri-rave aux graines de cerfeuil, feuilles et huile de menthe fraîche (\*\*), **Flétan** (au beurre d'agrumes), **Fromage de chèvre cendré** (à l'huile d'olive et romarin) (\*\*), **Huîtres frites à la coriandre et wasabi** (\*\*), **Jarret d'agneau au pastis et tomates fraîches** (\*\*), **Paella aux fruits de mer** (et safran), **Risotto de crevettes** (au basilic), **Salade de vermicelles** (au poulet et au citron), **Sashimi** (de poisson blanc), **Truite saumonée** (à l'huile de basilic).

## ALIGOTÉ (BOURGOGNE, FRANCE)

**Apéritif, Calmars frit**s (et vinaigrette épicée), **Escargots** (à la crème de persil), **Feuilles de vigne, Fish and chips** (sauce tartare), **Huîtres crue**s (en mode anisée) (**), **Moules marinière** (« à ma façon ») (*), **Salade César** (aux crevettes grillées), **Saumon mariné** (à l'aneth) (*), **Truite grillée** (et purée de céleri-rave).

## ALVARHINO, ARINTO et LOUREIRO
### (VINHO VERDE, PORTUGAL)

**Apéritif, Fish and chips** (sauce tartare), **Huîtres crues** (en mode anisée) (**), **Huîtres frites à la coriandre et wasabi** (**), **Poisson grillé** (arrosé de jus de citron), **Trempette tzatziki** (à la menthe fraîche).

## BUAL et MALMSEY (MADÈRE, PORTUGAL)

**Caramous_Mc$^2$** (caramel mou à saveur d'érable « sans érable ») (**), **Cigare** (panatela petit Cohiba Exquisitos), **Fromages** (vieux gouda et vieux cheddars accompagnés de confiture de coings portugaise et de noix de Grenoble), **Ganache chocolat Soyable_Mc$^2$** (**), **Gâteau au café** (et meringue au chocolat), **Gâteau Davidoff** (*), **Millefeuille de pain d'épice**s (aux figues) (*), **Palets de ganache de chocolat noir** (au caramel), **Soyable_Mc$^2$ (**).**

## CHARDONNAY (BOURGOGNE, CÔTE DE BEAUNE)

**Crabe à carapace molle** (en tempura), **Dos de morue poché au lait de coco à la rose** (gingembre mariné et pois craquants) (**), **Gravlax de saumon** (*), **Ris de veau** (saisis aux champignons à la crème) (*), **Risotto** (aux champignons) (*), **Salade de champignons** (portabellos sautés et copeaux de parmesan), **Saumon** (sauce chardonnay).

## CHARDONNAY (CHAMPAGNE BLANC DE BLANCS)

**Arancini** (au safran), **Canapés de poisson fumé** (au fromage à la crème), **Crevettes tempura, Fromage** (comté, 12 mois d'affinage), **Huîtres crues** (en mode anisée) (**), **Saumon infusé au saké** (et aux champignons shiitake), **Tartare** (d'huîtres), **Tartelettes chaudes de fromage** (de chèvre frais et de noix de pin grillées), **Toast de foie gras de canard** (au torchon) (*).

## CHARDONNAY (ÉVOLUÉ / BOURGOGNE et JURA )

**Amandes apéritives à l'espagnole** (pimentòn fumé, miel et huile d'olive) (**), **Queue de langouste grillée, cubes de gelées de xérès, de café ou de livèche, trait d'amlou et côtes de céleri à la vapeur** (**), **Saumon laqué sauce soya/vinaigre balsamique** (**) **et riz sauvage soufflé au café_Mc$^2$** (**).

## CHARDONNAY (ÉVOLUÉ / CHAMPAGNE)

**Noix de cajous apéritives à la japonaise Soyable_Mc$^2$** (huile de sésame, gingembre et graines de coriandre ) (**).

## CHARDONNAY (NOUVEAU MONDE)

**Abattis de dinde croustillants farcis à la fraise « cloutée », laqués à l'ananas** (**), **Balloune de mozarella_Mc$^2$** (à l'air de clou de girofle, éclats de viande de grison et piment d'Espelette) (**), **Brochettes de poulet** (et de crevettes à la salsa d'ananas), **Casserole de poulet** (à la pancetta), **Crabe à carapace molle** (en tempura), **Dos de morue poché au lait de coco à la rose** (gingembre mariné et pois craquants) (**), **Filet de sole** (à la moutarde et au miel), **Foie gras de canard poêlé** (aux pommes et safran), **Fougasse parfumée au clou de girofle** (et fromage bleu fondant caramélisé) (**), **Homard rôti** (à la salsa d'ananas au quatre-épices), **Jambon glacé aux fraises et girofle** (**), **Lapin** (à la crème moutardée) (*), **Meringue de pois verts, tomates confites** (filets d'anchois croustillants au vinaigre de xérèx_Mc$^2$ : air de shiitakés dashi) (**), **Pâtes aux fruits de mer** (sauce à la crème et au Pernod), **Pâtes aux fruits de mer sauce à la crème** (et lardons), **Pétoncles poêlés, couscous de noix du Brésil à l'orange sanguine, lait de coco au gingembre** (**), **Pétoncles rôtis fortement, shiitakes poêlés, copeaux de parmigiano reggiano et écume de bouillon de kombu** (**), **Pot-au-feu d'agneau cuit rosé, au thé et aux épices** (**), **Pizza** (au camembert), **Raviolis** (aux champignons), **Saumon grillé** (à la salsa d'ananas).

## CHARDONNAY
### (STYLE CHABLIS NON BOISÉ et NOUVELLE-ZÉLANDE)

**Coulibiac de saumon, Fricassée de poulet** (aux champignons), **Fromages** (azeitão, comté Fort des Rousses 12 mois d'affinage ou Victor et Berthold), **Homard grillé** (et mayonnaise à l'aneth), **Huîtres crues** (en mode anisée) (**), **Salade de crevettes, Salade de fenouil grillé** (et fromage de chèvre chaud), **Saumon mariné** (à l'aneth) (*), **Saumon** (au cerfeuil et au citron), **Rouleaux de printemps** (au thon et sauce citron-soja).

## CHENIN BLANC LIQUOREUX (LAYON et VOUVRAY, LOIRE)

**Ananas confits** (au vin du Layon avec glace au vieux rhum et aux raisins de Corinthe), **Foie gras de canard poêlé** (aux pommes et vinaigre de cidre), **Fondue à Johanne_Mc$^2$** (cubes de fromage à croûte lavée, frits et parfumés à l'ajowan) (**), **Homard rôti** (à la salsa d'ananas), **Salade d'ananas** (et de fraises à la menthe fraîche), **Tarte Tatin.**

## CHENIN BLANC SEC (CORSÉ, LOIRE et AFRIQUE DU SUD)

**Avocats farcis à la chair de crabe** (et vinaigrette au jus d'agrumes), **Blanc de volaille cuit au babeurre, émulsion d'asperges vertes aux crevettes_Mc$^2$** (feuilles de choux de

Bruxelles, vinaigrette acide à la chicorée) (\*\*), **Crevettes caramélisées, écume de carotte, pomme McIntosh et graines de cumin** (purée de carottes à l'huile de crustacés et pimentòn fumée) (\*\*), **Émulsion d'asperges vertes aux crevettes_Mc²** (\*\*), **Fromage**s (de chèvre mi-affinés sainte-maure ou pouligny-saint-pierre), **Médaillons de homard** (sauté au vouvray), **Pâtes** (alla morosana) (\*), **Pâtes aux fruits de mer** (au Pernod), **Poulet sauté** (aux épices asiatiques), **Salade d'asperges** (vinaigrette au gingembre), **Saumon** (grillé à la cajun et salsa d'ananas), **Saumon confit** (et sauté de fenouil et pommes vertes), **Suprêmes de poulet** (au tilleul).

## CHENIN BLANC SEC (MODÉRÉ, LOIRE)

**Blanquette de veau, Bloody Ceasar_Mc²** (version solide pour l'assiette) (\*\*), **Fricassée de porc** (tandoori), **Fromage de chèvre** (Selles-sur-Cher), **Huîtres frites à la coriandre et wasabi** (\*\*), **Linguine aux crevettes** (au cari et à l'orange), **Paella aux fruits de mer** (et safran), **Pétoncles** (à l'émulsion d'huile d'olive et au jus de limette), **Saumon** (au beurre blanc).

## CIDRE DE GLACE (QUÉBEC)

**Foie gras de canard poêlé** (et déposé sur une tranche grillée de pain d'épices), **Fromages** (Gruyère Réserve très vieux ou Cru des érables), **Palais de ganache au chocolat** (et au piment d'Espelette), **Millefeuille de pain d'épices** (aux pommes et aux abricots) (\*), **Pouding poché au thé Earl Grey** (beurre de cannelle et scotch highland single malt) (\*\*), **Tarte Tatin** (rehaussée de poivre de Sichuan rouge impérial), **Tatin de pommes au curry** (noix de macadamia salées au sirop d'érable, tranche de foie gras de canard poêlé) (\*\*).

## FIANO (DI AVELLINO, ITALIE)

**Crabe des neiges, ketchup aux pois verts, épinards fanés à l'huile d'olive** (caviar de mulet et mousse de bière noire) (\*\*), **Côtes levées** (à l'anis et à l'orange), **Filet de porc** (au miel et aux poires), **Pâtes aux fruits de mer** (sauce à la crème), **Poulet au gingembre** (et à l'ananas), **Salade de pâtes** (crémeuses au thon), **Saumon fumé** (sauce au miel), **Vol-au-vent** (de fruits de mer).

## FUMÉ BLANC (NOUVEAU MONDE)

**Blanc de volaille cuit au babeurre, émulsion d'asperges vertes aux crevettes_Mc²** (feuilles de choux de Bruxelles, vinaigrette acide à la chicorée) (\*\*), **Bloody Ceasar_Mc²** (version solide pour l'assiette) (\*\*), **Brochettes de poulet et de crevettes** (sauce moutarde et miel), **Brochettes de saumon** (au beurre de pamplemousse) (\*), **Carré de porcelet de la Ferme Gaspor au safran** (carottes, pommes golden et melon d'eau) (\*\*), **Fondue à Johanne_Mc²** (cubes de fromage à croûte lavée, frits et parfumés à l'ajowan) (\*\*), **Gravlax de saumon** (\*), **Homard frit au pimentòn doux fumé** (compote de poivrons jaunes au concentré de jus d'orange) (\*\*), **Lasagne de poissons** (au pesto), **Lotte à la vapeur de thé gyokuro** (salade d'agrumes et pistils de safran) (\*\*), **Saumon**

confit dans l'huile d'olive (et orzo à la bette à carde), **Taboulé** (à la menthe fraîche).

## FURMINT (TOKAJI ASZU « LIQUOREUX », HONGRIE)

**Ananas caramélisé** (cassonade, sauce soya, saké et réglisse noire, copeaux de chocolat noir) (\*\*), **Barbe à papa** (au sirop d'érable), **Médaillons de porc à l'érable** (et patates douces, garniture de pacanes épicées), **Noix de macadamia sablées au sirop d'érable et curry** (\*\*), **Palets de ganache de chocolat noir** (à l'érable), **Petit poussin laqué** (\*\*), **Saumon laqué** (à l'érable et à la bière noire), **Steak de magret de canard** (sauce aux noix), **Tarte pécan** (et sirop d'érable), **Tarte Tatin de pommes au curry** (rehaussée d'une escalope de foie gras de canard poêlé), **Tatin à l'ananas** (et caramel au rhum), **Tatin de pommes au curry** (noix de macadamia salées au sirop d'érable, tranche de foie gras de canard poêlé) (\*\*).

## FURMINT (TOKAJI SEC, HONGRIE)

**Crevettes caramélisées, écume de carotte, pomme McIntosh et graines de cumin** (purée de carottes à l'huile de crustacés et pimentòn fumée) (\*\*), **Filet de truite** (fumée), **Filet de turbot poêlé** (et jus aux pommes vertes et cerfeuil), **Pâtes au saumon fumé** (sauce à l'aneth) (\*), **Rouleaux de printemps** (à la coriandre fraîche), **Huîtres crues** (en mode anisée) (\*\*), **Huîtres frites à la coriandre et wasabi** (\*\*), **Lotte à la vapeur de thé gyokuro** (salade d'agrumes et pistils de safran) (\*\*).

## GARGANEGA (SOAVE, ITALIE)

**Arancini** (au safran), **Bruschetta** (au pesto de roquette), **Casserole de poulet** (à la pancetta), **Escargots aux champignons** (et à la crème de persil), **Fettucine** (Alfredo), **Fettucine au saumon fumé** (à l'aneth), **Fettucine aux crevettes** (et coriandre fraîche), **Fondue** (au fromage), **Linguine aux moules**, **Minibrochettes de crevettes** (au basilic), **Pizza** (au pesto), **Pleurotes à la moelle** (sur croûtons de pain), **Quiche** (aux asperges), **Risotto** (aux champignons) (\*), **Salade de magret** (de canard fumé), **Sole** (aux amandes grillées), **Vol-au-vent de crevettes** (au Pernod).

## GEWÜRZTRAMINER (ALSACE, FRANCE)

**Baklavas de boeuf en bonbons** (miel de menthe à la lavande et eau de géranium, viande de grison) (\*\*), **Brochettes de poulet** (à la salsa d'ananas), **Carré de porc glacé aux fraises, poivre du Sichuan, galanga et miel** (\*\*), **Cuisine cantonaise épicée**, **Cuisine sichuanaise**, **Cuisine thaï**, **Curry** (de poulet), **Fricassée de crevettes** (à l'ananas et poivrons doux fouettés au curry rouge et au parfum de romarin) (\*), **Fricassée de poulet** (aux fraises et gingembre), **Filet de truite en gravlax nordique, granité de gingembre et de pamplemousse** (litchi) (\*\*), **Fromage Munster** (aux graines de cumin et salade de pomme et noix de Grenoble) (\*), **Panna cotta au fromage bleu, air de rose et craquelins de clou de girofle** (\*\*), **Pâte de fruits_Mc$^2$** (lithci/gingembre, sucre à la

rose) (\*\*), **Pomme tiède farcie** (au fromage Sir Laurier) (\*),
**Pot-au-feu froid d'agneau cuit rosé, cubes de bouillon à la
sauge, condiment au curcuma, sel de romarin** (\*\*), **Poulet
aux litchis** (et piments forts), **Sashimi sur salade de
nouilles** (au gingembre et au sésame), **Terrine de foie gras
et cailles, parfums de pétales de rose, gingembre, litchi et
piment d'Espelette** (\*\*).

## GEWÜRZTRAMINER
### (VENDANGES TARDIVES, ALSACE, FRANCE)

**Crémeux citron, meringue/siphon au romarin** (\*\*),
**Cuisine cantonaise épicée**, **Cuisine thaï**, **Fromage à croûte
lavée « affiné » parfumé au romarin** (macéré quelques jours
au centre du fromage), **Litchis au gingembre** (et salsa
d'agrumes), **Pain au safran** (et terrine de foie gras de canard
au torchon) (\*), **Panna cotta** (aux pêches et romarin), **Pâte
de fruits_Mc$^2$** (lithci/gingembre, sucre à la rose) (\*\*), **Pêches
pochées** (au romarin), **Poires** (au gingembre confit), **Salade
d'ananas et fraises** (parfumée au romarin), **Shortcake aux
fraises** (Chantilly parfumée au romarin), **Terrine de foie gras
et cailles, parfums de pétales de rose, gingembre, litchi et
piment d'Espelette** (\*\*).

## GRECANICO (SICILE, ITALIE)

**Brochettes de poulet** (et de crevettes à la salsa d'ananas),
**Calmars** (au mojo), **Canapés de crevettes** (mayonnaise au
curry), **Escalopes de veau** (à l'orange et aux amandes),
**Fricassée de poulet** (à l'asiatique).

## GROS et PETIT MANSENG – SEC (SUD-OUEST, FRANCE)

**Avocats farcis à la chair de crabe** (et vinaigrette au jus
d'agrumes), **Abattis de dinde croustillants farcis à la fraise
« cloutée », laqués à l'ananas** (\*\*), **Carré de porc glacé aux
fraises, poivre du Sichuan** (galanga et miel) (\*\*), **Chutney
d'ananas au curcuma, gingembre et vinaigre de xérès** (\*\*),
**Crabe des neiges, ketchup aux pois verts, épinards fanés
à l'huile d'olive** (caviar de mulet et mousse de bière noire)
(\*\*), **Fromages** (asiago stravecchio ou cabra transmontano),
**Jambon** (à l'ananas ou aux fraises), **Omelette** (aux asperges),
**Sashimi sur salade de nouilles** (au gingembre et au sésame),
**Sauté de porc** (à l'ananas ou aux fraises), **Truite en papillote**
(et bettes à carde).

## GRÜNER VELTLINER (AUTRICHE)

**Acras** (de morue), **Crevettes caramélisées, écume de carotte,
pomme McIntosh et graines de cumin** (purée de carottes à
l'huile de crustacés et pimentòn fumée) (\*\*), **Huîtres crues**
(en mode anisée) (\*\*), **Poulet** (au gingembre et à l'ananas),
**Salade de crevettes au mojo** (ail, huile d'olive, graines de
cumin grillées, jus de lime et jus d'orange), **Salade de fenouil**
(et pommes au fromage de chèvre chaud).

## INSOLIA (SICILE, ITALIE)

**Fettucine au saumon fumé** (à l'aneth), **Risotto de crevettes** (au basilic), **Salade de crevettes** (à la mayo-wasabi), **Vol-au-vent de crevettes** (au Pernod).

## MARSANNE (RHÔNE, LANGUEDOC, AUSTRALIE)

**Crevettes sautées aux noisettes concassées** (et réduction de sauce soya et café noir), **Filets de porc au café noir** (voir Filets de bœuf au café noir) (*), **Fricassée de porc au soya** (et sésame), **Morceau de flanc de porc poché** (vinaigrette de boudin à la noix de coco, *crumble* de boudin noir) (**), **Pétoncles poêlés, couscous de noix du Brésil à l'orange sanguine, lait de coco au gingembre** (**), **Saumon laqué sauce soya/vinaigre balsamique** (**) **et riz sauvage soufflé au café_Mc$^2$** (**).

## MOSCATO (D'ASTI/ITALIE)

**Figues fraîches confites « linalol » : cannelle et eau de rose, mousse de tangerine au babeurre, huile de thé à la bergamote** (**).

## MUSCADET (LOIRE, FRANCE)

**Apéritif, Canapés de saumon mariné, Crevettes** (mayonnaise au wasabi), **Escargots** (à la crème de persil), **Huîtres crues** (en mode anisée) (**), **Moules marinière** («à ma façon») (*), **Pâtes aux asperges** (légèrement crémées), **Raclette, Salade de fenouil** (et pommes), **Salade niçoise, Sole** (au beurre meunière), **Truite grillée** (et purée de céleri-rave).

## MUSCAT (VIN DOUX NATUREL, PASSITO)

**Ananas caramélisé** (cassonade, sauce soya, saké et réglisse noire, copeaux de chocolat noir) (**), **Foie gras de canard poêlé** (compote d'abricots aux zestes d'orange), **Fromage** (gorgonzola accompagné de marmelade d'oranges), **Gâteau Davidoff** (*), **Millefeuille de pain d'épices** (aux pêches) (*), **Mousse au chocolat noir** (et au parfum de Grand Marnier) (*), **Palets de ganache de chocolat noir** (à l'orange), **Pêches rôties au caramel** (à l'orange) (*), **Tarte Tatin de pommes au curry** (rehaussée d'une escalope de foie gras de canard poêlé).

## MUSCAT/MOSCATO (VIN DOUX NATUREL, JEUNE)

**Baklavas de bœuf en bonbons** (miel de menthe à la lavande et eau de géranium, viande de grison) (**), **Bavarois de mascarpone sucré au miel d'orange** (aromatisé en trois versions : géranium/lavande; citronnelle/menthe; eucalyptus) (**), **Bonbons d'abricots secs** (et pistaches parfumées à l'eau de fleur d'oranger et crème Chantilly à la badiane) (*), **Crémeux citron, meringue/siphon au romarin** (**), **Figues rôties** (au miel et à la ricotta), **Figues fraîches confites « linalol »** (cannelle et eau de rose, mousse de tangerine au babeurre, huile de thé à la bergamote) (**), **Gratin de litchis, Jardinière de fruits** (à la crème pâtissière), **Melon cantaloup** (arrosé d'eau de fleur d'oranger), **Millefeuille de pain**

d'épices (aux pêches et à l'eau de fleur d'oranger) (\*), **Palets de ganache de chocolat noir** (au thé Earl Grey), **Panna cotta** (aux agrumes), **Panna cotta aux framboises** (et à l'eau de rose), **Pâte de fruits_Mc²** (lithci/gingembre, sucre à la rose) (\*\*), **Salade de fruits** (exotiques à la menthe fraîche), **Tarte à l'ananas** (et zestes d'orange confits) (\*).

## MUSCAT SEC (ALSACE et EUROPE)

**Antipasto** (melon et prosciutto), **Apéritif**, **Canapés d'asperges** (enroulées de saumon fumé), **Canapés d'asperges** (et de fromage de chèvre frais), **Canapés de crevettes** (mayonnaise au curcuma), **Crème de carotte** (au safran et moules), **Filet de truite saumonée** (à l'huile de basilic), **Risotto au safran** (et petits pois), **Sole pochée** (et tagliatelles au safran et fenouil), **Taboulé à la menthe fraîche** (et aux crevettes), **Trempette de guacamole et mangue.**

## PALOMINO (XÉRÈS FINO et MANZANILLA, ESPAGNE)

**Apéritif**, **Calmars en tempura d'amandes** (fleur de sel au cèdre, mousse de riz en paella) (\*\*), **Canapés de fromage** (de chèvre), **Chips de jambon serrano** (pommade de nectar d'abricot, chapelure d'oreilles de crisse) (\*\*), **Crème safranée aux pétoncles** (et langoustines), **Émulsion d'asperges vertes** (aux crevettes_Mc²) (\*\*), **Filets de maquereau grillés et marinés à la graine de coriandre** (mousse de risotto froid au lait de muscade) (\*\*), **Fromage de chèvre cendré** (à l'huile d'olive et romarin) (\*\*), **Figues confites au thé Pu-Erh, chantilly de fromage Saint Nectaire** (\*\*), **Figues séchées** (enroulées de prosciutto), **Minis brochettes de figues séchées enroulées de jambon Serrano** (ou de prosciutto), **Pétoncles poêlés** (couscous de noix du Brésil à l'orange sanguine, yogourt au gingembre) (\*\*), **Salade d'asperges** (et vinaigrette à la cannelle), **Salade d'asperges**, **Salade de fenouil** (et de pommes à l'huile de persil), **Salade de fromage de chèvre sec** (mariné dans l'huile d'olive parfumée au romarin), **Tapas classiques** (olives, anchois, noix salées), **Vraie crème de champignons_Mc²** (lait de champignons de Paris et mousse de lavande) (\*\*).

## PETIT MANSENG (JURANÇON MOELLEUX)

**Abattis de dinde croustillants farcis à la fraise « cloutée », laqués à l'ananas** (\*\*), **After 10_Mc²** (version à l'aneth) (\*\*), **After 9_Mc²** (version au basilic) (\*\*), **After 8_Mc²** (version originale à la menthe) (\*\*), **Confiture de fraises au clou de girofle et au rhum brun** (\*\*), **Poires asiatiques cuite au safran et belle de Brillet** (éclats de vieux cheddar, mangue glacée/râpée) (\*\*), **Tatin de pommes au curry** (noix de macadamia salées au sirop d'érable, tranche de foie gras de canard poêlé) (\*\*).

## PINOT BLANC (ALSACE, CANADA et ITALIE)

**Apéritif**, **Blanquette de veau**, **Fondue au fromage** (suisse), **Frites de panais** (sauce au yogourt et au cari), **Poitrines de poulet** (farcies au fromage brie et au carvi), **Raclette**, **Salade**

César, **Salade de pâtes** (à la grecque), **Trempette** (crémeuse et légumes).

## PINOT GRIGIO (ITALIE et CALIFORNIE)

**Apéritif, Escargots** (à la crème de persil), **Fettucine au saumon fumé** (à l'aneth), **Pâtes aux fruits de mer** (au Pernod).

## PINOT GRIS (ALSACE)

**Dinde rôtie** (à l'ananas), **Fromage** (croûte fleurie farci de noix grillées et un sirop de miel épicé aux sept épices macérés quelques jours au centre du fromage), **Mon lapin exotique** (pour amateurs de vins blancs) (\*), **Parfait de foie de volaille** (à la poire), **Poitrines de poulet** (au beurre de gingembre), **Salade de figues fraîches et de fromage de chèvre** (vinaigrette au miel et cannelle), **Salade de tomates fraîches et de cubes de melon d'eau** (à l'huile de basilic), **Sauté de porc à l'asiatique** (au jus d'ananas).

## RIESLING DEMI-SEC (KABINETT et SPATLESE, ALLEMAGNE)

**Apéritif, Bar grillé** (avec sauce yuzu miso) (\*), **Cuisines asiatiques épicées** (cuisine sichuanaise et cuisine thaï), **Fricassée de crevettes** (à l'ananas et poivrons doux fouettés au curry rouge et au parfum de romarin) (\*), **Poulet** (du général Tao), **Poulet tandoori, Tarte au citron** (et meringue « à l'italienne » parfumée au romarin), **Salade d'endives** (et de fromage de chèvre émietté vinaigrette au jus d'orange), **Sushis** (avec gingembre).

## RIESLING LIQUOREUX (AUSLESE, ALLEMAGNE)

**Bouillon de lait de coco piquant** (aux crevettes), **Crémeux citron, meringue/siphon au romari**n (\*\*), **Crevettes aux épices** (et aux légumes croquants) (\*), **Cuisines asiatiques très épicées** (cuisine sichuanaise et cuisine thaï), **Salade d'ananas et fraises** (parfumée au romarin), **Tarte au citron** (et meringue « à l'italienne » parfumée au romarin).

## RIESLING SEC (CORSÉ, ALSACE et AUTRICHE)

**Crème safranée aux pétoncles** (et langoustines), **Filet d'escolar poêlé, anguille « unagi » BBQ** (crème de céleri-rave aux graines de cerfeuil, feuilles et huile de menthe fraîche) (\*\*), **Fricassée de crevettes** (à l'ananas et poivrons doux fouettés au curry rouge et au parfum de romarin) (\*), **Fromage de chèvre cendré** (à l'huile d'olive et romarin) (\*\*), **Gigot d'agneau, cuisson lente, au romarin** (casserole de panais à la cardamome) (\*\*), **Morue poêlée** (et salade de fenouil cru à l'orange), **Pattes de pieuvre rôties, compote de tomates au thé noir** (pamplemousse rose, lavande et safran du Maroc) (\*\*), **Pétoncles poêlés** (couscous de noix du Brésil à l'orange sanguine, yogourt au gingembre) (\*\*), **Rosace de saumon mariné** (sur salade de fenouil à la crème), **Rouget au romarin** (et à l'huile d'olive citronnée), **Saumon grillé** (et jus de carotte au gingembre), **Vraie crème de champignons_Mc²** (lait de champignons de Paris et mousse de lavande) (\*\*).

### RIESLING SEC (CORSÉ, AUSTRALIE et CALIFORNIE)

**Calmars en tempura d'amandes** (fleur de sel au cèdre, mousse de riz en paella) (**), **Chips de jambon serrano** (pommade de nectar d'abricot, chapelure d'oreilles de crisse) (**), **Crème de carotte** (au safran et moules), **Fromage de chèvre cendré** (à l'huile d'olive et romarin) (**), **Gigot d'agneau, cuisson lente, au romarin casserole de panais à la cardamome** (**), **Minibrochettes de crevettes** (au romarin), **Mix grill de légumes** (au romarin), **Truite en papillote** (au romarin), **Pattes de pieuvre rôties, compote de tomates au thé noir** (pamplemousse rose, lavande et safran du Maroc) (**), **Pétoncles poêlés** (couscous de noix du Brésil à l'orange sanguine, yogourt au gingembre) (**), **Vraie crème de champignons_Mc$^2$** (lait de champignons de Paris et mousse de lavande) (**).

### RIESLING SEC (ÉVOLUÉ)

**Filets de maquereau grillés et marinés à la graine de coriandre** (mousse de risotto froid au lait de muscade) (**), **Filet de truite en gravlax nordique, granité de gingembre et de pamplemousse** (**), **Gigot d'agneau, cuisson lente, au romarin** (casserole de panais à la cardamome) (**).

### RIESLING SEC (MODÉRÉ, ALSACE)

**Avocats farcis à la chair de crabe** (et vinaigrette au jus d'agrumes), **Calmars en tempura d'amandes** (fleur de sel au cèdre, mousse de riz en paella) (**), **Filet de saumon grillé** (sauce soya et jus de lime), **Huîtres fraîches** (à l'huile de basilic), **Roulade de saumon fumé** (au fromage à la crème et au wasabi), **Salade de fenouil** (et pommes à l'huile de cerfeuil), **Salade de fromage de chèvre sec** (mariné dans l'huile d'olive parfumée au romarin), **Sashimi** (à l'huile de basilic), **Saumon** (au beurre de pamplemousse rose), **Sauté de crevettes aux épices** (et aux légumes croquants), **Truite** (au jus de cresson).

### RIESLING SEC/TROCKEN
### (KABINETT et SPATLESE, ALLEMAGNE)

**Apéritif, Arancini** (au safran), **Calmars en tempura d'amandes** (fleur de sel au cèdre, mousse de riz en paella) (**), **Filet de truite** (au jus de cresson), **Rouleaux de printemps** (au crabe et à la coriandre fraîche), **Sashimi** (sur salade de nouilles de cellophane au gingembre et au sésame), **Tarte fine feuilletée aux tomates** (et au romarin).

### ROUSSANNE et MARSANNE (RHÔNE ET LANGUEDOC)

**Brochette de poulet** (sauce moutarde et miel), **Crevettes aux épices** (et au gingembre), **Curry de poulet** (à la noix de coco) (*), **Dos de morue poché au lait de coco à la rose** (gingembre mariné et pois craquants) (**), **Escalopes de porc** (à la salsa fruitée), **Filets de porc** (à la salsa de pêche et abricot), **Filets de porc au miel** (et gingembre), **Fricassée de poulet** (au gingembre et au sésame), **Fromage à croûte fleurie** (farci d'une poêlée de champignons macérés quelques jours), **Fromages** (chaumes, pied-de-vent, comté 12 mois d'affinage, Saint-Basile ou tomme de plaisir), **Lapin** (à la crème moutardée) (*), **Mignon de porc** (mangue-curry) (*), **Morceau de flanc de porc poché** (vinaigrette de boudin à la noix de coco, *crumble* de boudin noir) (**), **Petit poussin laqué** (**), **Pétoncles poêlés, couscous de noix du Brésil à l'orange sanguine, lait de coco au gingembre** (**), **Pétoncles rôtis fortement, shiitakes poêlés, copeaux de parmigiano reggiano et écume de bouillon de kombu** (**).

## SAKÉ (JAPON / ÉTATS-UNIS)

**Noix de cajous apéritives à la japonaise Soyable_Mc$^2$** (huile de sésame, gingembre et graines de coriandre) (**), **Saumon fumé_Mc$^2$** (**).

## SAKÉ NIGORI (JAPON / ÉTATS-UNIS)

**Caramous_Mc$^2$** (caramel mou à saveur d'érable « sans érable ») (**), **Guimauve érable_Mc$^2$** (sirop d'érable, vanille et amandes amères) (**), **Soyable_Mc$^2$** (**), **Whippet_Mc$^2$** (guimauve au sirop d'érable vanillé, coque de chocolat blanc caramélisé) (**).

## SAUVIGNON BLANC (LOIRE, BORDEAUX et EUROPE)

**Assiette de tomate fraîche** (et basilic), **Assiette de tomates fraîches et mozzarella** (à l'émulsion d'huile d'olive et jus de pamplemousse rose), **Canapés d'asperges** (enroulées de saumon fumé et d'aneth), **Carré de porcelet de la Ferme Gaspor au safran** (carottes, pommes golden et melon d'eau) (**), **Ceviche de crevettes** (à la coriandre), **Crevettes sautées** (à la papaye et basilic), **Émulsion d'asperges vertes aux crevettes_Mc$^2$** (**), **Escalope de saumon** (au cerfeuil et au citron), **Escargots** (à la crème de persil), **Fettucine au saumon fumé** (à l'aneth), **Homard frit au pimentòn doux fumé** (compote de poivrons jaunes au concentré de jus d'orange) (**), **Huîtres crues en mode anisée** (**), **Huîtres frites à la coriandre et wasabi** (**), **Jarret d'agneau au pastis et tomates fraîches** (**), **Lotte à la vapeur de thé gyokuro** (salade d'agrumes et pistils de safran) (**), **Pétoncles poêlés** (au jus de persil simple) (*), **Risotto d'asperges et crevettes** (au basilic), **Rouleaux de printemps** (à la menthe), **Salade d'asperges et de mozzarella** (à l'émulsion de jus de pamplemousse rose), **Salade de fenouil** (et fromage de chèvre chaud), **Salade de tomates fraîches et asperges** (au basilic frais), **Taboulé de crevettes** (à la menthe fraîche et persil), **Truite saumonée** (à l'huile de basilic).

## SAUVIGNON BLANC (NOUVELLE-ZÉLANDE)

**Asperges vertes à la vapeur** (et émulsion filet d'huile d'olive espagnole et jus de pamplemousse rose), **Avocats farcis aux crevettes** (et asperges), **Bloody Ceasar_Mc$^2$** (version solide pour l'assiette) (**), **Crêpes fines aux asperges** (et saumon fumé), **Crevettes caramélisées, écume de carotte, pomme McIntosh et graines de cumin** (purée de carottes à l'huile de crustacés et pimentòn fumée) (**), **Émulsion d'asperges**

vertes aux crevettes_Mc$^2$ (\*\*), **Fusillis au saumon** (et basilic), **Huîtres crues** (en mode anisée) (\*\*), **Huîtres frites à la coriandre et wasabi** (\*\*), **Lotte à la vapeur de thé gyokuro** (salade d'agrumes et pistils de safran) (\*\*), **Moules marinière** (« à ma façon ») (\*), **Saumon grillé** (à la cajun et salsa d'ananas), **Tomates farcies au thon** (avec céleri et persil).

## SAUVIGNON BLANC (VENDANGE TARDIVE)

**Abattis de dinde croustillants farcis à la fraise « cloutée »,** **laqués à l'ananas** (\*\*), **After 10_Mc$^2$** (version à l'aneth) (\*\*), **After 9_Mc$^2$** (version au basilic) (\*\*), **After 8_Mc$^2$** (version originale à la menthe) (\*\*), **Confiture de fraises au clou de girofle et au rhum brun** (\*\*), **Cacahouètes apéritives à l'américaine** : sirop d'érable, cannelle, zestes d'orange et piment Chipotle fumé (\*\*).

## SAVAGNIN (VIN JAUNE)

**Amandes apéritives à l'espagnole** (pimentòn fumé, miel et huile d'olive) (\*\*), **Chips de jambon serrano** (pommade de nectar d'abricot, chapelure d'oreilles de crisse) (\*\*), **Côtelettes d'agneau au safran** (et à la cannelle), **Émulsion d'asperges vertes** (aux crevettes_Mc$^2$) (\*\*), **Fromage de chèvre cendré** (à l'huile d'olive et romarin) (\*\*), **Médaillons de porc à l'érable** (et patates douces, garniture de pacanes épicées), **Noix de macadamia sablées au sirop d'érable et curry** (\*\*), **Pétoncles poêlés, couscous de noix du Brésil à l'orange sanguine, lait de coco au gingembre** (\*\*), **Queue de langouste grillée, cubes de gelées de xérès, de café ou de livèche, trait d'amlou et côtes de céleri à la vapeur** (\*\*), **Saumon laqué sauce soya/vinaigre balsamique** (\*\*) **et riz sauvage soufflé au café_Mc$^2$** (\*\*), **Soyable_Mc$^2$** (\*\*).

## SCHEUREBE (TBA LIQUOREUX, AUTRICHE)

**Cuisine cantonaise épicée**, **Litchis au gingembre** (et salsa d'agrumes), **Cuisine thaï**, **Fromage à croûte lavée « affiné »** **parfumé au romarin** (macéré quelques jours au centre du fromage), **Pain au safran** (et terrine de foie gras de canard au torchon) (\*), **Panna cotta** (aux pêches et romarin), **Pêches pochées** (au romarin), **Poires** (au gingembre confit), **Salade d'ananas et fraises** (parfumée au romarin), **Shortcake aux fraises** (Chantilly parfumée au romarin), **Terrine de foie gras et cailles, parfums de pétales de rose, gingembre, litchi et piment d'Espelette** (\*\*).

## SÉMILLON BLANC (AUSTRALIE)

**Amandes apéritives à l'espagnole** (pimentòn fumé, miel et huile d'olive) (\*\*), **Crabe des neiges, ketchup aux pois verts, épinards fanés à l'huile d'olive** (caviar de mulet et mousse de bière noire) (\*\*), **Côtes levées** (à l'anis et à l'orange), **Filet de porc grillé** (au miel et aux poires), **Poulet au gingembre** (et à l'ananas), **Saumon fumé** (vinaigrette au miel), **Saumon laqué sauce soya/vinaigre balsamique** (\*\*) **et riz sauvage soufflé au café_Mc$^2$** (\*\*).

## SÉMILLON BLANC
### (LIQUOREUX, SAUTERNES et AUTRES VOISINS)

**Dattes chaudes** (dénoyautées et farcies au roquefort), **Figues rôties** (à la cannelle et au miel), **Filet de veau sauce crémeuse** (à l'érable et aux noix), **Foie gras de canard poêlé** (à l'ananas ou aux fraises), **Fromage** (époisses accompagné de pain aux figues ou aux dattes), **Gâteau à l'érable** (et pralines), **Guimauve érable_Mc²** (sirop d'érable, vanille et amandes amères) (**), **Jambon glacé** (à l'ananas ou aux fraises), **Millefeuille de pain d'épices** (à l'ananas et aux fraises) (*), **Noix de macadamia sablées au sirop d'érable et curry** (**), **Palets de ganache de chocolat noir** (au caramel), **Shortcake** (aux fraises ou à l'ananas), **Tarte Tatin** (à l'ananas et aux fraises), **Terrine de foie gras de canard** (au torchon et Pain au safran) (*), **Whippet_Mc²** (guimauve au sirop d'érable vanillé, coque de chocolat blanc caramélisé) (**).

## SÉMILLON BLANC (SAUTERNES ÉVOLUÉ)

**Crème brûlée** (à l'érable), **Palets de ganache de chocolat noir (parfumée à l'érable)**, **Pêche tiède** (sur son craquant aux noix de pacane, baignée d'un caramel de jus de pêche parfumé à l'anis étoilé, au girofle et à la cannelle) (*), **Petit poussin laqué** (**), **Tatin de pommes au curry** (noix de macadamia salées au sirop d'érable, tranche de foie gras de canard poêlé) (**).

## SYLVANER (ALSACE)

**Calmars frits** (et vinaigrette épicée), **Poisson grillé** (arrosé de jus de citron), **Salade César**, **Salade de crevettes** (à la mayo-wasabi), **Salade d'endives** (et de fromage de chèvre), **Salade de fenouil** (et pommes).

## TORRONTÉS (ARGENTINE)

**Apéritif**, **Crevettes sautées** (et émulsion de gingembre), **Dim sum**, **Escalopes de porc** (à la salsa de fruits exotiques), **Frites de panais** (sauce au yogourt et au cari), **Riz** (à l'ananas), **Salade d'épinards** (et de pommes, vinaigrette épicée), **Sandwich au poulet** (et mangue).

## VERDEJO (RUEDA, ESPAGNE)

**Apéritif**, **Bloody Ceasar_Mc²** (version solide pour l'assiette) (**), **Bruschetta** (au pesto), **Ceviche d'huîtres** (au wasabi et à la coriandre fraîche), **Émulsion d'asperges vertes aux crevettes_Mc²** (**), **Escargots** (à la crème de persil), **Huîtres crues** (en mode anisée) (**), **Huîtres frites à la coriandre et wasabi** (**), **Jarret d'agneau au pastis et tomates fraîches** (**), **Lotte à la vapeur de thé gyokuro** (salade d'agrumes et pistils de safran) (**), **Moules** (au vin blanc et à l'émincé de fenouil frais), **Pasta au citron** (asperges et basilic frais), **Pâtes** (au pesto), **Pâtes au saumon fumé** (sauce à l'aneth) (*), **Pétoncles poêlés** (au jus de persil simple) (*), **Terrine de poisson** (truite fumée), **Tomates farcies au thon** (avec céleri et persil), **Crevettes caramélisées, écume de carotte, pomme**

**McIntosh et graines de cumin** (purée de carottes à l'huile de crustacés et pimentòn fumée) (\*\*).

## VIDAL (ICEWINE) (QUÉBEC/CANADA)

**Croustade de foie gras** (aux pommes) (\*), **Foie gras de canard poêlé** (aux pommes épicées et déglacé au cidre de glace), **Fromages** (époisses accompagné de pain aux figues ou gorgonzola accompagné de marmelade d'oranges), **Magret de canard** (et radicchio aux pommes et à l'érable), **Millefeuille de pain d'épices** (aux mangues) (\*), **Palets de ganache de chocolat noir** (aux fruits exotiques ou au gingembre), **Tartare de litchis** (aux épices) (\*), **Tarte à la citrouille** (et au gingembre) (\*).

## VIDAL (SEC) (QUÉBEC/CANADA)

**Brochettes de poulet** (à la salsa d'ananas), **Fricassée de poulet** (aux fraises et gingembre), **Poulet aux litchis** (et piments forts), **Sashimi sur salade de nouilles** (au gingembre et au sésame).

## VIN SANTO (ITALIE)

**Mousseux au chocolat noir et thé Lapsang Souchong** (\*\*), **Soyable_Mc$^2$** (\*\*).

## VIOGNIER (CONDRIEU SEC, FRANCE)

**Homard** (à l'émulsion de thé au citron), **Pétoncles poêlés** (enrubannés d'algues nori), **Ris de veau braisé** (aux citrons verts confits), **Salade de daïkon mariné** (et émulsion de thé au jasmin).

## VIOGNIER (LANGUEDOC et CALIFORNIE)

**Brochettes de poulet** (à l'ananas et au cumin), **Cocotte de poulet et lentilles aux piments forts** (curcuma, cardamome et coriandre), **Escalopes de porc** (à la salsa de pêche et curcuma), **Filet de poisson blanc** (en croûte de gingembre), **Fricassée de poulet** (à l'asiatique), **Pilaf de poulet** (et d'agrumes), **Rôti de porc** (farci aux abricots), **Sandwich « pita » au poulet** (au chutney de mangue), **Vol-au-vent de crevettes** (au Pernod).

# LES CÉPAGES ROUGES EN HARMONIES

### AGLIANICO (TAURASI, ITALIE)

**Carré d'agneau** (en croûte de menthe fraîche), **Entrecôte** (à la bordelaise), **Filet de bœuf Angus** (aux champignons sauvages).

### BARBERA (PIÉMONT, ITALIE)

**Brochettes de poulet** (et lardons), **Cailles sautées à la poêle** (et riz sauvage aux champignons) (\*), **Casserole de poulet** (à la pancetta et carottes), **Côtes de veau au vin rouge** (polenta au parmigiano), **Pétoncles en civet** (\*), **Pétoncles poêlés enrubannés d'algues nori** (et réduction de jus de veau), **Poitrines de volaille** (à la crème d'estragon) (\*), **Salade de champignons** (portabellos sautés et copeaux de parmesan), **Saumon grillé** (et coulis de sauce tomate de longue cuisson), **Steak de saumon au café noir** (et au cinq-épices chinois) (\*).

## CABERNET FRANC (LOIRE, FRANCE)

**Asperges vertes rôties au four** (à l'huile d'olive), **Brochettes de bœuf** (teriyaki), **Brochettes de foie de veau** (et de poivrons rouges), **Brochettes de foie de veau et de poivrons rouges** (accompagnées d'asperges vertes rôties au four à l'huile d'olive et au thym), **Casserole d'escargots** (à la tomate et aux saucisses italiennes épicées), **Casserole de poulet** (à la pancetta et carottes), **Figues confites au thé Pu-Erh, chantilly de fromage Saint Nectaire** (\*\*), **Pétoncles poêlés enrubannés d'algues nori** (et réduction de jus de veau et framboises), **Poitrines de poulet farcies** (au chèvre et aux poivrons rouges), **Poulet** (basquaise ou chasseur), **Rôti de porc**, **Saumon grillé** (au beurre de pesto de tomates séchées), **Saucisses grillées** (merguez).

## CABERNET SAUVIGNON (CORSÉ, EUROPE)

**Côtes de veau** (et purée de pois à la menthe) (\*), **Filet de bœuf enveloppé d'algues nori** (accompagné d'un braisé de carottes au jus de bœuf), **Filets de bœuf** (au café noir) (\*), **Filets de bœuf** (et coulis de poivrons verts) (\*), **Magret de canard rôti** (à la nigelle), **Rôti de bœuf** (au vin rouge).

## CABERNET SAUVIGNON (MODÉRÉ, EUROPE)

**Brochettes de bœuf** (et de foie de veau aux poivrons), **Côtes de veau** (et purée de pois à la menthe) (\*), **Lapin** (aux poivrons verts), **Rôti de bœuf**, **Lapin** (à la crème moutardée) (\*).

## CABERNET SAUVIGNON (CORSÉ, NOUVEAU MONDE)

**Asperges vertes rôties, enrobées de chocolat noir** (infusé au thé fumé Zheng Shan Xiao Zhong, fleur de sel au café) (\*\*), **Brochettes de bœuf** (sauce au fromage bleu) (\*), **Côte de veau grillée** (au fromage bleu et réduction de porto, balsamique et miel), **Côtelettes d'agneau marinées** (au porto et au romarin frais), **Feuilles de vigne farcies_Mc2** (riz sauvage soufflé, bacon de sanglier, sirop de riz brun/café) (\*\*), **Filet de boeuf de la Ferme Eumatimi, sauce *mole* mexicaine** (à la noix de coco et au cinq-épices) (\*\*), **Filets de bœuf** (sauce au cabernet sauvignon), **Fromage à croûte fleurie au romarin frais** (haché très finement et macéré quelques jours au centre du fromage), **Magret de canard rôti** (parfumé de baies roses), **Pot-au-feu froid d'agneau cuit rosé, cubes de bouillon à la sauge** (condiment au curcuma, sel de romarin) (\*\*), **Tranches d'épaule d'agneau grillées** (au poivre noir et sauté de poivrons verts et rouges au paprika).

## CABERNET SAUVIGNON (ÉVOLUÉ, NOUVEAU MONDE)

**Cerf** (sauce aux griottes et au chocolat noir) (\*), **Filets de bœuf sauce balsamique** (poêlée de champignons sauvages), **Magret de canard au vin rouge** (et aux baies de sureau) (\*).

## CABERNET SAUVIGNON/SHIRAZ (CORSÉ, NOUVEAU MONDE)

**Carré d'agneau et jus au café expresso** (\*) accompagné d'asperges vertes rôties au four à l'huile d'olive et au poivre noir.

## CANNONAU (SARDAIGNE, ITALIE)

**Braisé de bœuf** (à l'anis étoilé), **Lièvre** (à l'aigre-doux) (*),
**Osso buco de cerf** (aux parfums de mûres et de réglisse) (*).

## CARMENÈRE (CHILI)

**Asperges vertes rôties, enrobées de chocolat noir** (infusé
au thé fumé Zheng Shan Xiao Zhong, fleur de sel au café) (**),
**Bifteck grillé** (au beurre d'estragon), **Carré d'agneau** (en
croûte de menthe fraîche aux parfums balsamiques), **Côtes de
veau** (et purée de pois à la menthe) (*), **Feuilles de vigne
farcies_Mc$^2$** (riz sauvage soufflé, bacon de sanglier, sirop de
riz brun/café) (**), **Filets de bœuf grillés** (et coulis de poivrons verts) (*), **Hamburgers d'agneau** (aux poivrons rouges
confits et au paprika), **Souvlakis** (à l'origan et aux épices à
steak), **Terrine de campagne** (au poivre).

## CORVINA (AMARONE, ITALIE)

**Côtes de cerf** (sauce griottes et chocolat noir) (*), **Fromages**
(pecorino affumicato, caciocavallo affumicato ou parmigiano
reggiano 24 mois d'affinage), **Magret de canard rôti** (et
réduction du porto LBV), **Médaillons de porc sauce aux canneberges** (et au porto LBV), **Osso buco de cerf** (aux parfums
de mûres et de réglisse) (*), **Ragoût de bœuf** (épicé à
l'indienne), **Rognons de veau aux champignons** (et baies de
genévrier).

## CORVINA (RIPASSO, ITALIE)

**Brochettes de bœuf** (et jus au café expresso) (*), **Côtes
levées** (sauce barbecue épicée), **Foie de veau** (aux betteraves
confites), **Médaillons de veau aux bleuets**, **Pâtes aux champignons** (et fond de veau), **Pizza sicilienne aux saucisses
épicées** (et olives noires), **Poulet aux pruneaux** (et aux
olives), **Quesadillas (*wraps*) d'agneau confit** (oignons caramélisés).

## DOLCETTO (PIÉMONT, ITALIE)

**Bœuf braisé** (au jus de carotte), **Caponata à la sicilienne**
(version italienne de la ratatouille niçoise), **Chili** (con carne),
**Focaccia** (au pesto de tomates séchées), **Pâtes aux saucisses**
(italiennes et à la tomate), **Pizza** (au poulet et au pesto de
tomates séchées), **Poulet cacciatore**, **Salade de pâtes à la
méditerranéenne** (tomates cerises, olives noires, feta,
aneth), **Spaghetti** (bolognaise épicé).

## GAMAY (BEAUJOLAIS et TOURAINE)

**Ailes de poulet**, **Boudin noir** (aux oignons et aux lardons),
**Brochettes de poulet** (teriyaki), **Côtelettes de porc** (à la
niçoise), **Filet de saumon** (au pinot noir) (*), **Pain de viande**
(à la tomate), **Pâtes** (aux tomates séchées), **Pizza aux
tomates séchées** (et fromage de chèvre), **Poulet grillé** (au
pesto de tomates séchées), **Salade d'endives braisées et
cerises** (avec noix et fromage parmesan émietté), **Salade de
betteraves rouges parfumées au quatre-épices** (poivre,

muscade, gingembre en poudre et clou de girofle), **Salade de foie de volaille** (et de cerises noires), **Sukiyaki de bœuf** (aux poivrons verts et rouges), **Tacos** (de bœuf épicés), **Tartare** (de bœuf), **Tartare** (de thon), **Veau marengo** (sur pâtes aux œufs).

## GARNACHA (CORSÉ, ESPAGNE)

**Boeuf de la Ferme Eumatimi frotté à la cannelle avant cuisson** (compote d'oignons brunis au four et parfumée à la pâte d'anchois salés) (\*\*), **Braisé de bœuf** (à l'anis étoilé), **Carré d'agneau** (farci aux olives noires et au romarin), **Côtes levées** (à la cannelle et au curry de vin rouge), **Filet d'agneau enveloppé d'algues nori** (accompagné d'un braisé de carottes au jus d'agneau), **Filets de caribou** (sauce aux bleuets et au chocolat noir 90 % cacao), **Magret de canard rôti** (graines de sésame et cinq-épices, navets confits au clou de girofle) (\*\*), **Morceau de flanc de porc poché, vinaigrette de boudin à la noix de coco,** *crumble* **de boudin noir** (\*\*), **On a rendu le pâté chinois** (\*\*), **Purée_Mc²  pour amateur de vin** (au céleri-rave et clou de girofle) (\*\*), **Pot-au-feu froid d'agneau cuit rosé, cubes de bouillon à la sauge** (condiment au curcuma, sel de romarin) (\*\*), **Poitrines de poulet farcies** (au fromage brie et à la sauge), **Ragoût d'agneau** (au cinq-épices et aux oignons cipollini caramelisés fromage à croûte fleurie grillé dans une feuille de brick parfumé au thym), **Salade d'endives braisées et cerises** (avec noix et fromage bleu), **Tatin de tomates** (herbes de Provence).

## GRENACHE/SYRAH/MOURVÈDRE
(RHÔNE, LANGUEDOC et AUSTRALIE)

**Ananas caramélisé** (cassonade, sauce soya, saké et réglisse noire, copeaux de chocolat noir) (\*\*), **Boeuf grillé** (et réduction de Soyable_Mc²) (\*\*), **Brochettes d'agneau** (à l'ajowan), **Brochettes d'agneau** (au thym), **Brochettes de bœuf** (au café noir) (voir Filets de bœuf au café noir) (\*), **Carré d'agneau** (en croûte de menthe fraîche), **Carré d'agneau** (et jus au café expresso) (\*), **Carré de porc** (aux tomates confites), **Carré de porc glacé aux fraises, poivre du Sichuan, galanga et miel** (\*\*), **Côtelettes d'agneau marinées** (au porto et au romarin frais), **Daube d'agneau** (au vin et à l'orange), **Filet de boeuf de la Ferme Eumatimi, sauce** *mole* **mexicaine** (à la noix de coco et au cinq-épices) (\*\*), **Hamburgers de bœuf** (à la pommade d'olives noires), **Médaillons de porc** (à la pommade d'olives noires), **Pétoncles rôtis fortement, shiitakes poêlés, copeaux de parmigiano reggiano et écume de bouillon de kombu** (\*\*), **Poulet aux olives noires** (et aux tomates), **Purée_Mc²  pour amateur de vin** (au céleri-rave et clou de girofle) (\*\*), **Steak de saumon au café noir** (et au cinq-épices chinois) (\*), **Tajine d'agneau** (au safran), **Tartinades d'olives noires, Thon rouge frotté aux baies de genièvre et pommade d'olives noires** (avec poudre d'algues nori torréfiées et graisse de jambon fondue au safran), **Thon rouge frotté aux baies de genièvre, olives noires, quelques petits pois, algues nori torréfiées, dés de graisse de jambon fondue, huile de pépins de raisin aux pistils de safran** (\*\*).

## GRENACHE – VIN DOUX NATUREL
## (BANYULS, MAURY, RASTEAU et RIVESALTES)

**Ananas caramélisé** (cassonade, sauce soya, saké et réglisse noire, copeaux de chocolat noir) (\*\*), **Fondue au chocolat noir** (et fruits rouges et noirs), **Fougasse parfumée au clou de girofle** (et fromage bleu fondant caramélisé) (\*\*), **Fromage bleu** (fourme d'Ambert), **Fudge au chocolat noir** (sauce au caramel), **Gelées_Mc$^2$** (au café) (\*\*), **Palets de ganache de chocolat noir** (parfumée au café), **Panna cotta au fromage bleu, air de rose et craquelins de clou de girofle** (\*\*), **Tarte au chocolat noir** (au thé lapsang souchong) (\*), **Tarte aux bleuets**, **Bleuets** (trempés dans le chocolat noir), **Truffes au chocolat** (aux parfums de havane) (\*).

## JAEN (DÃO, PORTUGAL)

**Carré d'agneau façon « pot-au-feu »** (cuisson rosée, parfumé au thé et aux épices), **Hachis Parmentier** (de canard au quatre-épices), **Ragoût d'agneau** (au quatre-épices), **Steak de saumon grillé** (au pimentón et tomates séchées), **Tataki de thon rouge** (au quatre-épices).

## MALBEC (ARGENTINE)

**Asperges vertes rôties au four** (à l'huile d'olive), **Bifteck** (à l'ail et aux épices), **Brochettes de bœuf** (au café noir) (voir Filets de bœuf au café noir) (\*), **Chili** (con carne épicé), **Couscous** (aux merguez épicées), **Foie de veau** (sauce au poivre et à la cannelle), **Hamburgers de bœuf** (à la pommade d'olives noires), **Poulet grillé sur une canette de bière** (frotté aux épices barbecue et copeaux d'hickory), **Purée_Mc$^2$ pour amateur de vin au céleri-rave et clou de girofle** (\*\*), **Quesadillas** (*wraps*) **au poulet grillé** (teriyaki).

## MALBEC (CAHORS, FRANCE)

**Bœuf à la bière**, **Filets de bœuf** (au café noir) (\*), **Carré d'agneau** (et jus au café expresso) (\*), **Cassoulet** (et cuisses de canard confites), **Foie de veau** (en sauce à l'estragon), **Moussaka** (au bœuf).

## MENCIA (BIERZO, ESPAGNE)

**Baklavas de boeuf en bonbons** (miel de menthe à la lavande et eau de géranium, viande de grison) (\*\*), **Carré d'agneau façon « pot-au-feu »** (cuisson rosée, parfumé au thé et aux épices), **Hachis Parmentier** (de canard au quatre-épices), **Magret de canard rôti** (graines de sésame et cinq-épices, navets confits au clou de girofle) (\*\*), **Purée_Mc$^2$ pour amateur de vin** (au céleri-rave et clou de girofle) (\*\*), **Ragoût d'agneau** (au quatre-épices), **Steak de saumon grillé** (au pimentón et tomates séchées), **Tagliatelles à la réglisse noire, queues de langoustines rôties, tomates séchées et petits pois** (\*\*), **Tataki de thon rouge** (au quatre-épices), **Terrine de foie gras et cailles, parfums de pétales de rose, gingembre, litchi et piment d'Espelette** (\*\*).

## MERLOT (CORSÉ, BORDEAUX et EUROPE)

**Burger de bœuf au foie gras** (et champignons), **Carré d'agneau** (et jus au café expresso) (\*), **Côte de veau rôtie** (aux morilles), **Côte de veau rôtie et jus au café expresso** (\*) (voir Carré d'agneau et jus au café expresso), **Filets de bœuf en croûte** (fines herbes), **Jarret d'agneau confit** (et champignons sauvages), **Magret de canard** (caramélisé aux épices) (\*), **Magret de canard fumé au thé lapsang souchong** (et risotto au jus de betterave parfumé au girofle), **Magret de canard grillé** (parfumé de baies roses), **Terrine de foie gras de canard** (au naturel) (\*).

## MERLOT (CORSÉ, NOUVEAU MONDE)

**Asperges vertes rôties, enrobées de chocolat noir** (infusé au thé fumé Zheng Shan Xiao Zhong, fleur de sel au café) (\*\*), **Bœuf à la Stroganov, Cailles sautées à la poêle** (et riz sauvage aux champignons) (\*), **Filet de porc** (au café noir) (\*) (voir Filets de bœuf au café noir), **Hamburgers d'agneau** (aux poivrons rouges confits et au paprika), **Osso buco accompagné de carottes rouges** (cuites en fin de cuisson à même l'osso buco), **Pâtes aux tomates séchées** (et au basilic), **Poulet basquaise** (version basque du poulet chasseur italien avec ajout de lanières de poivrons vert en fin de cuisson), **Feuilles de vigne farcies_Mc$^2$** (riz sauvage soufflé, bacon de sanglier, sirop de riz brun/café) (\*\*), **Pétoncles poêlés, couscous de noix du Brésil à l'orange sanguine, lait de coco au gingembre** (\*\*), **Pot-au-feu froid d'agneau cuit rosé, cubes de bouillon à la sauge** (condiment au curcuma, sel de romarin) (\*\*).

## MERLOT (MODÉRÉ, BORDEAUX, LANGUEDOC et EUROPE)

**Brochettes de poulet** (aux champignons portabellos), **Côtelettes de porc** (aux poivrons rouges confits épicés), **Filet de saumon grillé** (sauce au vin rouge) (\*), **Foie de veau** (en sauce à l'estragon), **Hachis Parmentier** (au canard), **Poitrines de volaille** (à la crème d'estragon) (\*), **Polenta crémeuse** (au parmigiano), **Poulet aux olives noires** (aux tomates séchées), **Quesadillas (*wraps*) au bifteck** (et aux champignons), **Rôti de veau** (à la dijonnaise), **Veau marengo** (de longue cuisson).

## MONASTRELL (JUMILLA, ESPAGNE)

**Brochettes de bœuf ou d'agneau** (sauce teriyaki), **Carré de porc** (sauce chocolat épicée *mole* poblano), **Chili** (de Cincinnati), **Foie de veau** (et confit de betteraves et d'oignons rouges au vinaigre balsamique), **Gigot d'agneau** (aux herbes séchées), **Magret de canard rôti** (à la nigelle), **Pâtes aux saucisses** (épicées), **Ragoût de bœuf** (épicé à l'indienne), **T-Bone grillé** (aux épices à steak).

## MONDEUSE (VIN DE SAVOIE, FRANCE)

**Poulet grillé sur une canette de bière** (frotté aux épices barbecue et copeaux d'hickory), **Salade de bœuf** (aux fines herbes et vinaigrette au vinaigre de framboise), **Saumon grillé** (teriyaki).

## MOURVÈDRE (AUSTRALIE)

**Jambon glacé aux fraises et girofle** (\*\*).

## MOURVÈDRE (CALIFORNIE)

**Braisé de bœuf** (à l'anis étoilé), **Carré de porc** (sauce chocolat épicée *mole* poblano), **Daube de bœuf** (au vin et à l'orange), **Homard au vin rouge** (et chocolat noir et pimentón), **Lièvre ou lapin** (à l'aigre-doux) (\*), **Magret de canard rôti** (à la nigelle).

## MOURVÈDRE (PROVENCE, RHÔNE et LANGUEDOC, FRANCE)

**Canard rôti** (badigeonné au scotch single malt), **Carré d'agneau** (et jus au café expresso) (\*), **Filet de bœuf saignant** (et sauté de champignons sauvages), **Gigot d'agneau** (aux herbes séchées), **Jarret d'agneau confit** (parfumé à l'huile de truffes).

## MONTEPULCIANO (CORSÉ, ITALIE)

**Carré de porc** (aux tomates séchées), **Fettucine all'amatriciana** («à ma façon») (\*), **Foie de veau** (en sauce à l'estragon), **Osso buco**, **Polenta crémeuse** (aux oignons caramélisés et parmigiano reggiano).

## MONTEPULCIANO (MODÉRÉ, ITALIE)

**Hamburger d'agneau** (au pesto de tomates séchées), **Lasagne au four**, **Pizza classique**, **Poitrines de poulet** (tomate et champignons), **Saucisses** (italiennes), **Spaghetti** (bolognaise), **Terrine de campagne**.

## NEBBIOLO (BAROLO et BARBARESCO, ITALIE)

**Bœuf braisé au vin rouge** (et aux carottes), **Carré d'agneau au poivre vert** (et à la cannelle), **Filets de bœuf aux champignons** (et au vin rouge), **Magret de canard fumé** (aux feuilles de thé), **Parmigiano reggiano** (plus de 24 mois d'affinage) **accompagné d'une réduction de café noir** (avec un doigt de balsamique).

## NÉGRETTE (FRONTON, FRANCE)

**Brochettes de bœuf** (marinées aux herbes de Provence), **Filets de bœuf** (à la pommade d'olives noires).

## NEGROAMARO (MODÉRÉ, ITALIE)

**Côtes de veau grillées** (marinées aux herbes), **Daube de bœuf** (au vin et à l'orange), **Focaccia à la sauce tomate de longue cuisson** (et aux olives noires et thym séché), **Fettucine all'amatriciana** («à ma façon») (\*), **Focaccia** (au pesto de tomates séchées), **Pennine all'arrabbiata**, **Risotto** (aux tomates séchées et aux olives noires).

## NERO D'AVOLA (CORSÉ, ITALIE)

**Brochettes d'agneau** (à l'ajowan), **Brochettes de bœuf** (à la pommade de menthe fraîche, poivre concassé et vinaigre balsamique), **Filets de bœuf** (au café noir) (*), **Filets de bœuf Angus** (aux champignons sauvages), **Gigot d'agneau** (aux herbes séchées), **Osso buco accompagné de carottes rouges** (cuites en fin de cuisson à même l'osso buco).

## PALOMINO (XÉRÈS AMONTILLADO et OLOROSO, ESPAGNE)

**Amandes apéritives à l'espagnole** (pimentón fumé, miel et huile d'olive) (**), **Carré aux figues séchées** (crème fumée et cassonade à la réglisse) (**), **Cigare** (figurados Arturo Fuente Don Carlos Nº 2), **Fromage camembert aux noix mélangées** (éclats de chocolat noir et scotch macérés quelques jours au centre du fromage), **Jambon glacé** (à l'ananas), **Mousseux au chocolat noir** (et thé Lapsang Souchong) (**), **Palets de ganache de chocolat noir** (aux noix), **Tarte Tatin** (à l'ananas et aux fraises), **Whippet_Mc²** (guimauve au sirop d'érable vanillé, coque de chocolat blanc caramélisé) (**).

## PEDRO XIMÉNEZ
## (MONTILLA-MORILLES, AMONTILLADO et OLOROSO, ESPAGNE)

**Amandes apéritives à l'espagnole** (pimentón fumé, miel et huile d'olive) (**), **Caramous_Mc²** (caramel mou à saveur d'érable « sans érable ») (**), **Cigare** (figurados Arturo Fuente Don Carlos Nº 2), **Fromage camembert aux noix mélangées** (éclats de chocolat noir et scotch macérés quelques jours au centre du fromage), **Jambon glacé** (à l'ananas), **Mousseux au chocolat noir et thé Lapsang Souchong** (**), **Palets de ganache de chocolat noir** (aux noix), **Petit poussin laqué** (**), **Queue de langouste grillée, cubes de gelées de xérès, de café ou de livèche, trait d'amlou et côtes de céleri à la vapeur** (**), **Tarte Tatin** (à l'ananas et aux fraises).

## PEDRO XIMÉNEZ (XÉRÈS et MONTILLA-MORILLES, ESPAGNE)

**Cigares** (churchill Bolivar Corona Gigante ou robusto Partagas Série D Nº 4), **Ganache chocolat/Soyable_Mc²** (**), **Glace à la vanille saupoudrée de raisins de Corinthe** (macérés dans un pedro ximénez), **Mousseux au chocolat noir et thé Lapsang Souchong** (**), **Palets de ganache de chocolat noir** (au vinaigre balsamique), **Tarte aux pacanes** (et au bourbon).

## PETITE SIRAH (CALIFORNIE et MEXIQUE)

**Bavette de bœuf** (sauce teriyaki), **Brochette de bœuf** (sauce au poivre vert), **Côtes levées** (sauce barbecue épicée), **On a rendu le pâté chinois** (**), **Ragoût de bœuf** (à la bière brune).

## PINOT NOIR (CHAMPAGNE BLANC DE NOIRS)

**Carpaccio d'agneau** (fumé), **Fromages** (comté Fort des Rousses 24 mois d'affinage ou parmigiano reggiano 24 mois d'affinage et plus), **Huîtres chaudes** (au beurre de poireaux),

**Mousse de foie de volaille** (aux poires), **Surf'n Turf Anise** (pétoncles et foie gras) (*).

## PINOT NOIR (CHAMPAGNE ROSÉ)

**Cailles laquées au miel** (et au cinq-épices), **Cuisines asiatiques** (cantonaise ou indienne), **Focaccia** (au pesto de tomates séchées), **Foie gras de canard poêlé** (aux fraises), **Fromages jeunes** (maroilles, chaource ou brie de Meaux), **Risotto au jus de betterave** (parfumé au girofle), **Risotto aux langoustines** (et au basilic), **Salade de tomates fraîches et de cubes de melon d'eau** (à l'huile de basilic), **Saumon grillé** (au beurre de pesto de tomates séchées), **Tartare** (de thon), **Thon grillé** (à l'huile de basilic), **Tomates cocktail** (au tartare de pétoncles), **Truite saumonée** (et coulis de tomate).

## PINOT NOIR (CORSÉ FRANCE)

**Cailles sautées à la poêle** (et riz sauvage aux champignons) (*), **Joues de veau braisées** (aux tomates confites), **Magret de canard rôti** (parfumé de baies roses), **Pétoncles en civet** (*), **Poulet au soja** (et à l'anis étoilé), **Poitrines de volaille** (à la crème d'estragon) (*), **Risotto au jus de betterave** (parfumé au girofle), **Steak de saumon au café noir** (et au cinq-épices chinois) (*), **Thon poêlé** (aux tomates confites et à l'huile d'olive épicée).

## PINOT NOIR (MODÉRÉ, FRANCE)

**Dindon rôti** (sauce au pinot noir), **Filet de saumon** (au pinot noir) (*), **Filets de porc à la cannelle** (et aux canneberges), **Pâtes à la sauce tomate** (au prosciutto et à la sauge), **Pâtes aux tomates séchées**, **Pot-au-feu** (de l'Express) (*), **Poulet chasseur**, **Quesadillas** (*wraps*) **au bifteck** (et aux champignons), **Risotto à la tomate** (et au basilic avec aubergines grillées), **Salade de bœuf grillé** (à l'orientale), **Tourtière** (aux épices douces).

## PINOT NOIR (CORSÉ, NOUVEAU MONDE)

**Boeuf de la Ferme Eumatimi frotté à la cannelle avant cuisson** (compote d'oignons brunis au four et parfumée à la pâte d'anchois salés) (**), **Cailles laquées au miel** (et au cinq-épices), **Camembert aux clous de girofle** (macérés quelques jours au centre du fromage), **Canard du lac Brome rôti** (et jus de cuisson parfumé à l'anis étoilé), **Feuilles de vigne farcies_Mc²** (riz sauvage soufflé, bacon de sanglier, sirop de riz brun/café) (**), **Filets de porc à la cannelle** (et aux canneberges), **Filet de saumon grillé** (au quatre-épices chinois), **Magret de canard rôti, graines de sésame et cinq-épices** (navets confits au clou de girofle) (**), **Pétoncles poêlés, couscous de noix du Brésil à l'orange sanguine, lait de coco au gingembre** (**), **Pot-au-feu d'agneau cuit rosé, au thé et aux épices** (**), **Thon poêlé** (aux tomates confites et à l'huile d'olive épicée).

## PINOT NOIR (MODÉRÉ, NOUVEAU MONDE)

**Brochettes de poulet** (teriyaki), **Bruschetta** (à la tapenade de tomates séchées), **Chutney d'ananas au curcuma, gingembre et vinaigre de xérès** (\*\*), **Pâtes** (aux tomates séchées), **Poulet au soja** (et à l'anis étoilé), **Risotto à la tomate** (et au basilic), **Salade de bœuf grillé** (à l'orientale), **Sandwich aux légumes grillés** (et tapenade de tomates séchées), **Saumon grillé** (et coulis de sauce tomate de longue cuisson), **Sauté de bœuf** (au gingembre), **Sauté de porc vietnamien** (au cinq-épices), **Sukiyaki** (de saumon), **Thon rouge mi-cuit au poivre et risotto au jus de betterave** (parfumé au clou de girofle).

## PINOTAGE (AFRIQUE DU SUD)

**Bœuf à la bière** (brune et polenta crémeuse au parmesan), **Chili** (de Cincinnati), **Côtes levées** (glacées aigres-douces), **Hamburgers de veau à l'italienne** (oignons rouges, poivrons rouges rôtis et paprika), **Longe de porc fumée** (sauce au boudin noir et vin rouge), **Pâtes aux saucisses** (italiennes épicées), **Quesadillas (wraps) au bifteck** (et fromage bleu).

## PRIMITIVO (ITALIE)

**Bifteck** (à la pommade d'olives noires), **Bœuf bourguignon** (et polenta crémeuse), **Brochettes de bœuf** (et de foie de veau aux poivrons rouges confits), **Fettucine all'amatriciana** (« à ma façon ») (\*), **Hamburger d'agneau** (aux poivrons rouges confits et au fromage bleu), **Orecchiette** (pâtes en forme de petites oreilles; sauce au fond de veau et duxelles de champignon portabella), **Terrine** (de gibier), **Chili** (de Cincinnati).

## SANGIOVESE (CALIFORNIE)

**Feuilles de vigne farcies_Mc²** (riz sauvage soufflé, bacon de sanglier, sirop de riz brun/café) (\*\*), **Hamburgers** (aux tomates séchées et cheddar extrafort), **Magret de canard grillé** (parfumé de baies roses), **Pâtes** (aux tomates séchées et au basilic), **Pizza** (au poulet et au pesto de tomates séchées), **Poulet** (à la ratatouille), **Risotto** (au jus de betterave parfumé au clou de girofle), **Saumon grillé** (à la pommade d'olives noires).

## SANGIOVESE (CORSÉ, ITALIE)

**Carré d'agneau** (et jus au café expresso) (\*), **Côtes de veau grillées** (et champignons portabellos), **Gigot d'agneau aux herbes** (accompagné d'une purée de patates douces aux olives noires), **Lapin** (à la toscane) (\*), **Magret de canard rôti** (à la nigelle), **Osso buco** (au fenouil et gremolata).

## SANGIOVESE (MODÉRÉ, ITALIE)

**Blanquette de veau, Carré de porc** (aux tomates séchées), **Fettucine all'amatriciana** (« à ma façon ») (\*), **Panini au poulet** (et aux poivrons rouges grillés), **Pâté chinois** (aux lentilles et ketchup maison), **Pennine all'arrabbiata**, **Poulet** (chasseur), **Souvlakis** (brochettes), **Veau marengo** (de longue cuisson).

## SHIRAZ (CORSÉ, NOUVEAU MONDE)

**Bœuf braisé** (au jus de carotte), **Brochettes de bœuf** (à la pommade de menthe fraîche, poivre concassé et vinaigre balsamique), **Carré de porc glacé aux fraises, poivre du Sichuan** (galanga et miel) (**), **Côtelettes d'agneau grillées** (sauce teriyaki à l'orange), **Gigot d'agneau** (à l'ail et au romarin), **Médaillons de porc** (sauce aux canneberges et au porto LBV), **On a rendu le pâté chinois** (**), **Steak de thon grillé** (à la pommade d'olives noires), **Steak de thon grillé** (frotté au concassé de baies de genièvre), **Tajine d'agneau** (au safran), **Tajine de ragoût d'agneau** (au cinq-épices et aux oignons cipollini caramélisés), **Thon rouge mi-cuit au poivre** (et purée de pommes de terre aux olives noires).

## SHIRAZ (MODÉRÉ, NOUVEAU MONDE)

**Bifteck au poivre** (et à l'ail), **Brochettes de poulet** (teriyaki), **Côtes levées** (sauce barbecue épicée), **Poulet** (aux olives noires), **Rôti de porc** (farci aux canneberges), **Sauté de bœuf** (au gingembre), **Souvlaki pita** (aux boulettes de bœuf), **Tartinades d'olives noires** (graines de fenouil et zestes d'orange), **Thon rouge mi-cuit** (frotté au concassé de baies de genièvre), **Thon rouge mi-cuit au poivre** (et purée de pommes de terre aux olives noires).

## SHIRAZ et CABERNET SAUVIGNON (CORSÉ, AUSTRALIE)

**Carré d'agneau** (au poivre vert et à la cannelle), **Carré d'agneau** (marocain et provençal), **Filets de bœuf** (sauce au cabernet sauvignon), **Filets de bœuf à la fourme d'Ambert** (et au romarin) (*), **Magret de canard** (au vin rouge et aux baies de sureau) (*).

## SYRAH (CORSÉ, FRANCE)

**Filets de bœuf** (surmonté de raviolis de pâtes d'algues nori farcies à la purée de framboise), **Brochettes d'agneau** (à l'ajowan), **Brochettes d'agneau grillées** (et parfumées de baies roses), **Carré d'agneau farci** (aux olives noires et au romarin, sauce au porto LBV), **Filets de bœuf mariné** (au parfum d'anis étoilé), **Gigot d'agneau** (aux herbes séchées), **Magret de canard grillé** (parfumé de baies roses accompagné d'une purée de patates douces aux olives noires et au romarin frais), **Rognons de veau** (aux baies de genévrier), **Tranches d'épaule d'agneau** (et pommade d'olives noires).

## SYRAH (MODÉRÉ, FRANCE)

**Blanquette de veau**, **Bœuf braisé** (au jus de carotte), **Carré de porc** (aux tomates confites et aux herbes de Provence), **Gigot d'agneau** (au romarin frais), **Lasagne** (aux saucisses italiennes épicées), **Pennine all'arrabbiata**, **Tartinades**

d'olives noires, **Pâtes** (aux olives noires) (\*), **Tagliatelles à la réglisse noire, queues de langoustines rôties, tomates séchées et petits pois** (\*\*).

## SYRAH, GRENACHE et MOURVÈDRE
(CORSÉ, LANGUEDOC, FRANCE)

**Carré d'agneau** (farci à la pommade d'olives noires), **Filets de bœuf grillés** (et sauté de poivrons rouges au curcuma), **Jarret d'agneau confit** (et bulbe de fenouil braisé).

## SYRAH, GRENACHE et MOURVÈDRE
(MODÉRÉ, LANGUEDOC, FRANCE)

**Hamburgers de bœuf** (à la pommade d'olives noires), **Pâtes aux olives noires, Poulet** (et ratatouille), **Poulet grillé sur une canette de bière** (frotté aux épices barbecue et copeaux d'hickory), **Quesadillas** (*wraps*) **au poulet grillé** (teriyaki), **Souvlakis** (brochettes), **Spaghetti** (bolognaise), **Tartinades d'olives noires.**

## SYRAH, GRENACHE et MOURVÈDRE (VINS ROSÉS CORSÉS)

**Cacahouètes apéritives à l'américaine : sirop d'érable, cannelle, zestes d'orange et piment Chipotle fumé** (\*\*), **Calmars en tempura d'amandes** (fleur de sel au cèdre, mousse de riz en paella) (\*\*), **Carré de porcelet de la Ferme Gaspor au safran** (carottes, pommes golden et melon d'eau) (\*\*), **Pattes de pieuvre rôties, compote de tomates au thé noir** (pamplemousse rose, lavande et safran du Maroc) (\*\*), **Tagliatelles à la réglisse noire, queues de langoustines rôties, tomates séchées et petits pois** (\*\*).

## TANNAT (MADIRAN, FRANCE)

**Carré d'agneau** (jus de cuisson réduit), **Filets de bœuf** (au café noir) (\*), **Jarret d'agneau confit** (et lentilles du Puy au jus d'agneau parfumé à l'anis étoilé).

## TANNAT (URUGUAY)

**Bœuf braisé** (à la Stroganov), **Brochettes de bœuf** (teriyaki), **Chili** (con carne), **Côtes levées** (à l'ail et au romarin), **Quesadillas** (*wraps*) **aux saucisses** (italiennes épicées), **Souvlakis** (brochettes).

## TEMPRANILLO
(CORSÉ, RIOJA et RIBERA DEL DUERO, ESPAGNE)

**Balloune de mozarella_Mc$^2$** (à l'air de clou de girofle, éclats de viande de grison et piment d'Espelette) (\*\*), **Braisé de bœuf** (à l'anis étoilé), **Carré d'agneau** (et jus au café expresso) (\*), **Feuilles de vigne farcies_Mc$^2$** (riz sauvage soufflé, bacon de sanglier, sirop de riz brun/café) (\*\*), **Hamburgers d'agneau** (aux poivrons rouges confits et au curcuma), **Magret de canard** (fumé aux feuilles de thé lapsang souchong), **Magret de canard rôti** (à la nigelle), **Magret de canard rôti** (graines de sésame et cinq-épices, navets confits au clou de girofle) (\*\*), **Purée_Mc²** pour amateur de vin au céleri-rave et clou de girofle (\*\*), **Osso buco de jarret de veau** (à la vanille de Tahiti sauce liée au chocolat noir), **Tranches d'épaule d'agneau** (sauce au porto LBV).

## TEMPRANILLO (MODÉRÉ, ESPAGNE)

**Bœuf bourguignon**, **Boudin noir grillé** (avec sauté de poivrons rouges épicés), **Brochette de bœuf** (sauce au poivre vert), **Filet de porc** (au café noir) (\*) (voir Filets de bœuf au café noir), **On a rendu le pâté chinois** (\*\*), **Saucisses grillées** (chipolatas).

## TOURIGA NACIONAL et TINTA RORIZ

**Brochettes de bœuf** (au café noir) (voir Filets de bœuf au café noir) (\*), **Carré d'agneau** (au poivre vert et à la cannelle), **Feuilles de vigne farcies_Mc²** (riz sauvage soufflé, bacon de sanglier, sirop de riz brun/café) (\*\*), **Filets de bœuf au poivre** (patates douces au romarin), **Filet de bœuf** (sauce au cabernet sauvignon), **Gigot d'agneau** (au romarin frais), **Magret de canard rôti** (parfumé de baies roses), **Osso buco**, **Purée_Mc²** pour amateur de vin au céleri-rave et clou de girofle (\*\*).

## TOURIGA NACIONAL et TINTA RORIZ
(MODÉRÉ, DÃO et DOURO, PORTUGAL)

**Bavette de bœuf** (sauce teriyaki), **Brochettes d'agneau** (à l'ajowan), **Brochettes de bœuf** (aux épices à steak), **Côtes levées** (à l'ail et au romarin), **Fettucine all'amatriciana** (« à ma façon ») (\*), **Médaillons de porc** (à la pommade d'olives noires), **Pâtes aux saucisses** (italiennes épicées), **Pizza aux tomates séchées** (et à l'origan), **Sandwich au rôti de bœuf** (parfumé au thym frais), **Saucisses grillées** (chipolatas), **Steak de thon rouge grillé** (et frotté au concassé de baies de genièvre).

## TOURIGA NACIONAL et TINTA RORIZ
(PORTO RUBY, LBV et VINTAGE, PORTUGAL)

**Fondue au chocolat noir** (et fruits rouges et noirs), **Fougasse parfumée au clou de girofle** (et fromage bleu fondant caramélisé) (\*\*), **Fromage à croûte fleurie mature** (farci de fraises et estragon macérés quelques jours au centre du fromage), **Fromage fourme d'Ambert** (accompagné de confiture de cerises noires), **Gâteau au chocolat** (et coulis de fruits rouges), **Jarrets de veau braisés au porto** (et polenta aux champignons), **Mousse au chocolat noir** (aux cerises), **Palets de ganache de chocolat noir** (aux fruits rouges ou au poivre).

## TOURIGA NACIONAL et TINTA RORIZ
(PORTO TAWNY, PORTUGAL)

**Boeuf grillé** (et réduction de Soyable_Mc²) (\*\*), **Caramous_Mc²** (caramel mou à saveur d'érable « sans érable ») (\*\*), **Figues macérées au porto tawny** (à la vanille), **Fromages** (são jorge et vieux cheddar accompagnés de confiture de coings portugaise et de noix de Grenoble), **Ganache chocolat Soyable_Mc$^2$** (\*\*), **Gâteau au café** (et meringue au chocolat), **Gâteau Reine-Élisabeth, Jambon** (aux parfums d'Orient) (\*), **Guimauve érable_Mc$^2$** (sirop d'érable, vanille et amandes amères) (\*\*), **Millefeuille de pain d'épices** (aux figues) (\*), **Mousse au chocolat noir** (et au parfum de Grand Marnier) (\*), **Palets de ganache de chocolat noir** (parfumée au café), Soyable_Mc$^2$ (\*\*), **Whippet_Mc$^2$** (guimauve au sirop d'érable vanillé, coque de chocolat blanc caramélisé) (\*\*).

## ZINFANDEL (CALIFORNIE)

**Boeuf grillé** (et réduction de Soyable_Mc$^2$) (\*\*), **Brochettes de bœuf** (à la pommade de menthe fraîche, poivre concassé et vinaigre balsamique), **Brochettes de bœuf** (sauce au fromage bleu) (\*), **Filet de boeuf de la Ferme Eumatimi, sauce** *mole* **mexicaine** (à la noix de coco et au cinq-épices) (\*\*), **Gigot d'agneau** (aux herbes séchées), **Longe de porc fumée** (sauce au boudin noir et vin rouge), **Meringue de pois verts, tomates confites** (filets d'anchois croustillants au vinaigre de xérèx_Mc$^2$ : air de shiitakés dashi) (\*\*), **Pétoncles rôtis fortement, shiitakes poêlés, copeaux de parmigiano reggiano et écume de bouillon de kombu** (\*\*), **Purée_Mc$^2$ pour amateur de vin** (au céleri-rave et clou de girofle) (\*\*), **Quesadillas (***wraps***) au bifteck** (et fromage bleu), **Ragoût d'agneau** (au quatre-épices), **Rognons de veau aux champignons** (et baies de genévrier).

Isabelle Clément, Photographe
Livre *La Vie est Belle!*
www.isabelleclement.com

# INDEX DES VINS

- PAR APPELLATIONS
- PAR PAYS ET
PAR NOMS DE VIN

## A

Acongua Valley
Sena 2005, 316
Sena 2006, 316
Adelaïde
Chardonnay Cellar Reserve
Penfolds 2007, 268
Pinot Noir Cellar Reserve
Penfolds 2007, 314
Alghero
Capocaccia 2006, 136
Alicante
Laderas de El Sequé 2009, 116
Laudum Nature « Barrica » 2007,
121
Almansa
Atalaya 2007, 192
Alsace
Gentil Hugel 2009, 88
Gewurztraminer Hugel 2008, 91
Gewurztraminer Hugel 2009, 92
Pinot Gris « Barriques » Ostertag
2007, 96
Riesling Heissenberg 2007, 105
Riesling Herrenweg 2007, 104
Riesling Hugel 2009, 90
Sylvaner Ruhlmann « Bouquet
Printanier » 2009, 80
Alto Cachapoal
Merlot Château Los Boldos
« Vieilles Vignes » 2006, 309
Merlot Château Los Boldos
« Vieilles Vignes » 2007, 309
Amador County
Mourvèdre Terre Rouge 2003,
311
Zinfandel Easton 2008, 289
Amarone della Valpolicella
Vaio Armaron Classico Serego
Alighieri 2003, 215

## B

Bairrada
Quinta do Valdoeiro 2009, 100
Riparosso 2008, 117
Baja California
Nebbiolo Reserva Privada L.A.
Cetto 2001, 307
Nebbiolo Reserva Privada L.A.
Cetto 2004, 307
Bandol
Cuvée India « Dupéré Barrera »
2006, 201
Banyuls
Domaine de Valcros « Hors d'âge
», 226
Domaine La Tour Vieille Reserva,
231
Domaine La Tour Vieille
« Rimage » 2008, 230

Barbaresco
Il Bricco 2005, 217
Il Bricco 2006, 217
Pio Cesare « Barbaresco » 2006, 210
Barbera d'Alba
Amabilin Cascina Adelaide Superior 2005, 206
Barbera Fontanafredda 2008, 131
Pio Cesare « Barbera » 2008, 191
Barbera d'Asti
Barbera Fiulot 2007, 190
Barbera Fiulot 2009, 190
Barco Reale di Carmignano
Capezzana « Barco Reale di Carmignano » 2007, 185
Capezzana « Barco Reale di Carmignano » 2008, 143
Barolo
Dardi Le Rose « Bussia » 2003, 213
Dardi Le Rose « Bussia » 2004, 213
Fontanafredda Barolo 2005, 172
Ornato 2006, 217
Pio Cesare « Barolo » 2005, 213
Pio Cesare « Barolo » 2006, 213
Barossa
Shiraz Elderton « Friends Vineyard Series » 2006, 308
Shiraz Elderton « Friends Vineyard Series » 2008, 288
Shiraz Elderton « Friends Vineyard Series » 2008, 308
Shiraz/Cabernet Sauvignon/Merlot Clancy's 2008, 282
The Holy Trinity « GSM » 2004, 311
Barossa Valley
Cabernet Sauvignon Cellar Reserve Penfolds 2006, 317
Cabernet Sauvignon Craneford « Basket Pressed » 2007, 312
Clarry's Kalleske 2007, 298
Sangiovese Cellar Reserve Penfolds 2006, 314
Shiraz E Minor 2008, 280
Shiraz Epsilon 2009, 297
Shiraz-Grenache-Mourvèdre Turkey Flat « Butchers Block » 2006, 311
Shiraz Piping Shrike 2007, 291
Shiraz Stonehorse 2006, 310
Shiraz Turkey Flat Vineyards 2006, 303
Turkey Flat « Butchers Block » 2008, 264
Beaujolais-Villages
Georges Dubœuf 2009, 183
Beaune 1er Cru
Les Bressandes 2007, 209
Bergerac
Château Grinou Réserve 2007, 87
Château Grinou Réserve 2007, 183
Château Grinou Réserve 2008, 183
Château Haut Perthus 2006, 113
Cuvée des Conti « Tour des Gendres » 2008, 100
Cuvée des Conti « Tour des Gendres » 2009, 84
La Truffière « De Conti » 2005, 180
Bierzo
Exaltos « Cepas Viejas » 2005, 199
Exaltos « Cepas Viejas » 2006, 199
Las Lamas 2006 Bierzo, 219
Moncerbal 2006 Bierzo, 219
Pétalos 2008, 192
Pittacum 2006, 152
San Martín 2006 Bierzo, 217
Villa de Corullón 2006, 204
Bolgheri
Il Bruciato 2008, 199
Le Serre Nuove dell'Ornellaia 2007, 212
Le Serre Nuove dell'Ornellaia 2008, 212
Masseto 2006, 222
Masseto 2007, 222
Moreccio 2007, 193
Moreccio 2008, 194
Vermentino Tenuta Guado al Tasso 2009, 103
Bolgheri Superiore
Argentiera 2006, 215
Guado al Tasso 2006, 217
Ornellaia 2004, 220
Ornellaia 2005, 220
Ornellaia 2007, 220
Bordeaux
Château Pey Latour 2008, 185
Château Reynon 2008, 95
Château Thieuley 2008, 101
Merlot Christian Moueix 2005, 132
Bordeaux-Supérieur
Château Lamarche 2007, 136
Bourgogne
Chardonnay Louis Latour 2008, 89
Pinot Noir Signature 2007, 196
Bourgogne-Aligoté
Aligoté Bouchard Père & Fils 2009, 80
Breganze
Torcolato 2004, 237
Torcolato 2007, 233
Breganze Rosso
Brentino Maculan 2007, 186
Brentino Maculan 2008, 144
Brunello di Montalcino
Brunello « Barbi » 2004, 207
Brunello « Barbi » 2005, 207
Brunello « Luce » 2003, 218

*Brunello di Montalcino (suite)*
Brunello « Luce » 2005, 218
Brunello Riserva « Barbi » 2003, 218
Caparzo 2004, 206
Pian delle Vigne 2004, 214
Pian delle Vigne 2005, 215
Pian delle Vigne Riserva
« Vignaferrovia » 2004, 218
Vigna del Fiore 2004, 215

# C

Cachapoal Valley
Altaïr 2004, 316
Cahors
Château de Gaudou
« Renaissance » 2007, 191
Château de Gaudou « Tradition »
2007, 181
Château de Gaudou « Tradition »
2008, 124
Château du Cèdre « Le Cèdre »
2005, 210
Château Lamartine Cuvée
Particulière 2007, 153
Chatons du Cèdre 2007, 180
Clos La Coutale 2008, 120
La Fage 2007, 164
Malbec Saint Helme 2008, 118
Calatayud
Atteca Old Vines 2007, 154
Viña Alarba « Grenache Vieilles
Vignes » 2008, 116
California
Big House White 2009, 257
Cabernet Sauvignon Beringer
Collection 2008, 273
Cabernet Sauvignon Kendall-
Jackson « Vintner's Reserve »
2007, 293
Cabernet Sauvignon Liberty
School 2007, 286
Chardonnay EXP Toasted Head
2008, 259
Chardonnay R.H. Phillips 2008,
252
Easton House 2007, 281
Pinot Noir Blackstone 2009, 282
Pinot Noir Robert Mondavi
Private Selection 2009, 286
Symphony Obsession 2009, 254
Syrah Liberty School 2008, 286
Syrah RH Phillips 2007, 273
Syrah Terre Rouge « Les Côtes de
l'Ouest » 2005, 309
Syrah Terre Rouge « Les Côtes de
l'Ouest » 2006, 292
Zinfandel Barefoot, 272
Zinfandel Cardinal Zin 2007, 296
Zinfandel Liberty School 2008,
307

Campo de Borja
Alto Moncayo « Garnacha »
2007, 176
Borsao Crianza 2007, 128
Borsao « Seleccion Joven »
2009, 79
Tres Picos 2008, 160
Cannonau di Sardegna
Cannonau Riserva 2006, 138
Canon-Fronsac
Château Lamarche Canon
« Candelaire » 2005, 202
Château Lamarche Canon
« Candelaire » 2006, 202
Cariñena
Anayón de Corona de Aragón
2004, 207
Castillo de Monséran « Old Vine »
2007, 129
Castillo de Monséran 2009, 109
Corona de Aragón Reserva 2002,
149
Duque de Medina « Tempranillo
& Garnacha » 2008, 110
Monasterio de Las Viñas
« Crianza » 2005, 111
Monasterio de Las Viñas Reserva
2004, 121
Monte Ducay Gran Reserva 2002,
149
Carmignano
Villa di Capezzana 2006, 171
Casablanca
Chardonnay Errazuriz Estate
2009, 253
Sauvignon Blanc Caliterra
Reserva 2010, 251
Castel del Monte
Bocca di Lupo 2006, 202
Falcone Riserva 2005, 164
Trentangeli Tormaresca 2008,
194
Catalunya
Gran Sangre de Toro Reserva
2005, 188
Viña Esmeralda 2009, 83
Central Coast
Cabernet Sauvignon « Private
Selection » 2008, 285
Chardonnay Liberty School 2008,
261
Chardonnay Robert Mondavi
« Private Selection » 2008,
260
Pinot Noir Calera « Central
Coast » 2007, 302
Syrah Qupé 2007, 310
Syrah Qupé 2008, 296
Central Otago
Pinot Noir Akarua « Gullies »
2006, 311
Pinot Noir Akarua « Gullies »
2007, 299
Pinot Noir Lake Hayes 2007, 312
Chablis
Champs Royaux 2008, 93

Domaine Millet 2008, 102

Drouhin Vaudon 2009, 104

La Sereine Cuvée L. C. 2007, 93

Les Vénérables Vieilles Vignes 2006, 98

Les Vénérables Vieilles Vignes 2007, 104

Saint Martin Laroche 2008, 96

Simonnet-Febvre « Chablis » 2008, 95

Chablis 1er Cru

Côte de Léchet 2006, 105

Fourchaume 2006, 104

Chablis Grand Cru

Blanchot 2005, 106

Blanchot 2006, 106

Château Grenouilles 2005, 106

Château Grenouilles 2006, 107

Champagne

Agrapart « Minéral » Extra Brut Blanc de Blancs 2003, 247

Bollinger Spécial Cuvée Brut, 242

Bruno Paillard Première Cuvée Brut, 243

Canard-Duchêne « Cuvée Léonie » Brut, 247

De Venoge Brut Blanc de Noirs, 243

De Venoge Brut Millésimé 2000, 246

Delamotte Brut, 242

Delamotte Rosé Brut, 247

Devaux Blanc de Noirs Brut, 246

Drappier Brut Nature « Pinot Noir Dosage Zéro », 246

Henriot Blanc Souverain Brut, 244

Henriot Rosé Brut, 245

Pol Roger Extra Cuvée de Réserve 2000, 244

Pol Roger Extra Cuvée de Réserve Brut, 242

Veuve Clicquot Carte Jaune Brut, 244

Châteauneuf-du-Pape

Château de Beaucastel 2006, 218

Château de la Gardine 2007, 174

Clos Saint Jean 2005, 209

Clos Saint Jean 2006, 209

Clos Saint Jean 2007, 210

Clos Saint Michel 2007, 207

Domaine Grand Veneur blanc 2008, 105

Domaine La Barroche « Fiancée » 2007, 213

Domaine La Barroche « Pure » 2006, 212

Domaine La Barroche « Terroir » 2007, 206

Haute Pierre « Delas » 2007, 208

Cheverny

Domaine des Huards 2009, 88

Chianti « Superiore »

Santa Cristina « Chianti Superiore » 2008, 144

Chianti Classico

Badia a Passignano Riserva 2005, 206

Badia A Passignano Riserva 2006, 175

Brancaia 2005, 204

Castello di Volpaia 2007, 194

Fontodi 2006, 170

Fontodi Riserva « Vigna del Sorbo » 2004, 211

Fontodi Riserva « Vigna del Sorbo » 2006, 178

Marchese Antinori Riserva 2005, 171

Pèppoli 2007, 163

Chianti Rufina

Montesodi Riserva 2006, 210

Chinon

Domaine Bernard Baudry 2007, 189

Expression 2007, 145

Cidre de glace

Clos Saragnat « Avalanche » 2007, 323

Cryomalus 2008, 324

Domaine Lafrance 2009, 323

Michel Jodoin Cidre de Glace 2008, 322

Neige « Première » 2008, 323

Neige « Récolte d'Hiver » 2007, 325

Neige « Récolte d'Hiver » 2008, 328

Neige 2006, 327

Pinnacle Signature Réserve 2007, 327

Cidre et eau-de-vie de pommes

Pinnacle Réserve 1859, 325

Cidre mousseux

Michel Jodoin Cidre Léger Mousseux Rosé, 321

Cidre Tranquille

Dégel, 319

Coastal Region

Brampton OVR 2008, 277

Colchagua

Carmenère Reserva Araucano 2008, 278

Collioure

Les Clos de Paulilles 2008, 102

Columbia Valley

C.M.S White 2007, 267

Fumé Blanc Hogue 2008, 266

Merlot Pedestal 2006, 316

Merlot Washington Hills 2006, 277

Conero

Cúmaro Riserva 2006, 169

Contessa Entellina

Mille e Una Notte 2005, 214

Mille e Una Notte 2006, 214

Contessa Entellina Bianco
Vigna di Gabri 2008, 94
Coonawarra
Cabernet Sauvignon/Shiraz
Cellar Reserve Penfolds
2005, 304
Merlot Katnook 2005, 312
Shiraz Bin 128 Penfolds 2007,
301
Corbières
Château de Sérame 2007, 187
Château du Grand Caumont
« Impatience » 2007, 187
Cornas
Les Barcillants 2007, 178
Costières-de-Nîmes
Château de Nages 2009, 130
Château de Nages Réserve 2009,
82
Château Lamargue « Cuvée
Aegidiane » 2005, 191
Château Mourgues du Grès « Les
Galets Rouges » 2008, 137
Domaine des Cantarelles 2008,
111
Coteaux d'Aix-en-Provence
Le Grand Rouge de Revelette
2004, 203
Coteaux du Layon
Moulin Touchais 1999, 238
Coteaux-du-Languedoc
Bronzinelle 2008, 140
Château Paul Mas « Clos des
Mûres » 2008, 189
Château Saint-Martin de la
Garrigue « Bronzinelle »
2009, 86
Château Saint-Martin de la
Garrigue 2008, 195
Les Garrigues « Terroir de la
Méjanelle » 2007, 145
Mas des Chimères 2008, 151
Mas Haut-Buis « Les Carlines »
2008, 188
Coteaux-du-Languedoc La Clape
Château l'Hospitalet « La
Réserve » 2007, 189
Château Rouquette sur Mer
« Cuvée Amarante » 2005,
185
Château Rouquette sur Mer
« Cuvée Amarante » 2007,
142
Coteaux-du-Languedoc
Montpeyroux
Domaine d'Aupilhac 2007, 153
Lou Maset 2008, 182
Coteaux-du-Languedoc Pic Saint-
Loup
Bergerie de l'Hortus 2008, 188
Château de Lancyre « Grande
Cuvée » 2005, 199
Château de Lancyre Rosé 2009,
228

Coteaux-du-Languedoc Picpoul de
Pinet
Beauvignac Picpoul de Pinet
2009, 77
Coteaux-du-Quercy
Pyrène « Coteaux-du-Quercy »
2007, 184
Côtes du Ventoux
Château Pesquié Prestige 2008,
187
Château Pesquié « Quintessence
» 2008, 195
Côtes-de-Bergerac
La Gloire de mon Père 2007, 158
Côtes-de-Castillon
Château Puy-Landry 2008, 124
Vieux Château Champs de Mars
2006, 156
Côtes-de-Provence
Château de Roquefort « Les
Mûres » 2006, 150
Perle de Roseline 2008, 131
Pétale de Rose 2009, 229
Côtes-du-Rhône
Coudoulet de Beaucastel 2007,
171
Coudoulet de Beaucastel 2008,
104
Domaine de la Maurelle « Vieilles
Vignes » 2009, 120
Les Cranilles 2008, 185
Parallèle « 45 » 2007, 182
Parallèle « 45 » 2008, 126
Perrin Nature 2009, 152
Perrin Réserve 2007, 137
Côtes-du-Rhône Villages Rasteau
Santa Duc Les Blovac 2007, 192
Côtes-du-Rhône-Villages
Dupéré Barrera « Côtes-du-Rhône
Villages » 2007, 193
Dupéré Barrera « Côtes-du-Rhône
Villages » 2008, 193
Rasteau 2008, 193
Rasteau Prestige « Ortas » 2005,
193
Rasteau Prestige « Ortas » 2006,
158
Côtes-du-Roussillon
Domaine Ferrer Ribière
« Tradition » 2007, 184
Les Sorcières du Clos des Fées
2008, 147
Côtes-du-Roussillon-Villages
Clos des Fées « Vieilles Vignes »
2007, 205
Domaine La Montagnette 2009,
183
Notre Terre 2007, 157
Côtes-du-Roussillon-Villages Latour
de France
Les Vignes de Bila-Haut 2009,
196
Crémant de Bourgogne
Prestige de Moingeon Brut, 240
Crémant de glace
Crémant de glace du Minot, 322

Crémant-de-Limoux
    Antech Cuvée Expression Brut
        2008, 240
Crozes-Hermitage
    Cuvée Louis Belle 2006, 199
    Domaine de Thalabert 2007, 208
    Les Jalets 2007, 159
    Les Meysonniers 2007, 169
    Les Pierrelles 2007, 193
    Les Vins de Vienne « Crozes-
        Hermitage » 2008, 194

Dão
    Meia Encosta 2008, 112
Daunia
    Sangiovese Farnese 2009, 109
Dolcetto d'Alba
    Pio Cesare « Dolcetto » 2008,
        181
Douro
    Altano Reserva 2007, 168
    Animus 2007, 115
    Caldas 2008, 118
    Duas Quintas « blanco » 2009,
        101
    Duas Quintas 2007, 140
    Quinta de la Rosa 2008, 189
    Vale da Raposa Reserva 2007,
        144

Eden Valley
    Gewurztraminer Cellar Reserve
        Penfolds 2008, 268
    Riesling Gun Metal Hewitson
        2009, 91
Empordà
    Sauló Espelt 2008, 182

Fixin
    Clos Marion 2007, 208
Floc-de-Gascogne
    Château du Tariquet, 230
Forli
    Massicone 2006, 200
Franciacorta
    Ca'del Bosco « Cuvée Prestige »
        Brut, 241
Friuli
    Merlot Vistorta 2006, 161
Fronsac
    Château de La Dauphine 2001,
        173

Gaillac
    Causse Marines « Peyrouzelles »
        2009, 185
Gaillac Doux
    Causse Marines « Grain de Folie
        Douce » 2008, 236
Geelong
    Pinot Noir Scotchmans Hill
        « Swan Bay » 2008, 287
Givry 1er Cru
    Les Bois Chevaux 2008, 195
Graves
    Château d'Ardennes 2001, 164
    Château Roquetaillade La Grange
        2009, 82

Haut-Médoc
    Château Sociando-Mallet 1986,
        221
    Château Sociando-Mallet 1990,
        222
    Château Sociando-Mallet 1996,
        220
    Château Sociando-Mallet 1998,
        219
    Château Sociando-Mallet 2000,
        219
Hawkes Bay
    Cabernet-Merlot Te Awa 2005,
        309
    Cabernet-Merlot Te Awa 2007,
        294
    Chardonnay Alpha Domus 2008,
        267
    Merlot Oyster Bay 2008, 307
    Merlot Oyster Bay 2009, 285
Hermitage
    Les Chirats de Saint-Christophe
        2007, 216
Hydromel Liquoreux
    Cuvée de la Diable, 320

Isola Dei Nuraghi
    Barrua 2004, 211
    Barrua 2005, 211

Jumilla
    Juan Gil 2008, 189
    Juan Gil « Monastrell » 2009, 121

*Jumilla (suite)*
   Luzon 2008, 119
   Luzon Organic 2008, 127
   Taja Monastrell 2008, 113
Jurançon
   Symphonie de Novembre 2005,
     237
   Uroulat 2007, 236
Jurançon Sec
   Chant des Vignes 2007, 103
   Château Jolys 2007, 89
   Cuvée Marie 2007, 102
   Cuvée Marie 2008, 93

Kamptal
   Bründlmayer Kamptaler
     Terrassen 2008, 103
   Grüner Veltliner « Kamptaler
     Terrassen » 2007, 102
Kéthely
   Hunyady 2006, 189
   Hunyady 2007, 190
Kumeu
   Chardonnay Kumeu River 2006,
     269

La Mancha
   Garnacha Finca Antigua 2007,
     120
   Syrah Finca Antigua 2008, 127
   Tempranillo Canforrales 2008,
     116
   Tempranillo Gladium Crianza
     2006, 186
   Volver 2007, 191
Lake Erie North Shore VQA
   Cabernet Franc Reserve CEV
     2005, 295
Lalande-de-Pomerol
   Château Garraud 2006, 167
   Château Haut-Chaigneau 2006,
     200
   Château La Sergue 2006, 173
   Château Treytins 2006, 158
   La Fleur de Boüard 2006, 209
Langhe
   Dolcetto Visadì 2008, 195
   Oltre 2006, 196
Lazio
   Montiano 2006, 207
Limari Valley
   Shiraz Reserva Tabalí 2008, 284
Luberon
   La Ciboise 2009, 181
Lussac Saint-Émilion
   Chateau Croix de Rambeau 2006,
     194

Madiran
   Argile Rouge 2004, 201
   Bouscassé 2006, 187
   Bouscassé 2007, 146
   Château d'Aydie 2007, 162
   Château Laffitte-Teston « Vieilles
     Vignes » 2007, 159
   Château Montus 2006, 198
   Château Montus Prestige 1990,
     220
   Château Montus Prestige 2000,
     211
   Château Montus Prestige 2001,
     209
   Château Peyros « Vieilles Vignes
     » 2005, 186
   Domaine Labranche Laffont
     2007, 182
   Odé d'Aydie 2006, 185
   Torus 2007, 183
   Torus 2008, 134
Marche
   Sangiovese Medoro 2009, 113
Marche Rosso
   Pelago 2006, 175
Marcillac
   Pyrène « Marcillac » 2007, 184
Maremma Toscana
   Le Sughere di Frassinello 2006,
     172
   Poggio alla Guardia 2008, 163
   Rocca di Frassinello 2006, 176
   Tenuta Belgvardo 2006, 210
Margaux
   Les Remparts de Ferrière 2006,
     203
Marlborough
   Chardonnay Oyster Bay 2008,
     259
   Chardonnay Tohu « Unoaked »
     2008, 267
   Chardonnay « Unoaked » Kim
     Crawford 2009, 260
   Cuvée Nº 1, 325
   Pinot Noir Clos Henri 2006, 314
   Pinot Noir Clos Henri 2008, 314
   Pinot Noir Kim Crawford 2008,
     290
   Pinot Noir Oyster Bay 2008, 309
   Pinot Noir Oyster Bay 2009, 291
   Pinot Noir Saint Clair 2008, 308
   Sauvignon Blanc Churton 2008,
     267
   Sauvignon Blanc Isabel 2009,
     267
   Sauvignon Blanc Monkey Bay
     2009, 266
   Sauvignon Blanc Mount Nelson
     2007, 262
   Sauvignon Blanc Oyster Bay
     2009, 259

Sauvignon Blanc Saint Clair
2009, 258
Sauvignon Blanc Tohu 2009, 267
Marsannay
Saint-Jacques 2006, 206
Maury
Mas Amiel Cuvée Spéciale 10 ans
d'âge, 234
Mas Amiel Prestige 15 ans d'âge,
235
McLaren Vale
Riesling The Dry Dam
« d'Arenberg » 2008, 261
Shiraz Redstone 2007, 308
Shiraz The Dead Arm 2006, 315
Shiraz The Dead Arm 2007, 304
Shiraz-Grenache d'Arry's Original
2006, 292
The Custodian Grenache
d'Arenberg 2006, 293
The Galvo Garage d'Arenberg
2007, 299
The Hermit Crab « d'Arenberg »
2008, 261
The Laughing Magpie
« d'Arenberg » Shiraz-
Viognier 2007, 300
The Money Spider « d'Arenberg »
2009, 264
The Stump Jump « d'Arenberg »
2008, 255
The Twenty-Eight Road
« Mourvèdre » 2005, 313
Médoc
Château Greysac 2006, 197
Château Lousteauneuf 2006,
160
Château Lousteauneuf 2007,
161
Mendoza
Cabernet Sauvignon Gran Lurton
2006, 294
Cabernet Sauvignon Trapiche
« Fût de chêne » 2008, 305
Cabernet Sauvignon Trapiche
2009, 272
Chardonnay Trapiche 2009, 251
Clos de los Siete 2008, 295
Malbec « Fût de chêne » Trapiche
2008, 275
Malbec Alamos 2009, 279
Malbec Barrel Select Norton
2008, 276
Malbec Finca Flichman 2009,
271
Malbec Finca Flichman 2010,
305
Malbec Los Cardos Doña Paula
2009, 275
Malbec Pascual Toso 2009, 274
Malbec Reserva Nieto Senetiner
2008, 274
Malbec Reserva Norton 2006,
306
Malbec Trapiche 2009, 272
Malbec Zuccardi « Q » 2007, 308

Syrah Pascual Toso 2008, 274
Syrah Trapiche « Fût de chêne »
2008, 278
Tempranillo Zuccardi « Q » 2006,
288
Trapiche Rosé, 320
Menetou-Salon
Domaine Pellé « Morogues »
2008, 92
Philippe Gilbert « Menetou-
Salon » 2007, 200
Mercurey
Château de Chamirey 2008, 198
Mercurey 1er Cru
Les Puillets 2008, 197
Meursault
Clos du Domaine 2006, 106
Minervois
Château Coupe Roses 2009, 90
Château Coupe Roses « Les
Plots » 2008, 186
Château de Sérame 2007, 195
Château La Grave « Expression »
2009, 81
Château Tour Boisée « Marielle &
Frédérique » 2009, 134
Granaxa 2007, 190
Granaxa 2008, 190
Minervois-La Livinière
Château de Gourgazaud 2008,
114
Monferrato
Le Monache Rosso 2009, 184
Montepulciano d'Abruzzo
Casale Vecchio 2008, 117
Contea di Bordino 2007, 180
Ilico 2007, 134
Jorio 2008, 136
La Cuvée dell'Abate 2008, 140
Monterey County
Pinot Noir Estancia « Pinnacles
Ranches » 2008, 309
Montilla-Moriles
Capataz Fino Alvear, 228
Pedro Ximénez Solera, 231
Solera Cream Alvear, 236
Montsant
Can Blau 2008, 159
Ètim Negre 2007, 125
Morellino di Scansano
Belgvardo Bronzone 2007, 201
Elisabetta Geppetti 2007, 198
Valdifalco 2006, 197
Moscatel de Setúbal
Moscatel Bacalhôa 2003, 225
Mosel
Riesling Selbach Kabinett
Halbtrocken Zeltinger
Himmelreich 2008, 100
Riesling Selbach-Oster Kabinett
2008, 101
Mosel-Saar-Ruwer
Dr. Loosen Bros 2009, 81
Riesling Selbach 2008, 79

Mount Veeder
  Zinfandel Peter Franus 2007,
    313
Mt. Harlan
  Pinot Noir Calera « Mt. Harlan
    Cuvée » 2006, 313
Muscat de Limnos
  Muscat de Limnos 2009, 225

Napa Valley
  Cabernet Sauvignon « Napa »
    Heitz Cellar 2004, 315
  Cabernet Sauvignon Cuvaison «
    Mont Veeder » 2006, 303
  Cabernet Sauvignon Rutherford
    Hill 2005, 313
  Dominus « Christian Moueix »
    2005, 316
  Dominus « Christian Moueix »
    2006, 316
  Dominus « Christian Moueix »
    2007, 317
  Fumé Blanc Robert Mondavi
    2007, 268
  Insignia 2006, 317
  Napanook 2005, 314
  Napanook 2006, 314
  Napanook 2007, 315
  Sauvignon Blanc Heitz Cellar
    2006, 268
  Zinfandel Heitz Cellar 2006, 313
Nashik
  Sauvignon Blanc Sula Vineyards
    2008, 253
  Shiraz Sula Vineyards 2008, 276
Nebbiolo d'Alba
  Poderi Colla 2006, 163
Nelson
  Pinot Noir Waimea 2007, 309
  Pinot Noir Waimea 2009, 292
Nemea
  Agiorgitiko by Gaia 2008, 187
Niagara Peninsula VQA
  Chardonnay « Varietal Series »
    Inniskillin 2008, 252
  Chardonnay Le Clos Jordanne
    « Village Reserve » 2007,
    265
  No 99 Meritage 2007, 307
  Pinot Noir Varietal Series 2007,
    306
  Pinot Noir Village Reserve 2006,
    311
  Pinot Noir Village Reserve 2007,
    312
  Riesling CSV 2005, 268
  Riesling Icewine Cave Spring
    2006, 328
  Riesling Icewine Stratus 2008,
    328

Shiraz Jackson-Triggs
  « Proprietors' Reserve »
    2006, 306
Vidal Icewine Inniskillin 2007,
    326
Vidal Inniskillin « Select Late
    Harvest » 2007, 321
Wildass 2006, 268
North Fork of Long Island
  Bedell First Crush 2008, 295
Nuits-Saint-Georges 1er Cru
  Les Vaucrains 2007, 216

Okanagan Valley VQA
  Cabernet/Merlot Mission Hill
    « Five Vineyards » 2008, 283
  Cabernet Sauvignon Mission Hill
    « Reserve » 2006, 310
  Cabernet Sauvignon Mission Hill
    « Reserve » 2007, 297
  Cabernet Sauvignon Reserve
    Okanagan Inniskillin 2005,
    290
  Chardonnay Jackson-Triggs
    Proprietors' Reserve 2008,
    254
  Chardonnay Mission Hill
    « Reserve » 2007, 263
  Chardonnay Mission Hill « Select
    Lot Collection » 2007, 265
  Oculus 2005, 315
  Osoyoos Larose « Le Grand Vin »
    2005, 314
  Osoyoos Larose « Le Grand Vin »
    2006, 302
  Pinot Blanc Mission Hill 2009,
    255
  Pinot Noir Reserve Mission Hill
    2007, 297
  Quatrain 2005, 314
  Riesling Icewine Reserve Mission
    Hill 2007, 328
  Riesling Icewine Reserve Mission
    Hill 2008, 328
  Riesling Reserve Mission Hill
    2007, 267
Oregon
  Pinot Noir Eola Hills 2006, 310
Orvieto Classico Superiore
  Salviano 2009, 100

Pacherenc-du-Vic-Bilh
  Château Laffitte-Teston « Rêve
    d'Automne » 2007, 237
Passito di Pantelleria
  Ben Ryé 2007, 234

Pauillac
Château Pontet-Canet 2001, 179
Penedès
Gran Coronas Reserva 2006, 155
Mas La Plana 2001, 176
Mas La Plana 2003, 177
Vallformosa Reserva 2004, 186
Pessac-Léognan
Château de Cruzeau 2005, 166
Château de Cruzeau Blanc 2007, 95
Château Haut-Bailly 2003, 215
Château Haut-Bailly 2006, 218
Château La Louvière rouge 2006, 178
Piave
Cabernet Franc Piave « Villa Sandi » 2006, 138
Pineau-des-Charentes
Château de Beaulon « Vieille Réserve Ruby 10 ans d'âge », 233
Poiré de Glace
Domaine des Salamandres, 322
Pomerol
Château Chantalouette 2005, 205
Jean-Pierre Moueix 2006, 199
Pomino Bianco
Castello di Pomino « Vendemmia Tardiva » 2006, 237
Castello di Pomino 2009, 101
Pomino Rosso
Castello di Pomino 2006, 198
Pomino Vinsanto
Castello di Pomino 2003, 237
Porto Blanc Dry
Quinta do Infantado Blanc Dry, 228
Porto Late Bottled Vintage
Offley LBV 2005, 230
Quinta do Infantado LBV 2004, 231
Porto Ruby
Quinta do Infantado Ruby, 227
Porto Tawny
Martinez 10 ans, 234
Offley « Baron de Forester » Tawny 10 ans, 232
Quinta de Santa Eufêmia, 236
Quinta do Castelinho 10 ans, 232
Warre's Otima 20 ans, 235
Pouilly-Fumé
En Travertin 2008, 103
La Demoiselle de Bourgeois 2008, 105
Pascal Jolivet Pouilly-Fumé 2009, 98
Premières-Côtes-de-Blaye
Château Cailleteau Bergeron 2007, 185
Château Cailleteau Bergeron 2008, 185
Château Cailleteau Bergeron « Tradition » Blanc 2009, 85
Primitivo
Lapaccio 2009, 122
Primitivo del Tarantino
Primitivo I Monili 2009, 110
Priorat
Barranc dels Closos « blanc » 2009, 92
Barranc dels Closos 2007, 157
Camins del Priorat 2008, 166
Finca Dofi 2004, 216
Finca Dofi 2006, 216
Finca Dofi 2007, 214
Finca Dofi 2008, 214
L'Ermita 2006, 222
L'Ermita 2007, 223
L'Ermita 2008, 223
Les Terrasses 2005, 204
Les Terrasses 2006, 204
Les Terrasses 2007, 174
Les Terrasses 2008, 204
Martinet Bru 2006, 204
Priorat-Gratallops
Gratallops Vi de vila 2007, 177
Gratallops Vi de vila 2008, 209
Progreso
Torrontés Rio de Los Pájaros Reserve 2009, 258
Prosecco di Valdobbiadene
Nino Franco Brut, 240

# R

Recioto della Valpolicella
Masi « Recioto » 2006, 209
Region de Cuyo
Merlot/Malbec Astica 2009, 271
Rías Baixas
Terras Gauda 2007, 102
Terras Gauda 2009, 102
Ribera del Duero
Arzuaga Reserva 2005, 214
Celeste 2006, 193
Celeste 2007, 193
Emilio Moro 2006, 198
Emilio Moro 2007, 196
Malleolus 2007, 208
Malleolus de Sanchomartín 2006, 221
Malleolus de Sanchomartín 2007, 221
Prado Rey 2007, 128
Recorba Crianza 2006, 186
Tinto Pesquera 2006, 167
Ribera del Guardiana
Tempranillo Campobarro 2008, 110
Rio Negro
Torrontés Infinitus 2009, 256

Rioja
Conde de Valdemar « Crianza » 2005, 129
Conde de Valdemar Gran Reserva 2001, 202
Genolí 2009, 99
Graciano Ijalba 2005, 188
Graciano Ijalba 2007, 188
La Montesa 2007, 151
La Vendimia 2008, 183
La Vendimia 2009, 133
Montecillo Crianza 2007, 146
Montecillo Reserva 2005, 192
Muga Reserva 2006, 160
Ostatu « Crianza » 2004, 190
Plácet « Valtomelloso » 2007, 104
Robertson
Shiraz Wolfkloof Robertson 2007, 287
Rosso Conero
San Lorenzo 2007, 139
Rosso del Veronese
Grándárellá « Appássimento » Masi 2005, 170
Toar 2005, 162
Rosso della Maremma Toscana
Poggio Bestiale 2005, 203
Poggio Bestiale 2007, 203
Rosso di Montalcino
Caparzo Rosso di Montalcino 2008, 148
Casanova di Neri 2007, 200
La Caduta 2007, 172
Rosso Piceno Superiore
Il Brecciarolo 2007, 117
Roggio del Filare 2005, 202
Roggio del Filare 2006, 203
Rosso Umbria
Marciliano 2006, 211
Vitiano 2008, 135
Rosso Veneto
Fratta 2005, 212
Rueda
Basa 2008, 85
Hermanos Lurton 2009, 83
Nosis 2008, 90
Shaya Verdejo Old Vines 2008, 101
Verdejo Prado Rey 2009, 100
Russian River Valley
Petite Sirah Foppiano 2005, 310
Rustenberg
Viognier Brampton 2007, 266

**S**

Saint-Chinian
Canet Valette « Antonyme » 2009, 182
Clos Bagatelle « Cuvée Tradition » 2009, 180

Domaine du Ministre 2006, 184
Domaine La Croix d'Aline 2008, 129
Hecht & Bannier 2007, 161
La Madura Classic 2006, 143
Saint-Chinian « Roquebrun »
Les Fiefs d'Aupenac Rouge 2007, 155
Saint-Émilion
Château L'Archange 2001, 211
Château L'Archange 2003, 211
Château Simard 1990, 210
Château Simard 1998, 205
Château Simard 2000, 205
Château Simard 2005, 209
Saint-Émilion Grand Cru
Château Angélus 2001, 222
Château Angélus 2003, 221
Château Capet-Guillier 2006, 202
Saint-Estèphe
Château Meyney 2001, 208
Les Pagodes de Cos 2001, 212
Saint-Joseph
L'Arzelle 2007, 202
L'Arzelle 2008, 206
Le Grand Pompée 2006, 198
Les Challeys 2007, 103
Malleval Pierre Gaillard 2008, 98
Saint-Julien
Château Beychevelle 2006, 215
Saint-Nicolas-de-Bourgueil
Les Mauguerets-La Contrie 2006, 187
Les Mauguerets-La Contrie 2007, 148
Saké
Nigori Sake, 319
Salento
Masseria Maìme 2007, 201
Negroamaro Mezzo Mondo 2008, 180
Notarpanaro 2004, 150
Primitivo Col di Sotto 2009, 115
Primitivo Torcicoda 2008, 154
Salice Salentino
Taurino Riserva 2007, 130
San Antonio
Sauvignon Blanc EQuilibrio 2008, 263
San Benito County
Sangiovese Ca'del Solo 2006, 288
San Juan
Shiraz Astica Superior 2009, 271
San Patricio del Chañar-Neuquen
Saurus Patagonia Select « Malbec » 2006, 307
Sancerre
La Moussière 2009, 97
Le MD de Bourgeois 2008, 105
Les Baronnes « Rouge » 2007, 200
Les Baronnes 2008, 97
Pascal Jolivet Sancerre 2009, 96

Sangiovese di Romagna
Amarcord d'un Ross Riserva
2007, 195
Sangiovese di Romagna
« Superiore »
Scabi 2008, 188
Santa Maria Valley
Pinot Noir « La Bauge
Au-Dessus » 2006, 302
Santenay
Vieilles Vignes Nicolas Potel
2005, 201
Vieilles Vignes Nicolas Potel
2007, 201
Saumur
Cuvée Flamme Brut, 241
Savennières
Clos de la Bergerie 2001, 106
Clos de la Coulée de Serrant
2001, 107
Clos de la Coulée de Serrant
2006, 107
Sicilia
Anthilia 2009, 86
Cabernet Fazio 2005, 189
Chardonnay Settesoli 2009, 77
La Segreta 2008, 184
La Segreta 2009, 141
La Segreta Bianco 2009, 87
Nero d'Avola Adesso 2008, 182
Nero d'Avola Feudi del Pisciotto
2007, 165
Nero d'Avola Morgante 2008,
138
Nero d'Avola Rapitalà 2009, 126
Ramione « Merlot-Nero d'Avola »
2005, 147
Santa Cecilia Planeta 2006, 204
Santagostino 2008, 197
Sedàra 2008, 148
Shymer 2007, 153
Syrah Baglio di Pianetto 2007,
146
Syrah Cusumano 2009, 118
Valentino Feudi del Pisciotto
2008, 169
Sierra Foothills
Terre Rouge « Noir » Grande
Année 2000, 312
Tête-à-Tête 2006, 290
Simonsberg
Chardonnay Le Bonheur 2009,
257
Simonsberg-Stellenbosch
Rustenberg « Peter Barlow »
2003, 315
Rustenberg « Peter Barlow »
2004, 316
Syrah Delheim 2005, 309
Syrah Delheim 2006, 289
Soave Classico
Inama « Vigneti di Foscarino »
2007, 103
Inama 2009, 101

Sonoma Coast
Pinot noir, La Crema 2008, 311
Sonoma County
Chardonnay Rodney Strong
2008, 260
South Australia
Bin 389 Cabernet/Shiraz
Penfolds 2006, 313
Cabernet Sauvignon Bin 407
Penfolds 2007, 301
Jacob's Creek Three Vines 2008,
280
Shiraz Bin 28 Kalimna Penfolds
2005, 312
Shiraz St. Henri Penfolds 2005,
315
Shiraz VAT 8 Deen de Bortoli
2007, 307
Shiraz Wolf Blass « Premium
Selection » 2005, 310
South Eastern Australia
Chardonnay Bin 65 Lindemans
2009, 251
Chardonnay Koonunga Hill 2008,
256
Pinot Noir Rosemount « Diamond
Label » 2009, 280
Sémillon/Sauvignon Blanc Red
Label Wolf Blass 2009, 253
Shiraz/Cabernet Koonunga Hill
2008, 279
Southern Oregon
Belle Vallée Southern Oregon
2006, 283
Stellenbosch
Kanu Kia-Ora Late Harvest 2005,
327
Kanu Kia-Ora Late Harvest 2006,
327
Rustenberg John X Merriman
2006, 299
Shiraz de Trafford « Blueprint »
2007, 300

# T

Tasmania
Pinot Noir Devil's Corner 2008,
293
Teroldego Rotaliano
Foradori 2006, 196
Teroldego Mezzacrona 2008,
112
Terra Alta
Ludovicus 2008, 181
Terras do Sado
Albis 2009, 78
Toro
Dominio del Bendito 2008, 194
Prima 2008, 191
Toscana
Brancaia « Tre » 2005, 197
Campo Ceni 2008, 131

*Toscana (suite)*
Dofana 2006, 216
Il Ducale 2006, 151
Isole e Olena 2007, 168
La Massa 2008, 165
Le Volte 2006, 200
Le Volte 2008, 200
Luce 2006, 179
Lucente 2006, 203
Lucente 2007, 203
Mormoreto 2006, 211
Poggio alla Badiola 2008, 143
Promis 2007, 207
Santa Cristina 2008, 132
Sasyr « Sangiovese & Syrah »
2007, 141
Solaia 2004, 220
Solaia 2005, 221
Solaia 2007, 221
Tignanello 2004, 219
Tignanello 2005, 219
Tignanello 2007, 219
Villa Antinori 2006, 165
Touraine
Cendrillon 2009, 101
Domaine de La Charmoise 2009,
135
Touraine-Mesland
Clos Château Gaillard 2009, 128
Clos de la Briderie « Vieilles
Vignes » 2008, 83
Clos de la Briderie 2008, 133

Umbria
Merlot Tudernum 2008, 130

Vacqueyras
Les Christins 2007, 196
Valdadige
Pinot Grigio Santa Margherita
2009, 89
Valdeorras
Avanthia 2007, 212
Valdepeñas
Bonal « Tempranillo » 2007, 109
Laguna de la Nava Reserva
2005, 115
Vale de Uco
Pinot Gris Bodega François
Lurton 2009, 255
Valencia
Blés Crianza 2006, 182
Blés Crianza 2007, 125
Moscatel Dona Dolça, 226
Valle de Aconcagua
Cabernet Sauvignon Arboleda
2008, 285

Cabernet Sauvignon Errazuriz
Estate 2009, 306
Cabernet Sauvignon Max Reserva
Errazuriz 2008, 284
Carmenère Arboleda 2008, 308
Valle de Cafayate
Syrah Reserve Don David 2007,
279
Valle de Colchagua
Carmenère/Cabernet Sauvignon
Cono Sur 2008, 278
Pinot Noir Cono Sur Visión 2008,
308
Syrah La Capitana 2008, 306
Valle de Leyda
Chardonnay Arboleda 2009, 258
Sauvignon Blanc Arboleda 2008,
257
Valle de Lontué
Sauvignon Blanc Santa Rita
« 120 » 2009, 252
Valle del Maipo
Cabernet Sauvignon Legado
« Reserva » 2007, 282
Merlot Cousiño-Macul « Antiguas
Reservas » 2008, 283
Valle del Maule
Carmenère Reserva Calina 2008,
306
Valle del Rapel
Shiraz Errazuriz Estate 2009,
277
Sideral 2005, 310
Vallée Centrale
Carmenère PKNT 2009, 273
Vallée de Casablanca
Chardonnay Montes Alpha
« Special Cuvée » 2007, 264
Pinot Noir « Montes » 2009, 281
Vallée de la Bekaa
Clos St-Alphonse 2007, 181
Valpolicella
Capitel San Rocco « Ripasso
Superiore » 2007, 191
Capitel San Rocco « Ripasso
Superiore » 2008, 156
Valpolicella Classico Superiore
Capitel Nicalo « Appassimento »
Tedeschi 2008, 139
Tedeschi « Valpolicella » 2008,
122
Valpolicella Superiore
Dal Forno 2003, 220
Monile « Ripasso » 2008, 190
Sagramosa « Ripasso » 2008, 194
Vénétie
Pinot Grigio Garganega
Canaletto 2009, 82
Veneto
Capitel Foscarino 2008, 102
Capitel Foscarino 2009, 94
San Vincenzo Anselmi 2009, 84
Veneto Moscato
Dindarello 2008, 237
Dindarello 2009, 233

Venezia Giulia
  Were Dreams... 2007, 106
Verdicchio dei Castelli di Jesi
  Casal di Serra « Classico
    Superieure » 2008, 87
  Verdicchio Classico Umani
    Ronchi 2009, 77
Victoria
  Chardonnay Swan Bay
    Scotchmans Hill 2008, 263
Vin de France
  Les Fumées Blanches 2009, 79
Vin de Glace
  Monde Vin de Glace 2008, 324
Vin de Pays d'Oc
  Arrogant Frog
    Chardonnay/Viognier 2009,
    99
  Cabernet Sauvignon/Merlot
    Arrogant Frog 2009, 123
  Chardonnay De La Chevalière
    2009, 99
  Les Jamelles GSM Sélection
    Spéciale 2009, 155
  Pinot Noir De La Chevalière
    2009, 126
  Terres de Méditerranée 2007,
    119
  Vignes de Nicole 2009, 142
  Viognier De La Chevalière 2009,
    100
  Viognier Domaine de Gourgazaud
    2009, 80
Vin de Pays de l'Hérault
  Moulin de Gassac « Élise » 2008,
    125
Vin de Pays des Bouches du Rhône
  Le Grand Rouge de Revelette
    2007, 203
Vin de Pays des Collines
    Rhodaniennes
  Sotanum 2007, 213
  Syrah La Dernière Vigne 2008,
    192
Vin de Pays des Côtes-de-Gascogne
  Côté Tariquet 2009, 85
  Gros Manseng/Sauvignon
    « Brumont » 2008, 99
  Gros Manseng/Sauvignon
    « Brumont » 2009, 78
  Sauvignon Domaine du Tariquet
    2009, 78
Vin de Pays du Gard
  Pont Neuf 2009, 181
Vin de Pays du Mont Baudile
  Luc Saint-Roche 2009, 111
Vin de Pays du Péloponnèse
  Nótios 2009, 100
Vin de Pays du Torgan
  L'If « Merlot/Carignan » 2008,
    137
Vin de Pays Ismarikos
  Syrah Tsantali 2007, 184
Vinho Regional Alentejano
  Chaminé 2009, 123
  Cortes de Cima 2008, 156

  Syrah Cortes de Cima 2005, 197
Vino de la Tierra de Castilla
  Penta Pago del Vicario 2005,
    145
  Solaz « Tempranillo/Cabernet
    Sauvignon » 2007, 114
Vino de la Tierra de Castilla y León
  Tempranillo El Albar 2008, 132
Vino Spumante
  Faïve Rosé Brut, 246
Vouvray
  Château Moncontour Cuvée
    Prédilection 2007, 241
  Domaine des Aubuisières « Cuvée
    de Silex » 2009, 86

Wairarapa Valley
  Riesling Mount Cass 2009, 266
Washington State
  Riesling Pacific Rim 2007, 262
Western Cape
  Cocoa Hill 2007, 276
  Cocoa Hill 2008, 306
  Kumala Rosé 2008, 319
  Pinotage/Cabernet Sauvignon
    Obikwa 2009, 305
  Sauvignon Blanc Brampton
    2009, 254
  Shiraz Kumala 2009, 305
Willamette Valley
  Pinot Noir Belle Vallée 2007,
    298

Xérès
  Amontillado « Medium dry »
    Harveys, 227
  Noé Pedro Ximénez Muy Viejo,
    237
  Puerto Fino Lustau, 229
  Tio Pepe Fino, 225
Xérès Oloroso
  Canasta Cream, 226

**INDEX DES VINS
PAR PAYS ET
PAR NOMS DE VIN**

## AFRIQUE DU SUD

Brampton OVR 2008, 277
Chardonnay Le Bonheur 2009, 257
Cocoa Hill 2007, 276
Cocoa Hill 2008, 306
Kanu Kia-Ora Late Harvest 2005, 327
Kanu Kia-Ora Late Harvest 2006, 327
Kumala Rosé 2008, 319
Pinotage/Cabernet Sauvignon Obikwa 2009, 305
Rustenberg John X Merriman 2006, 299
Rustenberg « Peter Barlow » 2003, 315
Rustenberg « Peter Barlow » 2004, 316
Sauvignon Blanc Brampton 2009, 254
Shiraz de Trafford « Blueprint » 2007, 300
Shiraz Kumala 2009, 305
Shiraz Wolfkloof Robertson 2007, 287
Syrah Delheim 2005, 309
Syrah Delheim 2006, 289
Viognier Brampton 2007, 266

## ALLEMAGNE

Dr. Loosen Bros 2009, 81
Riesling Selbach 2008, 79
Riesling Selbach Kabinett Halbtrocken Zeltinger Himmelreich 2008, 100
Riesling Selbach-Oster Kabinett 2008, 101

## ARGENTINE

Cabernet Sauvignon Gran Lurton 2006, 294
Cabernet Sauvignon Trapiche « Fût de chêne » 2008, 305
Cabernet Sauvignon Trapiche 2009, 272
Chardonnay Trapiche 2009, 251
Clos de los Siete 2008, 295
Malbec Alamos 2009, 279
Malbec Barrel Select Norton 2008, 276
Malbec Finca Flichman 2009, 271
Malbec Finca Flichman 2010, 305
Malbec « Fût de chêne » Trapiche 2008, 275
Malbec Los Cardos Doña Paula 2009, 275
Malbec Pascual Toso 2009, 274
Malbec Reserva Nieto Senetiner 2008, 274
Malbec Reserva Norton 2006, 306
Malbec Trapiche 2009, 272

Malbec Zuccardi « Q » 2007, 308
Merlot/Malbec Astica 2009, 271
Pinot Gris Bodega François Lurton 2009, 255
Saurus Patagonia Select « Malbec » 2006, 307
Shiraz Astica Superior 2009, 271
Syrah Pascual Toso 2008, 274
Syrah Reserve Don David 2007, 279
Syrah Trapiche « Fût de chêne » 2008, 278
Tempranillo Zuccardi « Q » 2006, 288
Torrontés Infinitus 2009, 256
Trapiche Rosé, 320

**AUSTRALIE**

Bin 389 Cabernet/Shiraz Penfolds 2006, 313
Cabernet Sauvignon Bin 407 Penfolds 2007, 301
Cabernet Sauvignon Cellar Reserve Penfolds 2006, 317
Cabernet Sauvignon Craneford « Basket Pressed » 2007, 312
Cabernet Sauvignon/Shiraz Cellar Reserve Penfolds 2005, 304
Chardonnay Bin 65 Lindemans 2009, 251
Chardonnay Cellar Reserve Penfolds 2007, 268
Chardonnay Koonunga Hill 2008, 256
Chardonnay Swan Bay Scotchmans Hill 2008, 263
Clarry's Kalleske 2007, 298
Gewurztraminer Cellar Reserve Penfolds 2008, 268
Jacob's Creek Three Vines 2008, 280
Merlot Katnook 2005, 312
Pinot Noir Cellar Reserve Penfolds 2007, 314
Pinot Noir Devil's Corner 2008, 293
Pinot Noir Kim Crawford 2008, 290
Pinot Noir Rosemount « Diamond Label » 2009, 280
Pinot Noir Scotchmans Hill « Swan Bay » 2008, 287
Riesling Gun Metal Hewitson 2009, 91
Riesling The Dry Dam « d'Arenberg » 2008, 261
Sangiovese Cellar Reserve Penfolds 2006, 314
Sémillon/Sauvignon Blanc Red Label Wolf Blass 2009, 253
Shiraz Bin 128 Penfolds 2007, 301
Shiraz Bin 28 Kalimna Penfolds 2005, 312
Shiraz/Cabernet Koonunga Hill 2008, 279

Shiraz/Cabernet Sauvignon/Merlot Clancy's 2008, 282
Shiraz E Minor 2008, 280
Shiraz Elderton « Friends Vineyard Series » 2006, 308
Shiraz Elderton « Friends Vineyard Series » 2008, 288
Shiraz Elderton « Friends Vineyard Series » 2008, 308
Shiraz Epsilon 2009, 297
Shiraz-Grenache d'Arry's Original 2006, 292
Shiraz-Grenache-Mourvèdre Turkey Flat « Butchers Block » 2006, 311
Shiraz Piping Shrike 2007, 291
Shiraz Redstone 2007, 308
Shiraz St. Henri Penfolds 2005, 315
Shiraz Stonehorse 2006, 310
Shiraz The Dead Arm 2006, 315
Shiraz The Dead Arm 2007, 304
Shiraz Turkey Flat Vineyards 2006, 303
Shiraz VAT 8 Deen de Bortoli 2007, 307
Shiraz Wolf Blass « Premium Selection » 2005, 310
The Custodian Grenache d'Arenberg 2006, 293
The Galvo Garage d'Arenberg 2007, 299
The Hermit Crab « d'Arenberg » 2008, 261
The Holy Trinity « GSM » 2004, 311
The Laughing Magpie « d'Arenberg » Shiraz-Viognier 2007, 300
The Money Spider « d'Arenberg » 2009, 264
The Stump Jump « d'Arenberg » 2008, 255
The Twenty-Eight Road « Mourvèdre » 2005, 313
Turkey Flat « Butchers Block » 2008, 264

**AUTRICHE**

Bründlmayer Kamptaler Terrassen 2008, 103
Grüner Veltliner « Kamptaler Terrassen » 2007, 102

# C

**CANADA**

Cabernet Franc Reserve CEV 2005, 295
Cabernet/Merlot Mission Hill « Five Vineyards » 2008, 283
Cabernet Sauvignon Mission Hill « Reserve » 2006, 310
Cabernet Sauvignon Mission Hill « Reserve » 2007, 297

*CANADA (SUITE)*

Cabernet Sauvignon Reserve Okanagan Inniskillin 2005, 290

Chardonnay Jackson-Triggs Proprietors' Reserve 2008, 254

Chardonnay Le Clos Jordanne « Village Reserve » 2007, 265

Chardonnay Mission Hill « Reserve » 2007, 263

Chardonnay Mission Hill « Select Lot Collection » 2007, 265

Chardonnay « Varietal Series » Inniskillin 2008, 252

Clos Saragnat « Avalanche » 2007, 323

Crémant de glace du Minot, 322

Cryomalus 2008, 324

Cuvée de la Diable, 320

Dégel, 319

Domaine des Salamandres, 322

Domaine Lafrance 2009, 323

Michel Jodoin Cidre de Glace 2008, 322

Michel Jodoin Cidre Léger Mousseux Rosé, 321

Monde Vin de Glace 2008, 324

Neige « Première » 2008, 323

Neige « Récolte d'Hiver » 2007, 325

Neige « Récolte d'Hiver » 2008, 328

Neige 2006, 327

No 99 Meritage 2007, 307

Oculus 2005, 315

Osoyoos Larose « Le Grand Vin » 2005, 314

Osoyoos Larose « Le Grand Vin » 2006, 302

Pinnacle Réserve 1859, 325

Pinnacle Signature Réserve 2007, 327

Pinot Blanc Mission Hill 2009, 255

Pinot Noir Reserve Mission Hill 2007, 297

Pinot Noir Varietal Series 2007, 306

Pinot Noir Village Reserve 2006, 311

Pinot Noir Village Reserve 2007, 312

Quatrain 2005, 314

Riesling CSV 2005, 268

Riesling Icewine Cave Spring 2006, 328

Riesling Icewine Reserve Mission Hill 2007, 328

Riesling Icewine Reserve Mission Hill 2008, 328

Riesling Icewine Stratus 2008, 328

Riesling Reserve Mission Hill 2007, 267

Shiraz Jackson-Triggs « Proprietors' Reserve » 2006, 306

Vidal Icewine Inniskillin 2007, 326

Vidal Inniskillin « Select Late Harvest » 2007, 321

Wildass 2006, 268

**CHILI**

Altaïr 2004, 316

Cabernet Sauvignon Arboleda 2008, 285

Cabernet Sauvignon Errazuriz Estate 2009, 306

Cabernet Sauvignon Legado « Reserva » 2007, 282

Cabernet Sauvignon Max Reserva Errazuriz 2008, 284

Carmenère Arboleda 2008, 308

Carmenère/Cabernet Sauvignon Cono Sur 2008, 278

Carmenère PKNT 2009, 273

Carmenère Reserva Araucano 2008, 278

Carmenère Reserva Calina 2008, 306

Chardonnay Arboleda 2009, 258

Chardonnay Errazuriz Estate 2009, 253

Chardonnay Montes Alpha « Special Cuvée » 2007, 264

Merlot Château Los Boldos « Vieilles Vignes » 2006, 309

Merlot Château Los Boldos « Vieilles Vignes » 2007, 309

Merlot Cousiño-Macul « Antiguas Reservas » 2008, 283

Pinot Noir « Montes » 2009, 281

Pinot Noir Cono Sur Visión 2008, 308

Sauvignon Blanc Arboleda 2008, 257

Sauvignon Blanc Caliterra Reserva 2010, 251

Sauvignon Blanc EQuilibrio 2008, 263

Sauvignon Blanc Santa Rita « 120 » 2009, 252

Sena 2005, 316

Sena 2006, 316

Shiraz Errazuriz Estate 2009, 277

Shiraz Reserva Tabalí 2008, 284

Sideral 2005, 310

Syrah La Capitana 2008, 306

# E

**ESPAGNE**

Alto Moncayo « Garnacha » 2007, 176

Amontillado « Medium dry » Harveys, 227

Anayón de Corona de Aragón 2004, 207

Arzuaga Reserva 2005, 214

Atalaya 2007, 192

Atteca Old Vines 2007, 154

Avanthia 2007, 212
Barranc dels Closos « blanc »
2009, 92
Barranc dels Closos 2007, 157
Basa 2008, 85
Blés Crianza 2006, 182
Blés Crianza 2007, 125
Bonal « Tempranillo » 2007, 109
Borsao Crianza 2007, 128
Borsao « Seleccion Joven »
2009, 79
Camins del Priorat 2008, 166
Can Blau 2008, 159
Canasta Cream, 226
Capataz Fino Alvear, 228
Castillo de Monséran « Old Vine »
2007, 129
Castillo de Monséran 2009, 109
Celeste 2006, 193
Celeste 2007, 193
Conde de Valdemar « Crianza »
2005, 129
Conde de Valdemar Gran Reserva
2001, 202
Corona de Aragón Reserva 2002,
149
Dominio del Bendito 2008, 194
Duque de Medina « Tempranillo
& Garnacha » 2008, 110
Emilio Moro 2006, 198
Emilio Moro 2007, 196
Ètim Negre 2007, 125
Exaltos « Cepas Viejas » 2005,
199
Exaltos « Cepas Viejas » 2006,
199
Finca Dofi 2004, 216
Finca Dofi 2006, 216
Finca Dofi 2007, 214
Finca Dofi 2008, 214
Garnacha Finca Antigua 2007,
120
Genolí 2009, 99
Graciano Ijalba 2005, 188
Graciano Ijalba 2007, 188
Gran Coronas Reserva 2006, 155
Gran Sangre de Toro Reserva
2005, 188
Gratallops Vi de vila 2007, 177
Gratallops Vi de vila 2008, 209
Hermanos Lurton 2009, 83
Juan Gil « Monastrell » 2009,
121
Juan Gil 2008, 189
L'Ermita 2006, 222
L'Ermita 2007, 223
L'Ermita 2008, 223
La Montesa 2007, 151
La Vendimia 2008, 183
La Vendimia 2009, 133
Laderas de El Sequé 2009, 116
Laguna de la Nava Reserva
2005, 115
Las Lamas 2006 Bierzo, 219
Laudum Nature « Barrica » 2007,
121
Les Terrasses 2005, 204
Les Terrasses 2006, 204

Les Terrasses 2007, 174
Les Terrasses 2008, 204
Ludovicus 2008, 181
Luzon 2008, 119
Luzon Organic 2008, 127
Malleolus 2007, 208
Malleolus de Sanchomartín
2006, 221
Malleolus de Sanchomartín
2007, 221
Martinet Bru 2006, 204
Mas La Plana 2001, 176
Mas La Plana 2003, 177
Monasterio de Las Viñas
« Crianza » 2005, 111
Monasterio de Las Viñas Reserva
2004, 121
Moncerbal 2006 Bierzo, 219
Monte Ducay Gran Reserva 2002,
149
Montecillo Crianza 2007, 146
Montecillo Reserva 2005, 192
Moscatel Dona Dolça, 226
Muga Reserva 2006, 160
Noé Pedro Ximénez Muy Viejo,
237
Nosis 2008, 90
Ostatu « Crianza » 2004, 190
Pedro Ximénez Solera, 231
Penta Pago del Vicario 2005,
145
Pétalos 2008, 192
Pittacum 2006, 152
Plácet « Valtomelloso » 2007,
104
Prado Rey 2007, 128
Prima 2008, 191
Puerto Fino Lustau, 229
Recorba Crianza 2006, 186
San Martín 2006 Bierzo, 217
Sauló Espelt 2008, 182
Shaya Verdejo Old Vines 2008,
101
Solaz « Tempranillo/Cabernet
Sauvignon » 2007, 114
Solera Cream Alvear, 236
Syrah Finca Antigua 2008, 127
Taja Monastrell 2008, 113
Tempranillo Campobarro 2008,
110
Tempranillo Canforrales 2008,
116
Tempranillo El Albar 2008, 132
Tempranillo Gladium Crianza
2006, 186
Terras Gauda 2007, 102
Terras Gauda 2009, 102
Tinto Pesquera 2006, 167
Tio Pepe Fino, 225
Tres Picos 2008, 160
Vallformosa Reserva 2004, 186
Verdejo Prado Rey 2009, 100
Villa de Corullón 2006, 204
Viña Alarba « Grenache Vieilles
Vignes » 2008, 116
Viña Esmeralda 2009, 83
Volver 2007, 191

## ÉTATS-UNIS

Bedell First Crush 2008, 295
Belle Vallée Southern Oregon 2006, 283
Big House White 2009, 257
C.M.S White 2007, 267
Cabernet Sauvignon Beringer Collection 2008, 273
Cabernet Sauvignon Cuvaison « Mont Veeder » 2006, 303
Cabernet Sauvignon Kendall-Jackson « Vintner's Reserve » 2007, 293
Cabernet Sauvignon Liberty School 2007, 286
Cabernet Sauvignon « Napa » Heitz Cellar 2004, 315
Cabernet Sauvignon « Private Selection » 2008, 285
Cabernet Sauvignon Rutherford Hill 2005, 313
Chardonnay EXP Toasted Head 2008, 259
Chardonnay Liberty School 2008, 261
Chardonnay R.H. Phillips 2008, 252
Chardonnay Robert Mondavi « Private Selection » 2008, 260
Chardonnay Rodney Strong 2008, 260
Dominus « Christian Moueix » 2005, 316
Dominus « Christian Moueix » 2006, 316
Dominus « Christian Moueix » 2007, 317
Easton House 2007, 281
Fumé Blanc Hogue 2008, 266
Fumé Blanc Robert Mondavi 2007, 268
Insignia 2006, 317
Merlot Pedestal 2006, 316
Merlot Washington Hills 2006, 277
Mourvèdre Terre Rouge 2003, 311
Napanook 2005, 314
Napanook 2006, 314
Napanook 2007, 315
Nigori Sake, 319
Petite Sirah Foppiano 2005, 310
Pinot Noir Belle Vallée 2007, 298
Pinot Noir Blackstone 2009, 282
Pinot Noir Calera « Central Coast » 2007, 302
Pinot Noir Calera « Mt. Harlan Cuvée » 2006, 313
Pinot Noir Eola Hills 2006, 310
Pinot Noir Estancia « Pinnacles Ranches » 2008, 309
Pinot Noir « La Bauge Au-Dessus » 2006, 302
Pinot Noir Robert Mondavi Private Selection 2009, 286
Pinot noir, La Crema 2008, 311

Riesling Pacific Rim 2007, 262
Sangiovese Ca'del Solo 2006, 288
Sauvignon Blanc Heitz Cellar 2006, 268
Symphony Obsession 2009, 254
Syrah Liberty School 2008, 286
Syrah Qupé 2007, 310
Syrah Qupé 2008, 296
Syrah RH Phillips 2007, 273
Syrah Terre Rouge « Les Côtes de l'Ouest » 2005, 309
Syrah Terre Rouge « Les Côtes de l'Ouest » 2006, 292
Terre Rouge « Noir » Grande Année 2000, 312
Tête-à-Tête 2006, 290
Zinfandel Barefoot, 272
Zinfandel Cardinal Zin 2007, 296
Zinfandel Easton 2008, 289
Zinfandel Heitz Cellar 2006, 313
Zinfandel Liberty School 2008, 307
Zinfandel Peter Franus 2007, 313

## FRANCE

Agrapart « Minéral » Extra Brut Blanc de Blancs 2003, 247
Aligoté Bouchard Père & Fils 2009, 80
Antech Cuvée Expression Brut 2008, 240
Argile Rouge 2004, 201
Arrogant Frog Chardonnay/Viognier 2009, 99
Beauvignac Picpoul de Pinet 2009, 77
Bergerie de l'Hortus 2008, 188
Blanchot 2005, 106
Blanchot 2006, 106
Bollinger Spécial Cuvée Brut, 242
Bouscassé 2006, 187
Bouscassé 2007, 146
Bronzinelle 2008, 140
Bruno Paillard Première Cuvée Brut, 243
Cabernet Sauvignon/Merlot Arrogant Frog 2009, 123
Canard-Duchêne « Cuvée Léonie » Brut, 247
Canet Valette « Antonyme » 2009, 182
Causse Marines « Grain de Folie Douce » 2008, 236
Causse Marines « Peyrouzelles » 2009, 185
Cendrillon 2009, 101
Champs Royaux 2008, 93
Chant des Vignes 2007, 103
Chardonnay De La Chevalière 2009, 99

Chardonnay Louis Latour 2008, 89

Château Angélus 2001, 222

Château Angélus 2003, 221

Château Beychevelle 2006, 215

Château Cailleteau Bergeron 2007, 185

Château Cailleteau Bergeron 2008, 185

Château Cailleteau Bergeron « Tradition » Blanc 2009, 85

Château Capet-Guillier 2006, 202

Château Chantalouette 2005, 205

Château Coupe Roses « Les Plots » 2008, 186

Château Coupe Roses 2009, 90

Chateau Croix de Rambeau 2006, 194

Château d'Ardennes 2001, 164

Château d'Aydie 2007, 162

Château de Beaucastel 2006, 218

Château de Beaulon « Vieille Réserve Ruby 10 ans d'âge », 233

Château de Chamirey 2008, 198

Château de Cruzeau 2005, 166

Château de Cruzeau Blanc 2007, 95

Château de Gaudou « Renaissance » 2007, 191

Château de Gaudou « Tradition » 2007, 181

Château de Gaudou « Tradition » 2008, 124

Château de Gourgazaud 2008, 114

Château de La Dauphine 2001, 173

Château de la Gardine 2007, 174

Château de Lancyre « Grande Cuvée » 2005, 199

Château de Lancyre Rosé 2009, 228

Château de Nages 2009, 130

Château de Nages Réserve 2009, 82

Château de Roquefort « Les Mûres » 2006, 150

Château de Sérame 2007, 187, 195

Château du Cèdre « Le Cèdre » 2005, 210

Château du Grand Caumont « Impatience » 2007, 187

Château du Tariquet, 230

Château Garraud 2006, 167

Château Grenouilles 2005, 106

Château Grenouilles 2006, 107

Château Greysac 2006, 197

Château Grinou Réserve 2007, 87

Château Grinou Réserve 2007, 183

Château Grinou Réserve 2008, 183

Château Haut Perthus 2006, 113

Château Haut-Bailly 2003, 215

Château Haut-Bailly 2006, 218

Château Haut-Chaigneau 2006, 200

Château Jolys 2007, 89

Château L'Archange 2001, 211

Château L'Archange 2003, 211

Château l'Hospitalet « La Réserve » 2007, 189

Château La Grave « Expression » 2009, 81

Château La Louvière rouge 2006, 178

Château La Sergue 2006, 173

Château Laffitte-Teston « Rêve d'Automne » 2007, 237

Château Laffitte-Teston « Vieilles Vignes » 2007, 159

Château Lamarche 2007, 136

Château Lamarche Canon « Candelaire » 2005, 202

Château Lamarche Canon « Candelaire » 2005, 202

Château Lamargue « Cuvée Aegidiane » 2005, 191

Château Lamartine Cuvée Particulière 2007, 153

Château Lousteauneuf 2006, 160

Château Lousteauneuf 2007, 161

Château Meyney 2001, 208

Château Moncontour Cuvée Prédilection 2007, 241

Château Montus 2006, 198

Château Montus Prestige 1990, 220

Château Montus Prestige 2000, 211

Château Montus Prestige 2001, 209

Château Mourgues du Grès « Les Galets Rouges » 2008, 137

Château Paul Mas « Clos des Mûres » 2008, 189

Château Pesquié « Quintessence » 2008, 195

Château Pesquié Prestige 2008, 187

Château Pey Latour 2008, 185

Château Peyros « Vieilles Vignes » 2005, 186

Château Pontet-Canet 2001, 179

Château Puy-Landry 2008, 124

Château Reynon 2008, 95

Château Roquetaillade La Grange 2009, 82

Château Rouquette sur Mer « Cuvée Amarante » 2005, 185

Château Rouquette sur Mer « Cuvée Amarante » 2007, 142

Château Saint-Martin de la Garrigue « Bronzinelle » 2009, 86

Château Saint-Martin de la Garrigue 2008, 195

Château Simard 1990, 210

*FRANCE (SUITE)*

Château Simard 1998, 205
Château Simard 2000, 205
Château Simard 2005, 209
Château Sociando-Mallet 1986, 221
Château Sociando-Mallet 1990, 222
Château Sociando-Mallet 1996, 220
Château Sociando-Mallet 1998, 219
Château Sociando-Mallet 2000, 219
Château Thieuley 2008, 101
Château Tour Boisée « Marielle & Frédérique » 2009, 134
Château Treytins 2006, 158
Chatons du Cèdre 2007, 180
Clos Bagatelle « Cuvée Tradition » 2009, 180
Clos Château Gaillard 2009, 128
Clos de la Bergerie 2001, 106
Clos de la Briderie 2008, 133
Clos de la Briderie « Vieilles Vignes » 2008, 83
Clos de la Coulée de Serrant 2001, 107
Clos de la Coulée de Serrant 2006, 107
Clos des Fées « Vieilles Vignes » 2007, 205
Clos du Domaine 2006, 106
Clos La Coutale 2008, 120
Clos Marion 2007, 208
Clos Saint Jean 2005, 209
Clos Saint Jean 2006, 209
Clos Saint Jean 2007, 210
Clos Saint Michel 2007, 207
Côte de Léchet 2006, 105
Côté Tariquet 2009, 85
Coudoulet de Beaucastel 2007, 171
Coudoulet de Beaucastel 2008, 104
Cuvée des Conti « Tour des Gendres » 2008, 100
Cuvée des Conti « Tour des Gendres » 2009, 84
Cuvée Flamme Brut, 241
Cuvée India « Dupéré Barrera » 2006, 201
Cuvée Louis Belle 2006, 199
Cuvée Marie 2007, 102
Cuvée Marie 2008, 93
De Venoge Brut Blanc de Noirs, 243
De Venoge Brut Millésimé 2000, 246
Delamotte Brut, 242
Delamotte Rosé Brut, 247
Devaux Blanc de Noirs Brut, 246
Domaine Bernard Baudry 2007, 189
Domaine d'Aupilhac 2007, 153
Domaine de La Charmoise 2009, 135

Domaine de la Maurelle « Vieilles Vignes » 2009, 120
Domaine de Thalabert 2007, 208
Domaine de Valcros « Hors d'âge », 226
Domaine des Aubuisières « Cuvée de Silex » 2009, 86
Domaine des Cantarelles 2008, 111
Domaine des Huards 2009, 88
Domaine du Ministre 2006, 184
Domaine Ferrer Ribière « Tradition » 2007, 184
Domaine Grand Veneur blanc 2008, 105
Domaine La Barroche « Fiancée » 2007, 213
Domaine La Barroche « Pure » 2006, 212
Domaine La Barroche « Terroir » 2007, 206
Domaine La Croix d'Aline 2008, 129
Domaine La Montagnette 2009, 183
Domaine La Tour Vieille « Rimage » 2008, 230
Domaine La Tour Vieille Reserva, 231
Domaine Labranche Laffont 2007, 182
Domaine Millet 2008, 102
Domaine Pellé « Morogues » 2008, 92
Drappier Brut Nature « Pinot Noir Dosage Zéro », 246
Drouhin Vaudon 2009, 104
Dupéré Barrera « Côtes-du-Rhône Villages » 2007, 193
Dupéré Barrera « Côtes-du-Rhône Villages » 2008, 193
En Travertin 2008, 103
Expression 2007, 145
Fourchaume 2006, 104
Gentil Hugel 2009, 88
Georges Dubœuf 2009, 183
Gewurztraminer Hugel 2008, 91
Gewurztraminer Hugel 2009, 92
Granaxa 2007, 190
Granaxa 2008, 190
Gros Manseng/Sauvignon « Brumont » 2008, 99
Gros Manseng/Sauvignon « Brumont » 2009, 78
Haute Pierre « Delas » 2007, 208
Hecht & Bannier 2007, 161
Henriot Blanc Souverain Brut, 244
Henriot Rosé Brut, 245
Jean-Pierre Moueix 2006, 199
L'Arzelle 2007, 202
L'Arzelle 2008, 206
L'If « Merlot/Carignan » 2008, 137
La Ciboise 2009, 181
La Demoiselle de Bourgeois 2008, 105
La Fage 2007, 164
La Fleur de Boüard 2006, 209

La Gloire de mon Père 2007, 158
La Madura Classic 2006, 143
La Moussière 2009, 97
La Sereine Cuvée L. C. 2007, 93
La Truffière « De Conti » 2005, 180
Le Grand Pompée 2006, 198
Le Grand Rouge de Revelette 2004, 203
Le Grand Rouge de Revelette 2007, 203
Le MD de Bourgeois 2008, 105
Les Barcillants 2007, 178
Les Baronnes « Rouge » 2007, 200
Les Baronnes 2008, 97
Les Bois Chevaux 2008, 195
Les Bressandes 2007, 209
Les Challeys 2007, 103
Les Chirats de Saint-Christophe 2007, 216
Les Christins 2007, 196
Les Clos de Paulilles 2008, 102
Les Cranilles 2008, 185
Les Fiefs d'Aupenac Rouge 2007, 155
Les Fumées Blanches 2009, 79
Les Garrigues « Terroir de la Méjanelle » 2007, 145
Les Jalets 2007, 159
Les Jamelles GSM Sélection Spéciale 2009, 155
Les Mauguerets-La Contrie 2006, 187
Les Mauguerets-La Contrie 2007, 148
Les Meysonniers 2007, 169
Les Pagodes de Cos 2001, 212
Les Pierrelles 2007, 193
Les Puillets 2008, 197
Les Remparts de Ferrière 2006, 203
Les Sorcières du Clos des Fées 2008, 147
Les Vaucrains 2007, 216
Les Vénérables Vieilles Vignes 2006, 98
Les Vénérables Vieilles Vignes 2007, 104
Les Vignes de Bila-Haut 2009, 196
Les Vins de Vienne « Crozes-Hermitage » 2008, 194
Lou Maset 2008, 182
Luc Saint-Roche 2009, 111
Malbec Saint Helme 2008, 118
Malleval Pierre Gaillard 2008, 98
Mas Amiel Cuvée Spéciale 10 ans d'âge, 234
Mas Amiel Prestige 15 ans d'âge, 235
Mas des Chimères 2008, 151
Mas Haut-Buis « Les Carlines » 2008, 188
Merlot Christian Moueix 2005, 132
Moulin de Gassac « Élise » 2008, 125
Moulin Touchais 1999, 238
Notre Terre 2007, 157
Odé d'Aydie 2006, 185
Parallèle « 45 » 2007, 182
Parallèle « 45 » 2008, 126
Pascal Jolivet Pouilly-Fumé 2009, 98
Pascal Jolivet Sancerre 2009, 96
Perle de Roseline 2008, 131
Perrin Nature 2009, 152
Perrin Réserve 2007, 137
Pétale de Rose 2009, 229
Philippe Gilbert « Menetou-Salon » 2007, 200
Pinot Gris « Barriques » Ostertag 2007, 96
Pinot Noir De La Chevalière 2009, 126
Pinot Noir Signature 2007, 196
Pol Roger Extra Cuvée de Réserve 2000, 244
Pol Roger Extra Cuvée de Réserve Brut, 242
Pont Neuf 2009, 181
Prestige de Moingeon Brut, 240
Pyrène « Coteaux-du-Quercy » 2007, 184
Pyrène « Marcillac » 2007, 184
Rasteau 2008, 193
Rasteau Prestige « Ortas » 2005, 193
Rasteau Prestige « Ortas » 2006, 158
Riesling Heissenberg 2007, 105
Riesling Herrenweg 2007, 104
Riesling Hugel 2009, 90
Saint Martin Laroche 2008, 96
Saint-Jacques 2006, 206
Santa Duc Les Blovac 2007, 192
Sauvignon Domaine du Tariquet 2009, 78
Simonnet-Febvre « Chablis » 2008, 95
Sotanum 2007, 213
Sylvaner Ruhlmann « Bouquet Printanier » 2009, 80
Symphonie de Novembre 2005, 237
Syrah La Dernière Vigne 2008, 192
Terres de Méditerranée 2007, 119
Torus 2007, 183
Torus 2008, 134
Uroulat 2007, 236
Veuve Clicquot Carte Jaune Brut, 244
Vieilles Vignes Nicolas Potel 2005, 201
Vieilles Vignes Nicolas Potel 2007, 201
Vieux Château Champs de Mars 2006, 156
Vignes de Nicole 2009, 142
Viognier De La Chevalière 2009, 100
Viognier Domaine de Gourgazaud 2009, 80

## GRÈCE

Agiorgitiko by Gaia 2008, 187
Muscat de Limnos 2009, 225
Nótios 2009, 100
Syrah Tsantali 2007, 184

## HONGRIE

Hunyady 2006, 189
Hunyady 2007, 190

## INDE

Sauvignon Blanc Sula Vineyards 2008, 253
Shiraz Sula Vineyards 2008, 276

## ITALIE

Amabilin Cascina Adelaide Superior 2005, 206
Amarcord d'un Ross Riserva 2007, 195
Anthilia 2009, 86
Argentiera 2006, 215
Badia a Passignano Riserva 2005, 206
Badia A Passignano Riserva 2006, 175
Barbera Fiulot 2007, 190
Barbera Fiulot 2009, 190
Barbera Fontanafredda 2008, 131
Barrua 2004, 211
Barrua 2005, 211
Belgvardo Bronzone 2007, 201
Ben Ryé 2007, 234
Bocca di Lupo 2006, 202
Brancaia « Tre » 2005, 197
Brancaia 2005, 204
Brentino Maculan 2007, 186
Brentino Maculan 2008, 144
Brunello « Barbi » 2004, 207
Brunello « Barbi » 2005, 207
Brunello « Luce » 2003, 218
Brunello « Luce » 2005, 218
Brunello Riserva « Barbi » 2003, 218
Ca'del Bosco « Cuvée Prestige » Brut, 241
Cabernet Fazio 2005, 189
Cabernet Franc Piave « Villa Sandi » 2006, 138
Campo Ceni 2008, 131
Cannonau Riserva 2006, 138
Caparzo 2004, 206
Caparzo Rosso di Montalcino 2008, 148

Capezzana « Barco Reale di Carmignano » 2007, 185
Capezzana « Barco Reale di Carmignano » 2008, 143
Capitel Foscarino 2008, 102
Capitel Foscarino 2009, 94
Capitel Nicalo « Appassimento » Tedeschi 2008, 139
Capitel San Rocco « Ripasso Superiore » 2007, 191
Capitel San Rocco « Ripasso Superiore » 2008, 156
Capocaccia 2006, 136
Casal di Serra « Classico Superieure » 2008, 87
Casale Vecchio 2008, 117
Casanova di Neri 2007, 200
Castello di Pomino 2003, 237
Castello di Pomino 2006, 198
Castello di Pomino 2009, 101
Castello di Pomino « Vendemmia Tardiva » 2006, 237
Castello di Volpaia 2007, 194
Chardonnay Settesoli 2009, 77
Contea di Bordino 2007, 180
Cúmaro Riserva 2006, 169
Dal Forno 2003, 220
Dardi Le Rose « Bussia » 2003, 213
Dardi Le Rose « Bussia » 2004, 213
Dindarello 2008, 237
Dindarello 2009, 233
Dofana 2006, 216
Dolcetto Visadì 2008, 195
Elisabetta Geppetti 2007, 198
Faìve Rosé Brut, 246
Falcone Riserva 2005, 164
Fontanafredda Barolo 2005, 172
Fontodì 2006, 170
Fontodì Riserva « Vigna del Sorbo » 2004, 211
Fontodì Riserva « Vigna del Sorbo » 2006, 178
Foradori 2006, 196
Fratta 2005, 212
Grándárellá « Appássimento » Masi 2005, 170
Guado al Tasso 2006, 217
Il Brecciarolo 2007, 117
Il Bricco 2005, 217
Il Bricco 2006, 217
Il Bruciato 2008, 199
Il Ducale 2006, 151
Ilico 2007, 134
Inama « Vigneti di Foscarino » 2007, 103
Inama 2009, 101
Isole e Olena 2007, 168
Jorio 2008, 136
La Caduta 2007, 172
La Cuvée dell'Abate 2008, 140
La Massa 2008, 165
La Segreta 2008, 184
La Segreta 2009, 141
La Segreta Bianco 2009, 87
Lapaccio 2009, 122
Le Monache Rosso 2009, 184

Le Serre Nuove dell'Ornellaia 2007, 212
Le Serre Nuove dell'Ornellaia 2008, 212
Le Sughere di Frassinello 2006, 172
Le Volte 2006, 200
Le Volte 2008, 200
Luce 2006, 179
Lucente 2006, 203
Lucente 2007, 203
Marchese Antinori Riserva 2005, 171
Marciliano 2006, 211
Masi « Recioto » 2006, 209
Masseria Maìme 2007, 201
Masseto 2006, 222
Masseto 2007, 222
Massicone 2006, 200
Merlot Tudernum 2008, 130
Merlot Vistorta 2006, 161
Mille e Una Notte 2005, 214
Mille e Una Notte 2006, 214
Monile « Ripasso » 2008, 190
Montesodi Riserva 2006, 210
Montiano 2006, 207
Moreccio 2007, 193
Moreccio 2008, 194
Mormoreto 2006, 211
Negroamaro Mezzo Mondo 2008, 180
Nero d'Avola Adesso 2008, 182
Nero d'Avola Feudi del Pisciotto 2007, 165
Nero d'Avola Morgante 2008, 138
Nero d'Avola Rapitalà 2009, 126
Nino Franco Brut, 240
Notarpanaro 2004, 150
Oltre 2006, 196
Ornato 2006, 217
Ornellaia 2004, 220
Ornellaia 2005, 220
Ornellaia 2007, 220
Pelago 2006, 175
Pèppoli 2007, 163
Pian delle Vigne 2004, 214
Pian delle Vigne 2005, 215
Pian delle Vigne Riserva « Vignaferrovia » 2004, 218
Pinot Grigio Garganega Canaletto 2009, 82
Pinot Grigio Santa Margherita 2009, 89
Pio Cesare « Barbaresco » 2006, 210
Pio Cesare « Barbera » 2008, 191
Pio Cesare « Barolo » 2005, 213
Pio Cesare « Barolo » 2006, 213
Pio Cesare « Dolcetto » 2008, 181
Poderi Colla 2006, 163
Poggio alla Badiola 2008, 143
Poggio alla Guardia 2008, 163
Poggio Bestiale 2005, 203
Poggio Bestiale 2007, 203
Primitivo Col di Sotto 2009, 115
Primitivo I Monili 2009, 110
Primitivo Torcicoda 2008, 154

Promis 2007, 207
Ramione « Merlot-Nero d'Avola » 2005, 147
Riparosso 2008, 117
Rocca di Frassinello 2006, 176
Roggio del Filare 2005, 202
Roggio del Filare 2006, 203
Sagramosa « Ripasso » 2008, 194
Salviano 2009, 100
San Lorenzo 2007, 139
San Vincenzo Anselmi 2009, 84
Sangiovese Farnese 2009, 109
Sangiovese Medoro 2009, 113
Santa Cecilia Planeta 2006, 204
Santa Cristina « Chianti Superiore » 2008, 144
Santa Cristina 2008, 132
Santagostino 2008, 197
Sasyr « Sangiovese & Syrah » 2007, 141
Scabi 2008, 188
Sedàra 2008, 148
Shymer 2007, 153
Solaia 2004, 220
Solaia 2005, 221
Solaia 2007, 221
Syrah Baglio di Pianetto 2007, 146
Syrah Cusumano 2009, 118
Taurino Riserva 2007, 130
Tedeschi « Valpolicella » 2008, 122
Tenuta Belgvardo 2006, 210
Teroldego Mezzacrona 2008, 112
Tignanello 2004, 219
Tignanello 2005, 219
Tignanello 2007, 219
Toar 2005, 162
Torcolato 2004, 237
Torcolato 2007, 233
Trentangeli Tormaresca 2008, 194
Vaio Armaron Classico Serego Alighieri 2003, 215
Valdifalco 2006, 197
Valentino Feudi del Pisciotto 2008, 169
Verdicchio Classico Umani Ronchi 2009, 77
Vermentino Tenuta Guado al Tasso 2009, 103
Vigna del Fiore 2004, 215
Vigna di Gabri 2008, 94
Villa Antinori 2006, 165
Villa di Capezzana 2006, 171
Vitiano 2008, 135
Were Dreams... 2007, 106

**LIBAN**

Clos St-Alphonse 2007, 181

## MEXIQUE

Nebbiolo Reserva Privada
L.A. Cetto 2001, 307
Nebbiolo Reserva Privada
L.A. Cetto 2004, 307

## NOUVELLE-ZÉLANDE

Cabernet-Merlot Te Awa 2005,
309
Cabernet-Merlot Te Awa 2007,
294
Chardonnay Alpha Domus 2008,
267
Chardonnay Kumeu River 2006,
269
Chardonnay Oyster Bay 2008,
259
Chardonnay Tohu « Unoaked »
2008, 267
Chardonnay « Unoaked » Kim
Crawford 2009, 260
Cuvée Nº 1, 325
Merlot Oyster Bay 2008, 307
Merlot Oyster Bay 2009, 285
Pinot Noir Akarua « Gullies »
2006, 311
Pinot Noir Akarua « Gullies »
2007, 299
Pinot Noir Clos Henri 2006, 314
Pinot Noir Clos Henri 2008, 314
Pinot Noir Lake Hayes 2007, 312
Pinot Noir Oyster Bay 2008, 309
Pinot Noir Oyster Bay 2009, 291
Pinot Noir Saint Clair 2008, 308
Pinot Noir Waimea 2007, 309
Pinot Noir Waimea 2009, 292
Riesling Mount Cass 2009, 266
Sauvignon Blanc Churton 2008,
267
Sauvignon Blanc Isabel 2009,
267
Sauvignon Blanc Monkey Bay
2009, 266
Sauvignon Blanc Mount Nelson
2007, 262
Sauvignon Blanc Oyster Bay
2009, 259
Sauvignon Blanc Saint Clair
2009, 258
Sauvignon Blanc Tohu 2009, 267

## PORTUGAL

Albis 2009, 78
Altano Reserva 2007, 168
Animus 2007, 115
Caldas 2008, 118

Chaminé 2009, 123
Cortes de Cima 2008, 156
Duas Quintas « blanco » 2009,
101
Duas Quintas 2007, 140
Martinez 10 ans, 234
Meia Encosta 2008, 112
Moscatel Bacalhôa 2003, 225
Offley « Baron de Forester »
Tawny 10 ans, 232
Offley LBV 2005, 230
Quinta de la Rosa 2008, 189
Quinta de Santa Eufêmia, 236
Quinta do Castelinho 10 ans,
232
Quinta do Infantado Blanc Dry,
228
Quinta do Infantado LBV 2004,
231
Quinta do Infantado Ruby, 227
Quinta do Valdoeiro 2009, 100
Syrah Cortes de Cima 2005, 197
Vale da Raposa Reserva 2007,
144
Warre's Otima 20 ans, 235

## URUGUAY

Torrontés Rio de Los Pájaros
Reserve 2009, 258

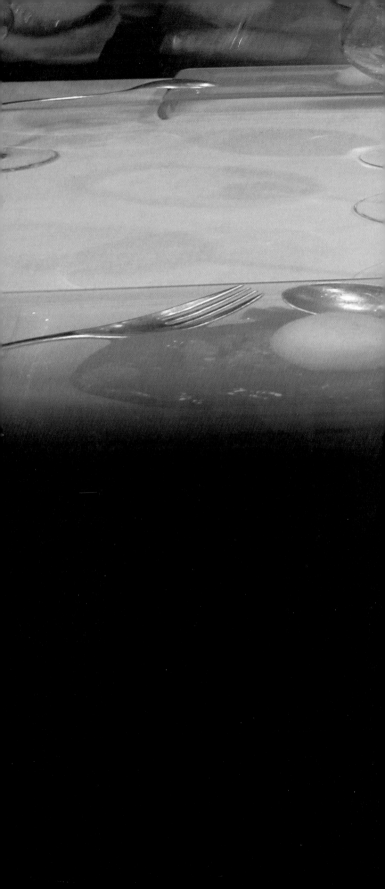

MENU « INDEX »
DES HARMONIES
VINS ET METS
ET DES RECETTES

## MENU « INDEX » DES HARMONIES VINS & METS ET DES RECETTES
### de *La Sélection Chartier 2011*

Parmi les 3 500 mets recommandés dans ce Menu Index, ceux en caractères gras et avec deux étoiles entre parenthèses (**) font l'objet d'une recette dans le nouveau livre *Les Recettes de Papilles et Molécules*, paru en juin 2010. Tandis que ceux avec une étoile entre parenthèses (*) font l'objet d'une recette dans le livre de cuisine pour amateurs de vin *À Table avec François Chartier*.

Pour plus d'informations sur les aliments complémentaires aux vins sélectionnés dans ce guide, dont certains détails sont prescrits et identifiés en vert au fil au fil des commentaires de dégustation de l'auteur, consultez le livre *Papilles et Molécules*.

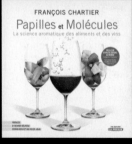

## A

### AGNEAU

Brochettes d'agneau à l'ajowan, 112, 123, 145, 161, 199, 272, 292

Brochettes d'agneau au café noir (voir Filets de bœuf au café noir) (*), 140, 153

Brochettes d'agneau au thym, 133, 155, 166, 190, 271, 297

Brochettes d'agneau grillées à l'ajowan, 119, 277, 296

Brochettes d'agneau grillées et parfumées de baies roses, 161, 169

Brochettes d'agneau sauce teriyaki, 119, 121

Brochettes de boulettes d'agneau haché à la menthe, 129

Carpaccio d'agneau fumé, 320

Carpaccio de courgettes fraîches et de vieux cheddar (arrosé d'huile d'olive et accompagné de tomates fraîches et de quelques pousses de roquette), 100

Carré d'agneau à la croûte de menthe fraîche et au parfum balsamique, 192

Carré d'agneau à la gremolata, 200

Carré d'agneau au poivre vert, 135

Carré d'agneau au poivre vert et à la cannelle, 168, 194, 202, 300, 311

Carré d'agneau en croûte de menthe fraîche, 159, 194

Carré d'agneau et jus au café expresso (*), 153, 167, 171, 172, 178, 187, 191, 198, 207, 210, 214, 215, 216, 219, 221, 294, 295, 301, 313, 315

Carré d'agneau et jus de cuisson réduit, 134, 140, 162

Carré d'agneau farci aux olives noires et au romarin, sauce au porto LBV, 161, 211, 300, 310

Carré d'agneau farci de pommade d'olives noires, 186

Carré d'agneau frotté aux baies de genièvre et pommade d'olives noires (avec poudre d'algues nori torréfiées et graisse de jambon fondue au safran), 304

Carré d'agneau marocain et provençal façon Pinard (avec feuilles de menthe, poivre de Cayenne, piment doux, paprika, cumin, romarin frais, thym, ail et moutarde de Dijon), 138, 277

Carré d'agneau rôti à la pommade d'olives noires (olives noires dénoyautées et huile d'olive passées au robot), 142, 151

Côtelettes d'agneau au café noir (voir Filets de bœuf au café noir) (*), 279

Côtelettes d'agneau grillées à la sauce teriyaki, 293

Côtelettes d'agneau grillées sauce teriyaki à l'orange, 153, 156, 280, 286, 309

Côtelettes d'agneau marinées au porto et au romarin, 155

Côtelettes d'agneau marinées au porto et au romarin frais, 299

Côtelettes d'agneau sauce au porto LBV et bâtonnets de polenta grillée à l'anis, 191

Côtelettes de longe d'agneau épicées à la mode du Sichuan, 127, 312

Côtelettes et tranches d'épaule d'agneau grillées au poivre noir, 190

Daube d'agneau au vin et à l'orange, 128, 133, 143, 174, 177, 209, 279, 295, 297

Filet d'agneau en feuilleté farci à la pâte d'olives noires et jus au thym, 177

Filet d'agneau enveloppé d'algues nori accompagné d'un braisé de carottes au jus d'agneau, 167, 204, 291, 316

Filets d'agneau et jus de poivron rouge, 162

Gigot d'agneau à l'ail et au romarin, 138, 148, 157, 277, 282, 293

Gigot d'agneau au romarin, 188

Gigot d'agneau au romarin et jus de cuisson réduit au vin rouge, 207

Gigot d'agneau aux herbes accompagné d'une purée de patates douces aux olives noires, 142

Gigot d'agneau aux herbes séchées, 154, 158, 189, 193, 287

**Gigot d'agneau, cuisson lente, au romarin, casserole de panais à la cardamome (**), 91, 105**

Hamburgers d'agneau à la pommade d'olives noires, 119, 128, 155, 185

Hamburgers d'agneau à la pommade d'olives noires au poivre, 113, 174

Hamburgers d'agneau à la pommade d'olives noires et au thym, 184

Hamburgers d'agneau aux poivrons rouges confits et au *pimentón*, 111, 135

Hamburgers d'agneau aux poivrons rouges confits et au curcuma, 111, 114, 127, 132, 143, 160, 189, 306

Hamburgers d'agneau aux poivrons rouges confits et au paprika, 118, 123, 129, 136, 143, 169, 273, 278, 312

Hamburgers d'agneau et pâte concentrée de poivrons verts à la menthe (voir aussi chapitre *Recettes*, p. 50), 120

Hamburgers d'agneau et poivrons rouges au cumin, 122

**Jarret d'agneau à l'anis étoilé et pastis (**), 103**

**Jarret d'agneau au pastis et tomates fraîches (**), 92, 96**

Jarret d'agneau confit et bulbe de fenouil braisé, 276

Jarret d'agneau confit et lentilles du Puy au jus d'agneau parfumé à l'anis étoilé, 201, 204

Jarret d'agneau confit et poêlée de champignons sauvages, 221

Jarret d'agneau confit et son jus de cuisson parfumé à l'anis étoilé, 216

Jarret d'agneau confit parfumé à l'huile de truffes, 209, 220, 313

Jarret d'agneau confit parfumé à l'huile de truffes et poêlée de champignons sauvages, 205

Minibrochettes d'agneau à la menthe fraîche, 277

Pot-au-feu d'agneau cuisson saignante au thé et aux épices (anis étoilé, réglisse, cannelle, grains de cardamome, girofle et feuilles de thé noir), 203

**Pot-au-feu d'agneau cuit rosé, au thé et aux épices (**), 106, 257, 263, 290, 291, 309**

Pot-au-feu d'agneau de cuisson saignante au thé et aux épices (anis étoilé, réglisse, cannelle, grains de cardamome, girofle et feuilles de thé noir), 290, 291

**Pot-au-feu froid d'agneau cuit rosé, cubes de bouillon à la sauge, condiment au curcuma, sel de romarin (**), 214, 282, 283, 285, 295, 316**

Ragoût d'agneau au quatre-épices, 120, 202, 214, 297

Tajine d'agneau au safran, 140, 145, 171, 279, 286, 295, 304

## AGNEAU (SUITE)

Tajine de ragoût d'agneau au cinq-épices et aux oignons cipollini caramélisés, 160, 172, 284

Tranches d'épaule d'agneau aux herbes de Provence, 129

Tranches d'épaule d'agneau et pommade d'olives noires, 195

Tranches d'épaule d'agneau grillées au poivre noir et sauté de poivrons verts et rouges au paprika, 159, 274, 283

Tranches d'épaule d'agneau grillées au poivre rose, 278

Tranches d'épaule d'agneau grillées sauce au poivre, 155, 288

# B

## BŒUF

**Baklavas de boeuf en bonbons (miel de menthe à la lavande et eau de géranium, viande de grison) (\*\*), 225, 226**

**Balloune de mozarella_Mc² (à l'air de clou de girofle, éclats de viande de grison et piment d'Espelette) (\*\*), 151, 171, 191, 260, 263**

Bavette de bœuf sauce teriyaki, 127

Bifteck à l'ail et aux épices, 276

Bifteck à la pommade d'olives noires, 110, 122

Bifteck à la pommade d'olives noires (olives noires dénoyautées et huile d'olive passées au robot), 118

Bifteck au poivre et à l'ail, 113, 156, 273, 276, 277, 280

Bifteck aux champignons, 282

Bifteck de contre-filet grillé au beurre d'estragon, 273

Bifteck grillé au beurre d'estragon, 126, 278

Bifteck grillé au poivre, 115

Bœuf à l'anis étoilé de Josée di Stasio, 204

Bœuf à la bière, 120

Bœuf à la bière brune, 305

Bœuf à la bière brune et polenta crémeuse au parmesan, 120

Bœuf aux légumes, 139

Bœuf bourguignon, 111

Bœuf bourguignon et polenta, 118

Bœuf bourguignon et polenta crémeuse, 110

Bœuf braisé à la Stroganov, 153

Bœuf braisé au jus de carotte, 114, 117, 126, 129, 143, 147, 150, 152, 153, 160, 165, 181, 182, 289

Bœuf braisé au vin rouge et aux carottes, 213

Bœuf braisé aux carottes, 286

**Bœuf de la Ferme Eumatimi frotté à la cannelle avant cuisson, compote d'oignons brunis au four et parfumée à la pâte d'anchois salés (\*\*), 146, 168, 174, 218, 292, 299, 302**

Bœuf épicé à l'indienne, 127

**Bœuf grillé et réduction de Soyable_Mc² (\*\*), 120, 121, 146, 152, 159, 232, 287, 289, 307**

Braisé de bœuf à l'anis étoilé, 132, 157, 160, 164, 172, 191, 195, 197, 276, 311

Braisé de bœuf à l'anis étoilé (façon Josée di Stasio), 201

Braisé de bœuf au vin et à l'orange (avec un très léger soupçon de balsamique, ajouté uniquement pour son parfum), 150

Brochettes de bœuf à l'origan, 272

Brochettes de bœuf à la pommade de menthe fraîche et poivre, 285

Brochettes de bœuf à la pommade de menthe fraîche, poivre concassé et vinaigre balsamique, 153, 156, 187, 275, 280, 281, 289, 301, 310

Brochettes de bœuf au café noir (voir Filets de bœuf au café noir) (\*), 116, 120, 129, 136, 155, 174, 274, 275, 306

Brochettes de bœuf au poivre, 273

Brochettes de bœuf aux épices à steak, 129

Brochettes de bœuf et de foie de veau, 279

Brochettes de bœuf et de foie de veau aux poivrons, 166, 183, 285, 290

Brochettes de bœuf et de foie de veau aux poivrons rouges confits, 156, 294

Brochettes de bœuf nappées de pâte concentrée de poivron vert à la menthe (voir aussi chapitre *Recettes*, p. 50), 306

Brochettes de bœuf sauce au fromage bleu (\*), 180, 293

Brochettes de bœuf sauce teriyaki, 111, 121, 283

Brochettes de bœuf teriyaki, 185

Burger de bœuf au foie gras et aux truffes, 221

Burger de bœuf au foie gras et champignons, 200, 202

Carbonnade à la flamande, 129, 272

Chili con carne, 109, 111

Chili de Cincinnati, 110, 113, 119, 120, 121, 146, 156, 271, 272, 273, 283, 289, 305

Curry de bœuf, 276

Daube de bœuf niçoise, 311

Filet de bœuf à l'émulsion de « Mister Maillard » (voir aussi chapitre *Recettes*, p. 42), 113

Filet de bœuf à la pâte de poivrons verts (voir aussi chapitre *Recettes*, p. 50), 274

Filet de bœuf aux champignons et au vin rouge, 172, 195

**Filet de bœuf de la Ferme Eumatimi, sauce *mole* mexicaine à la noix de coco et au cinq-épices (\*\*), 121, 133, 158, 159, 174, 175, 177, 179, 192, 195, 207, 211, 212, 213, 221, 283, 286, 299, 301, 303, 307**

Filet de bœuf enveloppé d'algues nori et accompagné d'un braisé de carottes au jus de bœuf, 140, 145, 147, 168, 178, 218, 220, 288, 296

Filet de bœuf et champignons portabellos, 151

Filet de bœuf grillé, 168, 183

Filets de bœuf à la fourme d'Ambert et au romarin (\*), 283, 292

Filets de bœuf Angus aux champignons sauvages, 204

Filets de bœuf Angus sauce au cabernet sauvignon, 176, 222

Filets de bœuf au café noir (\*), 134, 138, 140, 148, 155, 158, 162, 165, 166, 176, 182, 183, 185, 203, 271, 284, 288, 312, 314

Filets de bœuf au poivre patates douces au romarin et aux olives noires, 116

Filets de bœuf et coulis de poivrons verts (\*), 200, 294, 309, 314

Filets de bœuf et lanières de poivrons verts et rouges légèrement confits, 186

Filets de bœuf et sauté de poivrons rouges au curcuma, 142, 276

Filets de bœuf grillés et coulis de poivrons verts (\*), 284

Filets de bœuf grillés et sauté de poivrons rouges au curcuma, 135, 184, 199, 306

Filets de bœuf marinés au parfum d'anis étoilé, 142, 155, 164, 197, 213

Filets de bœuf marinés au parfum de thym, 289

Filets de bœuf marinés aux parfums de mûres et de réglisse (voir Osso buco de cerf aux parfums de mûres et de réglisse) (\*), 160

Filets de bœuf marinés sauce balsamique et poêlée de champignons sauvages, 214

Filets de bœuf surmontés de raviolis de pâtes d'algues nori farcies à la purée de framboise, 126, 150, 153, 193, 212, 216, 288, 300, 308

Grillades variées, 110

Grillades variées et épicées, 132

Hachis Parmentier, 128

Hamburger de bœuf à la pâte concentrée de poivron vert à la menthe (voir aussi chapitre *Recettes*, p. 50), 113

Hamburgers au fromage et champignons (avec bacon, poivrons rouges confits), 272

Hamburgers aux champignons et aux lardons, 110

Hamburgers aux tomates séchées et cheddar extra-fort, 141, 143, 185, 200

Hamburgers de bœuf à la pommade d'olives noires, 116, 183, 279, 281

Hamburgers de bœuf à la pommade d'olives noires (olives noires dénoyautées et huile d'olive passées au robot), 129

Moussaka, 113, 118

**On a rendu le pâté chinois (\*\*), 109**

Pain de viande à la tomate, 109

**Pâté chinois (voir recette On a rendu le pâté chinois) (\*\*), 114, 188, 272, 273, 292**

Pâté chinois classique, 190

Pièce de bœuf fortement poêlée et émulsion « Mister Maillard » (voir aussi chapitre *Recettes*, p. 42), 203

Pot-au-feu, 139

Ragoût de bœuf à la bière, 128, 310

Ragoût de bœuf à la bière brune, 290

Ragoût de bœuf à la bière et polenta crémeuse aux oignons caramélisés, 160, 274, 307

Ragoût de bœuf Angus parfumé au cèdre et aux trompettes de la mort, 222

Ragoût de bœuf au vin rouge et polenta crémeuse au parmesan, 279

Ragoût de bœuf au vin rouge et polenta crémeuse au parmesan et champignons sautés, 196

*BŒUF (SUITE)*

Ragoût de bœuf épicé à
l'indienne, 121, 125, 149,
189

Rosbif de côtes farci au chorizo
et au fromage, 149, 272

Rôti de bœuf aux champignons
café, 290

Rôti de bœuf aux champignons
et jus au café expresso (voir
Carré d'agneau (et jus au
café expresso) (*), 284

Rôti de bœuf déglacé au café
noir, 151

Rôti de bœuf et jus au café
expresso (voir Carré
d'agneau et jus au café
expresso) (*), 185

Sandwich au bœuf grillé et aux
oignons caramélisés, 109

Sauté de bœuf asiatique aux
piments forts, 119

Sauté de bœuf au gingembre,
116, 137, 143, 150, 271,
273, 274, 276, 280, 282,
290, 308

Steak tartare, 122, 139

Sukiyaki de bœuf aux poivrons
verts, 111

*T-bone* grillé aux épices à steak,
121, 149

Tacos au chili de Cincinnati, 319

Tartare de bœuf, 111, 128, 183

*Wraps* au bifteck et aux
champignons, 118, 144, 285

**BOUDIN**

Boudin noir aux oignons et aux
lardons, 182

Boudin noir grillé aux oignons
et aux lardons, 130

Boudin noir grillé avec sauté de
poivrons rouges épicés, 280

# C

**CABANE À SUCRE**

Repas de cabane à sucre, 319

**CAILLE**

Cailles laquées au miel et au
cinq-épices, 245, 292

Cailles sautées à la poêle et riz
sauvage aux champignons
(*), 161, 167, 173, 198

**CANARD**

Burger de bœuf au foie gras et
champignons, 200, 202

Canard rôti badigeonné au
scotch *single malt*, 168,
213, 288

Cassoulet et cuisses de canard
confites, 148

Croustade de foie gras aux
pommes (*), 323

Foie gras de canard poêlé
déglacé au porto tawny et
aux raisins de Corinthe, 234

Hachis Parmentier de canard,
189

Hachis Parmentier de canard au
quatre-épices, 118, 124,
134, 168, 170, 199, 276,
290, 298, 314

Magret de canard au poivre vert
et à la cannelle, 316

Magret de canard au vin rouge
et aux baies de sureau (*),
220

Magret de canard fumé au thé
Lapsang Souchong et risotto
au jus de betterave parfumé
aux clous de girofle, 291

Magret de canard fumé aux
feuilles de thé, 212

Magret de canard fumé aux
feuilles de thé Lapsang
Souchong, 205, 219, 316

Magret de canard grillé parfumé
de baies roses, 153, 197

Magret de canard grillé parfumé
de baies roses accompagné
d'une purée de patates
douces au romarin frais, 202

Magret de canard grillé parfumé
de baies roses accompagné
d'une purée de patates
douces aux olives noires et
au romarin frais, 178

Magret de canard rôti, 171

Magret de canard rôti à la
nigelle, 165, 169, 196, 210,
215, 217, 294, 314, 317

Magret de canard rôti à la
nigelle et navets confits au
clou de girofle, vinaigre de
riz et miel (voir aussi
chapitre *Recettes*, p. 44),
203

Magret de canard rôti parfumé
de baies roses, 176, 200,
219, 299, 315

**Magret de canard rôti, graines
de sésame et cinq-épices
(sans les navets confits au
clou de girofle) (\*\*), 179**

**Magret de canard rôti, graines
de sésame et cinq-épices,
navets confits au clou de
girofle (\*\*)., 149, 167,
168, 171, 172, 175, 177,
204, 214, 219, 221, 291,
298, 301, 302**

Magret de canard sauce au thé
Pu-erh et riz sauvage aux
champignons sautés, 210,
211

Surf'n Turf Anise (*), 242, 243

Terrine de foie gras de canard au
torchon et pain au safran
(*), 233

**Terrine de foie gras et cailles,
parfums de pétales de
rose, gingembre, litchi et
piment d'Espelette (\*\*),
321, 326**

**CHARCUTERIES**

Terrine de campagne au poivre,
137

## CIGARES

Corona grande Hoyo de Monterrey Le Hoyo des Dieux, 235

Figurados Arturo Fuente Don Carlos Nº 2, 231

Petit corona Hoyo de Monterrey Le Hoyo du Prince, 232

## COQUILLAGES

Pot-au-feu de L'Express (*), 133, 195

Vol-au-vent de fruits de mer, 79, 251

## CRABES

Crabe à carapace molle en tempura, 260

**Crabe des neiges, ketchup aux pois verts, épinards fanés à l'huile d'olive, caviar de mulet et mousse de bière noire (**), 84, 96, 107, 241**

## CREVETTES

Brochette de crevettes satay (sauce aux arachides), 77, 87, 259

Brochettes de crevettes au romarin, 262

Brochettes de poulet et de crevettes à la salsa d'ananas, 86, 87, 252, 259, 260

Brochettes de poulet et de crevettes sauce moutarde et miel, 260, 267

Ceviche de crevettes à la coriandre fraîche, 98

Crevettes à la citronnelle, 106

Crevettes aux épices et légumes croquants (*), 90, 100

**Crevettes caramélisées, écume de carotte, pomme McIntosh et graines de cumin, purée de carottes à l'huile de crustacés et *pimentón* fumée (**), 83, 93, 257, 258**

Crevettes sautées à la papaye et basilic, 92

Crevettes sautées aux noisettes concassées et réduction de sauce soya et café noir, 90, 102, 261

Crevettes tempura, 241, 325

**Émulsion d'asperges vertes aux crevettes_Mc² (**), 78, 82, 85, 90, 95, 228, 240, 251, 259, 263**

Fricassée de crevettes à l'ananas et poivrons doux fouettés au curry rouge et au parfum de romarin (*), 267

Satés de crevettes et poulet, 228

Vol-au-vent de crevettes au Pernod, 103

## CUISINES EXOTIQUES

Cuisine cantonaise épicée, 254

Cuisine mexicaine épicée, 119

Cuisine sichuanaise, 254

Cuisine thaï, 254

Cuisine thaï (très épicées), 319

Curry de poulet à la noix de coco (*), 264, 265

Homard « Hommage à la route des épices » (*), 265

Nems aux crevettes et à la menthe fraîche, 99

Pâté chinois aux lentilles, 127

Rouleaux de printemps à la coriandre fraîche, 241

Rouleaux de printemps à la menthe, 78, 100, 266

Rouleaux de printemps au crabe et à la coriandre fraîche, 79, 252

Rouleaux de printemps aux crevettes, pommes et menthe fraîche, 252, 267, 319

Rouleaux de printemps et sauce citron-soja, 90, 257

Rouleaux de printemps parfumés à la menthe fraîche, 95

Satés de crevettes et poulet, 228

Sauté de tofu et crevettes à la bière blanche (avec sauce soya, citronnelle, gingembre, arachides et noisettes), 77, 87

Sukiyaki de saumon, 282, 308

Sushis (avec gingembre, épices, fruits exotiques), 319

Tapas, 227

Tapas de crevettes au curry, 228

## DESSERTS

**Ananas caramélisé (cassonade, sauce soya, saké et réglisse noire, copeaux de chocolat noir) (**), 157, 225, 230, 234**

Baklava aux noix rehaussé de zestes d'agrumes, 324

Baklavas, 320

**Bavarois de mascarpone sucré au miel d'orange aromatisé en trois versions : géranium/lavande; citronnelle/menthe; eucalyptus (**), 228, 233**

Bleuets trempés dans le chocolat noir, 227, 230, 231

Bonbons d'abricots secs et pistaches parfumées à l'eau de fleur d'oranger et de crème Chantilly la badiane (*), 225

**Caramous_Mc² (caramel mou à saveur d'érable « sans érable ») (**), 232, 234**

Carré aux dattes, 235

**DESSERTS (SUITE)**

**Carré aux figues séchées, crème fumée et cassonade à la réglisse (**\*\***), 226, 237**

Carré de fudge au chocolat noir et coulis de framboises, 227

**Chutney d'ananas au curcuma, gingembre et vinaigre de xérès (**\*\***), 93, 293, 323**

Clafoutis aux cerises, 227

Confipote_Mc² « pour amateur de vin rouge » : prunes noires au thé Lapsang Souchong et anis étoilé (voir aussi chapitre *Recettes*, p. 52), 196

Coupe glacée aux pêches et aux pacanes, 324

**Crémeux citron, meringue/siphon au romarin (**\*\***), 233, 323, 324, 328**

Croustade de foie gras aux pommes (\*), 323

Croustillant aux pommes et pacanes, 322

Dattes chaudes dénoyautées et farcies à la fourme d'Ambert (au four, à 180 °C ou 350 °F, 5 minutes), 226

Dattes chaudes dénoyautées et farcies au roquefort, 226

Dattes chaudes dénoyautées et saupoudrées de curry à l'intérieur, 231

**Figues confites au thé Pu-Erh, chantilly de fromage Saint Nectaire (**\*\***), 145, 164, 173, 198, 241, 242, 244, 295**

**Figues fraîches confites « linalol » : cannelle et eau de rose, mousse de tangerine au babeurre, huile de thé à la bergamote (**\*\***), 225, 233**

Figues rôties à la cannelle et au miel, 226

Figues rôties au miel et glace à la vanille, 235

Fudge au chocolat noir et sauce au café, 226

**Ganache chocolat Soyable_Mc² (**\*\***), 231, 232, 234**

Gâteau à l'érable, 226

Gâteau au café, 226, 234

Gâteau au chocolat et coulis de fruits rouges, 233

Gâteau Davidoff (\*), 225, 234

Gâteau renversé aux pommes Golden et au safran, 322

**Gelée_Mc² (au café) (**\*\***), 146, 231, 235**

Glace à la vanille saupoudrée de raisins de Corinthe macérés dans un doigt de Solera, 231

Glace au café saupoudrée de raisins de Corinthe macérés dans le Solera Cream, 236

**Guimauve érable_Mc² (sirop d'érable, vanille et amandes amères) (**\*\***), 232, 319**

Jardinière de fruits à la crème pâtissière, 226

Millefeuille de pain d'épices aux figues (\*), 236

Millefeuille de pain d'épices aux figues et aux noix de Grenoble (\*), 232

Millefeuille de pain d'épices aux mangues (\*), 237, 323, 324, 326

Millefeuille de pain d'épices aux pêches (\*), 228, 321

Millefeuille de pain d'épices aux pommes et aux abricots (\*), 322

Mousse au chocolat noir et au parfum de Grand Marnier (\*), 234

**Mousseux au chocolat noir et thé Lapsang Souchong (**\*\***), 226, 231, 237**

**Noix de macadamia sablées au sirop d'érable et curry (**\*\***), 98, 225, 233, 235, 323, 326**

Palets de ganache de chocolat noir au café, 234

Palets de ganache de chocolat noir au poivre de Sichuan, 233

Palets de ganache de chocolat noir parfumée à l'érable, 225, 233, 237

Palets de ganache de chocolat noir parfumée au café, 230

**Panna cotta au fromage bleu, air de rose et craquelins de clou de girofle (**\*\***), 226, 230, 231, 233, 256**

Panna cotta aux framboises et à l'eau de rose, 237

Panna cotta aux pêches et zestes de lime, 321

Panna cotta aux poires, 322

Parfait à l'érable, 234

**Pâte de fruits_Mc² (litchi/gingembre, sucre à la rose) (**\*\***), 226, 321, 326**

Pêches rôties au caramel à l'orange (\*), 228, 324, 326

**Poires asiatiques cuite au safran et belle de Brillet, éclats de vieux cheddar, mangue glacée/râpée (**\*\***), 236, 237, 320, 321**

**Poires au vin rouge et aux épices douces (voir recette Vin chaud épicé_Mc² : à la poire) (**\*\***), 320**

**Pouding poché au thé *Earl Grey*, beurre de cannelle et scotch highland *single malt* (**\*\***), 228, 237, 322, 323, 325**

Réduction de porto ruby sur crème glacée à la vanille, 227

Sachertorte accompagnée de confiture d'abricot, 230

Salade d'ananas et fraises parfumée au romarin, 324

Salade de fruits exotiques à la menthe fraîche, 233

Strudel aux pommes et cannelle, 322

Tartare de litchis aux épices (*), 322, 323

Tarte à l'ananas et aux zestes d'orange confits (*), 230, 323, 328

Tarte à la citrouille et au gingembre (*), 321, 322, 323

Tarte au chocolat noir (*) baignée d'une sauce au café, 231

Tarte au chocolat noir parfumée au thé Lapsang Souchong (*), 235

Tarte au sucre et aux noix, 226

Tarte fine aux poires et pâte d'amandes, 322

Tarte Tatin, 325

Tarte Tatin rehaussée de poivre de Sichuan rouge Impérial, 323, 327

**Tatin de pommes au curry, noix de macadamia salées au sirop d'érable, tranche de foie gras de canard poêlé (\*\*), 225, 235, 320, 323, 325**

Truffes au chocolat au café (*), 235

Truffes au chocolat aux parfums de havane (*), 231, 234

Truffes au chocolat et à la cardamome (*), 231

Truffes au chocolat et à la vanille (*), 236

**Whippet_Mc² (guimauve au sirop d'érable vanillé, coque de chocolat blanc caramélisé) (\*\*), 233, 319**

**DIGESTIF**

Truffes au chocolat au café (*), 235

Truffes au chocolat aux parfums de havane (*), 231, 234

Truffes au chocolat et à la cardamome (*), 231

Truffes au chocolat et à la vanille (*), 236

**DINDES & DINDONS**

**Abattis de dinde croustillants farcis à la fraise « cloutée », laqués à l'ananas (\*\*), 251, 252, 253, 256, 259, 260, 271**

Dinde farcie et sauce aux canneberges et au porto LBV, 277

Dindon de Noël et risotto au jus de betterave parfumé au girofle, 245, 273

Dindon de Noël sauce aux canneberges, 280

Dindon farci aux pommes, 256

Dindon rôti et risotto au jus de betterave parfumé au girofle, 136

Dindon rôti sauce au pinot noir, 115

## ESCARGOTS

Casserole d'escargots à la tomate et aux saucisses italiennes épicées, 128

Escargots à la crème de persil, 82, 95

Escargots aux champignons et à la crème de persil, 84

## FONDUES

**Fondue à Johanne_Mc² (cubes de fromage à croûte lavée, frits et parfumés à l'ajowan) (\*\*), 92, 238**

Fondue au fromage suisse, 82, 253

Raclette, 77, 82, 253

## FROMAGES

Asiago stravecchio, 89

Azeitào, 95

Cabra transmontano, 89

Camembert aux clous de girofle (macérés quelques jours au centre du fromage), 109, 292, 302

Casimir, 87, 259

Chaource, 255

Chaumes, 98

Cheddar (très vieux), 234, 235

Cheddars (vieux), 226

Cheddars (vieux) accompagnés de confiture de coings et de noix de Grenoble, 320

Cheddars (vieux) accompagnés de confiture de poires et de gingembre, 327

Comté (12 mois d'affinage), 93, 98

Comté Fort des Rousses (12 mois d'affinage), 95

Comté Fort des Rousses (24 mois d'affinage), 242, 243

Coulommiers, 244

Cru des érables, 323

Dattes chaudes dénoyautées et farcies à la fourme d'Ambert (au four, à 180°C ou 350°F, 5 minutes), 226

Dattes chaudes dénoyautées et farcies au roquefort, 226

Époisses, 325

Époisses accompagné de marmelade d'oranges, 327

Époisses accompagné de pain aux figues, 323

***FROMAGES (SUITE)***

Fondue au fromage suisse, 82, 253

Fourme d'Ambert accompagnée de confiture de cerises noires, 230

Fromage à croûte fleurie aux clous de girofle (macérés quelques jours au centre du fromage), 120, 121, 133, 176, 272, 273, 281, 296, 297, 309

Fromage à croûte fleurie farci d'une poêlée de champignons macérés quelques jours au centre du fromage, 261

Fromage à croûte fleurie grillé dans une feuille de brick parfumée au thym, 128, 140, 272, 293

Fromage à croûte lavée parfumé au romarin (macéré quelques jours au centre du fromage), 282

**Fromage de chèvre cendré à l'huile d'olive et romarin (\*\*), 79, 81, 83, 91, 225, 262**

Gavoi di montagna (lait de brebis, fumé durant son affinage d'une durée de 12 mois), 231

Gorgonzola, 231

Gorgonzola accompagné de marmelade d'oranges, 323, 327

Gouda (très vieux), 87, 226, 232

Gré des champs, 93

Gruyère Réserve (très vieux), 196

Gruyère Réserve (très vieux) accompagné d'une confiture de prunes au clou de girofle, 168, 288

Ibores (lait de brebis d'Espagne recouvert de *pimentón*, sorte de paprika fumé espagnol), 227

Migneron, 255

Parmigiano reggiano, 146

Parmigiano reggiano (24 mois d'affinage), 170

Parmigiano reggiano (plus de 24 mois d'affinage), 172, 242, 243

Parmigiano reggiano (plus de 24 mois d'affinage) accompagné d'une réduction de café noir (avec un doigt de balsamique), 217

Parmigiano reggiano (très vieux), 169

Pecorino affumicato, 227

Petit Normand, 259

Pied-de-vent, 98

Raclette, 77, 82, 253

Riopelle, 259

Saint-marcelin, 93

Saint-marcelin (sec), 228, 320

São jorge au lait cru (120 jours et plus d'affinage) accompagné de *marmelada* (confiture de coings), 228

São jorge au lait cru (de 120 jours et plus d'affinage), 232

São jorge et vieux cheddars accompagnés de confiture de coings portugaise et de noix de Grenoble (\*), 234

Terrincho velho (de plus ou moins 90 jours d'affinage) accompagné de confiture de coings portugaise et de noix de Grenoble, 320

Terrincho velho (plus ou moins 90 jours d'affinage), 235

Victor et Berthold, 95

**GIBIERS**

Bavette de cerf sauce teriyaki, 281

Cerf sauce aux griottes et au chocolat noir (\*), 209

Côtes de cerf sauce aux griottes et au chocolat noir (\*), 215, 220, 308

Côtes de cerf sauce aux griottes et au chocolat noir Valrhona Guanaja (\*), 208, 218, 315

Filets de caribou sauce aux bleuets et au chocolat noir, 206

Filets de caribou sauce aux bleuets et au chocolat noir 90% cacao, 231, 297

Lièvre (ou lapin) à l'aigre-doux (\*), 206

Osso buco de cerf aux parfums de mûres et de réglisse (\*), 204, 210, 216, 222, 314

**HAMBURGERS**

Hamburger aux poivrons rouges confits et au fromage cheddar, 110

Hamburger de bœuf à la pâte concentrée de poivron vert à la menthe (voir aussi chapitre *Recettes*, p. 50), 113

Hamburgers au fromage et champignons (avec bacon, poivrons rouges confits), 272

Hamburgers aux champignons et aux lardons, 110

Hamburgers aux champignons portabellos poêlés, 165

Hamburgers aux poivrons rouges confits et au paprika, 126, 185

Hamburgers aux tomates séchées et cheddar extra-fort, 141, 143, 185, 200

Hamburgers d'agneau à la pommade d'olives noires, 119, 128, 155, 185

Hamburgers d'agneau à la pommade d'olives noires au poivre, 113, 174

Hamburgers d'agneau à la pommade d'olives noires et au thym, 184

Hamburgers d'agneau aux poivrons rouges confits et au *pimentón*, 111, 135

Hamburgers d'agneau aux poivrons rouges confits et au curcuma, 111, 114, 127, 132, 143, 160, 189, 306

Hamburgers d'agneau aux poivrons rouges confits et au paprika, 118, 123, 129, 136, 143, 169, 273, 278, 312

Hamburgers d'agneau et pâte concentrée de poivrons verts à la menthe (voir aussi chapitre *Recettes*, p. 50), 120

Hamburgers d'agneau et poivrons rouges au cumin, 122

Hamburgers de bœuf à la pommade d'olives noires, 116, 183, 279, 281

Hamburgers de bœuf à la pommade d'olives noires (olives noires dénoyautées et huile d'olive passées au robot), 129

Hamburgers de veau à l'italienne (oignons rouges, poivrons rouges rôtis et paprika), 134

**HOMARD**

Homard « Hommage à la route des épices » (*), 265

Homard au vin rouge, chocolat noir et *pimentón*, 212

**Homard frit au *pimentón* doux fumé, compote de poivrons jaunes au concentré de jus d'orange (\*\*), 92, 95, 97**

Homard grillé et mayonnaise à l'aneth, 98

Homard rôti à la salsa d'ananas, 327

Homard rôti à la salsa d'ananas au quatre-épices, 106

**HORS-D'ŒUVRE**

**After 8_Mc² (version originale à la menthe) (\*\*), 236, 328**

**Amandes apéritives à l'espagnole (*pimentón* fumé, miel et huile d'olive) (\*\*), 84, 227, 251, 271**

*Antipasti* de melon, de figues fraîches et de prosciutto, 230, 320

Apéritif, 77, 78, 79, 80, 82, 83, 85, 88, 89, 90, 225, 227, 228, 240, 241, 242, 245, 246, 254, 266, 319, 320

Arancini au safran, 101, 261, 325

Assiette de tomates fraîches et basilic, 79

Assiette de tomates fraîches et mozzarella à l'émulsion d'huile d'olive et jus de pamplemousse rose, 84, 92

Avocats farcis à la chair de crabe et émulsion d'huile d'olive et de jus de pamplemousse rose, 89

Avocats farcis à la chair de crabe et mayonnaise au wasabi, 93

Avocats farcis à la chair de crabe et vinaigrette au jus d'agrumes, 86, 103, 253, 268

Avocats farcis aux crevettes, 267

Avocats farcis aux crevettes et asperges (vinaigrette au jus de pamplemousse rose), 263

Avocats farcis aux crevettes et aux asperges, 253, 258, 259, 266

Bâtonnets de polenta grillée à l'anis, 284

**Bloody Ceasar_Mc² (version solide pour l'assiette) (\*\*), 90, 253, 263, 267**

Brunch, 322

Bruschetta à la tapenade de tomates séchées, 115, 282, 297

Bruschetta au pesto, 83, 90

Bruschetta au pesto de roquette, 101

Bruschetta aux tomates séchées, 132

**Cacahouètes apéritives à l'américaine : sirop d'érable, cannelle, zestes d'orange et piment Chipotle fumé (\*\*), 229**

Canapés d'asperges enroulées de saumon fumé et d'aneth, 78, 93, 95

Canapés d'asperges et de fromage de chèvre frais, 319

Canapés de minibrochettes de poulet à la salsa d'ananas, 83

Canapés de mousse de foie de volaille sur pain brioché, 242

Canapés de mousse de saumon fumé sur pain de campagne grillé, 242

Canapés de poisson fumé au fromage à la crème, 240

Canapés de pommade d'olives noires au poivre, 158

Canapés de saumon fumé à l'aneth, 258

Canapés de truite fumée sur purée de céleri-rave, 243

*HORS-D'ŒUVRE (SUITE)*

Carpaccio de courgettes fraîches et de vieux cheddar (arrosé d'huile d'olive et accompagné de tomates fraîches et de quelques pousses de roquette), 100

Crêpes fines aux asperges et saumon fumé, 253, 259, 267

Croûtons de pain grillés et sauté de champignons (rehaussés d'un concassé de noisettes), 227

Croûtons de pain grillés surmontés de foie gras de canard, 242

Croûtons de pain grillés surmontés de foie gras de canard et de compote d'abricots, 230

Digestif (sans glaçon), 325

**Feuilles de vigne farcies_Mc² (riz sauvage soufflé, bacon de sanglier, sirop de riz brun/café) (\*\*), 110, 111, 114, 116, 120, 121, 123, 125, 126, 129, 130, 131, 132, 140, 142, 143, 152, 160, 161, 167, 172, 173, 187, 188, 189, 196, 200, 203, 212, 215, 271, 275, 277, 278, 281, 283, 285, 287, 288, 294, 308, 309**

Figues séchées enroulées de jambon ibérique, 225, 228, 229

**Fougasse parfumée au clou de girofle et fromage bleu fondant caramélisé (\*\*), 103, 209, 226, 230, 231, 233, 235, 257, 264, 296**

Melon cantaloup arrosé d'eau de fleur d'oranger, 225

**Meringue de pois verts, tomates confites, filets d'anchois croustillants au vinaigre de xérès_Mc² (air de shiitakés dashi) (\*\*), 313**

Minibrochettes de cantaloup et prosciutto, melon cantaloup arrosé d'eau de fleur d'oranger, 226

Minibrochettes de crevettes au basilic, 78

Minibrochettes de crevettes au romarin, 255

Minibrochettes de crevettes et trempette tzatziki à la menthe fraîche, 78

Minibrochettes de poulet à l'ananas et au cumin, 257

Minibrochettes de tomates cerises, de bocconcini et de basilic frais, 321

Mousse de foies de volaille aux figues, 230, 322

Mousse de foies de volaille aux poires, 241, 320

Roulade de saumon fumé, 241

Tapas classiques (olives, anchois, noix salées), 225

Tapas d'asperges, 228

Tapas d'esturgeon fumé, 228

Tartelettes au fromage de chèvre frais aux poireaux et noix de pin grillées, 241

Tartelettes chaudes de fromage de chèvre frais et de noix de pin grillées, 104, 241

Tartinades d'olives noires, 130, 147, 155, 159

Tartinades d'olives noires (graines de fenouil et zestes d'orange), 137, 141

Tartinades de pommade d'olives noires au poivre, 116

**Terrine de foie gras et cailles, parfums de pétales de rose, gingembre, litchi et piment d'Espelette (\*\*), 321, 326**

Terrine de truite fumée, 241

*Toast* de foie gras de canard au torchon (\*), 241, 244

*Toast* de mousse de foie gras de canard (\*), 325

*Toasts* de saumon fumé, 321

Tomates farcies au thon avec céleri et persil, 252

Trempette crémeuse et légumes, 82

Trempette crémeuse servie avec des légumes frais et croquants, 255

Trempette de guacamole et mangue, 78, 83, 257

Trempette de légumes tzatziki à la menthe fraîche, 99

Trempette tzatziki à la menthe fraîche, 77, 80

## HUÎTRES

Ceviche d'huîtres au wasabi et à la coriandre fraîche, 85, 90

Huîtres chaudes au beurre de poireaux, 244

**Huîtres crues en version anisée (\*\*), 77, 85, 94, 97, 98, 103, 105**

Huîtres fraîches à la coriandre fraîche et au jus de lime, 90

Huîtres fraîches et jus de lime, 96

**Huîtres frites à la coriandre et wasabi (\*\*), 78, 83, 84, 89, 90, 93, 95, 240, 244, 251, 252, 258, 259, 260, 263, 267**

Tartare d'huîtres, 247

## JAMBON

**Chips de jambon serrano, pommade de nectar d'abricot, chapelure d'oreilles de crisse (\*\*), 86, 225, 240, 255**

**Jambon glacé aux fraises et girofle (\*\*), 123, 256, 259, 264, 272**

**LAPIN**

Cuisses de lapin braisées longuement et baignées d'une réduction parfumée à l'estragon, 138

Lapin à la crème moutardée (*), 79, 259, 264, 267

Lapin à la toscane (*), 144, 148, 165

Lapin aux pruneaux, 126

Lièvre (ou lapin) à l'aigre-doux (*), 206

Mon lapin exotique pour amateurs de vins blancs (*), 87, 98

**LÉGUMES**

Asperges vertes à la vapeur et émulsion filet d'huile d'olive espagnole et jus de pamplemousse rose, 262

Asperges vertes rôties au four à l'huile d'olive, 145, 185, 208, 275, 279, 290, 312

Asperges vertes rôties au four à l'huile d'olive et au poivre noir, 219, 301, 304, 307

**Asperges vertes rôties, enrobées de chocolat noir (infusé au thé fumé Zheng Shan Xiao Zhong, fleur de sel au café) (\*\*), 123, 135, 149, 162, 164, 177, 209, 220, 273, 275, 284, 285, 286, 293, 294, 295, 299, 301, 303**

Caponata à la sicilienne (version italienne de la ratatouille niçoise), 112

Champignons sautés au lait de coco et vanille, 297

Mix grill de légumes au romarin, 127, 262

Navets confits au clou de girofle (voir aussi chapitre *Recettes*, p. 44), 199

Pâte concentrée de poivrons rouges à l'huile de sésame grillé (voir aussi chapitre *Recettes*, p. 48), 125

Pâte concentrée de poivrons verts et menthe (voir aussi chapitre *Recettes*, p. 50), 105

Purée de navets à l'anis étoilé (voir aussi chapitre *Recettes*, p. 56), 113, 162, 276

Purée de navets au clou de girofle (voir aussi chapitre *Recettes*, p. 44), 307

Purée de panais au basilic thaï (voir aussi chapitre *Recettes*, p. 54), 297

Purée de panais au clou de girofle (voir aussi chapitre *Recettes*, p. 44), 129, 199

Purée_Mc$^2$ pour amateur de vin au céleri-rave et clou de girofle (\*\*), 120, 125, 129, 134, 138, 152, 158, 160, 162, 167, 168, 171, 174, 175, 179, 186, 189, 203, 279, 286, 287, 292, 298, 311

**MOULES**

Moules au jus de persil, 258

Moules au vin blanc et à l'émincé de fenouil frais, 83, 85

Moules marinière « à ma façon » (*), 99, 253, 254

**PAELLA**

Paella aux fruits de mer et safran, 93

**PÂTES**

Crostini aux figues et au gorgonzola, 230

Fettucini Alfredo, 84, 86

Fettucine all'amatriciana « à ma façon » (*), 111, 117, 118, 129, 131, 136, 141, 143, 144, 148, 150, 151, 165

Fettucine alla morosana (cantaloup, huile d'olive, prosciutto et parmigiano reggiano) (*), 86

Fettucine au saumon fumé à l'aneth, 82, 84, 263

Fettucine au saumon fumé et à l'aneth, 88

Fettucine aux crevettes et coriandre fraîche, 90

Fettucine aux légumes grillés et au parmigiano, 122, 139

Fusillis au saumon, 266

Fusillis au saumon et au basilic, 83, 251, 252

Lasagne au four, 109, 111, 132, 271

Lasagne aux saucisses italiennes épicées, 110, 114, 115, 125, 134, 147, 305

Linguine alla putanesca, 122

Linguine aux crevettes au cari et à l'orange, 88

Linguine aux moules sauce crémeuse, 86

*Pasta* au citron, asperges et basilic frais, 85, 252, 257, 258

Pâtes à la sauce tomate au prosciutto et à la sauge, 115, 133

Pâtes au pesto de tomates séchées, 130

Pâtes aux champignons, 115

*PÂTES (SUITE)*

Pâtes aux champignons et parmesan, 251, 256

Pâtes aux champignons portabellos sautés et fond de veau, 138, 144

Pâtes aux chipolatas., 182

Pâtes aux fruits de mer et au Pernod, 81

Pâtes aux fruits de mer sauce à la crème et aux lardons, 252

Pâtes aux fruits de mer sauce crémeuse, 251, 253, 255, 257

Pâtes aux olives noires (*), 114, 127, 130, 131, 140, 151, 155, 159, 193, 278

Pâtes aux olives noires et au poivre, 116

Pâtes aux olives noires et au romarin, 277

Pâtes aux saucisses épicées, 125

Pâtes aux saucisses italiennes, 131

Pâtes aux saucisses italiennes épicées, 113, 119, 184, 271, 273

Pâtes aux tomates séchées, 130, 297, 311

Pâtes aux tomates séchées et au basilic, 124, 168, 170, 271, 280, 288

Pâtes d'algues nori mouillées farcies à la purée de framboises fraîches, 148

Pâtes en sauce méditerranéenne aux aubergines et à l'ail (avec poivrons, olives noires, câpres, tomates, origan), 113, 131

Pâtes minute aux tomates et au basilic frais, 126

Pâtes sauce à la tomate minute, 111

Pâtes sauce au fond de veau et aux champignons portabellas, 158

Pâtes sauce au fromage bleu (voir Entrecôte sauce au fromage bleu) (*), 261

Raviolis aux champignons, 264

Raviolis d'algue nori mouillée au thé et farcis de purée de framboises, 277

Raviolis froids d'algue nori mouillée au thé noir et farcis de purée de framboises fraîches, 124

Raviolis_Mc² « pour amateur de vin rouge » (algue nori mouillée, pommade d'olives noires et poivre) (voir aussi chapitre *Recettes*, p. 40), 122, 190, 206

Spaghetti bolognaise, 271

Spaghetti bolognaise épicé, 109, 117

Spaghetti gratiné aux saucisses italiennes, 115

Tagliatelles à la réglisse noire, queues de langoustines rôties, tomates séchées et petits pois (**), 142, 169, 173, 196, 209, 223, 229

**PÉTONCLES**

Gros pétoncles grillés fortement et enrubannés d'algues nori, 277

Pétoncle fortement poêlé, flanc de sanglier braisé, feuilletage de cacao, poudre d'olives noires déshydratées, bouillon de canard au thé Lapsang Souchong (voir détails sur le site francoischartier.ca), 217

Pétoncles à l'émulsion d'huile d'olive et au jus de limette, 94

Pétoncles en civet (*), 206

Pétoncles poêlés enrubannés d'algues nori, 124

Pétoncles poêlés enrubannés d'algues nori et réduction de jus de veau, 314

Pétoncles poêlés enrubannés d'algues nori et réduction de jus de veau et framboises, 145, 148, 192, 295

Pétoncles poêlés et salade de champignons portabellos sautés et de copeaux de parmesan (vinaigrette à la moutarde), 87

**Pétoncles poêlés, couscous de noix du Brésil à l'orange sanguine, lait de coco au gingembre (**), 86, 104, 111, 125, 126, 129, 132, 144, 161, 166, 173, 198, 212, 222, 254, 263, 295, 298, 299, 302, 311**

**Pétoncles poêlés, couscous de noix du Brésil à l'orange sanguine, yogourt au gingembre (**), 228, 229, 241, 262**

**Pétoncles rôtis fortement, shiitakes poêlés, copeaux de parmigiano reggiano et écume de bouillon de kombu (**), 90, 92, 106, 154, 157, 243, 244, 258, 263, 265, 286, 289, 313**

Surf'n Turf Anise (*), 242, 243

**PIZZAS**

Pizza à l'américaine, 126, 137

Pizza à l'américaine et à l'huile épicée, 109

Pizza au camembert, 252, 257, 260

Pizza au capicolle et poivrons rouges confits, 110

Pizza au poulet et pesto poivré de tomates séchées, 135

Pizza aux fruits de mer, 256

Pizza aux fruits de mer sauce béchamel, 251, 255

Pizza aux olives noires, 109, 115, 143

Pizza aux olives noires et aux tomates séchées, 132, 149

Pizza aux saucisses italiennes épicées, 109

Pizza aux tomates séchées et à l'origan, 112, 116, 272

Pizza aux tomates séchées et au fromage de chèvre, 112, 306

Pizza carré à la tomate et origan, 122

Pizza relevée (saucisses italiennes épicées, olives noires séchées au soleil, sauce tomate de longue cuisson et/ou tomates séchées à l'huile épicée), 136

Pizza sicilienne aux saucisses épicées et olives noires, 117, 156, 274, 281

## POISSONS

Brochettes de saumon au beurre de pamplemousse (*), 268

Calmars au mojo (ail, huile d'olive, graines de cumin grillé, jus de lime et jus d'orange), 87, 88

**Calmars en tempura d'amandes, fleur de sel au cèdre, mousse de riz en paella (**), 79, 80, 81, 83, 95, 100, 102, 240, 241, 260**

Ceviche de poisson blanc, 81

Coulibiac de saumon, 98, 101

Coulibiac de saumon à l'aneth., 104

Croquettes de pommes de terre et de saumon, 253

**Dos de morue poché au lait de coco à la rose (gingembre mariné et pois craquants) (**), 78, 79, 94, 256, 264, 266**

Éperlans frits arrosés de jus de citron, 77

Escalope de saumon au cerfeuil et au citron, 93, 98, 101

**Filet d'escolar poêlé, anguille « unagi » BBQ, crème de céleri-rave aux graines de cerfeuil, feuilles et huile de menthe fraîche (**), 96, 103, 104, 105**

Filet de saumon au pinot noir (*), 115, 133

Filet de saumon bénédictin (*), 260

Filet de saumon fortement grillé, 281

Filet de saumon grillé au quatre-épices chinois, 290

Filet de saumon grillé sauce au vin rouge (voir Filet de saumon au pinot noir) (*), 132, 144

Filet de sole à la moutarde et au miel, 79, 252, 256

Filet de sole aux amandes grillées, 87

**Filet de truite en gravlax nordique, granité de gingembre et de pamplemousse (**), 79**

**Filet de truite en gravlax nordique, granité de gingembre et pamplemousse, litchi (**), 91, 92**

Filet de truite saumonée à l'huile de basilic, 103

Filets de maquereau à la tomate et tian de légumes (tomates, aubergines, poivrons, oignons, ail), 112

*Fish and chips* et mayonnaise au romarin, 266

*Fish and chips* sauce tartare, 77

Flétan au beurre d'agrumes, 81, 102

Flétan cuit à la vapeur de camomille, 101

**Lotte à la vapeur de thé gyokuro, salade d'agrumes et pistils de safran (**), 89, 94, 101, 102, 105, 240, 252**

Morue au fenouil et à la pêche, 105

Morue poêlée et salade de fenouil cru à la lime, 254

**Pattes de pieuvre rôties, compote de tomates au thé noir, pamplemousse rose, lavande et safran du Maroc (**), 228, 255, 262**

Pavé de bar du Chili en croûte de cèpes et réduction de porto (*), 185

Poisson grillé arrosé de jus de citron, 77, 80

Sashimi de poisson, 80

Sashimi sur salade de nouilles de cellophane au gingembre et au sésame, 89

Saumon confit dans l'huile d'olive et orzo à la bette à carde, 89

Saumon confit et sauté de fenouil et pommes vertes, 93, 100

**Saumon fumé sans fumée_Mc² (au thé noir fumé Lapsang Souchong) (**), 107**

Saumon fumé sauce au miel, 79

Saumon fumé vinaigrette au miel, 82

Saumon grillé à la salsa d'ananas, 264

Saumon grillé au beurre de pesto de tomates séchées, 148, 247, 286

Saumon grillé beurré de pesto de tomates séchées, 183

Saumon grillé et béarnaise de crottin de Chavignol (*), 81

Saumon grillé et coulis de sauce tomate de longue cuisson, 117, 131

Saumon grillé et émulsion d'huile d'olive et de jus d'agrumes, 258

*POISSONS (SUITE)*

**Saumon grillé et réduction de Soyable_Mc² (voir Bœuf grillé et réduction de Soyable_Mc²) (\*\*), 319**

Saumon grillé infusé au saké et champignons shiitakes, 87, 102

Saumon infusé au saké et champignons shiitake, 106, 244, 246, 247, 325

Saumon laqué à la sauce soya et à la bière noire, 279

**Saumon laqué sauce soya/vinaigre balsamique (\*\*), 291**

Saumon mariné à l'aneth (\*), 93, 260

Saumon mariné en sauce à l'aneth (\*), 81, 95, 96, 251

Saumon poché au cerfeuil et au citron, 95

Saumon teriyaki, 112

Sole pochée et tagliatelles au safran et au fenouil, 78, 257

Steak de saumon au café noir et au cinq-épices chinois (\*), 146, 149, 171, 296

Steak de saumon grillé au *pimentón* et tomates séchées, 275

Steak de thon grillé et frotté au concassé de baies de genièvre, 112, 126, 150, 300, 301, 310

Steak de thon rouge enveloppé d'algues nori, 117

Steak de thon rouge enveloppé d'algues nori et accompagné d'une purée de framboises chaude, 152

Sukiyaki de saumon, 282, 308

Tartare de saumon, 96

Tartare de saumon au poivre rose, 246

Tartare de thon, 183, 321

Tartare de thon au piment d'Espelette, 247

Tataki de thon au café noir et au cinq-épices chinois (voir Steak de saumon au café noir et au cinq-épices chinois) (\*), 310

Thon poêlé aux tomates confites, 310

Thon rouge frotté aux baies de genièvre et pommade d'olives noires, 143

Thon rouge frotté aux baies de genièvre et pommade d'olives noires (avec poudre d'algues nori torréfiées et graisse de jambon fondue au safran), 145

**Thon rouge frotté aux baies de genièvre, olives noires, quelques petits pois, algues nori torréfiées, dés de graisse de jambon fondue, huile de pépins de raisin aux pistils de safran (\*\*), 157, 161, 163, 303**

Thon rouge mi-cuit au poivre et purée de pommes de terre aux olives noires, 141, 289, 306, 309

Thon rouge mi-cuit au poivre et risotto au jus de betterave parfumé aux clous de girofle, 151, 302

Thon rouge mi-cuit frotté au concassé de baies de genièvre, 137

Truite braisée au cidre, 96

Truite et purée de céleri-rave, 78

Truite grillée et purée de céleri-rave, 80, 83

Truite saumonée à l'huile d'olive et citron, 253

Truite saumonée à l'huile de basilic, 95, 98

Turbot au jus de pomme, 81

**POLENTA**

Polenta crémeuse aux olives noires et au parmigiano reggiano, 138

**PORC**

Brochettes de porc glacées à l'orange et au miel, 93, 110, 258, 306

Brochettes de porc sauce au poivre vert, 273

Brochettes souvkakis, 109, 110, 114, 118, 180, 271, 274

Carré de porc à la sauce chocolat épicée (*mole poblano*), 121, 202

Carré de porc aux pommes Golden et au safran, 259, 269

Carré de porc aux tomates confites et aux herbes de Provence, 137, 147

Carré de porc aux tomates séchées, 117, 131, 136, 144, 148, 184

Carré de porc aux tomates séchées et romarin, 163

Carré de porc aux tomates séchées et thym, 290

**Carré de porc glacé aux fraises, poivre du Sichuan, galanga et miel (\*\*), 91, 93, 156, 157, 210, 277, 279, 287, 292, 304, 313**

**Carré de porcelet de la Ferme Gaspor au safran, carottes, pommes Golden et melon d'eau (\*\*), 228, 229, 255, 268, 321**

Côtelettes de porc à la niçoise, 111, 271

Côtelettes de porc au bourbon et compote de pommes, 261

Côtelettes de porc au poivrons rouges confits épicés, 125, 136, 137, 144, 180, 285, 307

Côtelettes de porc braisées aux poivrons rouges confits épicés, 117

Côtes levées, 115

Côtes levées à l'ail et au romarin, 284

Côtes levées à l'anis et à l'orange, 283, 284

Côtes levées à la cannelle et au curry de vin rouge, 119, 124, 170, 181, 191, 279, 293

Côtes levées à la sauce barbecue, 271, 305

Côtes levées au curry et à la cannelle, 91

Côtes levées sauce barbecue épicée, 113, 272, 273, 276, 278, 280, 281

Côtes levées sauce teriyaki, 129

Curry de porc à la noix de coco (voir Curry de poulet à la noix de coco) (*), 82

Escalopes de porc à la salsa de fruits exotiques, 256

Escalopes de porc à la salsa de pêche et curcuma, 80, 82, 254

Escalopes de porc à la salsa fruitée, 82, 85, 86, 100, 264

Filet de porc au café noir (voir Filets de bœuf au café noir) (*), 111, 121, 130, 132, 161, 163, 264, 282

Filet de porc au miel et aux poires, 251

Filet de porc grillé au miel et aux poires, 84

Filet de porc grillé et pommade d'olives noires (olives noires dénoyautées et huile d'olive passées au robot), 149, 192

Filets de porc à la cannelle et aux canneberges, 115, 133, 196, 286, 292, 293, 309, 314

Filets de porc à la salsa de pêche et abricot, 85, 264

Filets de porc au miel et au gingembre, 85, 264

Filets de porc aux prunes au thé noir fumé Lapsang Souchong et anis étoilé, 199

Filets de porc grillés, 293

Filets de porc marinés au porto et au romarin frais, 283

**Flanc de porc « façon bacon » fumé au bois de pommier, mélasse, sauce soya, rhum et clou de girofle (**), 96, 116, 151, 158, 164, 215, 281, 288, 292**

Fricassée de porc au soya et sésame, 90, 261, 264, 279

Longe de porc fumée sauce au boudin noir et vin rouge, 146, 187

Médaillons de porc à l'érable et patates douces, garniture de pacanes épicées, 232

Médaillons de porc à la pommade d'olives noires, 137, 184

Médaillons de porc sauce aux canneberges et au porto LBV, 308

Mignon de porc mangue-curry (*), 79, 86, 98, 254, 265

**Morceau de flanc de porc poché, vinaigrette de boudin à la noix de coco, *crumble* de boudin noir (**), 90, 96, 154, 164, 170, 174, 176, 202, 204, 208, 261, 265, 311**

Rôti de porc aux épices à steak, 117, 127, 129

Rôti de porc et pommes caramélisées, 260

Rôti de porc farci aux abricots, 80, 82, 254

Sauté de porc à l'asiatique, 109

Sauté de porc à l'asiatique au jus d'ananas, 256, 260

Sauté de porc à l'asiatique et aux fraises (ou à l'ananas), 251, 271

Sauté de porc au brocoli et poivrons rouges sur pâtes aux œufs, 182

Sauté de porc aux poivrons rouges confits épicés, 183

Sauté de porc vietnamien au cinq-épices, 133, 166, 282, 297

Souvlakis à l'origan et aux épices à steak, 278

Souvlakis de porc mariné à l'origan et aux épices à steak, 273

Tourtière, 110

Tourtière aux épices douces (cannelle et muscade), 115, 280

**POULET**

Ailes de poulet, 111, 181

Ailes de poulet épicées, 272, 283, 305

**Blanc de volaille cuit au babeurre, émulsion d'asperges vertes aux crevettes_Mc² (feuilles de choux de Bruxelles, vinaigrette acide à la chicorée) (**), 97, 105, 107, 264**

Brochettes de poulet à l'ananas et au cumin, 99

Brochettes de poulet à la salsa d'ananas, 254

Brochettes de poulet aux champignons portabellos, 123, 128, 180, 186, 280

Brochettes de poulet et de crevettes à la salsa d'ananas, 86, 87, 252, 259, 260

Brochettes de poulet et de crevettes sauce moutarde et miel, 260, 267

Brochettes de poulet et de poivrons rouges confits, 145

Brochettes de poulet et lardons, 117, 190

Brochettes de poulet teriyaki, 128, 144, 276, 278, 280, 307

*POULET (SUITE)*

Casserole de poulet à la pancetta, 100, 101, 257

Casserole de poulet à la pancetta et carottes, 228, 314

Cocotte de poulet et lentilles aux piments forts, curcuma, cardamome et coriandre, 80, 119, 262

Cuisses de poulet aux olives noires et aux tomates confites, 132

Cuisses de poulet grillées au pesto de tomates séchées, 127

Cuisses de poulet grillées au pesto de tomates séchées parfumé au thym, 137

Curry de poulet à la noix de coco (*), 264, 265

Fricassée de poulet à l'asiatique, 86, 87, 253

Fricassée de poulet au gingembre, 259, 260

Fricassée de poulet au gingembre et au sésame, 85, 261

Fricassée de poulet aux champignons, 98, 101, 251

Fricassée de poulet aux fraises et au gingembre, 83

Panini au poulet et aux poivrons rouges grillés, 136

**Petit poussin laqué (**\*\***), 86, 258, 263**

Poitrines de poulet farcies au chèvre et aux poivrons rouges, 124, 148, 187

Poitrines de poulet farcies aux olives noires et tomates séchées, 126

Poitrines de volaille à la crème d'estragon (*), 191

Pot-au-feu de L'Express (*), 133, 195

Poulet au cidre, 319

Poulet au gingembre et à l'ananas, 84

Poulet au soja à l'anis étoilé servi avec riz sauvage, 298

Poulet au soja et à l'anis étoilé, 297, 313

Poulet aux litchis et aux piments, 91, 92, 257

Poulet aux litchis et piments forts, 254

Poulet aux olives noires, 113

Poulet aux olives noires et aux tomates, 137

Poulet aux olives noires et aux tomates séchées, 125, 187

Poulet basquaise, 113

Poulet braisé aux olives noires et aux tomates séchées, 130

Poulet cacciatore, 115, 129, 190

Poulet chasseur, 118, 128, 200

Poulet et ratatouille, 116

Poulet grillé, 126

Poulet grillé au quatre-épices, 109

Poulet grillé sur une canette de bière frotté aux épices barbecue et copeaux d'hickory, 114, 116, 134, 190, 276, 286

Poulet rôti à l'orange, 254

Poulet rôti accompagné de ratatouille, 111

Poulet rôti au cinq-épices, 135

Poulet rôti au sésame et au cinq-épices, 206

Poulet rôti et ratatouille sur couscous, 110, 280

Sandwich de poulet grillé au pesto de tomates séchées, 115

Sandwichs « pita » au poulet et au chutney à la mangue, 99, 255

Satés de crevettes et poulet, 228

Suprême de poulet au citron et parfum de gingembre, 89

Suprêmes de poulet au tilleul, 94

*Wraps* au poulet et au chorizo, 184

*Wraps* au poulet et au pesto de tomates séchées, 134

*Wraps* au poulet grillé teriyaki, 116

# Q

**QUICHES**

Quiche au fromage de chèvre et aux poireaux, 251

# R

**RISOTTO**

Risotto à la tomate et au basilic, 282, 297

Risotto à la tomate et au basilic avec aubergines grillées, 133, 197

Risotto au jus de betterave parfumé au girofle, 133, 160, 164, 166, 183, 201, 281, 297

Risotto au safran et aux petits pois, 257

Risotto aux langoustines et à la poudre de réglisse, 243

Risotto aux tomates séchées et aux olives noires, 130, 141, 150

Risotto de crevettes au basilic, 88, 93, 96, 260

**RIZ**

**Riz sauvage soufflé au café_Mc$^2$ (**\*\***), 281, 287, 291**

# S

## SALADES

Salade « raita » estivale de concombre (coriandre fraîche, cumin et yogourt), 87

Salade au crottin de Chavignol aux herbes (basilic, cerfeuil et fenouil) et à l'huile, 81

Salade César, 77, 80, 82

Salade César aux crevettes grillées, 80

Salade chinoise aux crevettes à l'ananas, 255

Salade d'ananas et fraises parfumée au romarin, 324

Salade d'asperges à l'émulsion de jus de pamplemousse rose et paprika, 83

Salade d'asperges et de mozzarella à l'émulsion de jus de pamplemousse rose, 78, 79, 97, 252

Salade d'asperges et vinaigrette à la cannelle, 229

Salade d'asperges vertes rôties à l'émulsion de « Mister Maillard » (voir aussi chapitre *Recettes*, p. 42), 186

Salade d'asperges vertes vapeur à l'émulsion d'huile d'olive et jus de pamplemousse rose, 253, 259

Salade d'endives braisées et cerises (avec amandes et fromage de chèvre émietté), 135

Salade d'endives braisées et cerises (avec noix et fromage bleu), 109, 233

Salade d'endives braisées et cerises (avec noix et fromage parmesan émietté), 111, 122, 123, 125, 131, 195, 288, 296, 307, 312

Salade d'endives braisées et de cerises au fromage bleu, 231

Salade d'endives et de pommes, 321

Salade d'endives et de pommes fraîches à l'huile de sésame, 240

Salade d'endives fraîches et cerises avec sésame et fromage de chèvre sec émietté, 228

Salade de betteraves rouges parfumées au quatre-épices, 123, 135, 182, 188, 288, 308, 312

Salade de betteraves rouges parfumées au quatre-épices (poivre, muscade, gingembre en poudre et clou de girofle), 116, 146, 296, 319

Salade de bœuf grillé à l'orientale, 115, 131, 133, 282

Salade de bœuf grillé fortement et de betteraves rouges poêlées et aromatisées au clou de girofle, 133

Salade de champignons portabellos sautés (bien poivrés) et copeaux de parmesan, 286

Salade de champignons portabellos sautés et copeaux de parmesan, 112, 258

Salade de champignons portabellos sautés et de copeaux de parmesan, 117

Salade de crevettes, 89, 99

Salade de crevettes à la mayo-wasabi, 80

Salade de crevettes au jus d'agrumes et au sésame, 93

Salade de crevettes au mojo (ail, huile d'olive, graines de cumin grillé, jus de lime et jus d'orange), 261

Salade de crevettes et fenouil frais à l'huile de lavande, 101

Salade de crevettes et tomates à la vinaigrette de papaye, 79, 97

Salade de crevettes et vinaigrette au gingembre et sauce soya (avec jus de citron), 77, 87, 268

Salade de demi-bulbes de fenouil grillés surmontés de fromage de chèvre chaud, 96, 104

Salade de fenouil et de pommes à l'huile parfumée à la lavande, 319

Salade de fenouil et de pommes au fromage de chèvre chaud, 101, 252

Salade de fenouil et fromage de chèvre chaud, 88, 96, 99

Salade de fenouil et pommes, 80

Salade de fenouil frais vinaigrette à l'orange et gingembre, 94, 102

Salade de fenouil grillé et fromage de chèvre chaud, 83, 89, 98, 104

Salade de figues fraîches et de fromage de chèvre (vinaigrette au miel et cannelle), 319

Salade de foies de volaille et de cerises noires, 122, 131, 139, 193, 296

Salade de fromage de chèvre sec mariné dans l'huile d'olive parfumée au romarin, 261

Salade de fruits exotiques à la menthe fraîche, 233

Salade de nouilles au gingembre et thon au sésame noir, 255

Salade de pâtes à la méditerranéenne (tomates cerises, olives noires, feta, aneth), 135

**SALADES (SUITE)**

Salade de poires et figues fraîches (vinaigrette au quatre-épices), 259

Salade de pomme et d'endive à la vinaigrette au fromage bleu, 319

Salade de poulet au sésame et gingembre, 254

Salade de poulet au sésame et vinaigrette à l'orange, 254

Salade de tomates et de melon d'eau, 229

Salade de tomates et melon d'eau vinaigrette au jus de pamplemousse rose, 268

Salade de tomates fraîches et asperges au basilic frais, 92

Salade de tomates fraîches et de cubes de melon d'eau (vinaigrette au jus de pamplemousse rose et paprika), 251, 259

Salade de tomates fraîches et de cubes de melon d'eau à l'huile de basilic, 102, 228, 254

Salade de vermicelles au poulet et au citron, 80, 81

Salade tiède d'endives au fromage bleu Cambozola (*), 255

Salade Waldorf à l'indienne (avec endives, noix et sauce à base de mayonnaise et de yogourt), 86

Taboulé à la menthe fraîche, 89, 257, 266

Taboulé à la menthe fraîche et aux crevettes, 257

Taboulé de crevettes à la menthe fraîche et persil, 262

Taboulé de grosses crevettes safranées, 268

Taboulé de menthe fraîche, 79

**SANDWICHS**

Burger de bœuf au foie gras et champignons, 200, 202

Focaccia à l'origan, 135

Focaccia à la sauce tomate (idéalement de longue cuisson) et aux olives noires, 130

Focaccia à la sauce tomate de longue cuisson et aux olives noires et thym séché, 119, 141, 274

Panini au poulet et aux poivrons rouges grillés, 136

Quesadillas (*wraps*) aux saucisses italiennes, 271

Sandwich « pita » au poulet, 251

Sandwich au bœuf grillé et aux oignons caramélisés, 109

Sandwich au rôti de bœuf parfumé au thym frais, 112, 118, 119, 126, 137, 150, 272, 274, 296

Sandwich aux légumes grillés et tapenade de tomates séchées, 131

Sandwich chaud aux saucisses italiennes, 132

Sandwich de canard confit, nigelle et feuille de roquette (voir aussi chapitre *Recettes*, p. 46), 274

Sandwich de pain kabyle à la nigelle, canard confit et jus de viande réduit, 219

Sandwich de poulet grillé au pesto de tomates séchées, 115

Sandwichs « pita » au poulet et au chutney à la mangue, 99, 255

*Wraps* au bifteck et aux champignons, 118, 144, 285

*Wraps* au poulet et au pesto de tomates séchées, 134

*Wraps* au poulet grillé teriyaki, 116

**SAUCISSES**

Chipolatas grillées, 110

Couscous aux merguez, 127

Grillade de saucisses italiennes, 126

Merguez, 128

Saucisses épicées, 122

Saucisses épicées grillées, 110

Saucisses grillées, 274

Saucisses grillées chipolatas, 280

Saucisses italiennes grillées, 109

**SOUPES**

Crème de carotte au safran et moules, 78, 229, 255, 262

Potage (onctueux et riche) aux champignons sauvages et au café noir, 179

Soupe de cerfeuil tubéreux à l'émulsion de jaune d'œuf, copeaux de foie gras et poêlée de chanterelles (*), 242

Soupe de poulet à la citronnelle et à la noix de coco, 91, 92

**Vraie crème de champignons_Mc² (lait de champignons de Paris et mousse de lavande) (**), 91, 228, 240**

**SUSHIS**

Sushis avec gingembre, 319

Sushis pour amateurs de vin rouge (à la pommade d'olives noires, poivre et riz sauvage soufflé au café) (voir aussi chapitre *Recettes*, p. 40), 111, 131, 142, 143, 151, 169, 180, 181, 188, 189, 192, 194, 278, 282, 284

## VEAU

Blanquette de veau, 82, 122, 139

Brochettes de bœuf et de foie de veau, 279

Brochettes de bœuf et de foie de veau aux poivrons, 166, 183, 285, 290

Brochettes de bœuf et de foie de veau aux poivrons rouges confits, 156, 294

Brochettes de foie de veau et de poivrons rouges, 113, 124, 128, 286

Brochettes de foie de veau et de poivrons rouges accompagnées d'asperges vertes rôties au four à l'huile d'olive et au thym, 138

Côte de veau grillée au fromage bleu et réduction de porto, balsamique et miel, 309

Côte de veau rôtie et jus au café expresso (voir Carré d'agneau et jus au café expresso) (*)., 194

Côtes de veau et pâte concentrée de poivrons verts à la menthe (voir aussi chapitre *Recettes*, p. 50), 158

Côtes de veau et purée de pois à la menthe (*), 143, 278, 285, 290, 315, 316

Côtes de veau grillées et champignons portabellos, 201, 207

Côtes de veau grillées et champignons portabellos grillés, 208

Escalopes de veau à l'orange et aux amandes, 86

Escalopes de veau alla parmigiano, 122, 139

Escalopes de veau et lanières de poivrons rouges et verts, 124

Filet de veau sauce crémeuse à l'érable et aux noix, 237

Foie de veau (tranches épaisses) au poivre noir et sauté de poivrons verts et rouges au paprika, 285

Foie de veau à la vénitienne et polenta crémeuse au parmigiano (*), 132

Foie de veau accompagné d'un confit de betteraves et d'oignons rouges (avec une pointe de vinaigre balsamique), 134

Foie de veau aux oignons caramélisés, 115

Foie de veau en sauce à l'estragon, 114, 118, 120, 128, 136, 141, 282, 283

Foie de veau et confit de betteraves et d'oignons rouges, 185

Foie de veau et confit de betteraves et d'oignons rouges au vinaigre balsamique, 121, 156, 190, 191

Foie de veau et jus au café expresso (voir Carré d'agneau et jus au café expresso) (*), 125

Foie de veau sauce au poivre vert et à la cannelle, 124, 168, 170, 181, 271, 274, 275, 286

Fricassée de veau aux tomates séchées, 185

Hamburgers de veau à l'italienne (oignons rouges, poivrons rouges rôtis et paprika), 134

Jarrets de veau braisés au porto, 310

Joues de veau braisées aux tomates confites, 163

Osso buco, 131, 143, 144, 148

Osso buco à la gremolatta, 163

Osso buco accompagné de carottes rouges (cuites en fin de cuisson à même l'osso buco), 147, 165, 169, 193

Osso buco au fenouil et gremolata, 139, 140, 164, 165, 182, 198, 312

Osso buco de jarret de veau à la vanille de Tahiti et au chocolat, 218

Osso buco de jarret de veau à la vanille de Tahiti sauce liée au chocolat noir, 175, 217, 218, 312

Pâtes au fond de veau et champignons portabellas, 154

Rognons de veau au fromage bleu, 186

Rognons de veau aux baies de genévrier, 145

Rôti de veau à la dijonnaise, 125, 285, 308

Sauté de veau aux tomates séchées servi sur des nouilles aux œufs, 143

Veau marengo, 109, 137, 183

Veau marengo (de longue cuisson), 139, 144, 285

Veau marengo (de longue cuisson) et pâtes aux œufs, 131

Veau marengo (de longue cuisson) et pâtes aux œufs à l'huile de truffes, 184

Veau marengo de cuisson rapide, 126

Veau marengo sur pâtes aux œufs, 125

## Musique écoutée pendant la rédaction de *La Sélection Chartier 2011*

L'ayant fait, pour la première fois, dans le livre *À table avec François Chartier*, puis, à la suite des réactions favorables des lecteurs, dans les cinq précédentes éditions de *La Sélection Chartier*, tout comme sur mon site Internet (**www.francoischartier.ca**), je vous offre une fois de plus les musiques qui ont meublé mes lecteurs CD et iPod pendant mes heures de recherche, de dégustation, d'essais harmoniques, d'évasion et de rédaction de cette quinzième édition de *La Sélection*.

Dans mon esprit et dans mon cœur, vin et musique sont intimement liés, tout comme vin et mets. La musique se suffit à elle-même et mérite toute mon attention, mais, une fois que je me suis approprié une œuvre et que je me la suis bien « mise en bouche », elle m'accompagne alors tout au long du processus de création. Voilà pourquoi je partage régulièrement, à travers mes ouvrages et mon site Internet, les musiques qui m'inspirent et qui, je l'espère, enrichiront vos moments de lecture vineuse, de dégustation entre amis, de repas bien arrosés, de fin de soirée plus festive et, surtout, de moments d'écoute consacrés uniquement à LA musique.

Alain Bashung, *Osez Joséphine*

Eric Bibb, *Booker's Guitar*

Anouar Brahem, *The Astounding Eyes of Rita*

Juan Carmomna, *El Sentido des Aire*

Avishai Cohen Trio, *Gently Disturbed*

Miles Davis, *Ascenseur pour l'échafaud*

Antoine Dufour, *Existence*

Peter Gabriel, *Scratch My Back*

Jan Garbarek, *In Praise of Dreams*

Renaud Garcia-Fons Trio, *Arcoluz*

John Hassell, *Maarifa Street*

The Jimi Hendrix Experience, *Axis: Bold as Love*

Yaron Herman Trio, *Muse*

Sophie Hunger, *1983*

Vijay Iyer Trio, *Historicity*

Keith Jarrett, *J. S. Bach – Das Wohltemperierte Klavier*

Stanley Jordan, *Live in New York*

Barney Kessel & Red Mitchell, *Two Way Conversation*

André Laplante, *Chopin – Sonate Nᵒ 2 Opus 35*

Lhasa, *Lhasa*

Rudresh Mahanthappa's Indo-Pak Coalition, *Apti*

Dave Mattew Good Band, *Beautiful Midnight*

Andy McKee, *Joyland*

Messaïk, *Biomasse*

Simon Proulx & Étienne Lafrance, *En attendant l'été...*

Sylvain Provost Trio, *Désirs démodés*

Cynthia Sayer with Bucky Pizzarelli, *Attractions*
*(www.cynthiasayer.com)*

Raúl Simental, *Rio a Mar*
*(www.banderasnews.com/profiles/raul-simental.htm)*

Ralph Towner & Paolo Fresu, *Chiaroscuro*

Esperanza Spalding, *Chamber Music Society*

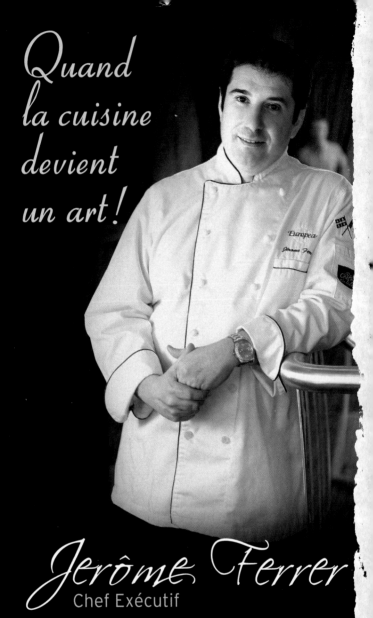